Liefdesspel

Van dezelfde auteur:

Cat
Fen
Pip

Freya North

Liefdesspel

2005 – De Boekerij – Amsterdam

Oorspronkelijke titel: Love Rules (HarperCollins Publishers)
Vertaling: Iris Bol
Omslagontwerp: marliesvisser.nl
Omslagbeeld: Getty Images/Barry Yee

ISBN 90-225-4208-4

Voor Lucy Smouha, Kirsty Johnson en Clare Grogan

Ik heb het getroffen met zulke vrienden

Something's gotten hold of my heart
Keeping my soul and my senses apart

Greenaway/Cook

Mark en Saul en Alice en Thea

MARK SINCLAIR MOCHT GRAAG DENKEN DAT 'EN ZE LEEFDEN nog lang en gelukkig' een vaststaand gegeven was. Hij geloofde dat het was weggelegd voor mensen met een goed hart en eerzame doelen; mensen wier daden hun oorsprong vonden in nobele principes. Maar nu hij dertig was, wist Mark Sinclair dat hij zijn geloof moest bijstellen. Hij moest zijn droom herzien en op zoek gaan naar een compromis. Dat wilde hij doen zonder cynisch te worden of zijn normen eronder te laten lijden. Hij moest gewoon de droom die hij al twintig jaar had laten schieten. Dat zou niet makkelijk worden. Maar de droom zou nooit uitkomen, hoe deugdzaam hij ook was.

De droom van Mark Sinclair was Alice Heggarty. Maar zij was verliefd geworden op een ander. Alweer. Dat was op haar vijfentwintigste het geval geweest, net zoals op haar drieëntwintigste, en daarvoor was het op de universiteit elk jaar raak geweest. Nog langer terug was het de aanvoerder van het rugbyteam op zijn school geweest. Het meisje van wie Mark al zo lang hield, was verdwenen en weer verliefd geworden, maar ditmaal was Alice bijna negenentwintig. Mark wist dat ze weloverwogen had besloten dat deze liefde moest duren tot ze ruim in de dertig was, en langer; dat deze liefde moest leiden tot een huwelijk, kinderen en een huis in een slaapstad. Ditmaal ging het om haar 'en ze leefden nog lang en gelukkig'. 'Dus droom maar lekker verder,' zei Mark streng tegen zichzelf. 'Droom maar lekker verder.'

Hij kende Alice al twintig jaar en hij had altijd hoop gehouden, omdat hij – als geduldig en principieel man – kalm het juiste moment had afgewacht. Hij bedacht dat Alice zijn droom nooit uiteen had laten spatten omdat hij die nooit openbaar had gemaakt. Trouwens, ze had het veel te druk gehad met voortdurend stapelverliefd worden op al die andere mannen, om die verliefdheid vervolgens weer even hard kwijt te raken. Toentertijd had Mark dat als heel positief ervaren en hij had er geen spijt van dat hij zijn eigen gevoelens geheim had gehouden. Daardoor had Alice immers nooit een negatief oordeel over hem geveld en had ze hem nooit afgewezen. Ze had hem nooit laten vallen voor een ander en ze had nooit tegen hem gezegd dat ze weer alleen 'goede vrienden' moesten worden.

Terwijl de minnaars haar leven in en uit stormden en de vriendinnetjes zijn leven binnen kwamen waaien, om vervolgens weer met stille trom te vertrekken, was de vriendschap tussen hen intact gebleven. Alice was nooit bezitterig ten opzichte van Mark, en hij accepteerde haar regelmatige onderdompelingen in de woeste draaikolk van een nieuwe liefde-lust. Sterker nog, Mark had het altijd heel bemoedigend gevonden dat Alice steevast op hetzelfde type viel, en dat dat type het tegenovergestelde was van hem. Dat betekende dat ze nooit was gevallen voor iemand als Mark; ze zocht altijd mannen uit die zijn absolute tegenpool waren. Lang, luidruchtig en blond als een filmster. Gespierde kerels met de reputatie van hartenbreker of mannen die een ijskoude knapheid en arrogantie hadden, van wie Alice er dan weer van overtuigd was dat ze hen kon veroveren en hen kon laten smelten. Dit had tot gevolg dat Mark niet jaloers kon zijn op de mannen in Alice' leven, hoewel hij wel afgunstig was op het feit dat ze Alice hadden. Of liever gezegd: hij was pissig dat zijn eigen 'en ze leefden nog lang en gelukkig' vertraging opliep door hen.

Heel stiekem was hij dan ook opgelucht dat die mannen haar altijd in de steek lieten. Het gaf hem meer voldoening voor Alice te zorgen als haar hart gebroken was dan om in haar gezelschap te verkeren als ze helemaal hyper en opgewonden was vanwege een nieuwe liefde. Hoewel het aan Marks ziel vrat om haar ongelukkig te zien, wist hij dat hij haar kon opvrolijken. Dat was iets waar hij heel goed in was en dat wakkerde zijn hoop aan, want als zijn droom uitkwam, zou hij haar nooit in de steek laten. Daar kon ze echt van op aan.

Waar Alice zich keer op keer in een nieuwe verhouding stortte, ging Mark een stuk voorzichtiger te werk. Tenslotte meende hij dat zijn verhoudingen maar tijdelijk zouden zijn. Nu Alice achtentwintig was – opnieuw verliefd, maar alweer niet op Mark – en nu Mark dertig was, was hij zo verstandig te erkennen dat 'tijdelijk' iets tussen twee punten betekende en dat het geen nut had nog langer op Alice te wachten. Omdat hij van haar hield en omdat hij getuige was geweest van de beroering in haar tienerjaren en de kwellingen toen ze een twintiger was, gunde hij haar rust en kalmte als dertiger, en daarna. Zelfs als haar vreugde en tevredenheid betekenden dat ze nooit meer op zijn schouder zou uithuilen.

Mark was blij voor Alice, maar hij was niet zo onbaatzuchtig dat hij niet verdrietig was om zichzelf. Hij had in de veronderstelling verkeerd dat, wanneer hij een goed leven leidde en hard werkte, wanneer zijn gedachten en daden zuiver waren, hij dan als beloning alles zou krijgen waar hij van had gedroomd. Dat bleek een foute veronderstelling te zijn. Met tegenzin moest hij nu accepteren dat goed gedrag, gekoppeld aan het geloof in de kracht van zijn wensen, uiteindelijk niet tot de hoofdprijs zou leiden. Noch Alice, noch de Man Die Met Haar Zou Trouwen had iets verkeerd gedaan of kon daar de schuld van krijgen. Dat hij niet langer geloofde in een sprookjesachtig, gelukkig einde, wilde nog niet zeggen dat de toekomst voor altijd zwart zou zijn.

Hij zou zijn verlangens temperen zonder een compromis als iets negatiefs te zien. Hij moest al die aardige meisjes niet meer vriendelijk afwijzen na het vierde of vijfde afspraakje. Het werd tijd dat hij het grote geheel eens goed in ogenschouw nam. Er waren twee of drie meisjes geweest die hij ontzettend aardig had gevonden. Vroeger, als hij ze echt lief ging vinden, vakanties plande, ter ere van hen masturbeerde en bij Tiffany een kleinood uitzocht om zijn affectie te laten blijken, had hij in gedachten altijd een beeld van Alice gezien die op haar horloge keek. Alsof ze op hem wachtte. En hoewel hij de leuke meisjes voorzichtig afwees, wilden ze allemaal bevriend met hem blijven. Mark, zo had Alice ooit eens tegen een vriendin die single was gezegd, was echt een schat van een man.

En dat was hij omdat hij twintig jaar lang had geloofd dat al je dromen zouden uitkomen als je je maar correct gedroeg.

Ongeveer op hetzelfde moment dat Mark Sinclair zijn lot aanvaardde, kostte het Saul Mundy enige moeite het zijne onder ogen te zien. Saul was al drie jaar samen met Emma toen hij in een bar een knappe, vriendelijke blondine ontmoette. Ze praatten en lachten en flirtten een beetje. Saul verlangde niet echt naar haar en hij was niet van plan om haar telefoonnummer te vragen of stiekem een beetje met haar te vrijen. Tot die avond had hij het prettig gevonden om af en toe onschuldig te flirten. Daarna was hij de vrouw in kwestie snel weer vergeten, en zijn genegenheid voor Emma en zijn monogamie werden er niet door beïnvloed. Maar die avond ging het er niet zozeer om dat hij de blondine wilde als wel dat hij Emma niet wilde.

Hij zette de blondine uit zijn gedachten, nam haastig afscheid van zijn vrienden en strompelde verdwaasd Tottenham Court Road op. De plotselinge helderheid waarmee hij de situatie bezag, was lelijk, maar hij kon het niet negeren. Als hij dat wel deed, zou hij al snel zelfvoldaan worden en zou zijn eerlijkheid worden vervangen door verraad. Saul was niet van plan dat te laten gebeuren. Hij ging er prat op altijd het juiste te doen en hij zou nu linea recta naar huis gaan om de daad bij het woord te voegen. Hij moest wel, hij was het verplicht. Het zou veel makkelijker zijn om te blijven dan om te vertrekken, veel makkelijker om net te doen alsof er niets aan de hand was dan om alles eerlijk te bekennen, veel makkelijker om zijn gevoelens te verbergen dan om ze op te biechten; maar Saul geloofde niet langer in zijn relatie. Zelf vertrekken was het enige eerzame dat hij kon doen. Terwijl hij wachtte op een taxi, ging hij huiverend in de deuropening van een winkel staan en hij keek naar de stoep die werd overspoeld door regen. Die leek perfect geboend, als een grondig in de lak gezette vloer. In werkelijkheid was het gewoon grijs beton dat nat en vuil was. In werkelijkheid was het saai, wat het ook probeerde te bedekken. Oppervlakkige details waren waardeloos als de zuiverheid van de structuur ontbrak. Saul kon nauwelijks geloven dat de afgelopen drie jaar van zijn leven te vergelijken waren met een Londense stoep.

Die ochtend had hij zijn huis verlaten om naar zijn werk te gaan. Nu kwam hij alleen terug om de deur voorgoed achter zich dicht te trekken. Had hij Emma die ochtend een zoen gegeven? Hij wist het niet meer. Was het aanbod van alleen goede vrienden te blijven een mogelijkheid, of was dat een laffe afleidingsmanoeuvre? Zou ze hem geloven als hij zei dat het hem heel erg speet, dat hij wel van haar hield en het vreselijk vond om haar pijn te doen? Dat het niet aan haar lag, maar aan hem? Zou ze geloven dat hij oprecht vond dat ze meer verdiende dan hij haar kon geven? Dat het niet zijn bedoeling was om te klinken als al de artikelen in die vrouwenbladen die ze las terwijl ze lui in een bubbelbad lag, en die hij las als hij had vergeten een *Evening Standard* te kopen? Hij betwijfelde het.

Hij liet zich door de taxi afzetten op Upper Street en met tegenzin, maar gelaten, liep hij naar de woning, naar Emma die zich nog nergens van bewust was en die op hem wachtte in het huis dat ze gezellig maakte voor hem.

'Ik hunker niet meer naar je,' fluisterde Saul met gesloten ogen terwijl hij zijn voorhoofd tegen de deurpost liet rusten, 'en dat zou wel moeten. Het is een voorwaarde waar ik niet aan kan tornen.' Zelfs uit de diepste krochten van zijn ziel kon hij geen greintje hunkering opwekken. Hij mocht dan warme gevoelens voor haar koesteren, wat ook altijd zo zou blijven, hij wist voor honderd procent zeker dat het niet genoeg was. Was er maar een vriendelijker manier om zo ogenschijnlijk wreed te zijn. Maar de radicaalste breuk zou bewerkstelligd worden door zijn hoofd koel te houden om zijn gevoelens te ontcijferen, al wist hij dat Emma alleen harteloosheid op zijn gezicht zou kunnen lezen. Voor de laatste keer stak Saul zijn sleutel in het slot.

Tien jaar voor Mark en Saul het licht zagen, zag Thea Luckmore dat al toen Joshua Brown haar dumpte op het feest ter ere van Alice Heggarty's achttiende verjaardag. Het deed er niet toe dat hij vervolgens in de keuken heftig zoende met Rachel Hutton en het was ook onbelangrijk dat een woedende Alice Woodpecker-cider over zijn hoofd had gegooid en hem had toegebeten dat hij een zak was die moest oprotten. Het deed er zelfs niet toe dat Joshua haar niet meer wilde. Waar het om ging, was dat Thea nog steeds verliefd op hem was. Ze vroeg niet aan Alice wat ze moest doen om hem terug te winnen – nee, ze vroeg wat ze moest doen met al haar gevoelens van verliefdheid.

Volgens Alice moest ze Joshua kwaad maken door iets te beginnen met zijn vriend.

'Maar ik voel helemaal niks voor hem,' had Thea verklaard.

'Precies, dus het zal heel makkelijk zijn,' had Alice bemoedigend gezegd.

'Alice,' had Thea geprotesteerd. 'Ik kan niet iemand zoenen die ik niet leuk vind.'

Hoewel de vriend van Joshua Brown Thea maar wat graag had getongd, had Thea ter plekke besloten om haar zoenen voor zichzelf te houden als ze geen huivering van begeerte voor iemand voelde, als ze er geen toekomst in zag, als haar hart niet vol verlangen opzwol. Warmte of wraak was niet voldoende. Ze besefte dat het ging om de liefde die ze voor Joshua voelde, ook al was hij een lul. Ze had genoeg Jane Austen gelezen om te weten dat liefde iets goeds was en dat het een vereiste was voor een gelukkig leven, of het je nou een geweldig of een verschrikkelijk gevoel bezorgde.

De student toneelwetenschappen met zijn zwartgeverfde haar was degene die Thea's hart veroverde in haar tweede jaar aan de universiteit van Manchester. Hoewel ze nooit helemaal zeker wist of hij zijn diepste gevoelens uitte of zijn tekst oefende, aanbad ze hem en deed ze niets liever dan hem overstelpen met liefde. Ze rookten wiet. Ze hadden bijpassende, slordige paardenstaarten. Ze maakten grote pannen ratatouille en vonden diepzinnige, gewichtige boodschappen in de teksten van Joy Division. Ze zwolgen in de intensiteit van hun gedeelde wereld. In de zomervakantie gingen ze samen op Interrail en sliepen ze op stranden, keken ze naar zonsondergangen en beweerden ze E. E. Cummings echt te begrijpen. Vlak voor haar laatste tentamens het jaar erop was hij ineens niet meer verliefd op Thea en verkondigde hij dat de liefde de kwelling van het leven was. Ook beweerde hij dat zijn pijnlijke gevoelens hem knettergek maakten.

'Zei hij letterlijk "knettergek", Thea?' vroeg Alice, die niet zeker wist of er ruis was op de telefoonlijn van Cambridge naar Manchester of dat ze Thea's gesnik hoorde.

'Ja,' zei Thea, 'maar hij zei ook dat zijn liefde voor mij zo meeslepend was dat...'

'... die hem dreigde te verzwelgen?' onderbrak Alice haar. 'Het leven is de kwelling van de liefde, of andersom?'

'Ja!' Thea snakte naar adem, blij dat Alice dit kennelijk zelf een keer had meegemaakt, ongetwijfeld met die derdejaars van Trinity College met die dubbele achternaam.

'Heeft hij ook iets gezegd in de trant van dat alleen de wind der tijd zou bepalen waar zijn zaad zou vallen en wortel zou schieten?' vroeg Alice.

Daar dacht Thea even over na. 'Ja,' zei ze aarzelend.

Met haar liefste stem zei Alice: 'Weet je nog dat je me hebt meegenomen naar dat vreselijke toneelachtige gedoe, dat performancegezeik toen ik vlak voor kerst bij je logeerde?'

'Ja,' zei Thea weifelend.

'Toen droeg hij het prozagedicht van zijn vriend toch voor?' Daar reageerde Thea niet op. 'Maar jij had het zo druk met hem verliefd aankijken dat je er geen woord van hebt meegekregen.'

Thea's gebroken hart viel rinkelend tegen een hard gevoel van schaamte in haar buik, en ze was sprakeloos.

'Thea,' ging Alice vriendelijk, maar vastberaden verder, 'geloof mij nou maar: op een dag zul je heus een nieuwe liefde vinden en dan zul je om deze liefde lachen. Dan zullen we er samen om lachen. Echt, we zullen er zo hard om lachen dat we het in onze broek doen.'

Dat was een belofte, en Alice hield zich altijd aan haar beloftes. Zij was de enige ter wereld die Thea vertrouwde. En Alice bleek gelijk te hebben. Nog altijd zorgde de herinnering aan de knettergekke student voor veel hilariteit en kenden ze het prozagedicht van zijn vriend uit hun hoofd. De knettergekke student had Thea geen blijvende schade berokkend en hij had haar ook nooit laten twijfelen aan de waarde en de kracht van halsoverkop verliefd worden. Thea Luckmore was geen type voor compromissen.

Tien jaar later, terwijl ze een kom soep at, zag Alice het licht, niet meer dan een paar maanden na Mark en Saul. Ze had net haar kantoor bij Tower Bridge verlaten, met een paar tijdschriften die vers van de pers kwamen. Hoewel ze in eerste instantie al niet van plan was met het openbaar vervoer te gaan, werd het feit dat ze een taxi nam verder gerechtvaardigd door de ijzige novemberkou.

'Naar Chiltern Street, alsjeblieft,' zei ze tegen de taxichauffeur. 'Aan de kant van Paddington Street. Je weet wel, vlak bij Baker Street.'

'Dat hoef je mij niet te vertellen,' zei de chauffeur plagend. Alice keek hem verward aan. 'Het is mijn werk, lieffie,' vervolgde hij gemoedelijk. 'De kennis van de stad? Een kortere weg? Handige achterafstraatjes? Busbanen? Wonderbaarlijk genoeg ken ik Chiltern Street.'

'Sorry,' zei Alice gedwee. 'Ik wilde niet...'

Ineens bedacht ze dat Bill een pesthekel had aan haar gewoonte om de weg te wijzen als ze niet reed. In het begin van hun relatie had hij haar er goedmoedig mee geplaagd en zelfs naar haar geluisterd. Een jaar later irriteerde het hem mateloos. 'Nou, waar wil jij heen?' vroeg hij dan vlak voor ze wegreden, met een zucht alsof hij zwaar onder de plak zat. En als de route die Alice had gekozen langer was of er heel veel verkeersheuvels waren, of er aan de weg werd gewerkt of er heel veel stoplichten waren, dan liet hij zijn afkeuring en ergernis blijken door een ijzige stilte.

'Ik ben niet iemand die per se alle touwtjes in handen wil hebben,' zei Alice hardop, niet echt tegen de taxichauffeur, al was het niet zo dat haar opmerking kant noch wal raakte. 'Het is geen obsessie, alleen een karaktertrekje.' Ze keek uit het raampje en wilde vragen waarom hij op dit tijdstip via de Embankment ging in plaats van via Farringdon, maar ze beet op haar lip. Was het een weerzinwekkende eigenaardigheid van haar? Moest ze haar best doen om het te veranderen? Ze voelde hete tranen prikken. De hele ochtend had ze ze al in bedwang gehouden en haar keel deed pijn van alle moeite die dat had gekost. 'Hier moet ik zijn!' blafte ze onbedoeld tegen de taxichauffeur, die direct naar de kant ging en de auto stilzette.

'Kun je tegen Thea zeggen dat ik er ben?' vroeg ze aan de receptioniste in het pand waar Thea werkte.

Thea's 'nou, nou' was precies wat Alice wilde horen en waarom ze in haar lunchpauze half Londen had doorkruist. Die twee woordjes brachten de tranenstroom teweeg. 'Nou, nou,' zei Thea opnieuw, waarop Alice nog harder ging huilen. 'Jij kunt wel wat soep gebruiken,' zei Thea troostend en ze nam Alice mee naar Marylebone High Street.

Gehoorzaam at Alice wat. 'Ik weet dat ik net zo klink als de knettergekke student,' gaf ze na een paar lepels toe, 'maar als ik er nu geen einde aan maak, zal het me verzwelgen. En dan word ik uiteindelijk uitgespuugd. Alweer. Ik ben er zo moe van.'

Hoewel Thea precies wist hoe het gezicht van haar vriendin eruitzag, bekeek ze het objectief en constateerde dat haar huid bleek was, er een doffe blik in haar ogen lag en haar jukbeenderen te scherp waren om mooi te zijn. Ze was gewoon te mager, en het was duidelijk te zien dat dat door stress kwam en niet door ijdelheid. 'Ik ben bijna dertig,' fluisterde Alice mat. 'Wanneer leer ik het nou eens?'

'Dáár maak je je toch niet druk om?' Thea zou een maand voor Alice dertig worden.

'Kijk hier eens naar.' Alice liet Thea het nieuwe nummer van het blad *Lush* zien. 'Dit nummer is Alice Heggarty ten voeten uit.'

Thea las de slogans op de cover hardop: 'MEER SCHOENEN DAN EEN SCHOENENWINKEL.' Ze keek Alice aan. 'Maar elk paar dat je koopt, draag je tot het versleten is. EEN CHEF-KOK IN DE KEUKEN, EEN HOER IN DE SLAAPKAMER.' Thea gaf een klapje op de cover van het tijdschrift. 'Dat is iets waar anderen je om benijden.'

'Kijk dan!' zei Alice. 'VERLIEFD WORDEN OP DE VERKEERDE.' Met haar vinger wees ze op het blad. 'GEK VAN HARTSTOCHT,' las ze gedragen voor. 'HOPELOOS VERLIEFD OF ALLEEN WELLUSTIG? Jezus, ik hoor die bladen uit te geven in plaats van de inspiratiebron te zijn voor al die stomme artikelen.' Na een diepe zucht geslaakt te hebben ging ze wat kalmer verder. '*Lush* is bedoeld voor twintigers, Thea. Ik ben zowat dertig en ik val nog altijd ten prooi aan al deze onzekerheden en problemen.'

'Bill,' mompelde Thea dreigend. Ze beboterde een dik stuk brood en doopte het in de soep. Tevreden zag ze de boter van het brood af glijden en oplossen in de soep.

Alice sloeg haar handen voor haar ogen. 'Als je het hardop zegt, moet het wel waar zijn,' zei ze. 'Als ik in jouw ogen kijk, kan ik de waarheid niet meer ontkennen.' Ze legde haar handen in haar schoot en staarde Thea aan. 'Hij is niet de ware voor me. Zo eenvoudig is dat,' fluisterde ze. 'Ik ben uitgeput. Ik ben een hopeloos verliefde wellusteling die gek is van hartstocht.'

'Wil je medeleven of de harde waarheid?' vroeg Thea.

'Je bent mijn beste vriendin. Je moet me vertellen wat ik moet weten, zelfs al is dat niet wat ik wil horen.'

Kalmpjes keek Thea haar aan en ze hield haar hoofd een beetje schuin. 'Je hebt gelijk,' zei ze schouderophalend. 'Bill is de verkeerde man voor je.' Even kreeg Alice de neiging om Bill te verdedigen, maar Thea was haar voor. 'Wat positief is aan Bill,' zei ze, 'is dat hij hartstikke knap en charmant is. En hij heeft een prachtige auto. Fysiek vormen jullie een heel mooi stel. Maar jullie relatie is lelijk.' Ze had genoeg knetterende ruzies, kwetsend sarcasme, ijzige stiltes en oneindig gekibbel gehoord om met kennis van zaken te spreken.

'Het kost allemaal zo veel moeite.' Alice roerde in haar soep alsof het een kop thee met veel suiker was. 'Ik moet telkens zijn liefde zien te winnen en ervoor zorgen dat hij naar me verlangt. En als dat lukt, wil ik het soms helemaal niet,' bekende ze. 'Ik vind het vreselijk om me zo verdomd onzeker te voelen, terwijl ik niet eens geloof dat ik hem graag mag.'

'Hij is wat hij is,' zei Thea eerlijk. 'Een stuk, afstandelijk, rijk en een klootzak.'

'Het is net alsof we altijd een of ander idioot machtsspelletje spelen; of ik heb hem kwaad gemaakt of ik zit te mokken om hem op die manier te manipuleren.' Alice zweeg even. 'We schieten steeds van zijn kille stiltes naar mijn nukkige driften, en dat is doodvermoeiend.'

'De bekende playboy,' zei Thea. 'Hij werd aangetrokken door jouw uitbundigheid, maar eigenlijk zou hij beter af zijn met een bimbo of een timide vrouwtje.'

'En een verandering?' vroeg Alice timide, en vrij dubbelzinnig.

'Bij jou of bij hem?' vroeg Thea venijnig. 'Waag het niet om een compromis te zoeken. En waar wil je hem eigenlijk in veranderen? En zeg nou niet: een kikker.'

Maar Alice zat heel ergens anders met haar gedachten en ze staarde in de verte, een nieuwe Bill creërend. Of liever gezegd: ze bedacht een volkomen nieuwe man die alleen iets van Bill weg had. 'Een rustig iemand. Iemand die me aanbidt en aan wiens gevoelens ik nooit zal twijfelen. Iemand die het niet erg vindt dat ik aanwijzingen geef in de auto. Iemand bij wie ik me veilig voel, iemand bij wie ik niet in paniek raak als zijn mobieltje uitstaat. Iemand die geen spelletjes speelt of maar wat aan kloot. Iemand die niet met anderen flirt waar ik bij sta. Of als ik er niet bij ben.'

Of met je vriendinnen, dacht Thea. Bill had meer dan eens een tikje te veel aandacht aan haar besteed. Met hun lepels schraapten ze hun soepkommen leeg en depten de laatste restjes op met brood.

'Ik had er maanden geleden al een eind aan moeten maken.' Alice liet haar stem dalen tot een fluistering. 'Maar in zekere zin was het makkelijk om gewend te raken aan de fantastische goedmaakseks die we altijd hadden na een van onze ruzies. Maar weet je? Als het niet na een ruzie is, gaan we haast nooit met elkaar naar bed. En we hebben nooit, echt nooit, de liefde bedreven.'

Thea snoof minachtend. 'Ik ben al elf maanden met niemand naar bed geweest. Ik heb niet de liefde bedreven, gevreeën, geneukt, genaaid of gewipt.'

'Dat komt door je idiote maatstaven,' zei Alice half lachend. 'Waarom ga je niet gewoon het klooster in? Dan ben je ervanaf.'

'Shit.' Thea was atheïst. 'Ik ben gek op seks. Ik snak ernaar geneukt te worden, alleen ben ik nog niet zo wanhopig dat ik mijn normen naar beneden bijstel.'

'Moeten ze eigenlijk hun romantische bedoelingen verkondigen en zeggen dat ze in echte liefde geloven voor ze erin komen?' vroeg Alice plagend.

'Flikker een eind op!' zei Thea. 'Je begrijpt me verkeerd. Zíj mogen voelen wat ze willen, gedichten maken en op een knie vallen. Maar als ík niet in vuur en vlam sta voor hen, als ík geen vonkje voel, dan gebeurt er helemaal niks.'

Ze bestelden allebei thee en een stuk taart om te delen.

'Jij bent verliefd op het gevoel van verliefd zijn.' Alice verdeelde de taartpunt met haar vork en liet Thea tussen de stukken kiezen. 'Terwijl ik smacht naar wellust.'

'Dat klinkt als een tijdschriftartikel.' Thea koos de achterkant van het stuk taart, in plaats van de punt.

Alice bekeek de cover van *Lush* en ze snoof even. 'VAN HARTZEER NAAR EEN SPROOKJESACHTIG EINDE IN ZEVEN STAPPEN.' Ze liet een korte stilte vallen. 'Misschien moet ik de dingen die ik publiceer ook in praktijk brengen.'

De meiden bladerden naar het bewuste artikel. Geen van beiden geloofden ze dat stap 1 (TIJD VOOR EEN NIEUW IK: NEEM EEN SPAN-

NEND NIEUW KAPSEL!) de oplossing bood. Ook stap 2 (FLIRT MET DE BROER VAN JE BESTE VRIENDIN!) was volslagen onhaalbaar. Thea's oudere broer was een academicus met een woeste baard die hen allebei nogal nerveus maakte. Stap 3 en 4 waren nogal voorspelbaar: CREËER TIJD VOOR JEZELF!!!! en: WEES OP JE HOEDE ALS JE RELATIE NET UIT IS, EEN KORTSTONDIG AVONTUURTJE IS GEEN OPLOSSING VOOR DE LANGE TERMIJN!!!

'Stap 5 is wel interessant,' zei Thea. 'HET GAAT ER NIET OM VAN WIE JE HOUDT, MAAR HOE JE VAN IEMAND HOUDT!!!'

'Ik heb een bloedhekel aan uitroeptekens,' zei Alice. 'Ik moet eens een hartig woordje spreken met de redactie.'

'PAS JE LIJSTJE MET WENSEN AAN!!!' las Thea stap 6 voor. 'Misschien is het een idee om je eisen wat nieuw leven in te blazen.'

'En hoe zit het met jou?' kaatste Alice terug. 'Waarom ben ik de enige die zijn diepste wezen moet doorgronden en zijn intiemste gevoelens moet blootleggen?'

'Omdat ik het niet erg vind om celibatair te zijn terwijl de echte liefde buiten mijn bereik blijft.'

'Jij hebt vast de beste vibrator ter wereld,' mompelde Alice.

'Jij kunt het weten, want jij hebt hem voor me gekocht,' zei Thea opgewekt.

'Ik heb hem gratis gekregen.' Alice stak haar tong uit.

'Dan had je hem beter voor jezelf kunnen houden.' Thea had het laatste woord.

'Stap 7.' Alice ging verder met het artikel. 'WORD WAKKER!!! VOOR HETZELFDE GELD STAAT HIJ VLAK VOOR JE NEUS!!!'

'De postbode!' zei Thea, zogenaamd enthousiast.

'De man van ons reclamebureau,' zei Alice geestdriftig. Thea keek haar streng aan, maar Alice likte langs haar lippen en gaf haar een knipoog. Maar toen, als een mist die langzaam neerdaalde, verscheen er van de zenuwen een doffe blik in haar ogen en gingen haar mondhoeken hangen. Ach, het was maar een tijdschriftartikel met te veel uitroeptekens en voor een doelgroep die minstens vijf jaar jonger was dan zij. 'Vanavond maak ik het uit met Bill,' zei Alice rustig, maar beslist. 'Wedden dat het hem koud laat?'

'Volgens mij geeft hij wel om je,' zei Thea, 'maar ik denk dat het toch wel goed is om het uit te maken. Ik moet ervandoor. Over vijf minuten heb ik een klant en dan mogen mijn handen niet koud zijn.'

'Heb je later nog tijd?' vroeg Alice met trillende stem en een kwetsbare blik op haar gezicht. 'Voor het geval ik je nodig heb?'

'Tuurlijk.' Thea haalde haar schouders op, alsof het de stomste vraag was die je je beste vriendin kon stellen.

Dus Mark Sinclair bleek het bij het juiste eind te hebben. Zelfs zo erg dat hij zich een poosje afvroeg of er iets mis was. Alice Heggarty zou inderdaad op haar dertigste getrouwd zijn, precies zoals hij had voorspeld. Eigenlijk zou ze eenendertig worden tijdens haar huwelijksreis want door haar aandacht voor details en haar afkeer van compromissen werd de bruiloft op de lange baan geschoven om naaisters, een bloemist, een zaal en een taartenbakker te kunnen inpassen. Hoewel ze normaal gesproken ook haar verjaardag tot in de puntjes had geregeld, wist ze in dit geval niet waar ze zou zijn als ze eenendertig werd. Dat mocht de bruidegom bepalen, en die taak had ze met liefde aan hem overgedragen, zolang hij haar maar verzekerde dat het er ongehoord luxueus zou zijn. Tenslotte was het alom bekend dat ze droomde over het Caribisch gebied.

Het enige waar Mark naast zat, was de bruidegom van haar keus. Alice ging niet met Bill trouwen. Maar in alle andere opzichten had Mark gelijk gehad. Nu bleek dat je inderdaad een 'en ze leefden nog lang en gelukkig'-einde kon krijgen als je een fatsoenlijk iemand was. En blijkbaar was Mark Sinclair het schoolvoorbeeld van fatsoen geweest. Want Alice Heggarty ging met hem trouwen.

Thea Luckmore

THEA LUCKMORES KLANT VAN TWAALF UUR, EEN MAN VAN HALverwege de dertig met een goede conditie, kreunde onder haar. Ze bleef hard en gelijkmatig drukken tot ze voelde dat hij zich overgaf, dat de strakheid van zijn lichaam wegvloeide en de grimas op zijn gezicht veranderde in een opgeluchte uitdrukking. Onder haar handen voelde hij nu even zacht als zijn opgeluchte zucht had geklonken. Ze maakte haar aanraking wat zachter en veranderde van ritme en patroon om af te bouwen. Als laatste legde ze haar handpalmen tussen zijn schouderbladen op zijn naakte rug en haalde ze diep adem. Ze sloot haar ogen en voelde de warme uitwisseling tussen hen. Zachtjes, maar langdurig ademde ze weer uit en opende haar ogen.

'Goed,' zei ze, terwijl ze haar handen heel langzaam van hem afhaalde, 'je bent helemaal klaar.' Ze vroeg zich af of hij in slaap was gevallen.

'Kan me niet bewegen.' Zijn stem klonk gesmoord in het matras. 'Verbazingwekkend.'

'Ik laat je nu alleen, zodat je nog even kunt uitrusten en je kunt aankleden.' Thea sloot de deur zachtjes achter zich, waarna ze haar handen ging wassen. Met haar vochtige vingers streek ze door haar haar, zodat haar korte, wilde kapsel een zekere nonchalance kreeg. 'À la Audrey Hepburn,' zei haar moeder altijd. 'Als Audrey tenminste vaalbruin was geweest.' Sinds de knettergekke knul op de universiteit was Thea's haar niet meer lang genoeg geweest om in een staart te dragen.

'Jezus, wat was dat lekker,' zei haar klant met een grijns. Hij overhandigde haar vijftig pond, al had hij ook best het dubbele willen betalen. 'Mag ik jou volgende week weer?'

De sessie had Thea uitgeput. Haar botten voelden zacht aan en haar gewrichten waren stijf. Vaak waren de klanten met de extreemste resultaten ook degenen van wie zij in het hele proces alle negatieve energie absorbeerde. Daarom voelde zij zich zo verzwakt, terwijl zij zich zo energiek voelden. Ze bewoog haar handen heen en weer alsof ze iets wilde kwijtraken, schudde met haar armen en benen en spetterde wat koud water op haar gezicht. Even kwam ze in verleiding op bed te gaan liggen om een uurtje te slapen, maar ze kon zich ook vermannen en een wandelingetje maken op deze prachtige lentedag. Thea Luckmore probeerde altijd het juiste te doen, zelfs al was dat iets waar ze niet zo veel zin in had. Daarom deed ze het schuifraam open om de kamer te luchten en ging ze naar buiten voor een energieke wandeling. Met een dik belegd broodje van Pret a Manger liep ze naar Paddington Street Gardens, waar ze een geïmproviseerde picknick hield met als gezelschap en licht amusement het tijdschrift *Heat*.

Op haar mobieltje zag ze dat ze twee telefoontjes van Giles had gemist. En een bericht op haar voicemail. Thea voelde zich onder druk gezet. Giles was best aardig. 'Maar niet aardig genoeg,' legde ze uit aan een duif die op korte afstand van haar op en neer hipte, in de hoop dat ze kruimels zou laten vallen. 'Ik heb geprobeerd hem uit te leggen dat ik te veel waarde hecht aan onze vriendschap om die te riskeren door een relatie met hem te beginnen, maar dat zag hij meer als een uitdaging dan als een voorzichtige afwijzing.' Er viel wat beleg van haar broodje op de grond, maar kennelijk hield de duif niet van avocado. Geduldig bleef hij hippen en koeren. 'Ik vind hem aardig, maar ik sta niet in vuur en vlam voor hem. Als ik geen vonk voel, is het zinloos.' Na gepikt te hebben in een plakje tomaat wees de duif het af, daarom gaf Thea hem nog wat brood. 'Ik moet gewoon ronduit tegen hem zeggen dat hij mijn type niet is. Niet dat ik echt een type heb.' Ze zag de duif worstelen met de stevige volkorenkorst en de aanvallen van andere vogels afslaan. 'Dat is maar een gevoel.'

Thea had niet verwacht dat haar klant van zes uur te vroeg zou zijn; ze had eigenlijk gedacht dat hij minstens tien minuten te laat zou zijn. Ze had op basis van haar jarenlange ervaring de theorie ontwikkeld dat haar klanten in de wintermaanden meestal vroeg waren, als ze vanwege guur weer en de snel invallende avond haastig een taxi namen. Daar verontschuldigden ze zich dan altijd voor, alsof ze heel vrijpostig waren door zich in de wachtkamer op te warmen. Zodra het lente werd, wandelden haar klanten naar haar toe, of stapten ze een paar haltes eerder uit de bus. Als het lekker weer was, hadden ze er gewoon niet zo veel behoefte aan om naar binnen te gaan. Omdat maart dit jaar een van de warmste in tijden was, arriveerden Thea's klanten niet op tijd. Behalve deze dan. Dat was onverwacht, maar niet half zo onverwacht als om Alice ook in de wachtkamer te zien. Alice en de klant stonden ongemakkelijk naast elkaar en keken haar elk smekend aan, als twee puppy's in een dierenwinkel die om haar aandacht wedijverden. Geluidloos zei Thea 'ik kom zo bij je' tegen haar klant en met een hoofdbeweging gebaarde ze dat Alice haar moest volgen naar de kitchenette. Nog altijd als een mimespeler trok ze haar wenkbrauwen op om Alice om uitleg te vragen. Op dat moment dacht Alice dat haar beste vriendin heel geschikt zou zijn als schooldirectrice. Sterker nog: plotseling was ze een beetje verlegen omdat ze zomaar was langsgekomen om Thea te verrassen, terwijl haar afspraak van zes uur bij de receptie stond te wachten. 'Hier,' zei ze met een gemaakt, schaapachtig stemmetje en een 'sla me niet'-blik op haar gezicht. Ze stak Thea een stel tijdschriften toe. 'Deze zijn voor je wachtkamer.'

'Is alles goed met je?' fluisterde Thea discreet.

'Prima.' Alice deed haar best om ook te fluisteren, maar ze merkte dat haar stem piepte door een glimlach van buitengewone proporties. 'Ik moet je iets vertellen.'

'Over een uur ben ik klaar,' zei Thea. Ze wierp een blik op de klok en zag dat het zes uur was. 'Misschien iets eerder als hij vandaag geen lange sessie nodig heeft.'

Alice wachtte in de kitchenette terwijl Thea met haar klant naar boven ging. Hun voetstappen werden begeleid door een gesprek over koetjes en kalfjes. Daarna ging ze terug naar de wachtkamer, waar ze de tijdschriften van een concurrerende uitgever weghaalde en haar exemplaren van *BoyRacer*, *GoodGolfing*, *FilmNow*, *YachtUk*, *Stitch Design* en *Vitesse* neerlegde. Hopelijk zat er voor al Thea's klanten iets bij. Ze ging zitten en wachtte, spelend met haar haar. Ze stak het op in een wrong, ze vlocht het in en ze liet het loshangen, zodat het golvend op haar rug viel. Met een glimlach dacht ze aan vroeger, toen ze allebei gek van paarden waren geweest en Thea vaak bewonderend had gezegd dat Alice' vlasblonde haar net op een echte paardenstaart leek.

'Wat is het toch dik en mooi,' zei ze dan.

'Het is lastig,' had Alice afkeurend gereageerd. 'Ik vind jouw zijdeachtige, zachte haar veel mooier.' Dan borstelde Thea het haar van Alice tot het glad was met een techniek die ze op de manege hadden geleerd: met de bos in een hand terwijl de lokken zacht, ritmisch en geleidelijk werden glad geborsteld. Tot slot nam ze de bos dan nog een keer in haar hand en draaide hem een keer om, waarna ze hem liet vallen en het haar in een klitloze waaier omlaag viel.

'Als we pony's waren, zou jij een palomino zijn en ik een doodgewone saaie vos,' had Thea zonder een spoor van wrok gezegd.

'Trek mijn donkere haren dan maar snel uit!' had Alice uitgeroepen. 'Kennelijk mogen palomino's niet meer dan twaalf donkere haren in hun staart hebben.'

Zelfs nu nog speurde Thea automatisch Alice' haar af. Maar als er donkere haren te vinden waren, zou Alice haar chique kapster de mantel uitvegen. Haar haar was nog altijd vlasblond, maar voor de glans en schittering van haar jeugd waren nu repen aluminiumfolie nodig en twee uur durende luchtige gesprekken over vakanties en soaps met de vrouw die haar haar verfde, en elke twee maanden een klein kapitaal.

Om tien voor zeven leek Thea's klant van zes uur zowat de trap af te zweven en hij betaalde contant voor het gevoel alsof hij in de zevende hemel was. Alice verschool zich achter het exemplaar van *BoyRacer* en wachtte tot Thea naar haar toe kwam.

'Klaar?' vroeg ze.

'Bijna,' zei Thea. 'Ik moet alleen de kamer nog even opruimen.'

'Zal ik meegaan om te helpen?' stelde Alice voor.

'Als je wilt,' zei Thea lachend.

Thea's kamer, helemaal boven in het gebouw, was in vierkante meters niet groot, maar hij zag er fris uit en leek ruimer dan hij was door de rare hoeken van de muren en de dakvensters. De kamer was gebroken wit geschilderd, wat de echte vorm van de muren verhulde en de kleine ruimte groter deed lijken. Op de grond lag een lichte beuken laminaatvloer. Onder een grote balk stonden een klein gefineerd bureau met twee stoelen van matwit plastic. Het bed stond midden in de kamer. Op de planken in de alkoof lagen stapels handdoeken. Op de onderste plank stonden drie manden, bekleed met bedrukte katoenen stof, die gevuld waren met smeersels en lotions in prachtige flessen van donkerblauw glas.

'Het is mooi geworden na de opknapbeurt,' zei Alice. 'Zijn alle kamers op dezelfde manier gedaan?'

Thea knikte. 'We hebben ook nieuwe bedden. Het is een fijne werkruimte. En we hebben heel veel nieuwe klanten gekregen.'

Alice drukte op het nieuwe bed, alsof ze het wilde uitproberen. Daarna keek ze Thea smekend aan.

'Toe dan maar,' verzuchtte die. Zogenaamd geërgerd trok ze haar wenkbrauwen op. 'Een vluggertje dan.'

'Zeg je dat ook tegen je klanten?' vroeg Alice. 'Nee, ik meen het: krijgen ze nooit het verkeerde idee?'

'Hè?' snauwde Thea. 'Dat ze om iets "extra's" vragen?'

'Je meeste klanten zijn lekkere, sportieve kerels,' merkte Alice op.

'Flikker op! Ik ben masseuse en ik ben gespecialiseerd in sportblessures. Het valt me nauwelijks op hoe mijn klanten eruitzien, en het gaat mij alleen om het lichaam dat ik onder handen heb en hoe ik dat beter kan maken. Trouwens, ik val niet op sportief en gespierd.'

'Ja, ja, jij hebt geen type,' zei Alice. 'Alleen een gevoel.' Hun blikken ontmoetten elkaar en ze begonnen te lachen. 'Nou, geloof me: ik zou het best leuk vinden om een paar van je klanten te betasten.'

'Dat komt doordat jij een smerige hoer bent en ik een professional met normen en waarden.'

'Heb je Giles al in je broekje gelaten?' vroeg Alice, terwijl ze haar truitje uittrok.

'Nee, zeg. Hij is mijn type niet.'

'Binnenkort word je vast weer maagd.' Alice trok haar schoenen uit, ritste haar rok open en ging op haar buik op het bed liggen. Ze legde haar gezicht in de ronde gevoerde uitsparing aan het hoofeinde.

'Goed,' zei Thea zacht. 'Laten we eens kijken hoe het met je gaat.' Ze legde haar handen zacht op Alice en ging aan het werk. Binnen een paar tellen had die het gevoel dat er een groep elfjes over haar rug heen en weer liep die haar schouderbladen optilden en eronder stoften, synchroon koprolden over haar ruggengraat en tussen haar wervels bliezen, wat een hele verademing was. Ze maakten de spieren in haar nek los, marcheerden over haar bicepsen, verlichtten haar schouderbladen en zorgden voor een grondige voorjaarsschoonmaak in haar heupen. Het was tijden geleden dat Thea haar had gemasseerd. Met schuldgevoel herinnerde ze zich hoe schamper ze jaren geleden had gedaan toen Thea had verteld dat ze masseuse wilde worden, ondanks de mooie cijfers waarmee was afgestudeerd in de geografie.

'Pilates heeft een positieve invloed op je rug gehad.' Thea's woorden brachten Alice terug naar het heden. 'Maar je moet ook eens controleren of je bureau, stoel en computerscherm wel ergonomisch verantwoord zijn.'

Langzaam ging Alice overeind zitten. Haar gezicht was rood aangelopen en het ontspannen gevoel had haar blik glazig gemaakt. 'Je bent geweldig,' zei ze suffig. 'Je hebt helende handen.'

Thea snoof minachtend. 'Doe niet zo stom,' zei ze, 'het zijn gewoon "helpende handen". Als je echt helende handen wilt, moet je reiki van Maria nemen, of acupunctuur van Souki. Of Lars je de beginselen van Feldenkrais laten uitleggen. Mijn massage is niets meer dan een lekker pepermuntje na het hoofdgerecht dat de andere therapeuten serveren.'

'Je moet niet altijd zo bescheiden doen, gek,' zei Alice, half boos. 'Jij hebt de blik op het gezicht van je laatste klant niet gezien. Geloof me: gelukzalig is nog zwak uitgedrukt.'

'Die hoefde ik ook niet te zien.' Thea haalde haar schouders op. 'Ik heb gevoeld dat zijn rug me bedankte.'

'Maar ik heb wel een suggestie,' zei Alice. 'Hou op met die pling-plong-oerwoudmuziek bij de receptie. Daardoor kreeg ik de neiging om tegelijk te gillen en het in mijn broek te doen.'

Later die avond ging Thea rechtop zitten in bed. Ze deed het lampje naast het bed aan en keek naar de klok. Het was geen avond meer, maar het begin van de volgende dag. Ze kon niet slapen en ze besefte dat haar bed op dit moment wel de laatste plek was waar ze moest zijn. Ze trok haar fleece ochtendjas aan en liep de kamer uit. Zelfs al woonde ze hier al vier jaar, de plotselinge overgang van zachte vloerbedekking naar de koude tegels in de gang liet haar nog altijd schrikken. Toen ze in haar kleine keukentje was – wat maar een paar stappen was – waren haar voeten gewend aan de tegels. Ze zette een kop thee en liep ermee naar de woonkamer, waar weer lekker tapijt lag. Haar moeder mocht graag zeggen dat het appartement zo klein en rond was dat het haar duizelig maakte. De altijd koude gang, die inderdaad klein en min of meer rond was, vormde het middelpunt waar alle andere kamers op uitkwamen: de slaapkamer, de keuken, de woonkamer en de badkamer. Als je in de gang stond en alle andere deuren gesloten waren, was het makkelijk om in de war te raken, maar Thea vond het geweldig. 'Het is net alsof ik in een boek van Lewis Carroll woon,' had ze tegen haar moeder gezegd toen ze haar had gesmeekt om een lening voor de aanbetaling. Vanaf de stoep gezien was de kant van het gebouw waar Thea's appartement zich bevond een cilindrische, torenachtige aanbouw aan wat anders een heel onopvallende, Victoriaanse buitenkant zou zijn.

'Een mooie uiting van gothick-met-een-k,' had Thea's meestal serieuze en conservatieve oudere broer onverwacht goedkeurend gezegd. 'Vind je ook niet, Alice?'

'Volgens mij wil je zus gewoon een Rapunzel-moment beleven,' had Alice gezegd.

Thea begroef haar tenen in haar grove kleed en ging zitten met haar armen om haar knieën geslagen. Ze dronk de thee niet op, want het was haar vooral te doen geweest om het ritueel van het thee zetten en de mok met beide handen vasthouden. Ze zag haar gsm op de bank liggen en pakte hem op. Hij stond aan en ze had een ongelezen sms'je.

BEN JE BLIJ VOOR ME?!! ZEG JA!! XXX

TUURLIJK BEN IK DAT! schreef Thea terug. FANTAS. NIEUWS, JE VERDIENT LANG EN GELUK. LEVEN! XXX

Hoewel Alice' nieuws inderdaad fantastisch was, had het Thea zo overvallen dat ze nog altijd in een soort shocktoestand verkeerde. In gedachten ging ze terug naar het moment dat ze haar arm door die van Alice had gestoken en haar had meetrokken naar Blandford Street voor sushi.

Raad eens!

Wat?

Je raadt het nooit!

Wat dan?

Raad maar!

Wat? Nee, niks zeggen, niks zeggen. Die kerel van je reclamebureau?

Ik ga trouwen!

Met die kerel van je reclamebureau?

Nee, gek. Nee! Met Mark Sinclair!

Met Mark Sinclair?

Ja!

Met Mark Sinclair?

Ja! Já!

Met Mark Sinclair?

Ja, Thea. Met Mark Sinclair!

Weet hij dat al?

Alice had niet iemand ontmoet, ze had iemand gevonden. Dat waren haar woorden geweest, en ze bruiste van opwinding, terwijl haar opmerkingen haast allemaal gevolgd werden door een uitroepteken.

'Ik heb iemand gevonden! Ik ga trouwen. Jezus christus! Ongelooflijk, hè? Ik heb iemand gevonden!'

In eerste instantie was Thea zo verbaasd dat haar mond letterlijk openviel, maar Alice' enthousiasme werkte aanstekelijk. Hoewel ze wel verbluft was door het eenvoudige feit dat Alice nu verloofd was met Mark Sinclair, en verbijsterd door de snelheid waarmee alles gebeurde, werd Thea al snel meegesleept door Alice' opwinding. Op een servetje schetste ze mogelijke bruidsjurken terwijl Alice met een rood gezicht en drukke gebaren het huwelijksaanzoek beschreef, waarna ze allerlei lijstjes begon te maken.

'Weet je? Ik kan niet geloven dat ik dit niet eerder heb bedacht.

Ik bedoel, ik ken hem al zowat mijn hele leven! Ik heb altijd van hem gehouden, omdat hij altijd, echt áltijd, voor me klaarstond.'

Daar was Thea het mee eens. Mark Sinclair had altijd voor haar klaargestaan. Uiteraard kende ze hem, maar dan wel zonder hem echt te kennen. Hij was de aardige knul die er altijd in was geslaagd om Alice op te beuren, die haar altijd had opgevangen als een of andere lul haar had gekwetst. Nu pas begreep Thea de blik waarmee hij Alice in de loop der jaren af en toe had aangekeken en die zij had geïnterpreteerd als broederlijke genegenheid. Tenslotte was Mark degene geweest die samen met Thea voor Alice zorgde als een of andere losbol haar hart weer eens had gebroken. Mark die graag met Alice had gegeten in leuke restaurantjes of naar premières van toneelstukken was gegaan als ze geen vriendje had en zich zielig voelde. Mark die altijd geduldig aan de andere kant van de telefoonlijn had gezeten als de nachtwaker van Alice. Mark die Alice ervan overtuigde dat niet alle mannen klootzakken waren, dat er nog genoeg goede mannen rondliepen en dat zij een prima vangst was. Voor dat alles was Thea hem dankbaar geweest. Zonder dat ze ooit de kans had gekregen dat tegen hem te zeggen. Nou, dat kon ze nu doen. Tegen deze man zou ze nooit dreigend hoeven zeggen dat ze hem zou vermoorden als hij haar vriendin kwetste. Hij was de absolute tegenpool van Alice' gebruikelijke keus. Daarom was het zo'n schok geweest. Zo'n openbaring. Toch was het ergens heel logisch. Sinds ze het een paar maanden geleden had uitgemaakt met Bill, was Alice stil en teruggetrokken geweest. Misschien had ze heel bewust besloten om de adviezen die ze publiceerde ook zelf op te volgen. Misschien was het echt zo simpel als haar lijstje met wensen aanpassen. Wakker worden en zien dat de man van je dromen voor je staat. Leren dat het niet belangrijk was van wie je houdt, maar hoe je van hem houdt.

'Maar hoe lang hebben jullie dan al wat? Ik bedoel, hoe komt het dat ik niet eens wist dat jullie iets hadden?'

'Veertien dagen. Niet tegen me schreeuwen, Thea.'

'Veertien dagen? En nu ben je al verloofd?'

'Wees alsjeblieft blij voor me, anders mag je geen bruidsmeisje zijn.'

'Natuurlijk ben ik blij voor je, gekkie. Hartstikke blij. Het was gewoon een schok. Veertien dagen?'

'Hij is perfect. Wat had het voor nut om langer te wachten? Hij is aardig, attent, rustig; echt, er is geen man ter wereld die mij beter zal behandelen.'

'Ben je stapelverliefd op hem? Op Mark Sinclair?'

Alice keek haar aan. 'Je weet toch wel dat het gevoel van stapelverliefd zijn gewoon fenylethylamine is, Thea?' zei ze met een zucht. 'Dat is een natuurlijke amfetamine en daarom is het ook verslavend. Het is hetzelfde hormoon dat vrijkomt bij gevaarlijke sporten en als je chocola eet.'

'Ja, ja,' zei Thea, 'maar je moet wel verliefd zijn op iemand als je met hem gaat trouwen.'

'Dat willen romans en films ons graag laten geloven,' zei Alice. 'Maar er komt meer kijken bij het huwelijk dan waanzinnig verliefd zijn. Sterker nog: ik sta met beide benen op de grond en ik loop niet met mijn hoofd in de wolken; daarom weet ik dat dit echt iets wordt. Ik ben er klaar voor.'

'En je houdt van hem,' zei Thea.

'Iedereen houdt van Mark.' Alice glimlachte. 'Hij is een echte goedzak.'

'En je houdt dus van hem,' zei Thea.

'Ik ben de liefde van zijn leven. En hij is mijn liefde voor het leven. Daarom gaan we trouwen. Wat wil ik nog meer?'

Nu ze er in de vroege uurtjes van de morgen over nadacht, kreeg Thea het gevoel dat Alice een grote schoonmaak had gehouden, waarbij ze iets was tegengekomen dat ze helemaal was vergeten. Zoals een kledingstuk dat je in een opwelling had gekocht, dat je nog nooit had gedragen of zelfs maar gepast en dat achter in de kast was beland voor het opnieuw werd ontdekt. Iets wat als gegoten bleek te zitten. Een geweldige verrassing. Wat Thea van haar stuk bracht, was dat zij nooit had gedacht dat Alice Mark zou vinden bij haar schoonmaak. Maar wat haar het meest van haar stuk bracht – en dat durfde ze in de beslotenheid en stilte van haar eigen huis eindelijk toe te geven – was dat ze nogal overdonderd was. Alice had Thea het beste nieuws van de wereld verteld. Maar voor het eerst in hun vriendschap had ze dat gedaan zonder de behoefte te voelen Thea eerst om advies of naar haar mening te vragen.

Mark Sinclair

MARK SINCLAIR WAS DIPLOMATIEK VAN AARD EN HAD EEN BEpaalde gave voor goede manieren. Die waren er niet thuis in geslagen en hij had ze ook niet op school geleerd of na de universiteit opgepikt. Ze maakten gewoon deel uit van zijn persoonlijkheid en tijdens zijn tweeëndertig jaar hadden ze hem vrienden en invloed bezorgd. Die kwaliteiten, samen met een talent voor getallen en een goed arbeidsethos, zorgden ervoor dat hij snel opklom bij ADS International, waar hij werkte als investeringsanalist. Hij was van onschatbare waarde voor hen. Hij sprak zijn talen, bleef kalm in de hectiek van de financiële Londense wereld, kwam niet dronken terug van zakenlunches, maakte nooit ruzie met collega's of medewerkers, klaagde niet als hij moest reizen, en hij had zijn team zonder onderlinge spanningen tot een efficiënte eenheid gesmeed. Het bedrijf had geen enkele reden om hem achter de broek te zitten, en alle reden om hem rijkelijk te belonen, wat ze dan ook deden.

Iedereen die Mark leerde kennen, wilde met hem bevriend zijn. Het scheelde dat hij goed Spaans en Frans sprak, zich kon redden in het Duits en Italiaans, en dat hij vaak voor zijn werk naar het buitenland moest. Door middel van een uitpuilende Filofax en een volle PalmPilot hield hij contact met zijn vele buitenlandse vrienden. Als er mensen naar Londen kwamen, was hij een fantastische gastheer. Dan vulde hij de koelkast voor hen, stelde speciaal voor hen een lijst met bezienswaardigheden op en gaf hun zijn lidmaatschapskaarten voor een hele reeks musea. Hij ontmoette hen na zijn werk en zorgde dan voor geweldige theaterplaatsen of voor tafeltjes in toprestaurants, waar andere mensen jaloers op waren. Ook was Mark een graag geziene gast: hij sliep net zo makkelijk op het onderste bed van het stapelbed van zijn peetzoon in Didsbury als in de schitterende suite van het Peninsula Hotel in Hongkong. Hij vond het heerlijk om lange wandelingen te maken op Skye met zijn oude vrienden, de McLeods, en hij vond het leuk om in het Frans te bespreken hoe de toestand in de wereld veranderd kon worden met Pierre, zijn nieuwe vriend op het kantoor in Parijs. Hij ging in zijn eentje op safari in Kenia en sloot daar heel wat nieuwe vriendschappen. Hij was lid van de Royal Academy of Arts en sloot ook daar al snel nieuwe vriendschappen. Hij had vrienden die hem uitnodigden om naar Glyndebourne te komen, en andere met wie hij naar Glastonbury ging. Mark Sinclair was onbevooroordeeld, vriendelijk en bijzonder aangenaam gezelschap. Hij had een hekel aan ruzie en zweeg liever dan dat hij een scherpe opmerking maakte tegen iemand om wie hij gaf. Hij probeerde goed op te schieten met iedereen. Daarom had hij zo veel vrienden, maar geen beste vriend.

Vol verwachting keek Alice naar Mark. Ze streek haar witte blouse glad, gooide haar haren naar achteren, hield haar hoofd schuin en keek hem opnieuw aan

'Ben je klaar?' vroeg hij. Hij klopte op zijn zakken om nogmaals te controleren of hij zijn sleutels, portemonnee en mobieltje bij zich had. 'Zullen we dan maar?'

'Maar hoe zie ik eruit?' drong Alice een beetje pruilend aan. 'Wat zullen ze hiervan vinden? Of moet ik toch een rok aantrekken?'

'Je ziet er geweldig uit,' zei Mark geruststellend. Hij maakte zichzelf een complimentje over de oorbellen die hij voor haar had gekocht. 'Je lijkt wel... bruin?'

'Thea heeft me een nepkleurtje gegeven,' zei Alice zonder enige schaamte. 'Ik voelde me een beetje mat en pips door die verkoudheid van vorige week, en ik wil niet dat je moeder denkt dat je niet goed voor me zorgt. Denk je dat je ouders het ermee eens zijn? Denk je dat ze me aardig zullen vinden? Ik hoop dat je moeder goed kan koken, want ik verga van de honger.'

'Natuurlijk vinden ze je aardig,' zei Mark. 'Wie zou je niet aardig vinden? Kom, mam is beroemd om de rosbief die ze zondag voor de lunch serveert, maar blijf van de witte wijn af. Het enige wat ze schenken is Liebfraumilch.'

Gail Sinclair ging naar de keuken om het toetje te maken en ze sloeg Alice' gretige aanbod om haar te helpen af. Gail was opgetogen. Sterker nog: ze was verrukt.

'Verrukt. Ik ben verrukt,' oefende ze zachtjes voor zichzelf in de keuken, terwijl ze een pak custard van de supermarkt leegde in een kan en een kersencake van diezelfde supermarkt op haar beste schaal legde. 'Verrukt,' fluisterde ze. 'Alice is enig, Hazel. Heel knap. Ze doet iets met tijdschriften. Ze heeft er een paar voor ons meegenomen. Echt, Mary, een heleboel verschillende. Ze is dol op Mark, Carole, stapeldol. Chris en ik zouden niet blijer kunnen zijn.'

'Wat een stuk,' zei Chris Sinclair, die het fluisteren nooit onder de knie had gekregen, tegen zijn zoon.

Alice zat rechts van hem en deed haar best om niet te laten merken dat ze meeluisterde. Gail hoorde het, over het serviesgerinkel heen, terwijl ze hun dagelijkse servies verwisselde voor het zondagse. Chris vindt haar een stuk, Joyce, en daar ben je het vast mee eens als je haar hebt leren kennen.

Alice schatte dat Chris halverwege de zestig was. Hij was zwierig, ondanks de trui met het drukke patroon en zijn corduroy pantoffels. Zijn dunner wordende zilveren haar was keurig geknipt en hij had een gezonde kleur dankzij zijn liefde voor golf en tuinieren. Ze vermoedde dat Gail vijf jaar jonger was. Ze had een kort, keurig kapsel dat bij haar leeftijd paste, en als er al grijs in zat, werd dat gecamoufleerd door een dure koperkleurige gloed. Terwijl Mark met zijn vader sprak over leningen voor promovendi, goot Gail vruchtenmoes – ook weer van de supermarkt – in een andere kan.

Ondertussen vroeg Alice zich af hoe ze Marks ouders en het huis waarin hij was opgegroeid aan Thea zou beschrijven. Waarschijnlijk zou ze 'verfrissend leuk' zeggen. 'Het zijn heel gewone, aardige mensen.' Met haar servet smoorde ze een giechel, omdat ze wist dat Thea en zij daarna de moeders van haar vroegere vriendjes de revue zouden laten passeren. Callums moeder, die dezelfde Whistles-spijkerbroek droeg als zij, alleen een maat kleiner. Finlays moeder, die erop had gestaan dat Alice haar 'mevrouw Jones' noemde, zelfs al vond ze het goed dat ze op één kamer sliepen. Toms moeder, die stikjaloers was geweest op zijn liefde voor Alice en daarom altijd ongezond aan hem klitte tijdens hun bezoekjes. Maar Marks ouders leken gewoon vriendelijke, normale mensen.

'Je lijkt op je vader,' zei Alice plotseling, hoewel daardoor het gesprek plotseling verstomde en Gails plak cake midden in de lucht bleef hangen. Alice durfde wel te voorspellen dat de man die tegenover haar zat, met wie ze binnenkort zou trouwen, over een jaar of dertig veel weg zou hebben van de heer die links van haar zat.

Verrukt, dacht Gail bij zichzelf. Verrukt.

Chris en Mark bladerden door de zondagskranten terwijl Gail koffie inschonk en Alice hoog opgaf van hun tuin.

'Goh, wat is je verbena mooi.'

'Viburnum,' verbeterde Gail haar luchtig. 'Heb je zelf ook een tuin?'

'Nou, op dit moment moet ik het doen met wat de lifestylebladen een "terrasleven" noemen,' zei Alice. 'Dat houdt in dat ik een kleine achtertuin heb met licht gravel en een heleboel potten met eenjarige planten. En tuinmeubels van gekruld smeedijzer dat er prachtig uitziet, maar verdomd duur was en verdomd ongemakkelijk zit.'

Gail keek Alice nietszeggend aan, op hetzelfde moment dat Alice dacht: shit! Is 'verdomd' een vloekwoord?

En Mark keek met een ruk op van de zondagskrant en dacht: o, verdomd. Ze heeft gevloekt.

'Misschien vind je wel een huis met een tuin als je eenmaal getrouwd bent,' zei Gail tactvol. 'Aan borders van overblijvende, bloeiende planten hoef je niet veel te doen, en groene overblijvers doen gewoon wat ze moeten doen.' Bedachtzaam nam ze een slokje koffie. 'Die hoeven ook niet zo duur te zijn.' Zie je, het is helemaal niet nodig om 'verdomd' te zeggen.

'Wat een goed idee,' zei Alice hartelijk. Ze pakte nog een chocolaatje omdat ze zag dat Gail al aan haar derde bezig was.

'Nou, vertel me alles over het aanzoek,' zei Gail enthousiast. 'Ik wil alle romantische details horen.'

'Mam...' zei Mark vermanend. Met opgetrokken wenkbrauwen keek hij zijn vader aan, zoekend naar steun en hulp.

'Heeft hij geknield?' vroeg Gail. 'Heeft hij je mee uit eten genomen in een restaurant en de gerant je een diamanten ring laten aanbieden?'

Mark kreunde, maar Alice begon te giechelen. Waarschijnlijk zou Gail een prima schoonmoeder worden.

'Of heeft hij je een weekendje meegenomen naar Venetië en een aanzoek gedaan in een gondel?'

'Vorige week.' Met een grijns keek Alice naar Mark, die zich probeerde te verstoppen achter de *Sunday Times*. 'In zijn appartement. Hij maakte die heerlijke schotel met chorizo en sperziebonen met de zes teentjes knoflook. We dronken een glas rioja en ik at een wortel.'

Gail was nooit dol geweest op knoflook, om nog maar te zwijgen over Spaanse boerengerechten, maar ze probeerde enthousiast te kijken.

'Toen besefte ik opeens, echt opeens, dat het het beste idee van de wereld was,' zei Alice dromerig.

'Ja, maar hoe werd het aanzoek zelf gedaan?' drong Gail aan. 'Marks vader heeft mij meegenomen naar Parijs, speciaal om me daar ten huwelijk te vragen.'

Alice lachte. 'Het ging eigenlijk nogal zakelijk. Ik moest de radio zachter zetten om me verstaanbaar te maken. Het leek allemaal heel logisch. Ook al had ik mijn mond vol wortel, ik keek Mark aan en zei: "Trouw met me, Mark. Trouw met me." Hij keek me aan alsof hij me niet goed verstond. Daarom slikte ik de wortel snel door, herhaalde de vraag en zei er "alsjeblieft" achteraan. Toch bleef hij me stomverbaasd aankijken. En toen zei hij ja.'

Gail keek Alice aan alsof ze Spaans sprak en Chris keek staarde haar alleen maar aan. 'Wat is dat op je blouse?' riep Gail ineens geschrokken uit. 'Op de kraag en de manchetten? Het is iets bruins.'

'Wat?' Alice keek naar haar kraag en manchetten. 'O, kut!' zei ze. 'Het is het nepbruin. Shit! Ik krijg die Thea nog wel.'

'Denk je dat ze me aardig vonden?' vroeg Alice aan Mark toen ze wegreden.

'Natuurlijk,' verzekerde Mark haar. Hij concentreerde zich op de weg en beet op zijn tong toen hij werd gesneden door een man met een hip kapsel. De man reed in een auto die duidelijk voor een Porsche moest doorgaan, maar dat overduidelijk niet was.

Alice keek naar buiten en drukte haar wang tegen het raampje aan de bijrijderskant. Ze had het nepkleurtje niet nodig gehad. Door de wijn bij de lunch en de noodzaak haar beste beentje voor te zetten had ze het behoorlijk warm gekregen. Ze keek naar de bomen, waarvan sommige net bladeren kregen en andere in volle bloei stonden. Ze zou haar best doen om de namen van heel veel planten te hebben geleerd voor de volgende ontmoeting met Marks ouders. En ze zou proberen om dan niet te vloeken.

Saul Mundy

Saul Mundy had gedacht dat hij een degelijk huis met twee slaapkamers zou kopen in een populaire wijk en dat hij samen met Emma een hypotheek zou nemen, zodat ze een voordeel zouden hebben op de Londense huizenmarkt. Hemzelf hadden Brondesbury, Tufnell Park of Ealing verstandige keuzes geleken. Maar ja, hij had er niet op gerekend dat hij het zou uitmaken met Emma. Twaalf uur nadat aan die relatie een eind was gekomen, tekende Saul een kortlopend huurcontract voor een bovenverdieping in het centrum van Londen, een plek die hij voorheen nooit als woonwijk had beschouwd. Het hele appartement was één grote ruimte en hij vermoedde dat de huisbaas het al op verschillende manieren aan de man had proberen te brengen: als kantoorruimte, opslagruimte, appartement of studio, al naar gelang de behoeftes van de huurder. Saul was toevallig tegen de woning aan gelopen, op weg naar een vergadering in Baker Street, en hij had hem gehuurd omdat hij er die middag al in kon trekken en omdat het appartement een uitzicht bood waar hij nooit genoeg van zou krijgen: een bevoorrecht panorama van de stad dat slechts weinigen met hem deelden. Hij zou zich nooit meer met zijn ellebogen een weg hoeven te banen in een drukke metro. En met luxe delicatessenzaken als Villandry praktisch naast de deur, hoefde hij geen diepvriesmaaltijden meer te eten.

Toen het kortlopende huurcontract een halfjaar later was verlopen, had Saul de woning gekocht omdat hij tot zijn verbazing verliefd was geworden op de charmes van het leven in het centrum en omdat hij had leren koken op een avondcursus van Divertimenti, op loopafstand van zijn huis. Een jaar later was Saul heel bedreven geworden in klussen en was hij trots op zijn eigen handigheid. Hij had de grote ruimte verdeeld door een meanderende muur van blokken van melkglas. Zo werd de ruimte gesplitst in aantrekkelijke en praktische zones door een golvende afscheiding. Het slaapgedeelte was een halve ronding met voldoende privacy; er was een grillig gevormd, groot stuk waarin hij zich kon ontspannen en een praktisch deel in een soort kommavorm waar zijn werkkamer schuilging. Hij had de badkamer betegeld met mozaïeksteentjes, een hippe rubberen vloer in de keuken gelegd en veel aandacht aan de belichting geschonken. Hij was dol op zijn huis.

Net als op de ligging ervan. Al anderhalf jaar had hij niet meer met de Northern Line gereisd. Heel snel had hij een jaloers makende kennis opgedaan van de verborgen schatten van de hoofdstad. Algauw werd hij bij al die winkels herkend en verwelkomd, een bijkomend voordeel van zo centraal wonen. Als gevolg daarvan betaalde hij nooit te veel in avondwinkels. Omdat hij geen auto nodig had, kreeg hij nooit een parkeerboete en hoefde hij geen wegenbelasting te betalen. Bij Marco, de eigenaar van de broodjeszaak annex delicatessenwinkel, mocht Saul zijn scooter gratis overdekt stallen. Er werd 's ochtends altijd een tafeltje voor hem vrijgehouden bij Bernard's Café, waar dan meestal ook de ochtendkranten voor hem klaarlagen. In de middagpauze deed Marco altijd extra beleg op Sauls broodje en als Maria hem hielp, kreeg hij er altijd een gratis brownie bij. Zijn Indiase curry was nooit slecht. Net zomin als zijn Thaise maaltijden. Ook zijn sushi was nooit teleurstellend. Zelfs als hij geen kleingeld had, bewaarde Dave op de hoek een *Evening Standard* voor hem, die dan al keurig opgevouwen op hem lag te wachten. Ook kon hij tijdens de uitverkoop alles reserveren waar hij zijn zinnen op had gezet, tegen de scherpst mogelijke prijs, voor de enorme drukte het winkelen onverdraaglijk maakte. Hij had nog nooit zijn heil hoeven zoeken in een All Bar One. Hij was nog nooit in een Pitcher and Piano geweest. Hij hoefde zich geen weg te banen in cafés vol overdreven drukke en te zwaar opgemaakte kantoormeisjes en pedante financiële jongens die te diep in het glaasje hadden gekeken. Hij kon heerlijk stappen en naar de hipste tenten gaan, zonder dat hem ooit een poot werd uitgedraaid door een taxichauffeur. Hij kon gewoon naar huis lopen. Dus toen Sauls vriend

Ian Ashford belde en vroeg of hij een avondje wilde gaan stappen, kon Saul naar eer en geweten zeggen dat hij precies het juiste tentje wist om elkaar te ontmoeten.

De Swallow, ingeklemd tussen een drukkerij en een ijzerhandelaar in een van de kleine straatjes in de wirwar van steegjes ten oosten van Great Portland Street, was een ouderwetse kroeg. Vanbuiten zag het er onaantrekkelijk genoeg uit om te voorkomen dat er behalve stamgasten en buurtbewoners nog andere gasten kwamen. De vale verf en de ramen die eruitzagen alsof ze wel eens gewassen mochten worden – om nog maar te zwijgen over nieuwe kozijnen – vormden een slimme nepgevel om te verhullen dat het binnen in werkelijkheid licht, gezellig en netjes was. De ruimte was niet zo groot en deed denken aan een lange woonkamer; de bar stond in een hoek en was zo klein dat het personeel niet naast elkaar kon staan om te bedienen, waardoor er altijd een ingewikkelde, maar effectieve pas de deux nodig was. Terwijl de een biertjes tapte, een whiskyglas pakte of praatte over de hardlopers in Kempton Park, keek de ander over zijn schouder om de volgende bestelling op te nemen. Dan veranderden ze met een hoffelijke glijbeweging van positie. Van november tot maart brandde er altijd een kolenvuurtje. Van mei tot september stond de achterdeur die toegang bood tot een klein terras met eigen wijnstokken altijd open. Dat vergrootte de ruimte van het café van achtentwintig zitplaatsen en zes staanplaatsen met nog eens twaalf staanplaatsen. Elke dinsdag, woensdag en donderdag was er aardappelpuree met worstjes verkrijgbaar. Op andere dagen werden er gratis chips en pinda's rondgedeeld.

In de Swallow was de sfeer gemoedelijk, al wist niemand wat de anderen precies deden of waar ze woonden, en soms ontstond er zowaar een soort gemeenschapsgevoel. Arthur gaf iedereen geweldige tips over de aandelen die ze moesten kopen van een nieuw internetbedrijf. Lynton bood Marlboro-sigaretten aan tegen de helft van de winkelwaarde. Toen er was ingebroken in Barry's appartement, werd hij opnieuw bevoorraad door het personeel en de klanten van de Swallow. Eddies neef had een vergunning als slotenmaker en regelde de nieuwe beveiliging. Anne maakte nieuwe gordijnen voor twee kamers omdat de inbrekers Barry's gordijnen hadden afgerukt om hun buit in mee te nemen. Lynton kende iemand die in goedkope cd-spelers deed en omdat diegene bij hem in het krijt stond, regelde hij er gratis eentje voor Barry. Maar Saul was degene die een maand lang gratis bier mocht drinken. Niet dat het hem om het gratis bier te doen was geweest toen hij Barry meer cd's gaf dan de man daarvoor had gehad, plus een elektrisch scheerapparaat, een elektrische tandenborstel die twee keer zo duur was als het scheerapparaat, een digitale camera, een theepot van Alessi en een lavalamp.

'Jeetje,' had Keith, de herbergier, verbaasd gezegd terwijl hij een gratis glas Guinness voor Saul tapte. 'Is dat allemaal wel koosjer?'

'Heb je soms een winkeltje?' vroeg Barry, die ontzettend dankbaar was, hoewel hij zich ook afvroeg wat Saul nog meer had. 'Of is dit allemaal van een vrachtwagen gevallen?'

'Zijn dit namaakspullen?' informeerde Lynton verdedigend maar nieuwsgierig.

Saul had gelachen. 'Het is allemaal zuivere koffie, ik zit echt niet in jouw vaarwater, Lynton! Ik ben immers schrijver?' Hij had zijn schouders opgehaald. Dit had hij hun al eerder verteld. 'Ik krijg voortdurend dingen toegestuurd om te testen en te beoordelen. Meestal hoef ik die spullen niet terug te sturen. Sinds de zomer heb ik een plasma-tv van tweeënveertig inch.' Hoopvol keek Barry hem aan vanachter de stapel cd's. 'Die hebben ze net teruggevraagd,' ging Saul verder. 'Maar misschien komen ze binnenkort een homecinema installeren die ik moet uitproberen.' Daarop kreeg Saul van alles naar zijn hoofd, van 'geluksvogel' tot 'mazzelpik', en leverden het personeel en de gasten van de Swallow allemaal discreet een verlanglijstje in.

Dus toen Ian Ashford belde, zei Saul dat de Swallow perfect was om midden in de week in november iets te gaan drinken, en dat ze ook nog aardappelpuree met worstjes konden eten als ze trek kregen.

'Jezus, dat is lang geleden.' Met een grijns gaf Ian Saul een hand. 'Wat wil je drinken?' Hij liet zijn blik door de Swallow gaan en knikte goedkeurend.

'Een Stella, graag,' zei Saul. Hij beantwoordde Ians vriendelijke knik met een amicale stomp tegen zijn bovenarm. 'Leuk je weer eens te zien,' zei hij hartelijk. 'Dat is eeuwen geleden. Waar heb je uitgehangen?'

'Ik ben heel erg bezet,' zei Ian. Hij keek naar Saul die een grote slok nam. 'Letterlijk,' voegde hij er met een knipoog aan toe, waarna hij met een zucht een slok bier nam. 'Ja, ja, bezet.'

'Heb je het dan zo druk op je werk?' vroeg Saul.

'Op mijn werk?' vroeg Ian. 'Nee, ik ben verloofd.' Hij knipoogde nogmaals en trok zijn wenkbrauwen op terwijl hij zijn glas omhoogstak toen hij bij Saul het kwartje zag vallen.

'Jezus!' riep Saul uit. 'Godsamme.' Hij hief zijn glas en nam een grote slok, waarna hij ermee klonk tegen dat van Ian. 'Godsamme, en ik dacht nog wel dat je het razend druk had gehad met een of andere grote rechtszaak terwijl je vrolijk het pad van de ware liefde op ging. Naar het altaar van de huiselijkheid liep!'

'Je klinkt net als je column,' protesteerde Ian. 'Maar waag het niet om daarin over mij te schrijven.'

'Op jou en Liz. Gefeliciteerd,' zei Saul, oprecht blij.

'Eh... Ik ben verloofd met Karen,' zei Ian. 'Lizzie en ik zijn uit elkaar.'

'Jezus,' zei Saul. Hoewel hij niet had verwacht dat Ian verloofd was, had hij zeker niet gedacht dat het met een ander dan Liz zou zijn.

'Ik ben voor haar bij Liz weggegan,' zei Ian luchtig.

'Jezus,' bromde Saul.

'Ik weet het,' zei Ian schuldbewust. 'Ik weet het.' Hij nam nog een slok bier en staarde voor zich uit. 'Ik heb altijd gedacht dat het Lizzie zou zijn, maar toen leerde ik Karen kennen, en dat was dat. Ik had zelfs geen wroeging. Het was eigenlijk heel simpel: ik moest bij haar zijn. Zo eenvoudig lag het.'

'Jezus.' Sauls woordenschat was nogal beperkt door de schok van Ians nieuws. Dorstig dronk hij zijn glas leeg. 'Nog een biertje?' Hij liep naar de bar en bestelde tegelijkertijd ook puree met worstjes. 'Hoe gaat het met je werk?' vroeg hij aan Ian toen hij weer terug was, met een zakje chips tussen zijn tanden.

'O, prima,' zei Ian. 'Hectisch. Karen is ook advocaat, dus ze weet alles over stress en lange dagen. Zij is strafpleiter. Bij Tate Scot Wade.'

'O,' zei Saul. 'Ik begrijp het.' Hij wilde niet al een hekel hebben aan Karen voor hij haar had ontmoet; hij wilde niet dat zijn genegenheid voor Liz zijn acceptatie van Karen in de weg zou staan. Maar onwillekeurig nam hij het Ians plotselinge verloofde kwalijk dat ze het gesprek tot nu toe had gedomineerd en dat ze zijn vriend de afgelopen maanden helemaal in beslag had genomen.

'En hoe gaat het met jou?' vroeg Ian. 'Hoe staat het leven?'

'Ik heb meer werk dan ik aankan, maar ik kan niets weigeren,' zei Saul lachend. 'Over het algemeen geniet ik ervan.'

'Karen vindt je column geweldig,' zei Ian. 'Wij allebei, trouwens.'

'Welke?' vroeg Saul gevleid.

'Die in het tijdschrift *ES*, die is zo veel meer dan alleen een consumentencolumn. Het is net een inkijkje in je leven, heel bescheiden en vermakelijk. En goed geschreven.' Ian tikte nog een keer met zijn glas tegen dat van Saul. 'Ik moet erom grinniken, maar Karen ligt echt in een deuk.'

'Dank je, vriend,' zei Saul. 'Dank je.'

'Schrijf je ook nog steeds je vaste stukken voor de mannenbladen?'

'Ja, *GQ* heeft mijn aandeel vergroot. Voor dat nieuwe blad, *Edition*, doe ik de artikelen over de nieuwe gadgets, en dan zijn er mijn columns voor de weekbladen en soms schrijf ik een los artikel over het een of ander. Ook adviseer ik soms bij de introductie van een nieuw blad.'

'Je hebt zeker geen iPods over?' vroeg Ian. Hij kon zich er makkelijk eentje veroorloven, maar het idee dat hij er gratis een kon krijgen sprak hem wel aan. 'Of toffe persreisjes? Golfen in de Algarve? Diepzeeduiken waar dan ook?'

'Ik heb maar één iPod,' zei Saul, 'en wat betreft persreisjes: ik heb gezeild in Bermuda en ik ben naar Zweden geweest om te sleeën. Met een huskyslee. En ik ben een keer een weekendje in Praag geweest met Sonja van de vvv.'

'Wat ben je toch een mazzelpik,' zei Ian lachend.

'Drieduizend woorden, hoewel ik de meeste moest censureren, dankzij Sonja,' zei Saul, alsof dat het risico van het vak was.

'En hoe zit het met jóú?' vroeg Ian nogmaals, met een bezorgdheid die hij pas met Karens hulp had weten aan te boren.

Saul begon aan zijn worstjes, knikte en haalde zijn schouders op.

Hij had liever zijn mond vol dan dat hij praatte.

'Heb je een vriendin?' vroeg Ian, gedeeltelijk omdat Karen had gezegd dat hij dat moest doen.

Saul kauwde bedachtzaam en schudde zijn hoofd. 'Op dit moment niet.' Hij zou willen dat er meer puree was.

'Heb je iemand op het oog?'

'Hoezo?' vroeg Saul lachend. 'Heeft Karen soms een hele stoet weelderige vriendinnen?'

'Eigenlijk wel,' zei Ian.

Saul haalde zijn schouders op. 'Leuk,' zei hij. 'Waarom ook niet? Sinds Emma is er niemand meer geweest. Ik geloof tenminste niet dat dat avontuurtje met Sonja telt.'

'Godsamme,' zei Ian. 'Dat is maar liefst anderhalf jaar geleden, man. Dat klinkt wel heel celibatair.'

Saul haalde nogmaals zijn schouders op. 'Je weet hoe ik ben,' zei hij rustig. 'Ik kan heel kieskeurig zijn.'

'Weet je,' zei Ian nadenkend, 'je hebt een druk sociaal leven en je moet heel vaak naar best wel toffe dingen voor je werk. Waarschijnlijk merk je niet eens dat je geen vriendin hebt.'

Saul dacht even over Ians samenvatting na. 'Eigenlijk is dat het niet zozeer,' zei hij weloverwogen. 'Het idee van een vaste partner staat me wel aan, zelfs het idee van vastigheid. Maar ik heb gewoon geen zin in die spelletjes van daten als single. Dat is te geforceerd.'

'En het kost te veel tijd,' zei Ian instemmend. 'Bovendien is het duur.' Godzijdank had hij Karen. 'Al is het vast behoorlijk frustrerend om alleen te zijn.' Met opgetrokken wenkbrauwen keek hij Saul aan.

'Ik doe gewoon wat heel veel mannen doen,' zei Saul, en hij haalde zijn schouders op.

Ian deed hetzelfde. Ook nam hij zich voor om Karen een beschrijving te geven van Sauls uiterlijk, zodat ze dat aan haar vriendinnen kon vertellen. Hij had Karen hetzelfde soort kapsels bewonderend 'bedhaar' horen noemen en ongetwijfeld zou ze Sauls haarkleur als karamelkleurig beschrijven. Hij zag dat zijn vriend nog altijd iets met trendy schoenen had en het Orvi-horloge leek hem een mooie indicatie dat het Saul in zijn carrière voor de wind ging. Een zachte zwarte spijkerbroek van Armani. En een overhemd waarvan hij tegen Karen zou zeggen dat het van Paul Smith was. Ze waren al bezig de gastenlijst voor hun bruiloft samen te stellen. Het zou heel gezellig zijn als Saul die zou bijwonen met een vriendin, die toevallig ook een vriendin van Karen was. Ian wierp een blik op zijn horloge. 'Ik moet ervandoor. Heeft dit café geen laatste ronde?'

'Pas als een klant het laatste rondje bestelt,' zei Saul.

'Het was leuk om je weer eens te zien,' zei Ian. 'Laten we het de volgende keer wat sneller doen. Kom een keertje bij ons. Karen kan heerlijk koken. Je vindt haar vast geweldig. Ik bel je nog wel.'

Saul bleef in zijn eentje in de Swallow zitten, met een nieuw pilsje. Ook Lynton zat alleen. En Barry was hier vanavond ook alleen. Ze knikten elkaar allemaal vriendelijk toe, maar vonden het wel prettig om in hun eentje te zitten. Dat vond Saul zo heerlijk aan de Swallow: de sfeer van ontspannen vriendschap. Je hoefde niet per se met z'n allen rond een tafeltje te gaan zitten om je in hartelijk gezelschap te bevinden. Saul keek naar Eleni die dicht tegen haar vriend aan zat. Hij dacht dat hij ongeveer van hun leeftijd was. Toen Anne, de vrouw van de herbergier, de twee borden puree en worstjes had gebracht, had ze moederlijk door Sauls haar gewoeld. Waarschijnlijk was ze ook ongeveer even oud als zijn moeder.

Saul liep de hoek om, terug naar zijn appartement. Daar las hij de kladversie van zijn artikel door dat hij de volgende dag echt zou gaan schrijven, waarna hij zijn laptop tevreden dichtdeed. Op tv was niks interessants te zien. Eigenlijk zou hij in bad moeten gaan; hij had producten gekregen van Clarins For Men om uit te proberen. Van al dat gepraat over vrouwen, echtgenotes, vriendinnen en zijn eigen steriele situatie had hij een leeg en geil gevoel gekregen. Daarom besloot hij te doen wat heel veel mannen deden. Dat bad kwam later wel. Hij pakte zijn jas en liep opnieuw de avond in.

Alice Heggarty

IK ZING VOORTDUREND DE MEEST AFGEZAAGDE NUMMERS. 'I'M getting Married in the Morning!' Met de stomste stemmetjes. 'Going to the Chapel and We're Going to Get Ma-ha-ha-ried.' De stomste nummers met de idiootste stemmetjes. Vandaag in de taxi heb ik zelfs 'Nights in White Satin' gezongen. Voor de eerste keer besefte ik dat *nights* hier echt 'nachten', en niet 'ridders' betekent. Daarna heb ik me minstens een uur lang afgevraagd waarom ik nooit eerder heb bedacht dat een ridder die opstaat, gekleed in wit satijn, nogal vreemd zou zijn geweest voor een heteroseksueel liefdesnummer.

Hoe dan ook, morgen ga ik trouwen. Met veel hulp van de meiden van het blad *Dream Weddings* en dankzij Mark, die me in alles mijn zin heeft gegeven, wordt het een droombruiloft. Ik voel me heerlijk opgewonden, maar ook wel een beetje gespannen. Ik ben zelfs een beetje pissig, alsof ik wil dat iedereen me steeds op mijn rug klopt om te vertellen hoe hard ik mijn best erop heb gedaan. Tenslotte hebben we ons pas in maart verloofd. Het is nu acht maanden later en ik heb heel wat onderzoek gedaan om te bepalen wat ik wilde. Ik heb de bloemen, jurken en de zaal geregeld. Ik heb audities voor de band gehouden en zelfs de geloften geschreven. Ik wil dat het de mooiste dag van mijn leven wordt. En van dat van Mark. En ik wil dat de gasten het de mooiste bruiloft vinden die ze ooit hebben meegemaakt.

Ik moet nog pakken voor de huwelijksreis. Mark wilde dat het een verrassing zou worden, maar ik heb hem erop gewezen dat ik heel chagrijnig zou worden als we naar Bermuda gaan en ik skikleding bij me heb. Eigenlijk heb ik hem alleen uitgehoord en op zijn huid gezeten omdat ik het echt moest weten. Niet dat ik een control freak ben, al zou dat best eens kunnen, maar ik ken mezelf goed genoeg om te weten dat ik niet te genieten ben als ik teleurgesteld ben. Dus als ik teleurgesteld zou worden, moest ik op z'n minst de kans krijgen me daar van tevoren al overheen te zetten. Shit, goed dan, ik geef het toe: misschien had ik Mark subtiel aangespoord om de plannen te veranderen als dat nodig mocht zijn geweest! Maar gelukkig heeft die schat van een Mark al mijn weinig subtiele hints begrepen en neemt hij me mee naar St. Lucia. Met een helikopter gaan we naar de Jalousie Plantage tussen die twee beroemde bergen die je in films en in brochures ziet. Ze weten dat we op huwelijksreis zijn, dus hopelijk zorgen ze voor allerlei extraatjes. Veertien dagen lang zal ik een prinses zijn. En waarom ook niet? Als we weer thuis zijn, zal ik gewoon saai mevrouw Sinclair zijn!

Op het werk heb ik een geweldig afscheidsfeestje gekregen. Ze moeten heel wat geld hebben opgehaald, anders hadden ze nooit dat Gaggia-koffiezetapparaat van de cadeaulijst kunnen kopen. Hoe dan ook, mijn tijdschriften kunnen me wel veertien dagen missen, maar ik heb gezegd dat ze de Jalousie moeten bellen als ze me echt nodig hebben.

Ik ga morgen trouwen. Verdomme nog aan toe. Het dringt nu pas goed door. Het gaat echt gebeuren. Dan ben ik dertig jaar oud. En eenenvijftig weken. Ik, Alice Rose Heggarty, ga over ongeveer drieëntwintig uur trouwen met Mark Oliver Sinclair. Hoe ik me voel? Nog een beetje gammel van mijn vrijgezellenfeest! Eigenlijk heb ik het gevoel dat ik er klaar voor ben. Alles gaat volgens plan. Het enige wat ik hoef te doen, is komen opdagen in een fantastische jurk en zeggen: 'Ja, ik wil.' Ik wil dat Mark zich de gelukkigste man ter wereld voelt. Echt, ik had met geen betere man kunnen trouwen. Lieve, vriendelijke Mark. Hij zal voor me zorgen, me vertroetelen en me altijd een gevoel van geborgenheid geven. Dat is die andere klootzakken nooit gelukt. Het is zo fijn om je nergens ongerust over te hoeven maken. Dat is nieuw voor me. Het is heerlijk dat er onvoorwaardelijk van me wordt gehouden. Niemand zou meer van me kunnen houden, dus wat wil ik nog meer? Morgen zal ik de bruid van zijn dromen zijn. Ik zal ervoor zorgen dat ik een traantje wegpink als ik 'ja, ik wil' zeg, want ik weet dat hij dat heerlijk zal vinden.

Ik ben blij dat Thea vannacht bij me slaapt. Ik popel om naast haar te zitten met warme chocolademelk met marshmallows terwijl we herinneringen ophalen aan vroeger. Mijn allerbeste, mooie vriendin. Mijn bruidsmeisje. Mijn enige bruidsmeisje. Omdat ik ben wie ik ben, ben ik blij dat ik van ons tweeën als eerste ga trouwen, al hoop ik sinds kort dat zij over niet al te lange tijd hetzelfde zal doen. Hoewel ik nu als eerste zal toegeven dat ik altijd verliefd ben geworden op een bepaald type – het verkeerde – heb ik ook gemerkt dat ik mijn weg naar het geluk pas heb gevonden toen ik van het geijkte pad afweek. Toen ik dat deed, vond ik mijn lieve, tedere Mark. Wie had dat kunnen denken? Wie had dat kunnen denken!

Volgens mij is het op onze leeftijd, na alle hoge pieken en diepe dalen die we als twintigers hebben meegemaakt, tijd om je aandacht op andere dingen te richten, je blikveld wat te verschuiven. Zo besloot ik om een uitzicht dat me eigenlijk maar weinig plezier deed de rug toe te keren. Ik wil dat Thea mijn voorbeeld volgt; we lijken heel veel op elkaar, al zijn we ook heel verschillend. Ik vind het verschrikkelijk om alleen te zijn; ik heb altijd gewacht tot ik een ander had gevonden voor ik een relatie die eigenlijk al voorbij was verbrak. Daarentegen is Thea veel liever alleen dan dat ze iets begint met een man voor wie ze haar ongrijpbare vonk niet voelt. Eigenlijk is het om gek van te worden: ik heb haar aan een stel vrienden van Mark voorgesteld die echt heel aardig zijn. Succesvolle, evenwichtige kerels. Maar elke keer zei Thea: 'Hij is heel aardig, maar hij is het toch niet helemaal.' Ik weet dat ze bepaald geen ouwe vrijster is, maar ik vind toch dat ze niet zo kieskeurig moet zijn. Ik wil dat zij alles krijgt wat er voor mij in het verschiet ligt. Al moet ik eerlijkheidshalve toegeven dat Marks vrienden een tikkeltje saai zijn, hoe succesvol en welgemanierd ze ook zijn. Een tikkeltje maar. Maar goed, ik trouw niet met hen. Ik trouw met Mark Oliver Sinclair.

Er schoot me net iets te binnen: als Thea trouwt, zal ik niet haar 'bruidsmeisje' zijn. Hoe heet het dan ook alweer? Iets als gezelschapsdame? Nee, nee, dat kan niet. Dat klinkt als een achttiendeeeuwse hoer die haar leven probeert te veranderen. Hofdame? Nee, nee, die horen bij de koninklijke familie, en ik mag morgen dan een prinses zijn, ik lijd niet aan grootheidswaanzin op die schaal! Getrouwde bruidsjuffer? Verdomme nog aan toe, zo worden getrouwde vrouwen genoemd als ze bruidsmeisje zijn. Juffer! Dat klinkt wel heel erg truttig. Maar ach, tegen de tijd dat Thea eindelijk de stap waagt, ben ik vast de saaiste huisvrouw ter wereld! Misschien kunnen we haar morgen aan Marks Amerikaanse neef koppelen.

Thea is ontzettend gefixeerd op het idee van een zwierige held; dat is haar criterium en daar is ze niet vanaf te brengen. Ik heb geprobeerd haar te vertellen dat ik uit ervaring weet – dat heb ik dankzij Mark ontdekt – dat het niet zo werkt. Maar ze wil me niet geloven. Ze weigert te geloven dat volwassen worden betekent dat je begrijpt dat liefde niet langer om verliefd worden draait. Dan zeg ik tegen haar: 'Ah, maar kijk eens wat het mij heeft gebracht: ik ga morgen trouwen, en daar ben ik dolgelukkig om.' Ach, ze komt er nog wel achter, denk ik. Net als ik.

Jezus, het is zover. Mijn trouwdag is aangebroken. Ik heb nog precies zeven uur om me klaar te maken. Hoe moet ik die tijd in vredesnaam doorkomen? Ik hoef alleen mijn haar te doen, me op te maken en mijn jurk aan te trekken. Zelfs ik kan daar geen zeven uur over doen. Eigenlijk heb ik best goed geslapen. Thea is de beste bedgenoot die een vrouw kan hebben, want ze snurkt niet, ze ligt niet te woelen en draaien, en ze weet zich altijd de grappigste dromen te herinneren. Vannacht droomde ze dat Bill de bruidegom was, maar dat ik het niet merkte en dat ik haar niet kon horen omdat mijn sleep tien meter lang was en om haar heen zweefde als goedkoop badschuim en naar marshmallows smaakte.

We hebben heel lang geprobeerd om een diepere betekenis in haar droom te vinden, maar uiteindelijk hebben we de conclusie getrokken dat ze uit de buurt moet blijven van suikerzoete snacks en dat Bill graag Marks plaats wil innemen, maar dat hij zal sterven als eenzame, oude vrijgezel. Thea heeft me ontbijt op bed gebracht: een blad dat vol stond met chocoladebroodjes, jus d'orange, thee en een rozerode roos. Ze noemt me steeds 'juffrouw bijna-Sinclair' en 'bijna-mevrouw'. Ik heb tegen haar gezegd dat ik haar graag zou meenemen op huwelijksreis, en dat is ook echt zo! Ik wil met Thea naar de badkamer rennen en helemaal uit mijn dak gaan bij de aanblik van alle zeepjes en shampoos en de heerlijk dikke handdoeken. Er bellen steeds maar mensen om te vragen of ik nog bedenkingen heb en of ik niet doodzenuwachtig ben. Eigenlijk voel ik me heel rustig. Ik ben opgewonden. Over mijn jurk. Omdat ik straks iedereen zal zien. Ja, oké, en omdat ik in het middelpunt van de belangstelling zal staan. Kom maar op, alles is tot in de puntjes geregeld, dus kom maar op. Goed, mijn buik zit vol vlinders, maar die fladderen van opwinding en verwachting, niet van angst of zenuwen. Dit is niet zomaar mijn grote dag, het is een kolossale dag. Over vier uur heb ik een bruiloft, die van mezelf, en ik kan haast niet wachten.

Nu zou ik eigenlijk een dutje moeten doen, zoals Thea heeft voorgesteld. Zij neemt een bad, ze vond het niet erg om mijn badwater te gebruiken. Ik ben dol op mijn appartement, maar het is heel verstandig om Mark onze appartementen te laten verkopen, zodat we een echtelijke woning kunnen kopen. Eentje met een boiler waar meer water in kan dan voor één bad. Een huis dat al een kant-en-klare border met vaste bloeiende planten heeft. Zeg alsjeblieft dat er geen addertje onder het gras zit. Dat het leven inderdaad zo mooi kan zijn. Ik moet nog even controleren of ik wel een taxi heb geregeld om ons naar de kapper te brengen.

Mijn haar zit geweldig! Manuel is fantastisch. Dat van Thea zit ook prachtig. Zij heeft haar haar vandaag zelfs laten knippen; ik heb alleen de beste föhnbeurt van mijn leven gehad. Haar haar glanst en valt tot in haar nek, iets korter dan normaal, en ze heeft het achter haar oren gedaan. Het stoort me dat ze altijd zegt dat het vaal en saai is. Maar goed, ze ziet eruit als een kruising tussen Audrey Hepburn en Isabella Rossellini. Ik heb een schitterend boeket voor haar laten maken, met orchideeën. Ik sta te popelen om haar in haar jurk te zien. We hebben een jurk gekozen in een A-model van velours in de kleur van karnemelk; onder de buste is het model vrij klassiek, het heeft een wijde, vierkant geknipte hals en brede bandjes, een beetje van de schouders afgezakt. Echt, ik moest bijna huilen toen ik haar erin zag. Ze ziet er goddelijk uit. Mijn moeder belde net over iets onbelangrijks. Ik heb even met pap gepraat en diplomatiek gevraagd of hij wil proberen te voorkomen dat ze nog eens belt. Ik ben blij dat ik alleen met pap in de auto zit. En ik weet dat Thea zich prima zal redden met mam. Ik vraag me af hoe het met Mark gaat. We hebben elkaar gesproken toen Thea in bad zat. Toen had ik in feite een dutje moeten doen, maar ik kon mijn gedachten niet voldoende tot bedaren brengen om mijn lichaam tot rust te laten komen. Hij klonk prima. Hij zei ja op alle dingen die ik hem vroeg van mijn twee- en driedubbele checklist. Hij moest erom lachen. Hij is dol op mijn eigenaardigheden. Ik hoop maar dat hij mijn haar mooi vindt, zo opgestoken. Misschien moet ik hem waarschuwen en zeggen dat als hij het aanraakt dat aanleiding kan zijn voor een onmiddellijke nietigverklaring van het huwelijk. Wie had kunnen denken dat haar zo zwaar kan zijn? Misschien komt dat door de pareltjes die erin zijn gestoken. Nep. Niet dat dat te zien is. Sterker nog: ik krijg zowat een stijve nek van het bewonderen van mijn achterkant in de spiegel.

Thea kwam net zeggen dat het tijd is om ons aan te kleden. Ze zag er geweldig uit in het mooie slipje en behaatje die we voor haar bij Fenwick's hebben gekocht. Mijn ondergoed hebben we bij Agent Provocateur gekocht. Mark zal ervan blozen. Ik vind het enig dat hij moet blozen omdat ik sexy ben. Als hij een bril droeg, zou hij zo'n man zijn bij wie de glazen zouden beslaan. Thea en ik hebben de bruidsjurk op mijn bed gelegd en we hebben twee keer de precieze volgorde geoefend waarin alles moet worden aangetrokken, ingestopt, dichtgemaakt en gladgestreken. Dus ik stap erin. Steek mijn armen in de mouwen. Thea rijgt de veters dicht en strijkt de jurk glad. We zijn stil geworden. We luisteren naar een of ander hoorspel op Radio 4, maar ik heb geen idee waar het over gaat. Ik weet niet hoe ik het gevoel van mijn jurk moet omschrijven. Ik wil geen clichés gebruiken. Hij is van zwaar glanzend satijn en zachtroze, de kleur die je je voorstelt bij de kus van een kind. Het voelt op mijn lichaam alsof een minnaar heel voorzichtig, vol aanbidding tegen mijn huid fluistert. Ik durf haast niet in de spiegel te kijken. Thea is klaar met dichtrijgen en gladstrijken en in haar ogen wellen tranen op. Ze knikt alleen maar naar me. Knikt. En ze bijt op haar lip. En ze knikt nog een keer. Haar ogen zijn vochtig en haar neus is nu helemaal rood. Ik zal maar eens kijken. Zo meteen. Ik zal me omdraaien. Ik ga nu kijken. Ik zal eens even kijken naar Alice Heggarty in haar bruidsjurk.

Hallo pappie. Hallo, hallo. O, mijn god. De auto is fantastisch! Laten we tegen de chauffeur zeggen dat hij een paar keer een blokje om moet rijden. Tenslotte hoor ik vijf minuten te laat te komen. Tien minuten is nog beter. En we moeten eraan denken dat we niet met grote passen naar het altaar lopen, anders vermoordt mam ons. Zeg niet 'kleine meid' tegen me. Ik ben je kleine meid wel, maar als je dat vandaag tegen me zegt, ga ik huilen en dan wil ik het liefst naar huis rennen.

Ik hoor niks. Ik hoor helemaal niks. Ik zie lippen bewegen die de geloften uitspreken waaraan ik zelf heb mee geschreven. Maar ik hoor niks. Ik ken ze uit mijn hoofd. En ik heb het heel warm. Nee, ik heb het zelfs heet. Mark zegt dingen. Pardon? Het is mijn beurt. Ik moet iets zeggen. Iets wat iedereen kan verstaan. Ik ken dit stuk. Ik weet wat ik moet zeggen. Laat mijn stem alsjeblieft niet kraken.

'JA, IK WIL.'

Thea en Saul

THEA LUCKMORE KON VERDRAAID GOED TEGEN ALCOHOL. VOLgens Alice had ze een ijzeren gestel. Voor sommige mensen zou dat hun ondergang betekenen, maar voor Thea was het onbelangrijk. Ze zag het niet als talent of geschenk, en ook niet als iets ergs wat op afstand gehouden moest worden, of een aandoening waar ze voorzichtig mee moest zijn. Ze kon gewoon drinken zo veel ze wilde, praatgraag en levendig worden tot in de kleine uurtjes, maar toch verstandig genoeg zijn niet met Jan en alleman te gaan zoenen. Bovendien vergat ze niet waar ze woonde of haar mascara te verwijderen voor ze ging slapen, en werd ze de volgende ochtend weer wakker vol energie, met een helder hoofd en een frisse huid. Toch had ze heel soms een kater, wat haar eraan herinnerde dat alcohol erg vervelend kon zijn. Voor Thea had een kater niets te maken met de hoeveelheid alcohol die ze de avond ervoor had gedronken; bij haar werd die alleen veroorzaakt door champagne. En op de bruiloft van Mark en Alice had de Veuve Clicquot gestroomd als water.

Dus terwijl Alice op haar eerste ochtend als getrouwde vrouw probeerde haar plaatsen in de toeristenklasse om te ruilen voor stoelen in de eerste klas, deed Thea heel voorzichtig een oog open. Ze kreunde en hoopte vurig dat ze weer in slaap zou vallen, zodat ze niks meer zou voelen. Toen Alice en Mark twee uur later Heathrow verlieten in de eerste klas, slaagde Thea erin heel voorzichtig naar haar badkamer te lopen, twee aspirientjes te slikken en een verfrissende koude douche te verdragen. Hoewel ze het gevoel had dat de binnenkant van haar schedel en de randen van haar oogkassen wreed werden geschuurd met heel grof schuurpapier, dat zaagsel haar tong tegen haar amandelen liet kleven en dat haar maag nooit meer eten zou verdragen, zag Thea tot haar verbazing in de spiegel dat ze eruitzag alsof ze acht uur had geslapen, de avond ervoor macrobiotisch had gegeten en een inspannende Pilates-sessie had gedaan.

Ze bekeek zichzelf in de spiegel en nam zich heilig voor nooit meer champagne te drinken. De telefoon ging, die ze liet rinkelen tot ze Alice een bericht hoorde inspreken.

'Thea? Ik zit in het vliegtuig! Ik zit op ruim achtendertigduizend voet hoogte. We zitten eerste klas. Maar daarom bel ik niet. Nou... eigenlijk wel. Maar zou je ook bij mij langs willen gaan als ik weg ben? Om met de gordijnen te schuiven en al dat soort dingen? Dank je, schat. O, trouwens, een van Marks Amerikaanse neven vond je een "heet" ding. Ik heb hem je e-mailadres gegeven, want hij schijnt voor zijn werk redelijk vaak in Groot-Brittannië te zijn.'

'Ik kan me hem niet voor de geest halen,' zei Thea. Ze vroeg zich af of een warmere douche handig was tegen het koude zweet dat haar was uitgebroken.

'Voor het geval je je hem niet voor de geest kunt halen: hij was degene met wie je hebt gedanst op de hoofdtafel op "Lady's Night".'

'Heb ik op de hoofdtafel gedanst? O, kut,' kreunde Thea.

'Je hebt ook met Jeff gedanst, een van mijn redacteuren. Maar hoe groot zijn passie voor mascara en glanzende lippen ook is, ik geloof niet dat je besefte dat hij homo is. En kleiner dan jij. Hoe dan ook, ik moet vliegen. O, dat doe ik al! Je kunt je tijdens de vlucht laten masseren. Dag, schat.'

Het was een goed idee om een doel te hebben. Die dag had Thea een doel. En nadat ze Alice' appartement had gecontroleerd, liep ze heel kalm naar de top van Primrose Hill. De lucht was koud en doorsneed de mist in haar hoofd. De wind blies zo hard om haar hoofd dat ze er tranen in haar ogen van kreeg, die haar ogen verfristen. Ze was niet gekleed op dit weer, maar elke keer dat ze huiverde, merkte ze dat haar misselijkheid afnam. Daarom bleef ze boven op Primrose Hill staan, terwijl de tranen haar over de wangen stroomden en ze met onregelmatige tussenpozen overvallen werd door hevige rillingen.

Dat was het moment dat Saul Mundy Thea Luckmore voor het eerst zag, met stille tranen en met tussenpozen huiverend. Ze staarde zo ongeveer in de richting van de St. Paul-kathedraal, maar Saul kreeg het idee dat ze diep in de kern keek van hetgeen haar zo ergerde. Hij vond het maar gek dat zijn aandacht werd opgeëist door een op het oog verward iemand die hij voor het eerst zag. Nog bizarder was de neiging zijn jack uit te trekken en om haar schouders te leggen. Hij wilde soep voor haar bestellen. Met haar aan een tafeltje zitten. Hoewel hij van zijn stuk was gebracht, bleef hij toch in de buurt. Zij leek zich niet bewust van haar omgeving en was overgeleverd aan de elementen. Rillend. Betraand. Bleek.

'Hallo,' zei Saul, of dat nou slim was of niet. 'Wat is het koud, hè?' Het was ongelooflijk dat zijn eerste opmerking over het weer ging, maar hij was dan ook niet gewend om een gesprek aan te knopen met een volslagen onbekende, zelfs al was dat een aantrekkelijke vrouw die interessant droevig leek. Het enige andere wat hem verder nog te binnen schoot, was: 'mooi uitzicht', maar hij wist zich in te houden.

Thea durfde haar hoofd niet om te draaien uit angst het wankele evenwicht dat ze had hervonden weer te verstoren. Vijf minuten geleden was ze nog duizelig geworden toen ze vanaf de heuvel omlaag had gekeken.

'Zeg, neem me niet kwalijk dat ik het vraag,' ging Saul verder, 'maar gaat het wel met je?' Shit, ik lijk verdomme wel een heilsoldaat.

'Dank je,' mompelde Thea. 'Met mij is alles goed.'

'Ik wil me nergens mee bemoeien,' zei Saul, al leek het erop dat dat precies was wat hij deed. Ze zei niks en ze keek hem niet aan. Dit was echt niets voor hem, maar toch babbelde hij verder. Ondertussen trok hij een grimas, omdat hij klonk als een saaie wereldverbeteraar. 'Ik hou er gewoon niet van om mensen op een koude novembermiddag in hun eentje te zien huilen en rillen.'

Godverdomme nog aan toe, dacht Thea, mag ik alsjeblieft in stilte over mijn kater heen komen?

'Met mij is alles goed,' bromde ze. 'Ik heb gewoon een kater. Dat is alles. Ga alsjeblieft ergens anders zieltjes winnen, want de duivel heeft de mijne al. Echt, ik ben een hopeloze zaak.'

Saul gooide zijn hoofd achterover en schaterde het uit. 'Hierbij neem ik al mijn medeleven terug,' grapte hij. 'Ik wilde je nog wel mijn jack aanbieden. Maar dat is wel een Armani. En bovendien is jouw lijden je eigen schuld. Geniet ervan!'

Heel voorzichtig draaide Thea zich om zodat ze de elegante Samaritaan goed kon bekijken. En de adem stokte haar in de keel. Ze had net een nieuw ingrediënt ontdekt voor 'Luckmores elixer voor hen die zich te veel hadden laten gaan'. Frisse lucht. Aspirine. De hoogte van Primrose Hill. En een behoorlijk aantrekkelijke beschermengel. 'Wie ben jij? Een overijverige methodist?' vroeg ze plagend.

Opnieuw lachte de man. 'Ik ben Saul,' zei hij, en hij stak zijn hand uit, die ze tot zijn verbazing schudde. 'Jezus, wat zijn jouw handen koud. Ik kan je niet bij Onze-Lieve-Heer brengen, want daar weet ik de weg zelf niet heen. Zeg, wil je mijn jas niet omslaan?'

'Ik ben Thea, en als je het goedvindt, wil ik je jack graag hebben.'

Saul drapeerde zijn jack rond haar schouders en als beloning wierp ze hem een glimlachje toe, dat haar duidelijk ongemakkelijk afging, maar dat hij in dankbaarheid aanvaardde.

'Gisteren is mijn beste vriendin getrouwd. Champagne,' legde ze uit, waarna ze haar schouders ophaalde.

'En vandaag heb je je voorgenomen nooit meer te drinken,' zei Saul alwetend.

'Wist jij dat ze telefoons hebben in vliegtuigen?' vroeg Thea verwonderd. 'Alice heeft me gebeld vanaf achtendertigduizend voet hoogte.'

'Ja ja, de technologie staat voor niks,' zei Saul plagend. Zelf had hij een paar keer op nog grotere hoogte gebeld.

'Verbazingwekkend,' zei Thea heel ernstig.

'Ga even zitten.' Saul liet het klinken alsof het bankje in het park zijn privé-eigendom was. 'In mijn jaszak zitten Opal Fruits. Tegenwoordig heten die anders, dus als je jaren jonger bent dan ik, weet je niet wat een Opal Fruit is.'

'Ik ben eenendertig.' Dankbaar liet Thea zich op de bank zakken. 'En ik hou alleen van de rode en gele.'

De suiker in de snoepjes verrichtte wonderen. Op deze kuur moest ze patent aanvragen. Frisse lucht, aspirine, de hoogte van Primrose Hill, een knappe beschermengel met Opal Fruits. Het werkte prima; Thea merkte dat ze haar hoofd ineens makkelijk kon draaien. Saul ging naast haar zitten. Ze ritste zijn jack dicht en sloeg het behaaglijk om zich heen. Het was van zacht bruin leer en gevoerd met iets warms. 'Mooi jack, zeg,' zei ze dankbaar.

'Ga er niet vandoor terwijl je het nog aanhebt,' zei Saul waarschuwend, alsof hij zijn edelmoedigheid betreurde.

'Ja ja, het is een Armani. Nou, geloof me: als ik vandaag íéts niet kan, is het wel wegrennen.'

'Zijn er nog snoepies?' vroeg Saul, en Thea vond zijn kinderachtige woordje hartstikke leuk.

'Twee groene en een rode,' zei ze.

'Nou, dan zal ik de groene maar nemen,' zei Saul overdreven onbaatzuchtig.

Thea zoog op het rode snoepje en bromde tevreden. 'Starburst,' zei ze. 'Zo heten ze tegenwoordig. Wat een idiote naam.'

'*Opal Fruits*,' zong Saul de reclame van vroeger.

'*Made to make your mouth water*,' zong Thea.

'Eh... Wil je soms mee iets gaan drinken?'

Thea zag eruit alsof ze elk moment in tranen kon uitbarsten. 'Ik raak geen druppel alcohol meer aan,' verkondigde ze. 'Ik word alleen al misselijk bij het idee.'

'Waarom is dat in het Amerikaans *norshus* en in het Engels *nauseous*?' zei Saul peinzend, terwijl hij zich afvroeg of Thea hem net ronduit had afgewezen.

'Geen idee,' mijmerde Thea. '*Norshus nauseous*.'

'Ach, waarom zeggen Amerikanen *math* en *sports*, terwijl dat in het Engels *maths* en *sport* is?' vroeg Saul. 'Hoe dan ook, wat zou je ervan vinden als ik op wat koolhydraten en proteïnes trakteer die in een pan op hoog vuur zijn bereid?'

'Sorry?'

'Ik was bang dat de term "Engels ontbijt" je misselijk zou maken,' zei Saul. 'Maar geloof me: een lekker vet worstje, twee eieren met zachte dooier, een berg patat, een scheut *brown sauce* en wat ketchup zijn een prima medicijn voor de gewone kater.' Tot zijn vermaak kreunde Thea en verbleekte ze zichtbaar. Toch was hij ook teleurgesteld, want hij had best trek in een Engels ontbijt, al was het al bijna theetijd.

'Misschien nog wat snoepies?' stelde Thea voor.

Onderzoekend keek Saul haar aan, en ze keek even onderzoekend terug. Ze accepteerde zijn avances. Hij had sjans op Primrose Hill. Nee, maar. 'Wil je dat ik wat snoepjes voor je koop?' vroeg hij ter opheldering. Hij keek haar aan. Die rotmeid, in haar ogen blonken geen tranen, maar ze sprankelden wel ondeugend. 'Opal Fruits?'

'Weet je waar ik echt zin in heb? In Refreshers! Ken je die nog? Ze zitten in een rol, van die bruisende dingetjes. Net een compacte sorbet. Als je er op een paar tegelijk kauwt, wordt je mond gevuld met belletjes die over je lippen lopen.' Thea dook nog wat dieper weg in zijn jack en boog haar hoofd, zodat de kraag tot voorbij haar neus kwam. Jezus, ik word versierd op Primrose Hill. 'Nou ja, daar heb ik gewoon trek in. In Refreshers.'

'Kan ik erop vertrouwen dat je hier blijft zitten en dat je er niet vandoor gaat in mijn jack?' vroeg Saul. 'Het is een Armani.'

'Dat zeg je maar steeds,' zei Thea. 'Weet je zeker dat het geen namaak is?' Achterdochtig bekeek ze de manchetten.

'Flikker een eind op,' zei Saul, omdat hij wist dat ze zou blijven zitten. Hij liep de heuvel af en dankte de hemel voor katers en voor appartementen van vriendinnen en telefoontjes op achtendertigduizend voet hoogte. Toen hij Primrose Hill weer op liep, met een rol Refreshers in zijn achterzak, kwam haar glimlach hem al tegemoet.

'Refreshers, *milady*,' verkondigde hij, en hij stak ze haar toe.

'Ik lust alleen gele en rode,' zei ze.

'Zuig je erop of bijt je ze stuk?'

'Ik bijt ze stuk.'

'Ik ook.'

Ze beten en bromden tevreden, en onderdrukten de boeren die in hen opborrelden doordat ze de hele rol in een paar minuten hadden opgegeten.

'Ik begin warm te worden,' zei Thea. 'Ik moet maar eens op huis aan. Ik ben doodmoe.'

'Thea, neem mijn jack mee,' zei Saul. 'Nee, echt. Elke man hoort een keer voor echte heer te spelen. Sta me alsjeblieft toe dat ik dat nu doe. Mijn moeder zou trots op me zijn.'

Thea giechelde bij de gedachte dat deze man naar huis zou rennen en zou roepen: 'Mam, mam! Ik ben vandaag een echte heer geweest, ik heb mijn jack aan een kleumende zwerfster geleend. Krijg ik nu meer zakgeld? Mag ik later opblijven?' 'Dat is niet nodig, hoor,' zei ze dankbaar. 'Mijn auto staat daar.'

Saul haalde eerst zijn schouders op en knikte toen. 'Ja, maar als ik je mijn jack leen, moet je het terugbrengen.' Dat was de troef die hij achter de hand had. Thea wierp hem een blik toe en hij wist gewoon dat ze bloosde. 'Misschien op dezelfde plaats, over een week?' stelde hij voor, terwijl hij een zilverpapiertje van een snoepje opvouwde en weer uitvouwde.

'Goed.' Thea dacht bij zichzelf dat Alice' bladen zouden adviseren om te weigeren en het heel rustig aan te doen, of op z'n minst haar stralende glimlach te onderdrukken om ingetogen over te komen. Alice' bladen konden naar de hel lopen! 'Zelfde tijd, zelfde plaats, volgende week zondag dan,' zei ze.

'Leuk,' zei Saul met een brede grijns. Hij liet zijn hand in de zak van zijn jack glijden, over en langs Thea's vingers, en pakte zijn sleutels. Toen trok hij de rits half omlaag en liet zijn hand in de binnenzak verdwijnen om zijn mobieltje te pakken. Hij voelde Thea's adem tegen zijn pols toen hij de rits weer omhoogtrok. Toen hij haar aankeek, wist hij dat hij haar best plotseling zou willen kussen, maar hij schudde alleen heel formeel haar hand.

'Tot volgende week dan.' Saul kwam overeind.

'Ja, tot volgende week,' bevestigde Thea, en ze maakte aanstalten om weg te lopen.

'Zeg, waar woon je eigenlijk?'

'In Crouch End.' Ze liep een paar passen bij hem vandaan. 'En jij?'

'In West End.' Hij liep de heuvel af. 'En wat doe je?'

'Ik ben masseuse,' zei ze over haar schouder. 'En jij?'

'Ik schrijf.'

Op maandag had Saul een deadline voor een artikel over de nieuwste generatie iPods en het kostte hem de grootste moeite om zich niet te laten afleiden door aangename beelden van Thea. Op dinsdag had hij geen deadline en tikte hij: 'massage Noord-Londen' in bij Google. Vervolgens werd hij naar bijzonder dubieuze sites verwezen, die hij niet durfde aan te klikken omdat hij bang was dat zijn computer er een seksueel overdraagbaar computervirus aan over zou houden. Op woensdag dacht Saul: stik, het is maar een jack, en het was nog gratis ook. Op donderdag liep hij naar de Armani-winkel om de prijzen te bekijken. Jezus, die Thea kon maar beter komen opdagen. Hij stuurde zijn column voor de *Observer* in en accepteerde een opdracht voor het blad *Express*. Vrijdag overdag deed hij zijn best om niet aan het jack te denken, of aan Thea en Primrose Hill, en schreef hij de hele dag. 's Avonds ging hij uit met vrienden en hij nam er een in vertrouwen en vertelde dat hij een meisje had ontmoet in een park dat er koud en zielig uitzag en dat ze een kater had, en dat hij haar daarom zijn Armani-jack had geleend.

'Dat bruine leren jack?'

'Ja.'

'Sukkel!'

Op zaterdagavond nodigde Ian Ashford Saul uit om Karen te ontmoeten. En Karen had haar vriendin Jo gevraagd om Ians vriend Saul te ontmoeten. Bovendien hadden Ian en Karen Angus en Anna gevraagd, zodat Jo en Saul niet het gevoel zouden krijgen dat ze werden gekoppeld. Het etentje was heel gezellig en Saul dacht dat Thea het prima met zijn vrienden zou kunnen vinden, als het lot hem gunstig gezind was. En Jo was helemaal hoteldebotel en hoopte dat Saul haar binnenkort een keer zou bellen.

Zonder Alice voelde Thea zich een beetje verloren. Sally Stonehill was een goede vriendin, maar Thea wilde graag Alice' mening horen over de hele situatie, en alle scenario's – goed, slecht, en veel te vergezocht – waarmee ze op de proppen zou komen. Tot haar schrik merkte Thea dat ze het Alice – of liever gezegd Mark – een beetje kwalijk nam dat ze uitgerekend nu op huwelijksreis waren.

Maar Sally was helemaal opgetogen over Thea's uitdaging en moedigde haar aan om wel terug te gaan naar Primrose Hill, maar wat eerder dan afgesproken, en zich achter een boom te verschuilen en nog eens goed te kijken of Saul het wel waard was zijn jack terug te krijgen. 'Maar zet het op een lopen als hij zwartleren handschoenen draagt,' zei Sally bloedserieus. 'Dan is hij knettergek.'

Sally's man Richard vond dat Saul heel louche klonk, met of zonder zwartleren handschoenen, en hij vond dat Thea niet moest gaan. Hij vond dat Thea hem het jack moest geven en dat ze een contactadvertentie in *Time Out* moest zetten als ze zo wanhopig was.

'Of begin iets met mijn vriend Josh. Die is single,' zei Richard.

'Zo wanhopig ben ik niet,' zei Thea, terwijl Sally achter Richards rug net deed alsof ze een teiltje nodig had.

Op dinsdag kreeg ze een mailtje van Marks Amerikaanse neef waarin hij beleefd vroeg of Thea met hem uit eten wilde als hij weer in Groot-Brittannië was. Ook al kon Thea zich hem nog altijd niet voor de geest halen, toch beantwoordde ze zijn mail, al vergat ze zogenaamd per ongeluk haar telefoonnummer erin te zetten, waar hij om had gevraagd. De volgende dag ging ze naar Prospero's Books in Crouch End in de hoop dat haar oog op een boek van Saul zou vallen. Er leek er geen op de planken te staan.

'Sally,' zei Thea. 'Heb jij ooit gehoord van een schrijver die Saul Nogwat heet?'

'Bellow?' vroeg Sally. 'Jouw Saul kan natuurlijk onder een pseudoniem schrijven.'

'Stel dat hij een lustmoordenaar is en dat de politie me maandagochtend in stukjes verspreid over Primrose Hill terugvindt,' zei Thea.

'Zoals ik al zei: pas op voor zwartleren handschoenen.'

'Misschien moet ik maar niet gaan,' zei Thea somber.

'Stel dat hij geen boeken schrijft,' bracht Sally te berde. Ze had een zwak voor Saul en zijn snoepjes. 'Misschien is hij journalist.'

'Misschien ga ik wel,' zei Thea vrijblijvend.

Op donderdag belde Thea haar moeder in Chippenham en vroeg of ze op zondag bij haar kon komen lunchen.

'Liefje, ik ga zondag lunchen bij de Craig-Stewarts,' zei haar moeder. Ze was een beetje verbaasd dat haar dochter dat hele eind wilde rijden voor één dag, terwijl het over niet al te lange tijd Kerstmis was.

Een beetje down vroeg Thea zich af wat Alice zou zeggen. Ze

kon nu wel wat goede raad gebruiken. Waarschijnlijk zou Alice achter een andere boom op Primrose Hill gaan staan om de zaak in de gaten te houden. Als ze tenminste niet iets anders te doen had nu ze getrouwd was en heerlijk op de witte stranden van St. Lucia lag.

'Kun je morgen nog op Molly passen?' Lynne belde Saul op zaterdagavond, net toen hij naar Ian wilde gaan. 'We kunnen haar niet meenemen naar de bruiloft van de Clarks.'

Dat was Saul helemaal vergeten. Maar op Molly passen kwam hem goed uit. Dat vormde een sluw noodplan, waardoor hij op Primrose Hill kon zijn, of Thea nou wel niet kwam opdagen. 'Ja hoor, geen probleem.'

'Dan brengen we haar morgenochtend vroeg,' zei Lynne dankbaar.

Niets verhinderde Thea en Saul om hun gang naar Primrose Hill te plannen, precies een week nadat ze elkaar voor het eerst hadden ontmoet. Geen van beiden had de nacht ervoor een nachtmerrie. Ze sliepen allebei goed en ontwaakten gezond en wel. Het was een heerlijke dag, een graad of twee warmer dan de week ervoor en nog zonnig ook. Een herfstdag in de winter, wat even kostbaar was als een warme nazomer. Thea besloot om op weg naar Primrose Hill bij Alice' appartement langs te gaan om haar uitje nog meer te verantwoorden. Bij Alice was ze zo vrij om de kasjmieren trui met de kleur van blauwe hyacinten te lenen, en haar eigen saaie marineblauwe coltrui van lamswol achter te laten. Ook deed ze vlug wat Chanel van Alice op, voor het geval de hare al was weggetrokken. Met een goedkeurende grijns bekeek Thea zichzelf in de spiegel. Ergens had ze het vermoeden dat dit leuk zou worden: een al lang gekoesterd vertrouwen in toevalligheden vertelde haar dat dit een goed idee was. Ze ritste haar jas dicht en nam Sauls jack over haar arm, waarna ze het naar haar gezicht bracht en diep inademde. Vervolgens zei ze stijfjes tegen zichzelf dat ze niet zo stom moest doen.

'Kom op, Molly,' zei Saul. 'Gedraag je netjes.'

Thea had geen tijd om zich achter een boom te verstoppen. Toen ze op de top van Primrose Hill aankwam, zag ze dat Saul er al was, zonder jas en met een grijns op zijn gezicht. Ze versnelde haar pas en liep naar hem toe. Ze feliciteerde zichzelf toen ze zag hoe knap hij was, of hij nou een lustmoordenaar was of niet. Zodra ze zag dat hij geen handschoenen droeg, zwaaide ze glimlachend naar hem. Maar toen hij terugzwaaide, leek hij een riem in zijn hand te hebben. Net toen ze daar allerlei sinistere bijbedoelingen in las en ze zich afvroeg hoe Sally een riemdrager zou omschrijven, verscheen Molly. Rennend. Blaffend. Kringetjes draaiend om Thea, die het op een schreeuwen zette.

'Molly!' zei Saul half lachend, half schreeuwend, terwijl hij over de heuvel naar hen toe rende. 'Af, je pootjes zijn modderig en Thea... En Thea... huilt.'

'Haal die hond weg,' snikte ze. 'Nu. Haal hem weg.'

Saul voelde zich niet vaak verscheurd tussen de behoeftes van twee vrouwen. Maar op dat moment, op Primrose Hill, kon hij geen van beiden negeren. Het enige wat hij kon doen, was hun beider naam roepen en Molly smeken bij hem te komen en Thea om niet weg te rennen. Wat zou Barbara Woodhouse hebben gezegd? Hier? Af? Rare hond? Op dit moment had hij verdomme meer aan Paul McKenna.

'Molly!' brulde Saul. 'Hier! Kom! Af! Blijf! Zit, domme hond!' Voor Molly was dit koeterwaals; voor alle echte hondenbezitters die in de buurt waren, was het bijzonder vermakelijk. Nu rende Molly als een gek in het rond; ze schoot tussen de benen van mensen door, blafte vrolijk, en ze kwam af en toe terug om te blaffen naar Thea en tegen haar op te springen.

Thea bleef stokstijf staan met haar handen tot vuisten gebald onder haar kin.

'Ze is niet van mij,' riep Saul, alsof dat de situatie er beter op maakte. Op dat moment ging Molly helemaal op in het achterwerk van een King Charles Spaniel een stukje verderop en Saul sloop naderbij om haar te vangen.

Toen hij Molly weer veilig had aangelijnd, kon Saul Thea alleen nog maar nakijken toen ze het park ontvluchtte. Ze was al buiten gehoorsafstand. Met zijn jack.

'Dat zal me leren met vreemden te praten,' zei Saul tegen Molly. 'Ik moet uit de buurt blijven van hysterische typjes met een drankprobleem.' Hij besloot niet meer aan haar te denken. Wel jammer van het mooie jack.

De brutale kerel en het meisje met het litteken

THEA GING NAAR ALICE' APPARTEMENT OM VOORBEREIDINGEN TE treffen voor de terugkeer van de jonggehuwden uit hun Caribische paradijs. Ze bracht bloemen, vers brood en melk, deed de ramen open, maakte het toilet schoon met bleekmiddel, verschoonde het bed en stapelde de post netjes op. Daarna stak ze een geurkaars aan en ging zitten met een kop koffie van Starbucks en de *Observer*. Het was fijn om zich op zondag uitgerust en helder in haar hoofd te voelen, zonder verdere plannen te hebben of een noodzakelijk bezoek aan Primrose Hill te moeten brengen. Het was heel ontspannend om de kranten bij iemand anders te lezen. Dan werd je tenminste niet afgeleid door klusjes die nog moesten worden gedaan, mensen die je moest terugbellen, een koelkast die moest worden bijgevuld of belastingbiljetten die op het tafeltje lagen te wachten.

De *Observer* op zondag was een traditie: bekend, vermakelijk, weinig eisend en soms een tikje irritant, als een oude vriendin die Thea één keer per week sprak. Ze las hem in een heel specifieke volgorde: eerst het hoofdkatern, daarna de recensies en daarna het katern dat *Escape* heette. De sport-, economie- en financiële bijlagen werden niet gelezen, maar hadden toch hun nut. Ze werden namelijk onder de gootsteen gelegd om de druppels die uit de slang van de wasmachine lekten te absorberen. Deze week was vooral een interview met David Bowie in de maandelijkse muziekbijlage heel erg boeiend. Het deed haar terugdenken aan het altaar dat Alice en zij in hun tienerjaren ter ere van meneer Bowie hadden gemaakt. Thea trok het artikel eruit en legde het boven op de stapel post van Alice. Het bijbehorende *OM*-magazine was Thea's favoriete deel, dat ze altijd tot het laatst bewaarde. De stemmen die haar op die pagina's tegemoet kwamen, waren even bekend voor haar als die van Radio 4. Een restaurant vlak bij haar huis kreeg een goede recensie, dus scheurde ze die pagina eruit en deed hem opgevouwen in haar agenda. Om de cartoon moest ze hardop lachen, dus scheurde ze die ook uit en plakte hem op Alice' koelkast. Verstandig advies van de blotevoetendokter zette haar aan het denken. Mariella Frostrup liet haar instemmend mompelen. Maar de openingszin van de Brutale Kerel liet haar hardop vloeken: *Het had mijn moment als echte heer moeten zijn.*

'Godverdomme!'

In plaats daarvan werd het een hondse middag.

De Brutale Kerel was Saul. Saul Mundy. Het stond er in grote letters bij en werd nog eens bevestigd door een zwartwit foto.

Deze week vertel ik u het treurige verhaal van de Brutale Kerel, de beeldschone dievegge, een verschrikkelijke terriër en mijn Armani-jack.

'Hij denkt dat ik een dievegge ben!'

Nou ja, dat ben je ook, Thea. Maar hij zegt ook dat je beeldschoon bent.

Voortaan verricht ik geen goede daden meer en ik pas ook niet meer op andermans hond.

Wedden dat echte heren nooit Armani-jacks dragen?

'Sally,' fluisterde Thea door de telefoon, nadat ze het stuk op topsnelheid had doorgelezen. 'Kijk eens naar het magazine van de *Observer* en zeg tegen Richard dat ik dat jack terug moet hebben.'

Als ik dit schrijf, weet ik nog niet hoe het verder zal gaan. Wordt de Brutale Kerel een watje en zal hij voor de derde zondag achtereen Primrose Hill beklimmen, hoopvol, maar koud? Of heeft de Brutale Kerel er gewoon genoeg van en blijft hij lekker warm binnen met zijn X-box en kan het hem allemaal geen ruk meer schelen?

'Saul Mundy is een toffe peer,' zei Sally. 'Ik ben gek op zijn column, en hij ziet er ook helemaal niet slecht uit. Jezus, zeg: Saul Mundy! Het is niet te geloven. Heb jij even mazzel!'

'Ik weet niet of ik me gevleid of gebruikt voel!' zei Thea schijnheilig. 'En ik weet niet precies wat ik moet doen.'

'Vertel haar maar dat ik het jack houd,' hoorde ze Richard op de achtergrond roepen.

'O, hou toch op,' zei Sally minachtend tegen haar echtgenoot en Thea.

In werkelijkheid bruiste Thea van opwinding, maar als ze dat zou toegeven aan zichzelf, laat staan aan Sally Stonehill zou dat niet alleen arrogant zijn, maar zou ze ook het lot wel eens kunnen tarten. Daarom bleef ze net doen alsof ze in tweestrijd stond.

'Ja, maar…' zei ze.

'Godsamme, meid, er wordt met je geflirt in een nationale krant. Zoiets romantisch heb ik nog nooit gehoord!' zei Sally ongeduldig. 'Hup, ga naar Primrose Hill! Volgens mij hou jij zijn ballen in je hand.'

Eerst ijsbeerde Thea een poosje door Alice' appartement en daarna ging ze zitten om het artikel nogmaals te lezen.

Ik hoop dat ze het jack mooi vindt. Het stond haar in elk geval veel beter dan mij.

Probeerde hij haar te versieren, of maakte hij haar belachelijk? Moest ze tussen de regels door lezen of niets geloven van wat ze las? Kom alsjeblieft snel terug, Alice!

Maar ach, wat kon de beeldschone dievegge anders doen dan voor de derde zondag op rij Primrose Hill op lopen?

Hij was er niet.

Wat had ze zich in haar hoofd gehaald?

Natuurlijk was hij er niet.

'Ik was gewoon een dankbaar onderwerp om over te schrijven,' zei Thea berustend, nadat ze een halfuur had rondgehangen. Boven haar vloog een zwerm kraaien door de lucht, als stukjes houtskool die werden opgehoest door een vreugdevuur. Ze vroeg zich af of de kraaien de gekooide dieren in het vogelhuis van de London Zoo aan het jennen waren. De dierentuin lag vlak onder de heuvel, aan de overkant van de straat. Ze was er in geen jaren geweest, maar misschien moest ze er nu heen gaan. Dan leek de middag wat minder verloren. Gingen mensen wel in hun eentje naar de dierentuin, vroeg ze zich af. Mocht je wel naar binnen als je geen kind bij je had?

'Waar is mijn vervloekte jack, beeldschone dievegge?' Met die woorden maakte een stem achter haar een einde aan haar overpeinzingen.

Thea draaide zich niet naar hem om. 'De man van mijn vriendin heeft het ingepikt,' zei ze, terwijl ze in de verte het omhoog- en omlaaggaan van de vogels bleef volgen.

'Die beleefdheid kan me gestolen worden,' zei Saul, die dicht tegen haar aan kwam staan en zijn armen om haar middel sloeg. 'Net als mijn imago. Ik zal de Bouquetreeks doen herleven.' Na die woorden draaide hij Thea naar zich om, nam haar gezicht in zijn handen en kuste haar.

'Champagne, mevrouw?' vroeg de stewardess aan Alice, die op alle knopjes op haar enorme eersteklasstoel drukte terwijl ze ook door de grote vakken neusde.

'Graag!' zei Alice. 'En kun je mijn naam op de lijst voor de massage zetten?'

'Natuurlijk. Wilt u ook een massage, meneer?'

'Nee, dank je,' zei Mark.

'Een krant?'

'Ja,' zei Mark. 'De *Sunday Telegraph*, alsjeblieft.'

'Mevrouw?'

'De *Observer* graag,' zei Alice. 'Dat is een conservatieve krant, hoor,' zei ze plagend tegen Mark.

'Linkse slapjanus,' pestte hij terug. Zonder dat het hem gevraagd werd, gaf hij zijn luxe reispakket aan zijn vrouw, zodat zij er uitgebreid in kon snuffelen. Tegen de tijd dat Alice bij Sauls artikel kwam en een paar keer hardop had moeten lachen, bekeek de schrijver ervan de littekens van haar beste vriendin, achtendertigduizend voet lager.

'Vierenvijftig hechtingen,' zei Thea tegen hem, 'van een magere, kleine terriër. Het rare is dat ik het toen veel erger vond dat die hond werd afgemaakt.'

Thea Luckmore was nog nooit bij een eerste afspraakje met iemand het bed in gedoken, laat staan dat ze had gevreeën met een relatief onbekende. Bovendien had ze tot nu toe haar littekens even angstvallig bewaard als haar kuisheid. Maar hier lag ze op de dekens van Saul Mundy's bed, naakt en aangenaam soezig na een lekkere vrijpartij.

Ondertussen volgde hij met zijn vinger het kronkelende litteken op haar middel en de bovenkant van haar rechterdij. Hij vond de aanblik van haar verwonding verontrustend, maar ook intrigerend. Het litteken was net een enkele bleekroze vlecht die een specifieke route aflegde. Het was duidelijk te zien waar de hond had toegehapt, waar de tanden haar vel hadden doorboord, waar haar vlees was weggescheurd en de huidflap weer zorgvuldig was vastgenaaid. Het was haast een litteken uit een stripboek, zo volmaakt was de afdruk van de beet.

'Ik was twaalf,' ging Thea verder, 'en het was de hond van Alice Tiddler. Sindsdien ben ik doodsbang voor terriërs.'

Saul rolde zich om en bracht zijn gezicht naar haar buik. 'Dat geloof ik graag,' mompelde hij, en hij duwde zijn neus in haar navel.

'Gek genoeg doen rottweilers me niet zo veel,' voegde Thea eraan toe, terwijl Sauls lippen haar luchtig beroerden, zo zacht dat ze niet kon zeggen of hij het litteken zoende, of haar huid eromheen, toen ze haar ogen sloot. 'Grote honden lijken altijd te slenteren, maar kleine terriërs draaien helemaal door.'

'Je litteken past bij je,' zei hij. 'Het vertelt een verhaal: kwetsbaarheid die schuilgaat achter uitbundigheid. Als dat tenminste niet al te afgezaagd klinkt.'

'Afgezaagd?' vroeg Thea met een glimlach. 'Wil je soms in mijn broekje? Alweer?'

'Geil,' bekende Saul. 'Alweer. Zeg, waar is je broekje eigenlijk?' vroeg hij. Hij hield even op met het strelen van haar schaamhaar om haar aan te kijken, voor hij zijn blik weer naar beneden wendde en zijn neus erin drukte.

'Volgens mij heb je het ergens in je woonkamer neergegooid,' giechelde Thea, maar Saul had het nu veel te druk om te reageren.

Hij had zijn tong en lippen nodig om Thea's venusheuvel te onderzoeken, en al snel kon Thea geen woord meer uitbrengen door het genot dat ze voelde. Hun gebabbel maakte plaats voor gehijg en gekreun, en het verleidelijke geluid van haar eigen vochtigheid tegen Sauls mond. Ze liet haar vingers door zijn haar glijden, trok haar knieën op, bewoog haar heupen en hief haar bekken op, wiegend en glijdend langs zijn gezicht. Instinctief liet hij haar het tempo bepalen, zonder zijn bezigheden te staken. Zijn lippen streken langs haar heen, zijn neus duwde tegen haar en zijn tong gleed langs en in haar. Zij keek omlaag naar hem en hij keek heel even naar haar op, waarna hij zijn ogen sloot om zich beter te kunnen concentreren.

Uit haar eerdere ervaringen had Thea geconcludeerd dat orale seks gewoon een manier was voor de man om haar sneller nat te krijgen, zodat hij er vlugger in kon. Maar naar Sauls waarderende gebrom te oordelen, leek hij zichzelf prima te vermaken. Thea duwde zijn gezicht bij haar kruis vandaan om hem te kunnen kussen en aan zijn gezicht te kunnen likken. Ze rolden woest over zijn bed en zijn gespannen pik drukte hoopvol en dwingend tegen haar aan. Ze duwde hem op zijn rug en gleed boven op hem, zodat haar poesje net plagend buiten bereik van zijn pik was, en haar tepels op een paar centimeter afstand van zijn wanhopige mond waren. Eerst likte ze langs haar eigen lippen en daarna liet ze haar tong langs de zijne glijden.

'Godsamme, neuk me nou,' fluisterde Saul.

'Condoom,' fluisterde Thea, en ze hoopte maar dat hij er nog een had.

Ineens merkten ze allebei dat het nog niet eens avond was. Het was theetijd op zondagmiddag. Wat decadent. Dat hield in dat ze hier de hele avond mee door konden gaan. In stilte besefte zowel Saul als Thea dat ze hier zo lang mee konden doorgaan als ze wilden. Tenslotte hadden ze geen verplichtingen. Niet die avond, of de volgende. Ze waren helemaal niemand iets verplicht, en dat was al een hele poos het geval. Het was allemaal legitiem, zonder complicaties. Plotseling, door een toevallige ontmoeting op Primrose Hill, het verhaal van een geleend leren jack en het fiasco met een geleende, ongevaarlijke terriër, hadden Saul Mundy en Thea Luckmore elkaar gevonden.

Meneer en mevrouw Sinclair

'DAG, MENEER SINCLAIR,' ZEI ALICE TERWIJL ZE EEN KOP STERKE koffie dronk en haar best deed om de lichte misselijkheid te onderdrukken die was veroorzaakt door een slechte nachtrust vanwege haar jetlag. 'Kom je snel weer bij me terug?'

'Natuurlijk, schatje,' zei Mark, en hij drukte een kus op haar kruin. Haastig pakte hij een snee toast, zijn jas en zijn koffertje. 'Ik ben vreselijk laat, ik moet echt gaan.'

'Blijf,' zei Alice smekend. 'Spijbel! Toe, ik daag je uit. Bel dat je ziek bent, of zo. Je kunt thuis werken. Ik heb je veertien dagen lang helemaal voor mezelf gehad, ik wil niet alleen zijn.'

Met een glimlach keek Mark naar zijn vrouw, die hem vol enthousiasme aankeek, ondanks de donkere wallen onder haar ogen en haar verwarde haar. 'Waarom ga je zelf ook niet naar kantoor?' vroeg hij.

'Omdat ik niet hoef,' protesteerde Alice. 'Ik moet morgen weer beginnen. Trouwens, de mannen van John Lewis komen al onze trouwcadeaus brengen.'

'Bel Thea dan,' stelde Mark voor.

'Dat heb ik al gedaan. Het is haar vrije dag, maar ze is blijkbaar niet thuis,' zei Alice met gespeelde boosheid.

'Waarom ga je ons dan niet inschrijven bij een paar makelaars?' Mark drukte nog een kus op haar kruin. 'Ik moet gaan.'

'Bel me, alsjeblieft,' zei Alice smekend. 'Mis je me niet nu al?'

'Alice,' zei Mark geërgerd, maar gelukkig. 'Ga douchen, kleed je aan, ga naar de supermarkt, zoek Thea op, doe je appartement in de verkoop bij Benham en Reeves, en vertel alle makelaars die huizen verkopen in de postcodegebieden NW3 en N6 wat onze eisen zijn:

drie slaapkamers, tuin, geen pantry of kunststof kozijnen.' Na haar nog een kushandje te hebben toegeblazen, ging hij weg. Hij zweefde naar beneden in de lift van Belsize Park en hij bleef grijnzen gedurende de hele rit met de Northern Line die hem en een volgepakte metrowagon met chagrijnige forenzen naar Moorgate bracht. Wat fijn om een vrouw te hebben, een prachtige vrouw, die hem smeekte te spijbelen van zijn werk om bij haar te blijven. Alice Heggarty was met hem getrouwd, gaf hem een kus voor hij naar zijn werk ging en als hij vanavond thuiskwam, wachtte ze op hem. Kon het leven nog mooier zijn?

Mark kwam op kantoor, beantwoordde de vragen van zijn ontroerde assistente over zijn bruiloft en huwelijksreis, controleerde zijn agenda, zag dat hij 288 nieuwe mailtjes had, verzette de lunch die was afgesproken, regelde twee vergaderingen voor de ochtend en drie voor die middag en riep zijn team bijeen in de directiekamer om bijgepraat te worden. Zijn assistente maakte een aantekening om een broodje voor hem te kopen, want ze wist dat hij het te druk had om ergens iets te gaan eten.

Alice deed wat haar werd gezegd. Ze nam een douche, kleedde zich aan, ging naar de supermarkt en belde makelaars. Ook bleef ze Thea proberen, maar haar mobieltje stond uit en thuis nam ze nog altijd niet op. Het was fijn geweest om verwelkomd te worden in een lekker geurend appartement met schone bedden, nette stapels post en een koelkast waar de eerste levensbehoeften in zaten. Nu wilde Alice Thea zien, om haar op z'n minst te bedanken. Ook kreeg ze een beetje genoeg van haar eigen gezelschap. Alice was nooit een fan geweest van 'tijd voor jezelf', hoewel de tijdschriften die ze uitgaf regelmatig verkondigden dat het een noodzakelijke luxe was. Alice functioneerde het best in gezelschap van anderen, of zelfs met een publiek. Wat haar betrof werden rust, stilte en eenzaamheid zwaar overschat. Als je dan toch vrije tijd had, kon je die maar het best in gezelschap van anderen doorbrengen; daar kreeg je veel meer voor terug, dan wanneer je thuis in je eentje ging zitten navelstaren. Als Thea nog altijd niet thuis was, zou ze 's middags misschien naar kantoor gaan. Ze belde Thea's vaste nummer nog een keer.

'Hallo?'

'Thea? Waar heb jij uitgehangen? Ik probeer je al tijden te bereiken. Ik ben terug!'

'Alice! Alice! O, jezus, hoe gaat het met je? En met Mark? Ik heb je gemist! Heb je weer betere plaatsen gekregen?'

'In de eerste klas, maar ik heb nog steeds een jetlag. Echt belachelijk. Wacht maar tot je ziet hoe bruin ik ben. Het is er geweldig, je moet er zelf ook heen gaan. Ik heb je zo veel te vertellen, zal ik nu meteen naar je toe komen?'

'Eh...'

'Thea?'

'Ik heb het... nogal druk.'

'Wanneer kan ik dan komen?'

'Eh...'

'Wacht eens even. Druk, waarmee? Meestal luier je wat op je vrije dag en neem je "tijd voor jezelf". Nou, deel die maar met mij. Het lijkt eeuwen geleden dat ik je voor het laatst heb gezien. Ik ben een oude, getrouwde vrouw. Wacht maar tot je hoort hoe het in de eerste klas toegaat.'

'Eh...'

'Ben je bezig je belastingaangifte in te vullen? Dat kan wel even wachten, maar ik niet!'

'Alice...'

'Wat is dat?'

'Wat?'

'Dat! Op de achtergrond. Ik hoor iemand... Is daar iemand? Er is iemand. Wie is daar? Is het een man?'

'Eh...'

'Thea! Thea! Vertel op, trut. Waarom fluister ik, eigenlijk? Ik hoor een man! Ja, toch? Hoor ik een man in je huis?'

'Ja.'

'Wauw! Een man bij je thuis. Zeg op: wie is het?'

'Saul.'

'Wie is Saul nou weer? O, shit. Wie is Saul? Je hoort iets te hebben met Marks neef uit Amerika. Je gaat met hem trouwen zodat wij min of meer familie van elkaar worden. Dat heb ik tijdens de huwelijksreis al zo gepland. Jij hébt helemaal geen vriend, Thea! Sinds wanneer?'

'Sinds gisteren.'

'Hou op met dat gegiechel! Waar heb je het in godsnaam over? Ik begrijp er niks van. Hoe bedoel je, sinds gisteren? Een vriend die Saul heet. Ik móét echt langskomen!'

'Ik kom later wel naar jou toe, Alice. Over een paar uur, oké?'

'Nee!'

'Ja.'

'Ik ga nu direct naar jou.'

'Nee! Alice, toe nou. Nee. Niet nu. Alsjeblieft?'

'Jezus, Thea. Beloof je me dan dat je over een paar uur hier bent? Maximaal over drie uur. Ik kan nauwelijks wachten. Saul? Ik ken niemand die Saul heet! En jij ook niet, tot aan mijn bruiloft.'

Wijselijk had Alice er rekening mee gehouden dat de terugkeer van de huwelijksreis een koude douche zou zijn, dat ze zich door de jetlag nog belabberder zou voelen, dat haar bruiloft eeuwen geleden zou lijken. Maar behalve de januarinummers van de tijdschriften die de kersteditities al vervingen, al was het nog december, had ze verder niet op verrassingen gerekend. Sterker nog: nu ze met een kop thee op Thea wachtte, die haar zou helpen met het uitpakken van de trouwcadeaus die opgestapeld stonden in dozen van John Lewis, gaf Alice toe dat ze erop had gerekend dat alles nog hetzelfde zou zijn als toen ze veertien dagen geleden was weggegaan. Ze had gewild dat haar wereld zou wachten en zou snakken naar haar terugkeer, naar de kleurenfoto's en alle intieme details van haar verblijf op St. Lucia. Ze had niet verwacht dat de wereld tot stilstand zou komen, maar ze had wel gehoopt dat alles nog wat langer om haar zou draaien. Tenslotte was ze nog steeds de blozende bruid, pas getrouwd en net terug van huwelijksreis; ze had gehoopt nog een paar dagen van die nieuwe status te genieten.

Alice begreep niet hoe Thea een vriend had gevonden, terwijl ze niet eens op zoek was geweest. Hoe had dit kunnen gebeuren, terwijl zij er niet was geweest om haar van advies te dienen? Thea Luckmore had het nooit spannend gevonden om op vreemden te vallen. Dus wie was die Saul?

'Hoe is het haar gelukt zonder mij?' vroeg Alice zich hardop af, en hoorde toen hoe walgelijk dat klonk. 'Niet dat ik haar chaperonne ben,' mompelde ze haastig, en ze begon wat dozen van John Lewis uit te pakken. Mochten de bedankbriefjes voor de geschenken op de computer worden geschreven? 'Alleen heb ik altijd alles van haar geweten. Ik wist wanneer ze zich eenzaam, verlaten, speels, verlegen of geil voelde. En ik heb altijd de namen en tijden gekend. Want ze heeft mij altijd, maar dan ook altijd geraadpleegd voor ze iets ondernam.' Alice pakte een groot pak uit en vervloekte een stel vrienden van haar ouders omdat ze zich niet aan de cadeaulijst hadden gehouden en een veel te drukke, gigantische soepterrine hadden gegeven. 'Mijn generatie gebruikt geen soepterrines, onze soep komt vers uit een pak van Marks & Spencer.' Ze wist dat ze verwend en ondankbaar klonk, daarom gaf ze de schuld aan de jetlag en het gedeprimeerde gevoel dat ze had nu de huwelijksreis voorbij was. Onmiddellijk schreef ze een uitbundig bedankbriefje waarin ze vertelde dat Mark dol was op soep maken.

'Thea heeft eventuele relaties altijd eerst met mij besproken. Dat was de helft van de lol: alles analyseren en uitzoeken wat een teken was en wat alles betekende,' mompelde Alice, terwijl ze zich afvroeg waarom ze crèmekleurige handdoeken van Egyptisch katoen had gevraagd. Samen hadden Mark en zij meer dan genoeg handdoeken en beddengoed. Eigenlijk voelde ze zich een beetje een bedriegster, alsof ze haar moeders levensstijl had overgenomen. Soepkommen en serviesgoed van Royal Doulton. Waarom had ze 'goed servies' gevraagd, terwijl Mark en zij door de week meestal kant-en-klaarmaaltijden bij Marks & Spencer haalden? Ergens schaamde ze zich, en ze vreesde dat ze zelfs in haar eigen ogen vreselijk materialistisch leek. Een huwelijk draaide om meer dan cadeaus alleen. Waar moest ze al deze spullen laten? Ze hield zich voor dat veel bergruimte een vereiste was bij het zoeken naar hun nieuwe huis. 'Ik ben echt dol op mijn appartement,' verzuchtte Alice, 'maar Mark heeft gelijk: het wordt tijd dat we allebei verhuizen en samen in een nieuw huis trekken. Wat gek dat ik me ineens druk maak om kwaliteitssanitair en bergruimte. Maar ach, ik ben geen single meid van in de twintig meer die maar wat aanmoddert.' Ze lachte hardop omdat ze zo belachelijk klonk. 'Ik stel me aan. Ik ben pas veertien dagen getrouwd en ik ben pas tien dagen eenendertig!'

Alice hing aan Thea's lippen. Ze zaten samen op de grond en dronken thee, aten chocolademuffins, bewonderden de cadeaus en speelden met de stukjes piepschuim die in de dozen zaten. Alice nam alle details die Thea vertelde gretig in zich op. Het verbaasde hun dat Thea de feiten niet hoefde op te leuken, details niet hoefde aan te dikken en dat ze geen overdreven bijvoeglijk naamwoorden hoefde te gebruiken.

'Het lijkt wel een film!' zei Alice. 'Ik hoor al zowat een soundtrack met Morcheeba en Jimi Hendrix. Iemand als Anna Friel speelt jou.'

'Ik zweer je dat alles precies zo is gegaan als ik je heb verteld.' Thea haalde haar schouders op.

'Heeft hij je litteken gelíkt?' fluisterde Alice. 'En dat liet je toe?'

Thea knikte. 'Het wond me zelfs op.'

'Jezus, ik moet hem echt leren kennen. Saul Mundy,' zei Alice. 'Zijn naam komt me wel bekend voor, uit het vak. En uiteraard ken ik zijn column in de *Observer*. Maar vertel me nog eens over de seks, dat met zijn tong en vinger.'

'Met zijn duim,' verbeterde Thea haar.

'Ik kan Mark wel een paar hints geven,' nam Alice zich voor.

'Is seks als getrouwde vrouw nu al saai en plichtmatig?' vroeg Thea plagend. 'Zo van: "Meneer Sinclair, kijk toch naar mijn zwoegende boezem?" Het missionarisstandje met het licht uit? En: "Dat was heerlijk, echtgenoot van me, maar wil je nu alsjeblieft teruggaan naar je eigen kamer?" Echtelijke plichten en zo?'

Alice begon te lachen. 'Ik kan je vertellen dat getrouwde seks heerlijk is,' zei ze een tikje defensief. 'Het is warm en attent en we zorgen ervoor dat we tegelijk klaarkomen. Mark is een gulle minnaar. Maar inderdaad heeft het niet die wilde vrijheid die jij net beschreef.'

'Ja, maar ik zit nog midden in de eerste opwinding,' zei Thea wijs.

'Ik weet het,' zei Alice zacht, 'maar Mark en ik kennen elkaar al zo lang dat er nooit eerste opwinding is geweest. Geen vuurwerk, alleen een zalige gloed. Met Mark is het gewoon anders.' Tevreden haalde ze haar schouders op. 'Het is precies wat ik wil. Passie was gevaarlijk voor me. Dit vind ik fijner: seks met Mark geeft me een geborgen gevoel, in plaats van grote onzekerheid.'

'Nou, moet je mij zien,' zei Thea. 'Iemand die dol is op ouderwetse romantiek, monogamie hoog in het vaandel heeft, en ik spring tijdens het eerste afspraakje al met iemand in en op bed, half erop en half eraf, en ik neuk me vierentwintig uur lang suf in allerlei standjes.'

'Hartstikke fijn voor je.' Alice lachte. 'Ik wil hem dolgraag leren kennen. Althans, denk je echt dat dit iets wordt? Meer dan een avontuurtje?'

'Alice Heggarty!' zei Thea vermanend. 'Ik heb nog nooit een avontuurtje gehad, laat staan een one-night stand. Ik heb zelfs nog nooit getongd, laat staan geneukt, met een man die me emotioneel niet aansprak.'

'Daar heb je gelijk in, maar op een ander gebied heb je het mis. Ik heet nu Alice Sinclair, weet je nog?'

'Mevrouw Sinclair,' oefende Thea.

'Mejuffrouw Luckmore,' zei Alice waarschuwend. 'U moet toegeven dat dit allemaal nogal snel lijkt te gaan. En nog wel met een vreemde.'

'Dat is het 'm juist. Hij was een vreemde, maar nu al kan hij in aanleg perfect zijn. Hij is helemaal niet vreemd. Het mooie is dat alles zo ongecompliceerd lijkt. We zijn allebei single, we zijn van dezelfde leeftijd, onze werelden lijken elkaar aan te vullen; het is raar dat we elkaar niet eerder zijn tegengekomen. We hebben elkaar gewoon toevallig in de openlucht ontmoet.'

'Dus je stort je in één keer op het hele vriend-vriendingedoe? Je wilt de kat niet eerst rustig uit de boom kijken, of hem voorlopig vier dagen niet bellen? Je gaat mij niet bellen omdat je je zorgen maakt om iets onzinnigs, zoals dat je kont hier of daar dik in lijkt? Je wilt niet dat we een lange lijst opstellen vol met "wat als" en "wat denk jij ervan" en die bespreken?'

'Nee,' zei Thea. 'Zoals Saul vanochtend tegen me zei: "Ik zou je wel een paar dagen niet kunnen bellen om je gretig te houden, maar dan ontzeg ik mezelf het genot je in de tussentijd te zien, en dat slaat nergens op." Daarom heeft hij gevraagd of ik morgen na mijn werk direct naar zijn huis wil komen, en dat ga ik doen. Het is echt heel gek om het gevoel te hebben dat je iemand door en door kent nog voor je het nummer van zijn gsm uit je hoofd kent.'

'Thea Mundy klinkt best leuk,' zei Alice peinzend.

'Schei uit!' zei Thea lachend, en ze gaf haar vriendin een zachte por. Samen grinnikten ze wat, voor ze een zucht slaakten en peinzend naar de lelijke soepterrine keken. 'Weet je nog hoe we dat vroeger deden?' vroeg Thea. 'De achternaam van een jongen achter onze naam zetten, voor we hem zelfs maar hadden gezoend?'

'Dat deed jij,' verbeterde Alice haar. 'Jij dacht altijd heel wat af voor je iemand zoende. Sterker nog: soms besloot je om iemand maar helemaal niet meer te zoenen als je niet honderd procent tevreden was met zijn achternaam. Ik zoende gewoon en maakte me pas na afloop zorgen over hoe walgelijk "Alice Sissons" of "Alice Hillace" klonk.'

'Shit.' Thea sloeg haar handen voor haar gezicht. 'Ben Sissons, dat was toch die jongen met die geblondeerde spuuglok?'

'Hij gebruikte zijn moeders Jolene-gezichtsperoxide om het te bleken,' zei Alice. 'Best wel inventief, eigenlijk. Tot de haren begonnen af te breken.'

'En Richard Hillace,' zei Thea peinzend. 'Die vond ik zelf eigenlijk best leuk.'

'Dat weet ik,' zei Alice. 'En je had hem later kunnen krijgen, maar je hield je aan dat ergerlijke principe dat je mijn afdankertjes niet wilde.'

'Grappig om aan al die lui te denken. En die goeie, ouwe Mark Sinclair is degene die je uiteindelijk aan de haak heeft geslagen.' Thea probeerde te bedenken waar een raar uitziend stuk keukengerei voor diende.

'Me aan de haak heeft geslagen,' herhaalde Alice nadenkend. Ze pakte het stuk keukengerei uit Thea's hand. 'Het is een groentesnijapparaat. Mark heeft het gekozen en hij weet hoe het werkt. Aan de haak geslagen, ja, inderdaad: ik voel me eindelijk gevangen.'

'Ik mag graag denken dat er heel wat harten breken bij je exen,' zei Thea met een glimlach. Ze streelde over een handdoek. 'Waarschijnlijk huilen ze en roepen ze: "Mark Sinclair? Die mazzelkont."'

'O, Thea.' Alice gooide een handvol piepschuim in de lucht. 'Laten we elkaar beloven dat het huwelijk en Mark en passie en Saul nooit tussen ons zullen komen.'

'Stomme trut.' Ook Thea begon het pakmateriaal in de lucht te gooien alsof het confetti was. 'Hoe zou er ooit iets tussen ons kunnen komen?'

'Moge de hemel ons bijstaan,' mompelde Alice, die net een heel vreemd uitziend ding had uitgepakt. 'Het is een juskom die bij de soepterrine past.'

Op aandringen van zijn verloofde belde Ian Ashford voor de zoveelste keer die dag Saul. Eindelijk stond de gsm weer aan.

'Saul? Met Ian.'

'Ian! Hoe is ie?'

'Eh... hoor eens, vriend. Ik moet van Karen vragen of het je leuk lijkt om met z'n allen een avondje uit te gaan.'

'Ja, tof. Wanneer?'

'Later deze week? Vrijdag, misschien?'

'Ja, dan heb ik nog niks.'

'Zullen we Jo ook meevragen? Ze vond het hartstikke leuk je te leren kennen.'

'Weet je... Ik bedoel... zeg alsjeblieft tegen Karen dat ik Jo heel aardig vond, een echt stuk, maar dat ik nu een vriendin heb. Thea.'

'Wat?'

'Jo is een hartstikke leuke meid. Maar Thea is tot nu toe de allerbeste.'

'Heb je een vriendin? Sinds wanneer?'

'Sinds zondag.'

'Het is nu maandag.'

'En je zult haar vrijdag zelf ontmoeten. Echt, je vindt haar vast geweldig.'

'Hallo, mevrouw Sinclair.' Mark belde Alice.

'Hallo, echtgenoot,' antwoordde Alice. Met een schuin oog keek ze naar de klok en ze verbaasde zich erover hoe snel de tijd ging als je bedankbriefjes moest schrijven. 'Waar ben je?'

'Op kantoor,' zei Mark verontschuldigend. 'Ik ben bijna klaar, echt waar. Nog een uurtje. Om negen uur ben ik thuis. Ik ben uitgeput.'

Vlug zei Alice tegen zichzelf dat ze niet teleurgesteld of kwaad moest zijn. Denk aan de jetlag. En aan het gedeprimeerde gevoel nu de huwelijksreis voorbij was. 'Zullen we soep eten?' vroeg ze. Zou ze een pak leeggooien in de soepterrine?

Eigenlijk voelde ze zich een beetje down. Haar appartement was een grote bende en de stapels cadeaus stoorden haar ineens. Ze verlangde terug naar St. Lucia. Ze probeerde Thea te bellen, maar die was in gesprek. Ongetwijfeld praatte ze met Saul. Waarschijnlijk zaten ze al eeuwen aan de telefoon, en het gesprek zou ongetwijfeld nog een poos duren. Ze zouden elkaar alles vertellen over hun levens, hun vroegere liefdes en hun karaktertrekjes. Ze zouden samen lachen en zich overal over verbazen en babbelen over van alles en niks. Ach, ja, de vreugdes en complicaties van het menselijke baltsgedrag. Bij de gedachte daaraan kreeg Alice een warm gevoel. Al voelde ze zich ook een tikje eenzaam.

Mundy, Luckmore en consorten

AL SNEL HAD IEDEREEN SAUL GOEDGEKEURD. SALLY OVERWOOG een aantal bijvoeglijk naamwoorden, waarna ze besloot dat 'stijlvol' hem het best omschreef. Richard Stonehill vond hem aardig genoeg om hem zijn Armani-jack terug te geven en Saul vond Richard zo aardig dat hij overwoog het hem te laten houden. In plaats daarvan ging hij een biertje met hem drinken, waarbij ze ontdekten dat ze allebei squashten. Ze regelden een wedstrijd en ze waren zo aan elkaar gewaagd dat het algauw een wekelijkse gewoonte werd, met de verplichte complimentjes en biertjes na afloop, waarvan ze evenveel genoten als van het squashen zelf.

Mark Sinclair squashte niet, maar hij vond het leuk om Saul van advies te dienen over de aandelenmarkt. Mark voelde zich bijzonder gevleid toen Saul vroeg of hij hem mocht interviewen voor het blad *GQ*. Daarin verscheen een artikel dat VENTERS EN BOLHOEDEN: WIE BEVOORRAADT DE AANDELENMARKT? heette. Ze hadden een gezellige en productieve lunch, die Saul kon declareren. De andere therapeuten met wie Thea werkte, verheugden zich op Sauls onverwachte bezoekjes. Meestal nam hij iets mee – vers sap en brownies, een kerstster voor de receptiebalie, tijdschriften voor de wachtkamer – en hij zorgde voor een glimlach op Thea's gezicht. Ook beval hij de kliniek aan bij vrienden en collega's die klaagden over een zere rug, vermoeidheid en stress.

Alice had een strenge monoloog voorbereid die begon met: 'Ik zal je iets over Thea vertellen', en eindigde met: 'Dus als je haar kwetst, vermoord ik je.' Maar tot haar verbazing vond ze Saul heel aardig, hoewel dat wel betekende dat haar monoloog onuitgesproken bleef. Ze besloot om niet argwanend te zijn vanwege zijn knappe uiterlijk en ze merkte dat het feit dat hij van nature extravert was niet betekende dat hij verwaand was. Ze respecteerde het dat hij de bal terugkaatste als ze hem probeerde uit te dagen. Ze vond het leuk om met hem over hun vak te kunnen praten. Maar het belangrijkste was dat hij echt dol leek op Thea. Het was fijn dat de vriend van haar beste vriendin ook een goede vriend van haar zou kunnen worden.

Iedereen aan wie Saul haar voorstelde, vond Thea direct aardig. Karen binnenkort-Ashford kon niet anders dan tegen Jo zeggen dat Thea heel aardig was en prima zou passen bij de groep meiden met wie ze af en toe een avondje gingen stappen. Zelfs Lynne mocht haar, al moest ze Molly beneden in het toilet opsluiten toen Saul en Thea op bezoek kwamen. Lynnes echtgenoot was zo onder de indruk van de snelle massage van vijf minuten die Thea zijn permanent stijve schouder gaf dat hij een afspraak maakte, en toen nog een, en ook vol vertrouwen Thea's raad opvolgde en een afspraak maakte bij Souki, de acupuncturiste. Het personeel en de klanten van de Swallow knikten haar vriendelijk toe. Marco van de delicatessenzaak gaf haar een gratis muffin en Saul een veelbetekenende knipoog, vergezeld van goedkeurende suggesties in schor Italiaans. Dave, de krantenverkoper, riep al snel haar naam, of ze nou een *Evening Standard* kocht of niet. Niemand vond het erg dat Saul tegenwoordig de helft van de week zijn boodschappen in Crouch End deed. Dat werd trouwens vanzelf weer goedgemaakt doordat Thea altijd bij hem was als hij weer thuiskwam.

Tot haar eigen verbazing hield Thea zich staande tegenover Sauls redacteuren en collega-schrijvers op een feest in Soho, en ging ze zelfs in op de uitdagende vraag van een bijdehante columnist die vroeg of ze ook 'extraatjes' bood bij haar massages. 'Natuurlijk doe ik dat. Maar die bied ik niet zomaar aan,' zei Thea heel effen. 'Die kosten heel wat.' Net toen hij langs zijn lippen likte en naar de prijzen wilde informeren, begonnen de mensen die vlakbij stonden te schateren en noemden hem een sukkel. Alice was ook op dat feest. Haar huwelijk en Thea's nieuwe relatie hadden niets veranderd aan hun vriendschap, en Alice besloot dat het bijzonder fijn was dat Thea iemand had leren kennen wiens pad van nature het hare kruiste. Omdat Mark zo veel moest reizen was het stom om niet naar de gelegenheden te gaan waar Thea en Saul ook zouden zijn. Wat moest ze anders doen? Overwerken? Thuisblijven en mensen haar appartement laten zien? Op hetzelfde moment dat Alice' wereld kleiner werd, werd die van Thea groter.

'Saul.' Volkomen onverwachts belde Alice Saul op. 'Mag ik jouw zinnen eens prikkelen?'

'Dat is een bijzonder verleidelijk aanbod op een sombere februariochtend,' zei Saul lachend.

'Laat me je op een lunch trakteren, dan zal ik je eetlust aanwakkeren.' Alice keek in haar opengeslagen bureauagenda, met een rode pen in de aanslag, klaar om elke afspraak die er stond te verschuiven.

'Woensdag?' stelde Saul voor.

'Prima.'

'Afgesproken.' Hij tikte de gegevens in op zijn PalmPilot.

'Het is wel topgeheim,' zei Alice.

'Je kunt me vertrouwen.'

Quentin

'NIEMAND WEET IETS VAN QUENTIN,' ZEI ALICE TEGEN SAUL tijdens een geheime sushimaaltijd vlak bij Liverpool Street. Ze stak een sigaret op en vulde haar kop bij met groene thee. Ergens wist ze wel dat nogal tegenstrijdig was om het ene te roken en het andere te drinken.

'Ik dacht dat je alleen op feestjes rookte,' zei Saul.

'En tijdens heimelijke lunches over supergeheime dingen,' zei Alice met glinsterende ogen. 'Zeg alsjeblieft niks tegen Mark. Hij heeft een bloedhekel aan sigaretten.'

Saul deed alsof hij zijn lippen dichtritste. 'Goed, mevrouw Sinclair,' zei hij. 'Vertel eens over Quentin en wat ik daarvoor kan doen.'

'Vandaag is het Heggarty,' zei Alice. 'Ik heb Heggarty aangehouden voor de helft van mijn leven. En Quentin... Nou ja, Quentin is mijn kindje.'

Saul plukte de glibberige edamamebonen uit hun zoute peulen. 'Quentin,' zei hij peinzend.

'Code naam: Project Quentin,' fluisterde ze. Haastig voegde ze eraan toe: 'Je weet wel, naar Tarantino, niet naar Quentin Crisp.'

'Dus we hebben het over een mannenblad, hetero en niet homo,' vatte Saul samen. Hij trok zijn houten eetstokjes los en wreef ze tegen elkaar om eventuele uitsteekseltjes eraf te halen.

'Precies. Iedereen weet dat de markt voor mannenbladen enorm is. We hebben niets baanbrekends voor ogen. Waar het om gaat, is dat er absoluut niet beknibbeld mag worden op de kwaliteit. Van kleding tot auto's, columnisten tot beroemdheden: alles moet topkwaliteit zijn.'

'Kwaliteit?' vroeg Saul. 'Dat klinkt anders behoorlijk baanbrekend, want de meeste mannenbladen staan vol rommel. Hoe denk jij eigenlijk over tieten?'

Alice haalde haar schouders op. 'Alleen kwaliteitsborsten. Maar niet op de voorpagina. We mikken op een iets oudere doelgroep: mannen van dertig tot vijfenveertig. Niet al te lefgozerachtig, maar natuurlijk ook niet te saai. Mannen als jij. Op de cover komen idolen te staan, geen lekkere wijven. Iemand heeft ons praktisch gegarandeerd dat we Clint Eastwood kunnen krijgen voor het eerste nummer, als het doorgaat.'

Met opgetrokken wenkbrauwen zei Saul: 'Pierce Brosnan heeft acupunctuur laten doen bij Souki van The Being Well toen hij in de stad was.'

Alice hief haar kop groene thee op. 'Dan mag Pierce op de cover van nummer twee.'

'En de moeder van David Bowie heeft bij mijn moeder op school gezeten.'

'David Bowie?' Met moeite wist Alice een opgetogen gil te onderdrukken. 'Heeft Thea je verteld hoe verliefd wij als tieners op hem waren?'

'Ja.' Vol medeleven keek Saul haar aan en in zijn stem klonk medelijden door. 'Ik weet dat jullie rode rozen bij zijn kleedkamer in Wembley hebben laten bezorgen, dat jullie allebei flauwvielen toen het concert begon en het hele concert thee hebben gedronken met broeders van de St. John-ambulance.'

'En de muurtekening?' vroeg Alice lachend. 'Heeft Thea je dat niet verteld?'

'Nee, maar ze heeft wel verteld dat jullie je zakgeld hadden opgespaard om een stel blauwe contactlenzen te kopen, zodat jullie allebei ogen als David Bowie konden hebben.' Hij duwde met het puntje van zijn eetstokje in de felgroene wasabe. Van de mierikswortel sprongen hem de tranen in de ogen en hij voelde een golf hitte naar zijn neusrug gaan. Geweldig.

'We hebben een fantastische schildering op de muur van mijn slaapkamer gemaakt, gebaseerd op de hoes van de *Scary Monsters*-elpee,' zei Alice. 'Mijn moeder flipte helemaal. Maar ach, we zouden er bij Thea thuis nooit in zijn geslaagd om de potten verf langs haar moeder te smokkelen. Hoe dan ook, als we Bowie op de cover van nummer drie kunnen krijgen, ben ik zelfs bereid de rest van mijn leven vloeren te dweilen. Maar ik dwaal af. Project Quentin is ons grote geheim, en misschien wordt het wel het grootst opgezette project van de uitgeverij tot nu toe.'

'Welke termijn hebben jullie in gedachten?'

Alice schraapte haar keel. 'De dummy moet over zes weken af zijn, dan moet er marktonderzoek worden gedaan en als we groen licht krijgen, zal het eerste nummer dat van juli zijn, dat in juni in de winkels ligt.'

In gedachten maakte Saul een rekensommetje met de data en weken. 'Welk tijdschriftconcern weet hier nog meer van?' vroeg hij. 'Nat Mags? IPC? Ik weet namelijk dat EMAP op dit moment ook ergens mee bezig is.'

'Vertel eens?' vroeg Alice koket, terwijl ze verleidelijk ging verzitten. 'Hoe zit dat met dat domme EMAP? Ik zal niks doorvertellen, dat zweer ik op het leven van David Bowie. Geloof je me?'

'Voor geen meter,' zei Saul lachend. Per ongeluk schoof hij een stukje sashimi naar haar toe. 'Zoals ik al zei: als mij een geheim wordt verteld, blijft dat ook geheim. Hoe groot je liefde voor Bowie ook is. Laten we het erop houden dat ik er niet bij betrokken ben.'

Alice deed haar best om sip en beledigd te kijken, maar al snel kreeg haar enthousiasme voor haar project weer de overhand. 'In het begin hoopte ik dat je mee wilde werken aan onze dummy, Saul,' zei ze, nog altijd fluisterend. 'Dat jij de leiding zou nemen over de redactie. Daar zou je de aankomende zes weken ongeveer drie dagen per week aan kwijt zijn. Dan in april onderzoek laten doen naar het pilotnummer. Vervolgens heb je een maand om het eerste nummer te maken, uiteraard zonder dat ik je uiteindelijk een vaste baan kan garanderen.'

Saul begon te lachen. 'Ik weet hoe het werkt,' zei hij, 'en ik wil er graag aan meewerken.'

'Gaaf.' Alice straalde helemaal.

'Alice, je hebt haast niks gegeten,' zei Saul.

'Als ik opgewonden ben, kan ik nooit eten. Heel handig als je wilt afvallen.'

Wat kunnen meiden toch dom doen, dacht Saul.

Behalve Thea uiteraard. Zij deed nooit dom, volgens Saul. Haar angst voor honden was heel begrijpelijk, haar neiging om te huilen tijdens *ER* of herhalingen van *Cold Feet* vond hij vertederend, en haar overtuiging dat je na twaalf uur 's middags geen sap meer moest drinken vond hij excentriek. Maar dom vond hij haar nooit.

'Ze is geen calorieën tellende, chardonnay drinkende vrouw die wordt geobsedeerd door Mui-Mui,' legde hij uit aan Ian Ashford tijdens het nuttigen van een hele stapel papadams en een berg chutney. 'Maar ze is ook geen type dat vindt dat je je eigen pis moet drinken, de zon moet aanbidden en in een hobbezak naar Pilates moet gaan.'

'Doet ze Pilates?' vroeg Ian.

'Ja, met haar vriendinnen Sally en Alice. En daardoor heeft ze een prachtig figuur. Maar ik wil maar zeggen dat ze tot twaalf uur alleen sap drinkt, maar 's avonds ook houdt van een Marlboro Light en wodka-tonic. Ze maakt soep van biologische ingrediënten, maar voor de lunch eet ze het liefst een sandwich van Pret a Manger met eiersalade en een blikje cola.'

'Hoe zit dat eigenlijk met sap tot twaalf uur?' wilde Ian weten. Hij vroeg zich af of dat goed zou zijn voor zijn maagzuur, iets wat de madras die hij had besteld zeker niet was.

'Tot dan heeft ze gewoon geen eetlust,' legde Saul uit. 'Ik heb haar voor kerst een citruspers gegeven omdat ze kapitalen uitgaf aan vruchtensmoothies.'

'Dus jij hebt het over evenwicht.' Ian schepte wat pilavrijst op zijn bord.

'Inderdaad. Ik heb het over een vrouw die sokken van Marks & Spencer en een truitje dat ze al eeuwen heeft combineert met een handtas van Anya Hindmarsh. Weet je wel hoeveel die tassen kosten? Maar evenwicht, ja – ze heeft iets met het yin en het yang en de hele zooi van meridianen en energiestromen en shiatsu – maar haar cd's zijn meer de White Stripes dan walvissenmuziek.'

'Ze is tevreden met zichzelf,' verklaarde Ian, terwijl hij de dal aan Saul gaf.

'Dat is een van de fijnste dingen aan haar.' Saul knikte en reikte Ian de Bombay aloo aan.

'Heeft ze *Mannen komen van Mars, vrouwen van Venus* onder haar bed liggen?' vroeg Ian achterdochtig.

'Nee,' zei Saul lachend. 'Het blad *Heat*.'

'Hoe is ze in bed?' Handig liet Ian zijn vork door de curry en rijst glijden, als een metselaar die cement schepte.

'Ze is geweldig,' zei Saul kalm, 'om precies dezelfde redenen. Soms is het liefdesspel diep en betekenisvol. Soms is het snel en koortsachtig wippen. Ze zeurt niet dat ik lieve woordjes moet fluisteren, maar ze kronkelt als ik vieze dingen tegen haar zeg. Ze ligt niet boos aan de andere kant van het bed als ik me na het hoogtepunt alleen wil omdraaien en snurken, en ik maak evenveel kans wakker gemaakt te worden door een pijpbeurt als door Radio 4.'

'Het lijkt erop dat je een lot uit de loterij hebt gevonden. Ik stel voor dat je haar snel opeist en haar je naam geeft.'

'Je weet toch dat je bepaalde vrouwen altijd hun zin moet geven om de lieve vrede te bewaren,' mijmerde Saul, 'en dat je je steeds verontschuldigt voor de dingen die ons tot mannen maken?' Ian knikte, alsof hij dat fenomeen maar al te goed kende. 'Je kent toch wel vrouwen die voldoen aan een deel van de criteria, maar wat andere dingen betreft zwaar in gebreke blijven?' ging Saul verder. 'Knap, maar saai. Interessant, maar niet erg sexy. Bloedgeil, maar zo stom als het achtereind van een varken? Nou, het lijkt heel eenvoudig, maar ik vind alles aan haar leuk.'

'Op Thea.' Ian hief zijn flesje Kingfisher-pils op en hield zichzelf voor dat hij dat laatste stuk naan echt niet nodig had. Hij besloot de volgende dag tot twaalf uur alleen sap te drinken.

'Ik was helemaal niet op zoek,' zei Saul weemoedig. 'Ik liep gewoon op Primrose Hill en ineens zag ik haar.'

'Mazzel,' zei Ian, die het gevoel had dat deze avond onbedoelde wraak was voor de avond die hij over Karen had doorgezeurd.

'Inderdaad, dat is echt mazzel,' zei Saul.

'Dus dat is het dan?' vroeg Ian sluw. 'Welke verleidingen jij ook tegenkomt, je kunt ze weerstaan?'

'Thea stimuleert trouw.' Saul zweeg even. 'In mijn hart en ziel, tenminste.'

Even keken ze elkaar aan, waarna ze begonnen te grinniken en hun laatste restje curry opaten.

'Niet op een volle maag. Dat kan toch niet?' zei Ian.

'Je vrouw betaalt,' zei Saul lachend. Hij had Mark meegenomen naar een restaurant dat nog heilig geloofde in gesteven tafelkleden en servetten. 'Hoe was het in Hongkong?'

'Vermoeiend,' zei Mark zacht. 'Maar absoluut noodzakelijk. Het is razend druk in Hongkong, maar de zaken gaan er op dit moment uitstekend voor ons. Volgende week moet ik naar Tokyo.'

'Als bonus krijg je zeker een bonus?' vroeg Saul.

Mark knikte en tikte met zijn glas tegen dat van Saul. 'Ik moet ervoor zorgen dat mijn vrouw Jimmy Shoes kan blijven kopen.'

Saul wist niet zeker of hij Mark moest verbeteren en besloot het niet te doen. 'Alle waar is naar zijn geld!' zei hij in plaats daarvan.

'Eigenlijk kan Alice afdingen als de beste,' bekende Mark. 'Ik bied altijd aan om dingen voor haar te kopen, maar dat wil ze niet, omdat ze via haar werk van alles kan krijgen. Ik geloof dat ze een grotere kick krijgt van een koopje of iets wat gratis is dan van het product zelf. Heb je die walgelijk grote oorbellen van haar gezien?'

'Die diamanten? Ja, die kun je moeilijk over het hoofd zien,' zei Saul.

'Drie karaats?' vroeg Mark.

Saul haalde zijn schouders op. Hij had nog nooit een diamant gekocht.

'QVC,' zei Mark triomfantelijk.

'Is dat de fonkelfactor of de kleurhelderheid?' Saul probeerde te klinken als iemand die wel eens diamanten sieraden kocht.

Mark schaterde het uit. 'QVC, het thuiswinkelkanaal! Alice koopt daar geregeld dingen. Die oorbellen kosten 29,95 pond, en ze kreeg er een afgrijselijk doosje van nepsuède bij omdat ze een van de eerste honderd bellers was.'

'Zijn die Jimmy Choos ook nep?' informeerde Saul subtiel.

'Helaas niet,' kreunde Mark. 'Dat zijn echte Jimmy Shoes-schoenen.'

'Ach, zo kun je de dingen tegen elkaar wegstrepen,' zei Saul luchtig. 'Denk je eens in hoeveel je bij Tiffany zou moeten betalen voor een diamant van dat formaat.'

'O, je hoort me ook niet klagen,' zei Mark. 'Echt niet. Ik heb de allermooiste vrouw – ik wilde zeggen: van wie ik ooit had kunnen dromen, maar eigenlijk is zij de vrouw van wie ik altijd heb gedroomd.'

'Jullie kennen elkaar al tijden,' herinnerde Saul zich.

'Sinds de middelbare school. We zijn al jaren bevriend. Elkaars vertrouweling. En op een dag zei Alice ineens tegen me: "Als je me vraagt, zeg ik ja." Ik had geen flauw idee wat ze bedoelde. Ik bedoel, ik had haar nog nooit gekust, laat staan met haar gevreeën. Ik had geen diamant van Tiffany of van QVC gekocht. Ik was gewoon aan het afwassen en plotseling draait ze zich doodkalm naar me toe en vraagt of ik met haar wil trouwen.'

'En jij kunt nog altijd niet geloven hoeveel mazzel je hebt?' Saul begon te lachen.

'Dat bedoel ik nou net,' zei Mark. 'Het gaat niet om mazzel. Ik vind: hoe meer je van iemand houdt, hoe meer je diegene verdient; en ik hield al heel erg lang van haar. Weliswaar van een afstand, maar ik misgunde het de sukkels niet met wie ze uitging, al haatte ik ze altijd als ze haar kwetsten. Ik had zelf niemand die echt speciaal voor me was en ik stelde me er tevreden mee om met vrouwen om te gaan zonder dat daar direct een relatie uit voortkwam. En toen besloot Alice ineens dat ze met me wilde trouwen.'

'Dus nu heb je een prachtige, succesvolle vrouw die haar eigen diamanten koopt, hoe nep ze ook zijn, en alleen af en toe een paar Jimmy Choos van je eist,' somde Saul op. 'Het leven kan niet mooier worden.'

'Nou, ik verheug me op de bonus,' zei Mark lachend. 'Die hopelijk samenvalt met de volgende Jimmy Shoes-uitverkoop.' Hij wierp een blik op zijn horloge. 'Maar goed, zijn we hier voor Quentin?' mompelde hij, met een knipoog en een alwetend tikje tegen zijn neus.

'Inderdaad.' Saul knikte, een beetje verbaasd dat zo'n duur restaurant niet de moeite had genomen zijn zeeduivel te fileren. 'Omdat we ons op de iets oudere doelgroep richten – niet zozeer op de mensen die zich graag iets willen, maar op degenen die zich echt iets kúnnen veroorloven – dacht ik zelf aan een financieel deel. Je weet wel: investeringen; aandelenportefeuilles; goeie tips, waar je misschien mee uit moet kijken; levendige overzichten van de geld- en aandelenmarkten en de tijd waarin we leven – een soort luchtige ontsnapping aan de *Financial Times*.'

Mark knikte. 'Klinkt interessant,' zei hij. 'Waar kan ik je mee helpen?' Hij keek op zijn horloge. 'Over een halfuur moet ik ervandoor, Saul. Maar in het weekend ben ik weer terug uit Tokyo.'

'Rotzak,' hijgde Richard Stonehill, met zijn handen op zijn knieën en zijn squashracket tussen zijn voeten geklemd. 'Wat ben jij een ongelooflijke rotzak.'

'En jij kunt niet tegen je verlies.' Lachend veegde Saul met zijn T-shirt het zweet van zijn voorhoofd. 'Ik heb de game gewonnen, en daarmee de wedstrijd, dus jij moet een rondje geven.'

'Laten we er dan het beste van zeven van maken.' Met die woorden sloeg Richard een bal tegen de muur van de baan.

'Pleur op,' zei Saul lachend, terwijl hij de bal perfect terugsloeg. 'Wat zou je vrouw zeggen als ik haar vertel dat je jezelf in de Highgate Ponds hebt gestort met beton in je zakken omdat je met 5-2 hebt verloren?'

'Ja, ja, maar jij bent jonger dan ik,' zei Richard. 'Trouwens, ik begin verkouden te worden. Maar volgende week veeg ik de vloer met je aan. Echt, ik hak je helemaal in de pan.'

'Ik verheug me er nu al op.' Saul liet de bal met opzet vlak langs Richard scheren.

'Jij haalt Highgate Ponds niet eens.' Met verve retourneerde Richard Sauls bal. 'Jij pleegt hier op de baan harakiri.'

'We zullen zien,' zei Saul. 'Laten we nu maar wat gaan drinken.'

Een paar tellen staarden de mannen met ongeveinsde genegenheid naar de glazen bleke, gekoelde pils voor ze die naar hun lippen brachten en een grote, welverdiende slok namen. Ze zeiden 'proost!', klonken met elkaar en dronken toen de overgebleven inhoud op. 'Mijn beurt,' zei Richard, waarna hij naar de bar van de Swallow liep en voor hen allebei aardappelpuree met worstjes bestelde. 'Hoe gaat het met Thea?' vroeg hij toen hij weer terug was.

'Ik heb vandaag een stel sleutels van mijn appartement voor haar laten maken,' zei Saul met een grijns. 'En hoe gaat het met Sally?'

'Dit weekend is onze trouwdag,' zei Richard. 'Vijf jaar.'

'Gefeliciteerd,' zei Saul vol bewondering.

'Wie had kunnen denken dat een doldwaas avontuurtje tot een huwelijk zou leiden?' mijmerde Richard melancholiek.

'Neem je haar als verrassing mee naar Parijs?' wilde Saul weten.

Lachend schudde Richard zijn hoofd.

'Venetië?' probeerde Saul. 'Barcelona? Babington House? Nee? Nou, ik neem aan dat je al bij Tiffany bent geweest?'

'Nee, nog niet,' kreunde Richard.

'Mark Sinclair vertelde me pas dat Alice haar eigen sieraden koopt,' zei Saul.

'Ja ja, maar zeker wel met zijn creditcard?' reageerde Richard. 'Die vrouw heeft me een stel idioot grote diamanten!'

'Nee, ze koopt ze zelf,' zei Saul. 'Ze zijn nep. Nep! Gaaf, hè?' Hij was echt meer onder de indruk dan wanneer ze echt waren geweest. 'Ze koopt ze voor een prikkie via de tv.'

Lachend vroeg Richard: 'Meen je dat? Jezus. Ze weet ze anders wel te dragen. Misschien ga ik haar vragen om er nog een paar te bestellen. Ik kan ze altijd in een doosje van Tiffany stoppen.'

'Nu we het toch over Alice hebben.' Vlug dempte Saul zijn stem. 'Ik werk samen met haar aan een supergeheim project. Maar ik heb een idee voor een katern over onroerend goed. En dan geen advertenties van makelaars, of make-overs zoals je bij klusprogramma's op tv ziet. Nee, ik heb een katern voor ogen dat gedeeltelijk doe-het-zelf is, gedeeltelijk waardevermeerdering van onroerend goed en gedeeltelijk slimme investeringen. Je weet wel: keukenuitbouwen of zolderverbouwingen of van twee kamers een maken: hoe moet het, hoe duur, hoeveel tijd?'

'Klinkt goed.' Richard knikte.

'Jij bent architect.' Saul haalde zijn schouders op. 'Mag ik jou om advies vragen?'

'Gaaf.' Weer knikte Richard. 'Tuurlijk. Hoe gaat het heten?'

'Dat is topgeheim,' zei Saul.

'Dat is wel een beetje maf.'

'De náám is topgeheim,' zei Saul heel langzaam. 'Die kan ik je niet vertellen, want ik heb gezworen dat ik mijn mond zou houden.'

'Codenaam?' vroeg Richard.

'Quentin,' zei Saul met tegenzin.

'Homo?'

'Nee, naar Tarentino,' legde Saul uit. En Richard en hij citeerden toepasselijke zinnen uit *Pulp Fiction* tot hun worstjes werden gebracht.

Beth en Hope

Toen Beth Godwin en Hope Johnson begonnen met hun Pilates-school in Crouch End, was Sally Stonehill in een opwelling lid geworden omdat er een speciaal introductietarief gold. Thea werd lid op aanraden van Lars, de Feldenkrais-beoefenaar van The Being Well. Alice werd lid vanwege het effect dat Pilates had gehad op het figuur van Elizabeth Hurley. Over het algemeen probeerden de drie dezelfde lessen bij te wonen. Niet dat dat er zo veel toe deed. Ze hadden al hun concentratie nodig voor de neutrale bekkenhouding, zodat ze nauwelijks iets tegen elkaar zeiden, behalve dingen als: 'Mooie pijl, Thea', of: 'Je liggende schoenmaker zag er goed uit, Alice', of: 'Ik ben klaar met de *reformer*, Sally.'

Altijd als ze samen hadden getraind, gingen ze daarna wat eten, vast van plan de goede dingen van Pilates vast te houden door gezonde salades of grote kommen voedzame soep te eten en glazen mineraalwater te drinken. Meestal was er ook wel een reden om een glas wijn te nemen; niet alleen was het goed voor het bloed, maar vaak moest er bij een van de vrouwen ergens op gedronken worden. Maar een glas wijn, samen met de endorfine van het trainen, leidde onvermijdelijk tot het bestellen van patat. Om samen te delen, natuurlijk. Alleen om een paar hapjes van te nemen. En mayo, graag. Zijn er nog liefhebbers voor ketchup of HP-saus?

'Een grote fles mineraalwater met prik,' bestelde Alice.

'Dit weekend is mijn trouwdag,' zei Sally met een duidelijke bedoeling.

'O, ja? Nou, goed dan,' zei Alice. 'Dan wil ik ook graag een fles sauvignon.'

'Ik wil graag de avocado-mungbonensalade,' zei Thea weinig enthousiast tegen de serveerster.

'Voor mij alstublieft de gegrilde forel. Zonder boter,' zei Alice.

'Ik denk dat ik de roerbakgroenten neem,' mompelde Sally.

'Verder nog iets?' vroeg de serveerster nonchalant.

'O, een portie friet,' voegde Thea eraan toe.

'Maak er maar twee van,' zei Alice. 'Dan delen we die met z'n drieën.'

'En wat mayonaise, alsjeblieft,' riep Sally de serveerster achterna.

'Proost!' Alice stak haar glas omhoog. 'Op jou en Richard en op het huwelijk in het algemeen.'

'Daar wil ik wel op drinken,' zei Sally. 'Op mijn echtgenoot en vijf mooie jaren.'

'Proost,' zei Thea. 'Op... friet.'

'Jij wordt de volgende.' Alice stootte Thea aan en gaf Sally een knipoog.

'Ik zie hem nauwelijks,' zei Thea vermanend. Ze tikte met de tanden van haar vork tegen het zachte deel van haar duim, waarna ze met haar bestek naar Alice wees. 'Omdat hij het hartstikke druk heeft met jouw mysterieuze project.'

'Hoe gaat het daar eigenlijk mee?' vroeg Sally aan Alice. 'Richard ziet zichzelf al helemaal als redacteur van *Architectuur en Interieur*, of zoiets. De sukkel.'

'Volgende maand verschijnt het eerste nummer,' zei Alice triomfantelijk.

'Komt er een chic feest?' vroeg Sally hoopvol.

'Natuurlijk,' zei Alice.

'En mag een eenvoudige onderwijzeres uit het basisonderwijs daar ook komen?' vroeg Sally.

'Dat mag je,' stond Alice minzaam toe.

'En is er ook ruimte op de gastenlijst voor een sportmasseuse?' vroeg Thea.

'Jezus, nee.' Zogenaamd geschokt begon Alice te lachen. 'Maar ik kan wel een oogje toeknijpen als de vriendin van de redactieadviseur naar binnen probeert te glippen.'

'Trut.' Thea stak haar tong naar haar uit.

'Hoe gaat het eigenlijk met Alice' redactieadviseur?' vroeg Sally aan Thea. 'Richard heeft een klein kapitaal uitgegeven aan een nieuw squashracket. Ik moest meteen denken aan slechte werkmannen, gereedschap en verwijten.'

'Heel goed,' zei Thea met een grijns. 'Het is leuk. Gezellig. Sexy. Het is alles wat ik wil en alles wat ik nodig heb.'

'Je bedoelt dat het liefde is,' concludeerde Sally.

'Ja,' beaamde Thea. 'Dat is het inderdaad.'

'Zes maanden nadat ik iets met Richard had gekregen, waren we al verloofd,' zei Sally. 'Maar ach, zes maanden nadat jij iets met Mark had gekregen, was je al bijna getrouwd, juffrouw Heggarty.'

'Mevrouw Sinclair voor jou,' kaatste Alice terug. 'Weet je wat eigenlijk nog het gekste was? Dat ik pas iets met Mark kreeg nadat we ons hadden verloofd. "Kuis" is nog zwak uitgedrukt.'

'Kuisheid wordt zwaar overschat,' zei Sally met een knipoog. Ze bekende dat ze merkwaardig uitziende liefdeskralen voor Richard had gekocht, als cadeau voor hun huwelijksdag, waar hij kennelijk iets bij haar mee moest doen, als ze tenminste konden uitvissen hoe en waar ze moesten worden gebruikt.

'Ben je alleen een seksshop binnengegaan?' vroeg Alice, een beetje geschrokken bij het idee dat de kleine Sally in haar eentje langs stapels seksspeeltjes en rekken met hardporno had gelopen.

'Postorder,' zei Sally giechelend.

'Uiteraard hebben Saul en ik geen enkele behoefte aan seksspeeltjes vanwege zijn adembenemende natuurlijke gereedschap en onze buitengewoon vindingrijke techniek,' zei Thea gemaakt stijfjes. 'Maar weet je,' voegde ze er sluw fluisterend achteraan, 'we hebben ook een goedgevulde kast met speeltjes.'

'Vieze meid,' zei Alice verbaasd.

'Dat was nog eens vunzig winkelen,' zei Thea. 'Ik liet een keertje vallen dat ik nog nooit in een sekswinkel was geweest. Een week later of zo, na een etentje in Soho, liepen we terug naar Sauls huis toen hij me ineens een deur binnenduwde. Regelrecht een hol vol ontucht en plastic dingen in.'

'Dat heb je me nooit verteld!' zei Alice klaaglijk.

'Nou, het is ook niet iets wat je zomaar even vertelt. Eigenlijk was het een nogal vreemde ervaring. Die winkel zat in een ontzettend louche straatje, maar binnen was alles goed verlicht en de klanten leken allemaal heel normaal. Alleen de verkoper had doodenge tatoeages.'

'Moest je niet de hele tijd giechelen?' vroeg Sally.

'Eerst wel,' gaf Thea toe. 'Maar iedereen die rondkeek, gedroeg zich alsof het volkomen normaal was, zodat ik ook algauw twee dildo's stond te vergelijken alsof het kant-en-klaarmaaltijden in de supermarkt waren. Saul heeft een kapitaal uitgegeven. We konden haast niet wachten tot we bij hem waren om het in te testen.'

'Uit,' corrigeerde de redactrice in Alice automatisch.

'Nee,' zei Thea lachend. 'Ik bedoel echt ín!'

'Heb je een van die kralendingen?' Plotseling beschouwde Sally Thea als expert op het gebied van perverse accessoires.

Thea somde een lange, maar duidelijk voor het grootste deel verzonnen lijst op. 'Nee,' zei ze na een hele poos verontschuldigend. 'Geen kralen. Maar ik zou je willen adviseren: als het past, draag ze vanbuiten.'

'Mark weet niet dat ik een vibrator heb,' bekende Alice. Ergens vroeg ze zich af of hij dat zou moeten weten, maar ze was niet in staat zijn reactie in te schatten. 'Eigenlijk kan ik het me helemaal niet voorstellen dat ik speeltjes met hem zou gebruiken. Onze seks is behoorlijk rechttoe rechtaan, maar dat is er juist zo lekker aan. Ik heb vriendjes gehad die 'm niet omhoog konden krijgen tenzij ze eerst iets hadden gedaan met een apparaat dat op batterijen loopt. Jezus, wat verlangde ik soms naar het gewone missionarisstandje in het donker.'

'Ik heb die plastic dingen waarschijnlijk gekocht om het spannend te houden,' zei Sally. 'Niet omdat ons seksleven saai is of omdat er iets aan ontbreekt. Ik vind het gewoon leuk om Richie te verrassen omdat hij dat geweldig vindt, al moet ik mezelf er tegenwoordig wel aan herinneren. Ik moet me pas zorgen gaan maken als ik daar geen zin meer in heb.'

'Het huwelijk instandhouden?' vroeg Thea.

'Nee, dat is het niet,' zei Sally. 'Dat kon niet beter zijn. Ik wil gewoon dat Richard zichzelf gelukkig prijst. Ik vind het een fijn idee dat hij zich op de zaak verhit voelt en afgeleid is doordat hij zich afvraagt wat er onder mijn kussen ligt.'

'Grappig, hè, wat jij en ik al niet voor onze relatie doen?' mijmerde Alice. 'Jij zorgt ervoor dat je al die jaren een vamp voor hem blijft en ik zet mijn vroegere imago als pittige verleidster juist aan de kant om te zorgen voor de stabiliteit en trouw die voor Mark zo kenmerkend zijn. Je zou kunnen zeggen dat ik een verstandshuwelijk heb, dat ik met mijn eigen verstand heb geregeld.'

'Richard deed me heel onverwacht een aanzoek toen de verliefde fase nog in volle gang was,' herinnerde Sally zich. 'Ik deed overdreven dramatisch, sloeg op de vlucht voor hem. Ik verborg me in de wildernis van Schotland, brak mijn been en hij vond me en schreef op mijn gips: wil je met me trouwen?'

'Dat blijft een geweldig verhaal,' zei Thea lachend.

'Jezus, daarmee vergeleken is mijn aanzoek wel heel alledaags,' gaf Alice toe. 'Ik heb Mark ten huwelijk gevraagd met een wortel in mijn mond.'

'Wedden dat hij het helemaal niet alledaags vond?' zei Sally.

'Grappig genoeg is het nu juist die alledaagsheid waar ik van hou. Shit, als ik denk aan alle passie die ik mezelf heb aangedaan.' Ze zweeg even om daarover na te kunnen denken. 'Het was verdomd vermoeiend, compleet met allerlei verdenkingen. Nu er onvoorwaardelijk van me wordt gehouden, kan ik gewoon mezelf zijn, en daar word ik om aanbeden. Het is een hele opluchting dat ik me nu alleen nog zorgen hoef te maken over mijn werk of over onbelangrijke dingen. Bijvoorbeeld of we een vergissing maken door bloemen van Cath Kidston in de slaapkamer te nemen, terwijl de rest van het huis zo minimalistisch is.'

'Hoe gaat het trouwens met je nieuwe huis?' vroeg Sally aan Alice.

'Het is prachtig,' zei Thea enthousiast namens Alice. 'Heel volwassen.'

'Het is inderdaad prachtig,' stemde Alice in. 'Ik heb echt mazzel.'

'Ik vind het heerlijk om getrouwd te zijn,' zei Sally gelukkig, zonder een spoor van zelfvoldaanheid. 'Richard is mijn beste vriend, mijn beste minnaar en mijn vertrouweling.'

'Ik vind het leuk dat de buitenwereld een normale kerel ziet die Saul heet, maar dat hij voor mij de prins op het witte paard is,' zei Thea trots. 'Een man voor wie ik in vuur en vlam sta. Ik kan al mijn liefde en hartstocht aan hem kwijt, en die gevoelens zijn wederzijds.

Dat is nog het fijnste: met Saul komt het eindelijk een keer van twee kanten. Als een balletje dat gevangenzit tussen de flippers van een flipperkast: affectie, lust, begrip, vriendschap, liefde die tussen ons tweeën heen en weer worden gekaatst.'

'Jij bent gewoon hopeloos romantisch,' zei Alice toegeeflijk. 'En de eerste die liefde vergelijkt met een flipperkast. Hoe vaak moet ik je nog vertellen dat het niet mysterieus of magisch is om voor een man in vuur en vlam te staan? Je hersens maken gewoon een plotselinge golf van adrenaline en dopamine aan.'

'O, hou je kop toch.' Thea moest lachen.

'Laat dat kind gewoon genieten van haar chemische reactie!' zei Sally.

Hun eten werd gebracht en ze prikten wat in de salade en aten alle frietjes op. Alice hief haar glas op en zei met gedempte stem: 'Moet je naar dat groepje aan die tafel kijken.' Voorzichtig gluurden Thea en Sally naar een tafel met drie vrouwen, net als zijzelf. 'Ik kan hun gesprek dan wel niet horen, en ik kan niet liplezen, maar ik durf te wedden dat ze zich erover zitten te beklagen dat alle mannen sukkels zijn en zo. Ze zien er treurig uit. Volgens mij zijn ze hun verdriet aan het verdrinken.' Alice schonk hun glazen bij en tikte met het hare tegen die van Thea en Sally. 'Wij drieën hebben echt mazzel. We hebben allemaal wat we willen. We zijn gelukkig omdat we gezegend zijn met die dingen die het belangrijkst voor ons zijn.'

Meisjes en jongens

ALICE ZAT RECHTOP IN BED TEGEN EEN BERG DIKKE KUSSENS aan, met een fijn dekbed van ganzendons met een smaakvolle hoes van Cathy Kidston-rozen als een tent om zich heen. Haar haren hingen als een wolk om haar schouders en er speelden schichten van gesponnen goud over haar romige huid. Ze kon zo uit een Merchant Ivory-film zijn gestapt, dacht Mark.

Eigenlijk voelde Alice zich speels en geil en was ze zichzelf ongezien aan het vingeren terwijl Mark zich uitkleedde. Wat had hij toch een specifieke routine. Hij trok zijn kleren altijd in dezelfde volgorde uit, controleerde de zakken van zijn colbertje voor hij dat op een brede houten hanger hing, rolde zijn riem op en legde die in de la met opgerolde riemen, waarna hij zijn vuile was in de aangrenzende badkamer in de wasmand deed. Alice zag dat haar rok over de rugleuning van de stoel hing, over de spijkerbroek die ze het afgelopen weekend had gedragen; haar trui lag op de zitting, haar slipje verfrommeld op de vloer. Ze vroeg zich af of zij slordig was, of dat Mark overdreven netjes was. Ze vroeg zich af of hij zich stoorde aan haar gebrek aan netheid en orde 's avonds.

'Mark?' vroeg ze zacht. 'Vind je het vervelend dat ik zo'n sloddervos ben?'

'Sloddervos?' vroeg Mark met een frons, terwijl hij schoenspanners van cederhout in zijn schoenen deed. Alice gebaarde naar haar neergegooide kleren. 'Doe niet zo raar,' zei hij met een glimlach, terwijl hij een overhemd voor de volgende dag pakte. 'Als ik wakker word, zie ik overal verfrommelde Alice en dat vind ik heerlijk.' Hij pakte haar trui. 'Maar dit is kasjmier en dat moet je echt opvouwen.' Hij deed het voor haar. 'In welke la hoort ie?'

Alice keek naar de ladekast. 'In de middelste,' zei ze. Ineens herinnerde ze zich dat haar vibrator in de la eronder lag. Was vanavond misschien een goed moment om Mark te laten kennismaken met haar felroze vriendje op batterijen? 'Nee, niet in de middelste,' zei ze snel. 'Ik bedoel de la eronder.' Vind hem! Vind hem niet!

Mark vond hem niet en Alice wist niet of ze teleurgesteld of opgelucht was. Hij ging gewoon door met zijn bedtijdroutine, waar ook bij hoorde dat hij de gordijnen een stukje opendeed en naar de lucht keek. 'Heldere hemel,' zei hij. Gisteren was het bewolkt geweest en de dag ervoor stormachtig. Hij deed zijn bedlampje aan en knipte het grote licht uit; vervolgens hing hij zijn kamerjas aan de haak aan de deur en rolde zijn hoofd van de ene naar de andere kant terwijl hij naar het bed liep. Hij klopte zijn kussen op, deed zijn horloge af en wond het op en hij controleerde de wekker, al veranderde hij nooit de tijd dat die afging. Hoewel hij altijd wakker werd vlak voor de wekker ging, schakelde hij hem toch altijd in. Hij hield ervan om hem uit te zetten vlak voor hij rinkelde, zodat Alice niet wakker werd. Hij pakte zijn Ian Rankin en liet zijn ogen vlug over de laatste alinea gaan die hij de avond ervoor had gelezen, waarna hij zich in zijn kussen installeerde om die avond een hoofdstuk te lezen.

Hij slaakte een zucht. 'Het is een lange dag geweest,' zei hij en hij glimlachte Alice verontschuldigend toe. 'Een heel lange dag.'

Alice legde haar roman neer en liet haar vingertoppen over zijn onderarm glijden. Ze streelde omhoog naar zijn biceps en liet haar hand teder op zijn schouder liggen. Ze ging lekker tegen hem aan liggen. Hij sloeg zijn arm om haar schouder, hoewel dat het omslaan van de bladzijden bemoeilijkte. Zo drukte hij een kus op haar hoofd. Op haar beurt kuste ze zijn borst. Optimistisch drukte ze er nog een zoen op. Ze sloot haar mond over zijn tepel en zoog eraan in plaats van hem te kussen. Toen keek ze op naar Mark, die omlaag keek naar zijn boek. Hij zag er moe uit.

'Ben je moe?' fluisterde ze. Ondertussen liet ze haar vingertoppen uitdagend over zijn borstkas en buik naar beneden dansen.

'Best wel,' gaf hij toe. 'Het is razend druk op de zaak. Ik moet Davids werk erbij doen tot hij beter is.'

'Waarom nemen we geen week vakantie als hij weer terug is?'

stelde Alice voor. Luchtig liet ze haar hand op zijn buik rusten, terwijl hun gesprek heel zakelijk bleef.

'Klinkt goed.' Mark besloot haar nog niets te vertellen over de reizen naar Singapore, Australië en Japan die hij binnenkort moest maken.

Alice besloot dat afleiding een goed idee was; daarom liet ze haar handpalm weer omhoogglijden over zijn borstkas. Prompt sprongen zijn tepels in de houding. 'Mark,' mompelde ze. Ze likte wellustig over haar lippen en haar ogen fonkelden. 'Ben je móé moe? Of alleen moe moe?'

Hij lachte snuivend. 'Eist u uw huwelijkse rechten op, mevrouw Sinclair?'

'Inderdaad.' Met een knipoog zoende Alice zijn kin en zijn mond, en ze beet zacht in zijn onderlip. 'Als je ertoe in staat bent.'

'Ik mag dan moe zijn, híj staat al paraat.' Mark leidde Alice' hand langs zijn lichaam, onder het dekbed, naar zijn harder wordende pik.

Met gesloten ogen klemde ze haar hand eromheen en voelde hem groeien en stijf worden, terwijl zij smolt en vochtig werd.

Mark nam haar hoofd in zijn handen en drukte zachte zoentjes overal op haar gezicht. Alice vond dat hij bijzonder goed kon zoenen, maar op dat moment had ze geen behoefte aan romantische en tedere lippen. Ze wilde dat hij zijn tong in haar mond stak en zich uitleefde. Teder en kalm liefkoosde hij elk van haar borsten, waarna hij zijn hand over haar buik liet glijden, over de rondingen van haar taille en heup, zacht over haar schaamhaar, zo laag mogelijk op haar dij als hij kon zonder op te houden haar te kussen. Ze hunkerde naar het gevoel van zijn mond die zich te goed deed aan haar borsten. Ze wilde dat zijn tanden langs haar tepels schuurden, dat zijn handen haar billen kneedden, en ze snakte ernaar dat zijn vingers hongerig bij haar binnendrongen. Ze trok haar hoofd weg en probeerde zijn hoofd omlaag te dwingen en zijn hand omhoog. Maar hij drukte zijn gezicht in haar hals en begon haar daar te liefkozen, legde zijn hand over haar schaamlippen zonder verdere actie te ondernemen. In plaats daarvan streelde hij steeds over haar hele lichaam. Haar opwinding werd eerder vergroot door het verlangen naar wat hij niet met haar deed dan door wat hij wel deed. Het leek alsof haar lichaam het uitschreeuwde zonder dat hij het kon horen omdat hij te zeer opging in zijn trage, tedere liefdesspel. Hoe dover hij werd, hoe wanhopiger haar begeerte. Het was vreemd opwindend en frustrerend.

Mark bracht zijn gezicht weer voor het hare en keek haar diep in de ogen. 'Wat ben je toch mooi,' zei hij. Teder spreidde hij haar benen met zijn knie en zonder zijn blik van haar af te wenden kwam hij voorzichtig bij haar binnen. Hij was aangenaam hard en Alice voelde dat haar vagina hem diep in zich wilde opnemen. Haar lichaam probeerde te schokken en langs hem te wrijven, maar hij had haar stevig in zijn armen en begon in een waardig, ritmisch tempo te bewegen. Hij bewoog en draaide subtiel en betoverend traag in haar.

Het liefst zou ze schreeuwen: 'Neuk me, zak!', maar haar mond werd bedekt door de zijne. Ze wilde dat hij naar binnen stootte alsof hij geen enkele zelfbeheersing had, maar zijn kalme, afgemeten ritme veranderde niet. Hij rolde om zodat zij boven op hem lag en streek haar lange haar uit zijn gezicht. Hij greep het bijeen achter haar hoofd en hij hield haar blik vast met de zijne. 'Wat voel je toch lekker,' mompelde hij.

Ze ging rechtop zitten en de veranderde hoek deed haar naar adem snakken. Hij streelde de voorkant van haar dijen, terwijl hij genoot van haar aanblik: de welving van haar taille, haar gespierde buik, het zachte gewicht van haar borsten, haar gretige tepels, haar sierlijke hals en haar knappe gezicht. 'Ik hou van je,' fluisterde hij. 'God, wat hou ik van je.' Ze begon sneller te bewegen en maakte draaiende en op- en neergaande bewegingen terwijl ze schrijlings op hem zat. Mark trok haar omlaag, rolde haar om en kuste en kuste haar terwijl hij klaarkwam. Handig bewoog Alice tegen hem aan en de plotselinge kleverige stroom bevorderde haar eigen orgasme.

'Nou, ik val vast met een gelukzalige glimlach in slaap,' zei hij met een grijns. Ze glimlachte terug. Ze zag hoe slaperig hij was door het orgasme, maar zij voelde zich juist extra energiek.

'Wist je dat het gemiddelde samenwonende stel minder dan twee keer per week met elkaar naar bed gaat?' Door de geamuseerdheid in Alice' stem en het onderwerp vlogen Marks ogen open.

Hij was goed met getallen. 'Nou, schatje, dan zitten wij boven het gemiddelde.'

'Wist je dat vijftig procent van de vrouwen een vibrator heeft?' Alice wierp een blik op haar ladekast en haar hart begon sneller te kloppen.

'Zeker degenen die niet boven het nationale gemiddelde uitkomen?' vermoedde Mark.

Alice was niet zo goed met getallen en ze nam aan dat Mark een of andere statistiek had berekend; daarom gooide ze het over een andere boeg. 'Heb jij ooit een vibrator gebruikt bij een vrouw?' vroeg ze voorzichtig.

Met een frons keek hij haar aan. 'Hoezo?'

Ze glimlachte sluw naar hem. 'Dat vroeg ik me gewoon af.' Weer fronste hij. 'Ja, dus!' riep ze triomfantelijk uit. 'Bij wie? Zeg op!'

'Nee,' zei hij redelijk streng. 'Ik verzeker je dat ik dat nog nooit heb gedaan.'

Omdat Alice hem geloofde, wist ze ineens niet hoe ze het gesprek moest voortzetten.

'En worden vibrators niet gebruikt in plaats van het echte werk...' vroeg Mark.

Net toen Alice wilde zeggen dat ze zich daar niet door moesten laten beperken, en 'zal ik je de mijne laten zien?', merkte ze dat Mark nog niet was uitgesproken.

'... of als belachelijk hulpmiddel in vieze videofilms?' ging hij verder.

'Heb jij jezelf wel eens gefilmd?' vroeg Alice plagend, met een ondeugende glinstering in haar ogen.

'Jezus, Alice!' riep Mark uit. Hij keek haar aan alsof ze plotseling gek was geworden.

'Dat zou best leuk kunnen zijn,' drong ze koket aan.

'Vibrators? Videocamera's? Bevredig ik je dan niet?' Een beetje wantrouwend keek hij haar aan. Nee, eigenlijk keek hij gekwetst, en dat schokte haar. 'Mis je iets in ons seksleven?' vroeg hij.

'Nee,' protesteerde ze. 'Helemaal niet.'

'Ben ik te vaak op reis? Ben je daarom over vibrators begonnen. Deed je net alsof je klaarkwam?'

'Nee,' zei Alice diplomatiek. 'Nee. Ik wilde alleen... Voor een artikel. Ik was gewoon hardop aan het redigeren. Aan het denken.'

'Ik zie niet in hoe een brok trillend rubber beter kan zijn dan iets wat al geweldig is,' zei Mark verdedigend. 'Denk je niet dat het de intensiteit en de betekenis van ons liefdesspel zou verminderen? Zou het er geen afbreuk aan doen?'

Alice voelde zich schuldig. Ze had er niet op gerekend dat Mark zich gekwetst zou voelen. Ze had gedacht dat hij op een schattige manier van zijn stuk zou zijn gebracht en dankbaar zou zijn geweest voor haar dominantie en initiatief. Of dat hij haar onschuldig pervers zou hebben gevonden, zonder er aanstoot aan te nemen. 'Ik redigeerde gewoon een artikel,' loog ze. 'Daarom begon ik erover. Dat is alles.'

Hij knikte. Zijn vrouw zat ook vol verrassingen. Hij kuste haar. 'Welterusten, Alice,' zei hij. 'Ik hou van je.'

'Als je uien pelt onder een stromende kraan gaan je ogen niet tranen.'

Saul keek toe terwijl Thea uien pelde onder een stromende kraan. 'Hoe wil je de aubergine?' vroeg hij. 'In plakjes of in blokjes?'

'In plakjes, graag.'

'Onder de stromende kraan?'

'Dat hoeft niet. Maar leg de pakjes naast elkaar en strooi er snel zout over tegen de eventuele bitterheid.'

Saul sneed de aubergine. Hij stak zijn arm uit om het zout uit het kastje te pakken. Thea voelde de nabijheid van zijn lichaam vlak achter haar. Zijn hemdsmouwen waren opgerold tot de elleboog. Eén blik op zijn onderarm, de zachte haartjes die tot zijn pols zaten, de zichtbare spieren, was genoeg om een steek van verlangen naar haar buik te laten schieten. Ze kon hem ruiken, en door het genot daarvan vielen haar ogen dicht. Even liet Saul zijn hand langs haar schouderbladen glijden en vervolgens zoutte hij zijn aubergine. Mag ik de boter, alsjeblieft? Vingertoppen raakten elkaar en er knetterden elektrische vonkjes. Oogcontact. Adrenaline. Er zit bloem op je wang. Ik zal het wel even afvegen. Dank je... Hier, proef deze vinger zelfgemaakte mayonaise maar even. Ik moet op mijn tenen staan om die overschotel te kunnen pakken. Ja, en als je dat doet, zie ik je buik zich rekken en strak trekken, en als je je armen weer omlaagdoet, zwellen je borsten op.

'Saul, kun je me die theedoek even aangeven? Dank je.'

'Wil je een glas wijn? Rood? Ga eens opzij, de kurkentrekker ligt in die la.'

Zacht duwde Saul Thea aan de kant, met zijn handen aan weerskanten van haar heupen. Ze leunde een beetje tegen hem aan en de nabijheid van zijn grote lichaam liet een rilling van verwachtingsvol genot door haar heen gaan. Ineens vergat Saul alles over kurkentrekkers. Dit leek de reden waarom hij hier achter Thea stond: met zijn handen op haar heupen, en zijn lippen op de hypergevoelige huid achter haar oren. Ze drukte zich tegen zijn borst en draaide haar hoofd ineens om; zijn lippen verlieten haar nek en gleden over haar kaak naar haar mond; haar lippen weken vaneen en ze liet het puntje van haar tong gretig met de zijne dansen. Achter haar, zich tegen haar aan bewegend – terwijl ze haar nek verdraaide om bij zijn gezicht te kunnen – verzwolg Saul haar mond. Rinkelend viel er iets op de grond, maar ze hoorden het maar half. Thea draaide zich abrupt om zodat ze met haar gezicht naar hem toe stond. Ze sloeg haar armen om zijn hals en met haar vingers verstrengeld in zijn haar trok ze zijn gezicht naar het hare. Een van zijn handen rustte op haar onderrug en de andere lag op haar rechterbil. Hij drukte zich tegen haar aan en zij trok zich aan hem op. De naad van zijn spijkerbroek wreef over haar venusheuvel en ze spreidde haar benen om Sauls dij te zoeken die voor extra wrijving kon zorgen. Hij duwde haar ruggelings tegen de koelkast, met zijn been tussen de hare geklemd. Zijn handen woelden door haar haren, streelden over haar borsten, trokken en grepen; zijn baardstoppeltjes schuurden langs haar wangen, kin en hals.

Thea deed haar best om Sauls overhemd los te knopen, maar het duurde te lang; daarom trok hij het over zijn hoofd. Hij maakte zijn riem los en trok zijn broek omlaag tot die op zijn knieën hing. Tegelijkertijd kronkelde Thea zo dat ze haar T-shirt uit kreeg en Saul schoof haar behabandjes over haar armen, zonder de sluiting los te maken. Het kon hem niet schelen dat ze de beha nog droeg, zolang haar tieten maar bloot waren en hij ze kon betasten en zien, en eraan kon zuigen.

Energiek liet Thea haar hand over en onder zijn boxershort glijden en eindelijk bevrijdde ze zijn gespannen, stijve lul. Ze lieten zich op de rubberen vloer zakken, dartelend, knuffelend, zoenend en zuigend. Saul trok Thea's spijkerbroek naar beneden en bevrijdde haar rechterbeen. Hij duwde haar slipje naar één kant en drukte zijn mond op haar poesje. Hij had uren kunnen genieten van haar sappen, maar toen hij haar plotselinge vocht proefde, kreeg hij haast. Met zijn broek rond zijn enkels, haar slipje vlug aan de kant getrokken, gesloten ogen en een hijgende ademhaling, boorde Saul zich in Thea, en zij drukte zich tegen hem aan. Ze neukten, bewogen hun heupen, kreunden en vreeën. Ze kwamen op hetzelfde moment klaar; met hun ogen gesloten, luid schreeuwend, een verwrongen grimas op hun gezicht door de intensiteit van de belevenis, terwijl hun lichamen tot uitbarsting kwamen en slap werden. En toen rolden ze van elkaar af en lagen ze op de rubberen vloer, plakkerig van het zweet en bevredigd, niet in staat iets te zeggen tot hun hartslag weer normaal was geworden.

'Jezus,' zei Saul, terwijl hij zich naar Thea draaide. Zijn ogen waren een beetje bloeddoorlopen. Een paar centimeter rechts van haar gezicht lag een glinsterend Sabatier-mes.

'Shit,' zei Thea. Haar gezicht was rood en een van haar mondhoeken was een beetje geschaafd. Ze stak een hand uit naar Sauls gezicht en veegde teder gehakte peterselie uit zijn haar.

'Au!'

'Sorry, schatje.'

'Volgens mij moeten die kralen daar niet, Richard.'

'Ik weet zeker dat ik dat een keer in een pornofilm heb gezien. Oké, hier dan?'

'Nou, ze passen wel, maar om nou te zeggen dat mijn wereld op z'n kop staat... Pornofilm? Welke pornofilm?'

'En als ik dit ermee probeer? Wacht even.'

'Wat ga je ermee doen? En waar?'

'Dit! Ik doe het al!'

'Echt waar? O.'

'Wacht even. Wat dacht je van...'

'Waag het niet.'

'De openingen raken op, Sal. Wacht. Laten we het zo proberen. Schuif je been eens een stukje op. Nog een beetje. Zo.'

'Au. Geef ze eens hier. Draai jij je maar om.'

'Je maakt zeker een geintje?'

'Zullen we die kralen maar weggooien en lekker ouderwets neuken?'

'Goed idee.'

'Prettige trouwdag, grote jongen.'

Adam

ZEVEN MAANDEN NA DE BRUILOFT VAN ALICE EN MARK, TOEN SAUL en Thea inmiddels ook een stel waren geworden, kwam *Adam* ter wereld. Tot dat moment had Alice beweerd dat haar bruiloft haar ongeëvenaarde creatieve en organisatorische hoogtepunt was. Maar *Adam* overtrof dat allemaal. *Adam* was Alice' kindje. Haar echte liefde. Haar levenswerk. Haar toekomstige ambitie. Haar vroegere wapenfeiten, haar huidige succes. Haar toegang tot de grotere kantoren, twee verdiepingen hoger.

Vlak voor haar eerste huwelijksdag won Alice de prijs voor de meest succesvolle introductie voor *Adam* bij een prestigieuze prijsuitreiking van de uitgeverswereld. De trofee, een wat overdreven schuin stuk perspex dat de zwaartekracht leek te tarten en verankerd was in een stuk zachthout, stond trots op de planken van haar directiekantoor twee verdiepingen hoger, naast een ingelijst exemplaar van het eerste nummer van *Adam* – dat met Clint Eastwood op de cover.

'Ons project had als codenaam Quentin,' vertelde Alice aan een volgepakte balzaal in het Grosvenor House op de avond van de prijsuitreiking. 'Maar omdat we tegen iedereen erbij moesten zeggen: naar Tarentino, niet naar Crisp, hadden we een andere naam nodig die synoniem was voor de alfaman. Daarom hebben we ons tijdschrift *Adam* genoemd. Alle bijbelse associaties gaan niet verder dan de titel, want iedereen hier weet dat de uitgeverswereld bepaald geen hof van Eden is; daarbuiten is het een waar oerwoud aan mannenbladen. Maar, dankzij onze spectaculaire oplagecijfers, en nu dankzij deze belangrijke prijs, staat *Adam* aan de top.'

Ze liep terug naar haar tafel, onder begeleiding van een hartelijk applaus en met de aangenaam zware trofee in haar hand en een geruststellende pijn in haar wreven dankzij haar Jimmy Choos. Alice bedacht dat dit moment het hoogtepunt van haar carrière was. Helaas was Mark er niet om het mee te delen, hij was in Hongkong en ze kon hem niet eens bellen vanwege het tijdsverschil. Zonder echtgenoot om lekker naast te kruipen vond Alice dat ze het volste recht had om dronken te worden op kosten van haar bedrijfscreditcard en pas in de vroege uurtjes thuis te komen.

'Meneer Mundy,' zei ze, terwijl ze tegen hun ronde tafel leunde en de glazen van haar team volschonk. 'Meneer Mundy, u bent een lul.'

'Dank u, juffrouw Heggarty,' zei Saul instemmend. Hij proostte met de anderen en keek met opgetrokken wenkbrauwen naar de moderedacteur en de advertentiemanager.

'Ik bedoel dat je makkelijk de prijs voor redacteur van het jaar had kunnen winnen, als je je niet zo koppig aan je freelancebestaan had vastgeklampt,' legde Alice uit. De moderedacteur en de advertentiemanager knikten ernstig.

'Leuk dat je het zegt,' zei Saul, waarna hij even zweeg om te klappen voor een vrouw op het podium die de plak perspex voor beste redacteur Speciale Producties in ontvangst nam. 'Maar ik heb je al gezegd dat ik mijn vrijheid – mijn toegang tot afwisseling – niet wil inruilen voor forensen, kantoorperikelen en een brok plastic.'

'Het is perspex,' kaatste Alice terug. 'Een sculptuur.'

'Ja ja,' zei Saul. 'Maar als ik fulltime voor *Adam* zou werken, moet ik al mijn andere werk opgeven. En ik ben heel loyaal.' Hij klapte met alle anderen mee, al had hij geen idee welke prijs net was uitgereikt.

'Maar ik het beste betaal,' zei Alice met een vreemd Japansig accent.

'Je kunt mijn verlangen naar afwisseling niet kopen, Alice,' zei Saul theatraal. 'Ik besteed nu al meer tijd aan *Adam* dan aan mijn andere verplichtingen. Maar ik hou van mijn gevarieerde leventje. Ik hou ervan om overal een vinger in de pap te hebben. Te werken voor *ES* naast de *Observer*, *T3* naast *GQ*. *MotorMonth* naast *Get Gadget*. Dat soort afwisseling heb ik gewoon nódig.'

De volgende prijs werd uitgereikt, ditmaal aan een vroegere collega van Alice, dus ze floot op haar vingers, een luidruchtige gewoonte die niet strookte met haar elegantie en keurige uiterlijk. 'Verlangen naar afwisseling?' blafte ze daarna weer tegen Saul. 'Vingers in de pap?' Alice schudde met haar vinger voor zijn neus. 'Ik hoop dat je alleen in je werk naar afwisseling snakt, meneer Mundy.'

Saul begon te lachen. 'Voor mijn werk fladder ik misschien van de een naar de ander in de uitgeverswereld, maar in mijn privé-leven werk ik er hard aan om alleen van Thea te zijn.'

'Overspelig zijn met de pen is oké, overspelig zijn met de pik niet!' verkondigde Alice. Met die vergelijking was ze zelf heel tevreden en ze vroeg zich af of ze hem een keer in een tijdschrift kon gebruiken. Uiteraard niet in *Adam*, maar misschien in *Lush*?

'Het is je toch niet ontgaan dat jouw eerste trouwdag ook de dag is dat ik een jaar samen ben met Thea?' zei Saul defensief.

Ze tikten met hun glazen tegen elkaar.

'Op Thea.' Saul nam een slok. 'Van wie ik niet meer zou kunnen houden.'

'Ik hou van mijn man. Ik hou van mijn baan. Ik hou van mijn chique huis. Ik hou van de planten in mijn tuin waarvan ik de naam niet kan uitspreken.' Na elke uitspraak nam Alice een slok. 'Ik hou van *Adam*. Ik hou van Thea. Ik hou van jou!'

'We zijn niet bij de oscaruitreiking,' zei Saul lachend.

'Het komt door de champagne,' zei Alice treurig. 'Daar word ik emotioneel van.'

'Drink dan verder water,' stelde Saul voor.

'Stik maar!' zei Alice, en ze schonk alle glazen nog eens vol.

Mark vloog terug uit het Verre Oosten en was ongelooflijk trots op Alice' prijs voor meest succesvolle introductie. Zelfs zo trots dat hij haar overhaalde om de sculptuur in de weekends mee te nemen naar huis. Tot hij een weekend op reis was en Alice zich de moeite had bespaard. Zijn vele reizen en het sluiten van deals leverde heel veel op in de vorm van een grote en van pas komende bonus. Hij nam Alice onverwacht mee naar Praag toen ze een jaar getrouwd waren en verving haar oorbellen van het thuiswinkelkanaal door echte diamanten. Alleen groter. Gezet in platina. Zij kocht een wereldbol van papier-maché voor hem, omdat de meiden van *Dream Wedding* haar hadden verteld dat je je papieren bruiloft viert als je een jaar getrouwd bent. Alice werd verrast door Marks cadeau. Sterker nog: ze werd erdoor overdonderd.

'Ik voel me veel te jong voor zulke knoeperds,' bekende ze Thea. 'Ik krijg het gevoel alsof ik stiekem die van mijn moeder heb gepakt om me op te doffen. Alleen zijn mijn moeders diamanten niet half zo groot. Als ik ze niet draag, moet ik ze in een kluis leggen, anders zijn ze niet verzekerd.'

'Ze zijn adembenemend,' zei Thea bewonderend, hoewel ze stiekem dacht dat ze, ondanks alle glinstering, bijna te groot waren om mooi te zijn of er echt uit te zien.

'Het zijn serieuze diamanten,' zei Alice. 'Het leuke van die nepdingen was dat het goedkope prullen waren. Een grap waarbij ik als laatste kon lachen. Wil jij ze hebben?'

'Tuurlijk!' zei Thea. 'Welke precies?' vroeg ze erachteraan.

'Waar wil je heen?' vroeg Saul een paar dagen voor zij een jaar bij elkaar waren. 'Tiffany? TopShop?'

'Het verleden,' zei Thea heel beslist.

'Is dat een kuuroord op Barbados?' vroeg Saul, half voor de grap.

'Ik wil naar Primrose Hill,' zei Thea lachend. 'Ik wil kijken waar we gelopen hebben.'

'Jezus, wat ben jij sentimenteel.'

'Ik wil gewoon hand in hand op Primrose Hill lopen!' wierp Thea tegen.

'En als het regent?'

'Dan worden we nat.'

'Kan ik je niet meenemen naar Babington House, of ergens anders heen, in het nieuwste model Jaguar?' smeekte Saul zowat.

'Je hebt helemaal geen auto,' zei Thea geduldig. 'Je hebt een scooter.'

'Nee, nee, dat heb je mis. Die Jaguar is het hele weekend van mij, om mee uit rijden te gaan en een recensie over te schrijven in *MotorMonth*.'

'Welke kleur heeft ie?' Thea kwam half in de verleiding.

'Racegroen.' Saul haalde zijn schouders op. 'De bekleding is gebroken wit en van leer.'

'Maar ik wil naar Primrose Hill om op óns bankje te zitten,' zei Thea. Ze trok een tuitmondje waar Saul geen weerstand aan kon bieden.

Dus sloten ze een compromis. Ze reden de anderhalve kilometer naar Primrose Hill en parkeerden de auto daar voor twee uur en heel veel geld. Boven op de heuvel haalde Saul een rol Refreshers te voorschijn en een grote zak Opal Fruits, hoewel er Starburst op de zak stond. Dat gebaar vond Thea veel romantischer dan een bezoek aan een pension op het platteland in een sportwagen. Om haar dankbaarheid te tonen trok ze haar trui uit en omdat ze geen beha onder haar T-shirt droeg, kon Saul haar harde tepels goed zien. Onmiddellijk moest hij denken aan een jaar geleden, toen ze hier koud en met een kater had gezeten. Hij streelde haar armen, waardoor ze nog veel meer kippenvel kreeg dan van de koude novemberwind.

Thea keek hem aan en verbaasde zich erover dat ze de loodgrijze vlekjes in zijn irissen niet eerder had gezien. 'Ik hou van je, Saul Mundy,' zei ze.

'Fijne eerste wat-dan-ook-dag,' zei hij met een grijns. 'Op ons.'

Wanneer ben jij opgehouden met achter je leeftijd nog 'en drie maanden' of 'en negen maanden' te zeggen? Daar is Thea mee doorgegaan tot ze een tiener werd. Halverwege de twintig had Alice nog steeds de gewoonte om te zeggen: 'Volgend jaar word ik...', wat haar, afhankelijk van het precieze moment, in staat stelde twee jaar bij haar leeftijd van dat moment te tellen. Maar hun exacte leeftijd leek de meeste mensen niet zo veel te kunnen schelen nu ze in de dertig waren. Tegenwoordig eiste de duur van hun relatie de meeste belangstelling op. Zowel Alice als Thea had genoten van hun eerste jaar met Mark respectievelijk Saul, al wachtten ze ook vol ongeduld op de dag dat ze een jaar samen waren, zodat hun relatie een volwaardige status zou krijgen. Zodra Alice zes maanden getrouwd was, begon ze te zeggen dat ze 'bijna een jaar getrouwd was'. Thea had het liever over jaargetijden dan over maanden. Dan zei ze dat zij en Saul samen waren 'sinds de vorige herfst', wat – de zomer erna – al snel heel lang geleden leek. Thea beredeneerde voor zichzelf dat november waarschijnlijk al winter was, maar dat afgelopen november – hun november – bijzonder zacht was geweest. Gemiddeld genomen. Volgens de meteorologen. Volgens de kledingzaken in de hoofdstraat. En waren bepaalde ornithologen niet bang geweest dat bepaalde vogels niet naar het zuiden waren gevlogen?

Aan het eind van hun eerste jaar was Thea stapelverliefd op Saul en genoot Alice van het getrouwd-zijn. Alice vond het heerlijk om te denken dat ze alles wist over Mark. Het was een zegen dat er geen verrassingen kwamen. Ze benijdde Thea niet dat die elke keer iets nieuws ontdekte over Saul – dat hij grijze vlekjes in zijn ogen had, of dat hij op zijn vijftiende van kostschool was gestuurd, of zijn triootje met twee Deense meisjes toen hij als twintiger zijn eerste reisje als journalist had gemaakt. Nee, Alice had liever voorspelbaarheid, ten koste van spanning en sensatie. Uit eigen ervaring wist ze dat spanning en sensatie een hoge tol eisten. Door haar verstand niet te verliezen, voorkwam ze dat haar hart uiteindelijk zou breken.

Mark bleef alles wat ze had gedacht dat hij zou zijn, dat voorgevoel dat ze had gehad toen ze hem een aanzoek deed met een mond vol wortel. Hij was de ideale echtgenoot voor haar. Liefhebbend, eerlijk en betrouwbaar. En nu ze erin was geslaagd subtiel toezicht te houden op zijn garderobe, was hij bovendien ook modieus. Mooie, gelijke bruine ogen, zonder enige smet op zijn opleidings- of carrièreblazoen, geen enkele afwijking van de seksuele norm. Ze maakten geen ruzie, want er was niks om van mening over te verschillen. Een van de beste eigenschappen van Mark was tolerantie, wat goed paste bij zijn overtuiging dat tegenpolen elkaar aantrokken. Hij reageerde nooit als Alice fel reageerde; dan deed hij met liefde zijn plicht en kalmeerde hij haar. Hoe dan ook, dat gebeurde alleen als het werk tussenbeide kwam. En Mark voelde zich gevleid en ontroerd dat Alice zo veel om hem gaf en hem zo hard nodig had. Waar hij het meest van hield, was de manier waarop ze hem met grote, treurige ogen en een kinderachtig stemmetje smeekte om niet tot laat op kantoor te blijven, om niet weer naar dat vervloekte Hongkong te gaan.

Hoewel Alice zelf ook dol was op haar werk en even ambitieus was als Mark, leek het erop dat de eisen van Marks baan haar zwaarder vielen dan hem. Hoe veel zijn dag ook van hem had gevergd, hoe zwaar de financiële wereld of hoe lastig zijn deal ook was, hij kwam altijd thuis met een glimlach, gretig en vol nieuwe energie door zijn rol als echtgenoot. Hoe vermoeiend zijn vele reizen ook voor hem waren, ze leken nog veel zwaarder voor Alice. Hij hoefde zich alleen druk te maken om de jetlag, zich te bekommeren om de zakelijke gewoonten in andere delen van de wereld: de zijden draadjes waar deals aan hingen, de saaie ketenhotels met al hun luxe. Zijn werkschema was altijd zo druk dat hij nauwelijks een moment had om na te denken, laat staan zich te ontspannen. Maar Alice bleef achter met maar een half huis; alle toebehoren van het huwelijk, maar zonder echtgenoot. Niet dat ze treurig op hem wachtte, of zich in de steek gelaten voelde. Er was gewoon niks aan om in haar eentje vader en moedertje te spelen.

Hun huis in Hampstead, met alle snufjes en pracht en praal, hoorde hun Wonderland te zijn. Maar Alice had niet het gevoel dat ze in Wonderland was als ze alleen was; dan kreeg ze het gevoel dat ze kromp in het huis, alsof ze een of ander Lewis Carroll-drankje had gedronken. Ineens leek haar luxe keuken overdreven groot, met de holklinkende vloer van Franse kalksteen, de reusachtige Amerikaanse koelkast, het fornuis dat niet zou misstaan in een professionele keuken en de vele op maat gemaakte kasten. Had ze het speciaal ontworpen bad niet uitgezocht omdat de rondingen en het formaat ervan bedoeld waren voor twee in plaats van een? Het surroundsoundsysteem van hun plasma-tv in de woonkamer was te technisch voor haar. Hun bed was zo gigantisch dat het dwaas leek om erin te slapen als Mark weg was, dus sliep Alice dan in haar oude tweepersoonsbed, dat nu in de kleinste van hun twee overige slaapkamers stond. Als Mark niet thuis was, at ze meestal een flinke lunch en nam ze 's avonds alleen een zak chips of een paar KitKats. Dan bekeek ze opgekruld in zijn luie stoel van Eames een dvd op zijn Mac in de studeerkamer tot ze te moe was om een bad te nemen, wat toch te lang zou duren voor het vol was.

Alice vond het vreselijk als Mark op reis moest. Ze had er een hekel aan omdat ze het afschuwelijk vond om alleen te zijn. Ook had ze een hekel aan zijn reizen, omdat ze het niet leuk vond als hij terugkwam. Ze vond het vreselijk dat ze snauwerig was als hij terugkwam, maar ze kon er niks aan doen. Ze vond het niet leuk als hij terugkwam omdat – hoewel hij alle reden had om uitgeput te zijn door de jetlag en aan het eind van zijn Latijn door de druk van transatlantische deals die waren gelukt of mislukt – altijd kalm was en dolblij haar weer te zien. Zij was dan degene die zonder enige reden chagrijnig was. Degene die boos zei dat ze geen zin had om te eten, thuis of in een restaurant, en die beweerde dat ze geen honger had. Dan gaapte ze en zei ze dat ze te moe was om te praten over een van zijn zorgvuldig uitgekozen onderwerpen. Dan ging ze vroeg naar bed en deed ze alsof ze hoofdpijn had of uitgeput was, terwijl hij eigenlijk een kalmerende rugmassage verdiende of snakte naar een welverdiende pijpbeurt. Dan deed ze alsof ze al te vast sliep om zijn liefhebbende kus te voelen, laat staan om erop te reageren.

Mark nam altijd iets voor haar mee; van prachtige kitschspullen uit Hongkong (een lichtgevend digitaal horloge van Hello Kitty waar maar een beperkte oplage van was) tot sieraden van Tiffany uit New York; van luxe toiletartikelen die hij brutaalweg van de huishoudkar in hotel Costes in Parijs had gestolen tot de catalogus van een tentoonstelling van Paul Klee die net was geopend in Chicago. Keer op keer nam Alice het cadeau aan met een opvallend gebrek aan charme. Dan negeerde ze haar geweten tot de volgende dag, wanneer ze Mark belde, mailde of sms'te om te zeggen dat ze van hem hield en dat ze steeds op haar Hello Kitty-horloge keek en wenste dat de uren sneller voorbijgingen en dat ze naar huis kon. Daar maakte ze dan lekker eten klaar en lag Mark in een deuk om haar grappige verhalen over haar werk. Ze gebruikte het badschuim van Costes om een bad voor twee te bereiden en ze stak kaarsen aan in de slaapkamer. Ze besteedde volop aandacht aan zijn lichaam, en als het nodig was, deed ze net alsof ze zelf een hoogtepunt had gehad, waardoor Mark in slaap viel met een uitgeputte glimlach op zijn gezicht.

In een van de tijdschriften die Alice publiceerde, stond een artikel waarin werd uitgelegd wat het Omgekeerde-Strafsyndroom was: 'Hij probeert aardig te zijn, maar jij bent alleen gemeen.' Misschien geldt dat wel voor mij, dacht ze. In het artikel werd er tot vervelens toe op gehamerd (daar zou ze de redacteur Speciale Producties nog de mantel voor uitvegen) dat ze haar kerel niet moest uitschelden als hij met zijn vrienden naar het café ging om een paar biertjes te drinken, haar man niet moest straffen als hij elke zondag ging voetballen met de jongens, haar man met rust moest laten als hij zijn vrienden uitnodigde om X-boxmarathons te houden. Maar Mark voetbalde niet, had geen X-box, hield er niet echt van om naar het café te gaan en dronk liever een goede bourgogne dan bier. Ze kon hem er nooit van beschuldigen dat hij andere dingen belangrijker vond dan haar. Ze had geen enkele reden om eraan te twijfelen dat zij de grote liefde van zijn leven was, de spil waar zijn wereld om draaide.

'Vind je het vervelend om alleen te zijn? Heb je een hekel aan zijn baan? Jij maakt immers ook vaak lange dagen. Of mis je hem gewoon als hij er niet is? Dat grijpt natuurlijk wel allemaal in elkaar, maar in feite zijn het afzonderlijke zaken,' zei Thea. Ze worstelde met het thuisbioscoopsysteem op een avond dat Mark in Chicago zat.

'Jij kíést er zelfs voor om af en toe een nacht niet bij Saul te zijn, hè?' Alice begon ergens anders over. 'Jij kiest ervoor om soms even alleen te zijn.'

'Ik hou van mijn appartement. Ik heb er tijden voor gespaard. Ik hou ervan om te ontsnappen in mijn eigen kleine Lewis Carroll-wereldje,' legde Thea uit. 'Maar jij geeft geen antwoord op mijn vragen. Zeg, heb je niet nog ergens een betrouwbare ouderwetse videorecorder?'

'Niet meer,' zei Alice.

'Shit, hoeveel afstandsbedieningen heeft een vrouw eigenlijk nodig?' vroeg Thea wanhopig, terwijl ze met de volgende worstelde.

'Eentje maar, zou je denken,' zei Alice.

Thea was wel eerder verliefd geweest, maar voor Saul had het de liefde altijd aan balans ontbroken. Pas nu, door het evenwicht en de wisselwerking die zij hadden bereikt, zag ze dat in. In het verleden had ze veel meer genegenheid en vertrouwen, loyaliteit en gulheid geïnvesteerd dan ze terugkreeg. Ze had vroegere vriendjes deugden en eigenschappen toegedicht die ze helemaal niet bezaten. Ze had zichzelf wijsgemaakt dat zolang zij geloofde dat ze trouw, loyaal en net zo verliefd waren op haar als zij op hen, ze dat ook echt zouden zijn. Haar koppige verering van de Romantische Liefde zorgde ervoor dat ze altijd een oogje toekneep, zelfs als de misstappen recht onder haar neus plaatsvonden. Hoewel ze op haar hart was getrapt, had ze ervoor gezorgd dat de pijn haar niet had verhard; ze twijfelde nooit aan haar geloof dat het hele leven om liefde draaide; ze verloor nooit haar hoop dat liefde alles zou overwinnen...

Voor ze met Saul was, had Thea geloofd dat hoe dieper de liefde was, hoe complexer die moest zijn. Maar ja, ze dacht ook dat echte kunst alleen voortkwam uit levensangst, tot Saul haar meenam naar een tentoonstelling van Matisse in de Tate Modern. Zo was het met Saul: tot haar verbazing merkte Thea dat liefde ontzettend eenvoudig kon zijn. Door haar verliefdheid op Saul leerde ze de balans kennen die nodig was voor een langdurige relatie. Toen dat eenmaal als een grote berg op de ene kant van de weegschaal lag, ontdekte ze dat alle andere elementen en zorgen van het leven die op de andere kant lagen de juiste proporties en het juiste gewicht hadden. Ze was even verliefd op Saul als hij op haar, en dat was voldoende om haar leven in evenwicht te brengen. Alle liefde die ze hem gaf, gaf hij aan haar terug.

Ze vond het geweldig dat Saul vaak spontaan even aanwipte bij The Being Well met jus d'orange of het nieuwe nummer van *Heat*, dat hij haar snel een kus kwam geven op weg naar een vergadering, dat hij een Yorkie biscuit&raisin kwam brengen als hij terugkwam van een brainstormsessie op een redactie. Het was heerlijk dat hij soms ineens achter haar stond in de rij bij Pret a Manger en dan mompelde: 'Ze zeggen dat bananen het libido stimuleren,' of: 'Geef me eens een hapje van je baguette, schatje.' De hele dag door kreeg ze sms'jes van hem, en ze wist nooit of die vrolijk, romantisch of gewoon vunzig zouden zijn. Soms vrijde hij heel teder met haar en nam hij de tijd om haar te strelen en ging hij er helemaal in op naar haar te kijken, zodat hij kon zien welk effect een iets andere hoek of een subtiele wijziging van het tempo had op haar blozende wangen of de verwijding van haar pupillen. En soms neukte hij haar heel sensueel, met gesloten ogen terwijl hij heftig een nummertje maakte. Dan greep hij met opeengeklemde kaken haar kont vast en stootte krachtig in haar tot hij klaarkwam. Soms was hij even bevredigd door orale seks als zij; en als ze dan slaperig aanbood hetzelfde voor hem te doen, bracht hij haar tot zwijgen met een kus, waarna hij het licht uitdeed en als een lepeltje tegen haar aan kwam liggen. Het kon haar niks schelen dat hij chagrijnig was als hij wakker werd, dat zijn scheten ontzettend stonken en dat hij vreselijk snurkte. Het maakte haar niet uit dat hij nooit ergens op tijd kwam, dat hij tegen haar snauwde als ze tegen hem praatte terwijl hij naar een film keek, dat hun muzieksmaak haast geen overeenkomsten vertoonde of dat hij zijn eten af en toe naar binnen schrokte. Ze vond het heerlijk om zo veel van hem te houden dat ze hem zijn eigen karakter gunde. Ze had geen hoger ideaal om op hem te projecteren. 'Gerond met scherpe kantjes,' zei ze tegen Alice. 'Hij is niet perfect en daardoor is hij ideaal.' Eindelijk was Thea verliefd geworden op iemand die ze niet kon of wilde verafgoden. Het enige waar Alice op had gehoopt was dat Thea ooit iemand zou vinden die de diepe liefde waardig was die zij kon geven.

Soms gingen Thea en Saul 's avonds tot in de kleine uurtjes uit in de cafés van Soho, of ze plunderden Villandry en hielden dan extravagante picknicks thuis op het tapijt. Op etentjes bij vrienden konden ze het verliefde stel spelen, of ze kwamen samen op een feestje, maar gingen vervolgens elk hun eigen weg, met alleen af en toe een grijns of een knipoog naar elkaar. Ze hielden op leven en dood backgammontoernooien, scrabbelden bijzonder fanatiek of hielden luidruchtige filmavondjes waarbij ze dvd's van Spinal Tap of de Blues Brothers bekeken, geholpen door eigengemaakte Mars-wodka. Ook waren er avonden waarop ze zo opgingen in hun eigen bezigheid dat ze elkaars aanwezigheid nauwelijks opmerkten: de zaterdagen waarop Thea het grootste deel van de dag aan het strijken was en Saul druk typte op zijn laptop in haar slaapkamer, de zondagen dat ze in een kameraadschappelijke stilte de kranten lazen. Ook ging Saul avondjes naar de Swallow met Ian of Richard en Thea was niet van plan om hem daar te storen. En er waren avonden waarop Saul glimlachend dacht aan Thea die de hoorn van de haak legde om ongestoord naar *ER* te kijken.

Thea las alles wat Saul schreef, maar pas nadat het was verschenen.

'Zal ik jouw naam gaan noemen in mijn columns?' vroeg Saul peinzend.

'Wat? Zoals Michael Winner doet?' Thea keek op van de *Sunday Times*. 'Jezus!'

Saul begon te lachen. 'Ik dacht meer aan A. A. Gill, liefje.'

Hij deed het echter niet. De lezers van de Brutale Kerel kregen na het artikel dat was gepubliceerd op de dag van hun eerste kus niets meer te horen over de beeldschone dievegge. Saul Mundy mocht dan stukken schrijven voor het grote publiek, hij had ook een privé-leven. En het schonk hem veel voldoening om op te kijken en Thea te zien als hij klaar was met het schrijven van een stoer mannenstuk voor het ene tijdschrift, of een sarcastische column voor het andere, of een bijtende recensie vol weldoordacht venijn. Dan was ze helemaal verdiept in een boek, of dronk ze kalm een kop thee, of was ze verwikkeld in een sms-gesprek met Alice, of zat ze gewoon te dagdromen.

'Ze is mijn boezemvriendin,' legde Saul op een avond aan Ian uit. 'Ze is echt alles: mijn zielsverwant, mijn beste vriendin en mijn minnares.'

'En je huisgenote?' vroeg Ian.

Bedachtzaam nam Saul een slok bier. 'Nog niet,' zei hij voorzichtig. 'Maar we zijn ook pas een jaar samen.'

Een jaar in beeld

ADAM
januari, nummer 8
Jack Nicholson op de cover

- Is dit de coolste man ter wereld?
- Wat wordt hip dit jaar - draag het, zie het, hoor het, koop het
- Gezond en fit: in zes weken een wasbordje
- De motor: een fallussymbool of een manier van leven?
- Seks - gewoon doen
- Geld - dat moet je verdienen
- Onroerend goed - om in te wonen
- Win allerlei gadgets en *gear*

ADAM
februari, nummer 9
Nicole Kidman op de cover

- Nicole, we houden van je, trouw met ons
- Goede aankopen - koop in het buitenland, krijg een lekker kleurtje, maak winst
- Fitness: ondersteun je rug
- Handgemaakte schoenen en een op maat gemaakt kostuum mogen in geen enkele garderobe ontbreken
- Seks is goed voor je, dat is een feit
- Gereedschapskisten en WD40: vrouwen zijn gek op klusjesmannen
- Plus! Recensies - wij hebben ze gezien, gelezen, gehoord, geproefd en gespeeld
- Prijsvraag - zeil de zonsondergang tegemoet: twee weken op een luxe jacht

ADAM
maart, nummer 10
Sean Connery op de cover

- Connery – de enige echte
- Wat maakt Mary, Isla en Jen zo bijzonder? Topmodellen met hersens en een lekker lichaam
- De gevangenis, vast zit je zo
- Verdubbel je vermogen binnen een halfjaar
- De vrijgezellenwoning als rampgebied: architecten, ontwerpers en schoonmakers laten zien hoe het wél moet
- Zwembandjes? Mannentieten? Geef ze geen naam meer, maar raak ze binnen vier weken kwijt
- Seks: samenkomen of uit elkaar drijven?
- Win de beste plaatsten voor tien topsportevenementen!

'Thea, kun jij iemand nemen om elf uur?' Souki legde haar hand over het spreekgedeelte van de telefoon. Ze vroeg het aan Thea, die net de tijdschriften recht legde in de wachtkamer en bloemen schikte voor de receptiebalie. 'Nieuwe klant, klinkt wanhopig.'

'Ja, hoor,' zei Thea.

'Prima,' zei Souki tegen de beller. 'Wat is uw naam? Meneer Sewell. Goed, tot over een paar uur. Ja, metrostation Baker Street. Inderdaad. Tot ziens.' Souki schreef het in het afsprakenboek en vroeg daarna aan Thea: 'Wil je een kop thee?'

'Eigenlijk had ik gehoopt dat Saul zou binnenwippen met een *latte* voor iedereen,' zei Thea.

'Twee dagen achter elkaar lijkt me wat veel van het goede,' zei Souki. 'Wat denk je? Moeten we Saul eens in de veertien dagen een gratis massage geven voor die dagelijkse lattes?'

'Ik zal het vragen, maar hij zegt dat hij een hekel heeft aan massages,' antwoordde Thea. 'Daar krijgt hij een ongemakkelijk gevoel van.'

'Wacht maar tot hij door zijn rug gaat met squash of zo, dan smeekt hij erom,' verkondigde Souki. 'Earl Grey of rooibos?'

'RB, alsjeblieft. Wie komt er eigenlijk om elf uur?'

'Ene meneer Sewell. Hij is door zijn rug gegaan, maar omdat Brent en Dan helemaal vol zitten, dacht ik dat hij in jouw handen het veiligst zou zijn,' zei Souki.

Meneer Sewell kwam tien minuten te vroeg. Hij was veel jonger dan Thea had verwacht. Sterker nog: hij leek op Peter O'Toole als Lawrence van Arabië, wat een aangename verrassing was. Hij droeg een keurig kostuum, maar dat hing raar door zijn rugblessure, alsof hij vergeten had de hanger uit het pak te halen. Ook zijn gezicht leek extreem hoekig, omdat hij zijn kaken opeengeklemd hield, en zijn waarschijnlijk prachtig blauwe ogen stonden dof.

'Meestal zijn klanten die zichzelf meneer of mevrouw Huppelepup noemen een stuk ouder,' babbelde Thea, terwijl ze hem voorging naar haar kamer boven in het gebouw. Hij zei zijn voornaam pas toen Thea zijn gegevens noteerde en ernaar vroeg. Ze zag dat zijn gezicht lijkbleek werd toen hij voorzichtig een stukje verschoof in zijn stoel. Als zijn leed zo zichtbaar was, moest de arme man een ondraaglijke pijn lijden, dacht ze. Uit eigen ervaring wist ze dat mannen die ergens last van hadden die pijn ofwel overdreven of net deden alsof er niets aan de hand was.

'Vertel me eens wat eraan scheelt,' zei Thea met haar pen in de aanslag.

'O, het stelt niet zo veel voor,' loog meneer Sewell.

Uit zijn persoonlijke gegevens probeerde Thea zich een beeld te vormen van zijn levensstijl en de gevolgen daarvan voor zijn huidige toestand. Gabriel Sewell was achtendertig en hij had een huis in Clapham en een kantoor in Mayfair. Hij was actuaris, Thea wist niet wat dat was, maar ze ging ervan uit dat het een zittend beroep was, en iets belangrijks. Hij leek behoorlijk fit, speelde eens per week vijf tegen vijf voetbal, golfde vaak en fietste af en toe. Hij bleek goed te eten, was niet te zwaar, rookte alleen op feestjes en dronk regelmatig, maar niet te veel.

'Nou, vertel eens over uw rug,' zei Thea.

'Ach, ik weet zeker dat het niet zo veel voorstelt,' begon meneer Sewell.

Dat bleek echter anders te zijn. Het afgelopen weekend was hij bij zijn vrouw weggegaan en had hij koffers van de zolder gehaald om zijn spullen in te stoppen, waardoor hij kramp had gekregen.

'Goed,' zei Thea een uur later. 'Ik laat u even alleen. Neem de tijd.'

Ze bleef voor de deur van haar kamer staan wachten en luisterde naar de stilte, die werd gevolgd door een zucht en de geluiden van meneer Sewell die zich aankleedde. Ze klopte aan en ging een paar tellen daarna naar binnen. Hij zat in een stoel en keek uit het raam naar de daken. Zijn gezicht was niet te doorgronden, maar Thea's geoefende blik zag dat de spanning in zijn nek was verminderd en dat hij niet meer zo bleek zag. Ze vroeg hoe hij zich voelde, of de behandeling had geholpen, of de pijn was verminderd, maar meneer Sewell liet zijn dankbaarheid slechts blijken met eenlettergrepige antwoorden.

'Ik wil graag dat u nog een keer terugkomt. Het liefst aan het eind van deze week,' zei Thea. 'Ik wil ook graag dat u een afspraak maakt met een van onze orthopeden voor wat oefeningen.'

'Prima,' zei meneer Sewell.

'Ik zal beneden een afspraak voor u maken.' Thea ging hem voor.

'Dank u, mevrouw...?' Meneer Sewell wachtte op haar antwoord.

'Thea,' verzekerde ze hem. 'Gewoon Thea.'

Hij knikte en verliet het gebouw.

'Thea, schatje, ik weet dat ik te laat ben. Het spijt me, liefje, maar ik heb een kutochtend achter de rug. Echt kut! En mijn rug doet helse pijn. Niet om uit te houden.'

Thea's klant van twaalf uur kwam een kwartier te laat met zijn gebruikelijke excuses. Omdat hij een vaste klant was, zou ze doorgaan in haar lunchpauze om hem een volledige sessie te kunnen geven.

'Geeft niks, Peter,' zei ze toegeeflijk. 'Kom maar gauw naar boven, dan neem ik je flink onder handen.'

'Je gaat me toch niet kraken?' schertste Peter.

'"Dan geef ik je een flinke petrissage" klinkt toch anders,' zei Thea over haar schouder toen ze de trap op liep.

Peter Glass was ongeveer een jaar klant van Thea. Tegenwoordig kwam hij eens per maand voor 'onderhoud', zoals hij het noemde, hoewel hij ook vaak belde voor een noodsessie tussendoor. Dit was eigenlijk een onderhoudsbeurt, maar aan zijn stijve passen zag ze dat hij echt in nood was.

'Hoe gaat het met je, Peter?' vroeg Thea. Ze vroeg zich af hoelang het zou duren voor de vredige sfeer van haar kamer hem had gekalmeerd. Meestal was Peter heel druk, bijna bezeten. Hij was een chique makelaar wiens inkomen alleen uit commissie bestond, hield er een ingewikkeld liefdesleven op na, had een voorliefde voor materiële zaken en de gewoonte om even snel van auto te wisselen als van vriendin.

'Op het werk is het stikdruk, maar dan op een leuke manier. Het leven is gestoord, maar prettig gestoord. Nieuwe vriendin, nieuwe Beemer.'

'Wat is een Beemer?' vroeg Thea.

Peter begon te lachen. 'BMW, Beemer, weet je wel? Net zoals Merc? Alpha?'

'Skoda?' vroeg Thea.

'Nee, toch!' zei Peter, oprecht geschokt.

'Nee,' verzekerde Thea hem. 'Ik heb een Fiat Panda.'

'Dat meen je niet!' Peter klonk nog steeds geschokt.

'Van elf jaar oud,' zei Thea trots. 'Nou, hoe gaat het met je?' Ze keek op de klok, omdat ze wist dat hij tijdens de sessie toch aan één stuk door zou blijven praten.

'Vreselijk.' Peter kreunde theatraal, maar niet zonder reden. 'Wil je dat ik alleen mijn slip aanhoud?'

'Alsjeblieft.' Vlug keek Thea haar aantekeningen van Peters laatste sessie door. 'Ga maar op je buik op de tafel liggen.'

'Hoe staat het met je liefdesleven, moppie?' Peters stem klonk gesmoord toen Thea met de massage begon.

'Dit voelt strak aan.' Thea negeerde zijn vraag en drukte op het onderste deel van zijn monnikskapspier, tot ze die voelde meegeven.

'Als ik single was, zou ik je mee uit eten vragen, schatje,' zei Peter met een tevreden gekreun.

'Als ik single was, zou ik weigeren.' Onmiddellijk wenste Thea dat ze haar mond had gehouden.

'Ah, dus je hebt wel een liefdesleven,' zei Peter. 'Maar heb je ook een liefdesnestje? Ik kan je heel wat prachtige pandjes laten zien.'

'Jij hebt die rekoefeningen niet gedaan die ik je heb voorgedaan, hè?' zei Thea vermanend. Ze was blij dat ze van onderwerp kon veranderen.

'De dag is te kort, moppie,' zei Peter spijtig. 'Rekoefeningen duren te lang.'

'Peter! Die serie die ik je heb laten zien kost op z'n hoogst tien minuten, en alleen op weekdagen. Je kunt ze echt overal doen.'

'Niet lang, maar traag,' legde Peter uit. 'Ik bedoel dat ik het gevoel heb dat het te lang duurt omdat ze zo traag zijn. Al dat vasthouden en op je adem letten. Traag is niks voor mij, dat past niet in mijn leven.'

Thea begreep wel wat hij bedoelde. Hij was me er een, die Peter Glass. Een ritselaar en een charmeur, maar hij nam zichzelf niet bijster serieus, waardoor hij aardig was. Ondanks al zijn bravoure, stoere praatjes, opschepperij over Beemers en het feit dat hij iedere vrouw 'moppie' noemde, was hij een fatsoenlijke kerel die vreselijke pijnen leed.

'Jij zorgt er altijd voor dat ik me beter voel,' bekende hij terwijl hij zijn Gucci-das strikte. 'Als ik er tijd voor had, zou ik elke week langskomen. Misschien wel twee keer per week. Alleen hier kom ik een beetje tot rust en kan ik me wat ontspannen terwijl jij die stomme spieren van me uit de knoop haalt.'

'Laten we dan maar een afspraak maken voor volgende week,' zei Thea.

'Tof, schatje, maar misschien moet ik op het laatste moment afzeggen,' zei Peter.

'Ze zeggen zat avocado een dame klaarmaakt voor ze liefde. Ze zeggen zat wortelcake een dame geil maakt. Ze zeggen zat kaaschips een dame vochtig maken.'

Thea stond in de rij bij Pret a Manger, dolblij omdat Saul onverwacht in haar oor fluisterde, met zijn idiote Franse accent en zijn bizarre theorieën over etenswaren.

'Dame,' fluisterde hij hees. Zijn stem klonk een octaaf lager dan anders. 'Ze zeggen zat een dame die houdt van avocado en kaaschips en cake van wortel veel aan sexy seks doet.'

'Donder op,' fluisterde Thea giechelend. Saul stond vlak achter haar en drukte kussen achter haar oor en op de ronding van haar hals. 'Hou daarmee op,' fluisterde ze. 'Er zijn hier mensen!'

'Precies,' fluisterde Saul. 'Jezus, wat ben ik geil.'

'Ik heb maar een korte lunchpauze,' zei Thea verontschuldigend. Zelf was ze nu ook behoorlijk geil.

'Ik loop met je terug,' zei Saul. 'Als ik tenminste onderweg niet gearresteerd word voor die paal in mijn broek.'

's Nachts had het gesneeuwd, en hoewel de stoep was schoongeveegd, blonken er nog vlokken op de struiken, de gazons en de banken in Paddington Street Gardens. Honden sprongen opgewonden door het park en overal renden kinderen die van de weinige sneeuw sneeuwballen probeerden te maken.

'Het is altijd raar om zomernummers te plannen in februari, als het ijskoud is,' merkte Saul op. 'Maar dat zal ik vanmiddag toch moeten doen: topstranden en barbecuetips. En ik moet naar de kapper. Moet je me nou toch eens zien, jezus!'

'Na een ochtend vol mannen is mijn middag vol vrouwen,' zei Thea tegen hem. 'Mijn balletdanseres, twee zwangere vrouwen en mijn kleine, oude dametje. Maar ik moet opschieten en mijn handen warmen, anders raak ik al mijn klanten kwijt.'

'Kom je daarna naar mijn huis?' vroeg Saul. 'Filmpje? Villandry en een picknick op het tapijt? Vunzige seks?'

'Het liefst andersom,' zei Thea. Ze keek naar Saul en beet koket op haar onderlip. 'Wie had kunnen denken dat kaaschips de lust kunnen opwekken.'

Saul dacht dat ze het meende en durfde niet te bekennen dat hij het had verzonnen. 'Laten we stiekem naar jouw kamer gaan voor een vluggertje,' zei hij in plaats daarvan. 'Geef maar toe: daar heb je best zin, viezerd!'

'Jij bent onverbeterlijk. Ik heb helemaal geen zin,' vermaande Thea hem speels. Daarna gaf ze hem plagend een tongzoen, waarna ze, provocerend met haar heupen wiegend, The Being Well in liep.

Shit, ik moet echt neuken, dacht Saul. Hij zette de stranden en de barbecue op een laag pitje en vergat zijn knipbeurt.

ADAM
april, nummer 11
Vic Reeves en Bob Mortimer op de cover

- Waarom Britse comedy's zo tof zijn
- Rock - waarom Britse rock een comedy is
- Vinnie Jones - gaat er nog altijd hard tegenaan
- Reizen: Gibraltar, Brighton en Australië - en andere beroemde rotsen
- Sport - bergbeklimmen
- Win een aantal sieraden, met dank aan De Beers

ADAM
mei, nummer 12
Een dubbelcover met Bridget Bardot/Vanessa Paradis

- Het gebeurt in Cannes - het opwindendste filmfestival, (af en toe dan)
- Geheimen, leugens en het grote geld: wat houdt de filmindustrie op de been?
- Te grote spieren - steroïdenmisbruik: binnenkort ook bij jouw drogisterij
- Seksverslaving - een echte ziekte of een geweldig excuus?
- Luchtgitaar, schaduwboksen en denkbeeldige golfswings - goed voor je gezondheid
- Huisadvies: het kost niet veel en het doet je rug geen pijn
- Win een regel tekst in de nieuwe film van Danny Boyle!

Saul zat in Alice' kantoor en ze draaiden allebei rond op hun stoel. Saul tikte zacht met zijn Mont Blanc-balpen tegen zijn tanden en Alice plukte met een gefronst voorhoofd aan haar lip terwijl ze nieuwe artikelen voor toekomstige nummers probeerden te bedenken.

'Wat dacht je van...' zei Alice peinzend, '... seksadvies door de ogen van... even denken... een pornoster, een sekstherapeut en...'

'Een huisvrouw?' stelde Saul voor.

'Briljant.' Haastig gleden Alice' vingers over het toetsenbord.

'Zeg, ik zat te denken,' zei Saul. 'Voor de Tour de France in het julinummer: TOPRENNERS OF JUNKIES?'

'Ja,' zei Alice. 'Klinkt goed. Hoe gaat het met het jubileumnummer?'

Saul vertrok zijn lip en wierp een zijdelingse blik op Alice. Hij draaide een vol rondje, rolde de mouwen van zijn overhemd op, streek met zijn vingers door zijn haar, wreef over zijn kin en boog zich een stukje naar voren. 'Aan het eind van de week krijg ik te horen of Bowie op de cover wil staan,' zei hij nonchalant.

'Lieve hemel.' Met een zichtbare blos op haar wangen drukte Alice haar hand tegen haar hart. Over het bureau heen pakte ze Sauls polsen en ze keek hem onderzoekend aan. 'Echt waar?' fluisterde ze. 'Daar mag je geen geintjes over maken, hoor.' Ter bevestiging trok Saul een wenkbrauw op. 'O, jezus,' riep Alice uit en ze zakte achterover in haar stoel. 'Ik wil bij de fotosessie voor de cover zijn,' verkondigde ze. 'Heb je het al aan Thea verteld?'

Saul schudde zijn hoofd. 'Het is nog niet zeker,' zei hij om haar enthousiasme te temperen. 'En de fotosessie vindt plaats in New York.'

'Ah, ik moet op zakenreis,' zei Alice. 'En ik heb natuurlijk een assistent nodig.'

'Ik heb het veel te druk,' verklaarde Saul.

'Jij niet, gek. Thea!' zei Alice. In gedachten vroeg ze zich af of een getrouwde vrouw wel aanhoudend verliefd kon zijn op een ouder wordend idool. Haastig besloot ze dat daar niks mis mee was.

'Hoe dan ook, of Bowie het nou wel of niet doet, het nummer loopt als een trein,' verzekerde Saul haar. 'Het wordt het dikste nummer tot nu toe, maar het advertentieteam heeft zijn target nu al gehaald.'

'Geweldig,' zei Alice. 'Bowie. Jezus. Oké. Goed. Laten we verdergaan. Wat dacht je van iets over relatieverhoudingen? Je weet wel: wie heeft de touwtjes in handen?'

'Wie heeft de macht en wie heeft de broek aan?' zei Saul. 'Goed idee. Ik zal proberen om iemand als Jeff Green opdracht te geven het te schrijven. O, trouwens, Richard Stonehill wil me voorstellen aan een man die in zijn eentje een bedrijf in doe-het-zelfhuizen uit de grond heeft gestampt. Dat lijkt me interessant voor een artikel.'

'Inderdaad,' zei Alice. 'En Ben van de muziekafdeling werkt aan Liam Gallagher. Kom, dan gaan we lunchen. Thea zei dat jullie een geweldig weekend in Brighton hebben gehad. Jullie hebben echt geboft met het weer. Bij mij verregenen de feestdagen altijd.'

Saul verzamelde zijn spullen en liep achter Alice aan het gebouw door. Met een glimlach dacht hij terug aan Thea, die dat weekend heel nonchalant haar kleren had uitgetrokken op een stil stukje strand. Pas toen ze alleen haar slipje nog aanhad, had hij verteld dat Bournemouth een naaktstrand had, niet Brighton.

'Saul gelooft dat we Bowie kunnen krijgen voor het jubileumnummer,' zei Alice tegen Mark terwijl hij de vaatwasser inruimde. 'Niet te geloven, hè?'

'Wat is er niet te geloven, schat?' vroeg Mark afwezig.

'Dat we Bowie misschien krijgen voor het jubileumnummer.' Alice fronste haar wenkbrauwen.

'Goed, zeg.' Mark ging rechtop staan en wreef over zijn onderrug. 'Ik ga even wat paracetamol nemen.'

'Dus ik moet misschien naar New York voor de fotosessie,' zei Alice, al vreesde ze dat het de goden verzoeken was door nu aanmatigend te zijn.

'New York?' Mark rommelde in zijn aktetas, zoekend naar pijnstillers. 'Nee. Volgende week moet ik naar San Francisco, en dan vlieg ik terug via Chicago.'

'Ik geef het op,' mompelde Alice. Ze draaide Mark haar rug toe en richtte haar aandacht op de *Evening Standard*, waarvan ze de pagina's lawaaierig omsloeg.

'Alice,' protesteerde Mark rustig. 'Ik wil die Gerber-Klein-deal gewoon rond krijgen, juist om ervoor te zorgen dat ik in de toekomst niet zo veel hoef te reizen.'

'Tot de volgende deal,' zei Alice binnensmonds. 'Nee, ik had het over *míj*, Mark. Ik moet misschien naar New York.'

'Voor je werk?' vroeg Mark.

'Ja, Mark. We moeten foto's maken van Bowie voor het jubileumnummer en hij heeft gevraagd of ik daarbij kan zijn,' zei Alice bijtend, hoewel ze er persoonlijk van overtuigd was dat ze er nu voor had gezorgd dat het helemaal niet meer door zou gaan.

'Nou, dat is iets om trots op te zijn,' zei Mark slim. Hij vroeg zich af waarom zijn vrouw zo kwaad keek, terwijl haar nieuws zo goed was. Hij slikte de paracetamol door. 'John en Lisa hebben gevraagd of we vrijdag komen eten,' veranderde hij opgewekt van onderwerp. 'En Leo en Nadine hebben gevraagd of we volgende week met ze mee willen naar het Barbican voor *Madame Butterfly*.'

Alice probeerde op haar tong te bijten, maar ze beet mis, waardoor ze snauwde: 'Nou geweldig: saaie etentjes met je baas en die kutopera met je stomme cliënten.'

'Alice!' riep Mark uit, voor wie haar reactie als een schok kwam. 'Ik dacht dat je Lisa aardig vond. Je hebt zelf gezegd dat ze geweldig kan koken. En je zegt de laatste tijd steeds dat je wilt dat we vaker uitgaan, dingen doen.'

'Ik ben meer dan alleen de vrouw van een zakenman, hoor,' zei Alice. Dat was oneerlijk, want zo had Mark haar nooit behandeld.

Mark, die verbaasd was dat uitnodigingen voor een etentje en de opera zo'n effect op Alice hadden, begon het koffieapparaat schoon te maken.

Met haar rug naar Mark toe zei ze met gedempte stem: 'Ik ben tweeëndertig, Mark. Ik heb geen zin om de hele tijd naar saaie etentjes en duffe concerten te gaan.'

'Toe nou,' zei Mark. 'Dat gebeurt niet de hele tijd.'

Met haar handen op haar heupen draaide Alice zich naar hem toe. 'Welles. Want de rest van de tijd ben jij weg.'

'Alice, dat is niet eerlijk,' wierp Mark tegen. 'Ik werk hard omdat ik voor óns werk.' Hij maakte een weids gebaar om zich heen om aan te geven dat hij hun huis bedoelde.

'Dan ben ik zeker het brave vrouwtje dat op het huis past?' zei Alice gepikeerd.

Mark streek met zijn handen door zijn haar, al zaten die onder het koffiedik. Hij was beledigd, maar zijn woorden lieten aan duidelijkheid niets te wensen over. 'Weet je, Alice,' zei hij. 'Dat vind ik nou juist zo fijn aan getrouwd zijn: weten dat jij mijn thuis bent. Waar ik ook ben ter wereld, hoe laat het ook is, hoe zwaar mijn dag ook was, hoeveel ik ook heb moeten doen, dankzij een onderliggende warmte en zekerheid valt alles op zijn plaats: de wetenschap dat ik een vrouw en een thuis heb.'

Uit boosheid ging Alice die avond vroeg slapen, in de logeerkamer, in haar oude bed. Ze droomde over New York en David Bowie:

dat zij en Thea rozen kochten om mee te nemen naar de fotosessie, die veranderden in groen slijm. In de kleine uurtjes werd ze met bonkend hart wakker, zich maar al te bewust hoezeer ze de man die het meest van haar hield had beledigd en verward. Ze schaamde zich. Marks liefde was onvoorwaardelijk, en ze zei tegen zichzelf dat ze moest proberen om op dezelfde manier van hem te houden. Ze wachtte een poosje en liep toen op haar tenen naar hun grote bed, waar ze sorry zei.

Het kostte Mark moeite om in slaap te komen. Zijn rug deed zeer, de Gerber-Klein-deal bezorgde hem een zeurende hoofdpijn en het zat hem dwars dat hij Alice boos had gemaakt. Hij verwelkomde haar met open armen en een tedere kus op haar voorhoofd.

Bij Pilates leek Alice afwezig en ze ging eerder weg uit de les om rustig in de wachtruimte te zitten, waar ze een oud nummer van *Hello* las. Het kostte Thea zelfs moeite om haar mee te krijgen naar de bistro op deze zoele meiavond. Terwijl ze het menu bekeek, zei ze dat Alice wat vermoeid leek.

'Ik ben niet moe.'

'Heb je honger?' Thea wenkte de serveerster.

'Niet echt.' Alice wierp een blik op het bord met de dagmenu's.

'O, hemel, ben je zwanger?' Thea snakte naar adem, want Sally had kortgeleden aangekondigd dat zij zwanger was, en zij zag er moe uit en had geen zin meer in Pilates en frietjes.

'Ik ben helemaal niet zwanger,' zei Alice effen.

'Iets op je werk?' vermoedde Thea.

'Nee, Thea. Het is Mark.'

'Mark?' vroeg Thea geschrokken. Ze negeerde de friet die net was gebracht. Ze staarde naar Alice, die het restaurant in keek zonder echt iets te zien. 'Alice?'

'Ja.' Zonder te kijken prikte Alice in haar pasta. 'Mark.'

'Wat heeft hij dan gedaan?' wilde Thea weten. Ze prikte flink wat Griekse salade aan haar vork.

'Niks,' zei Alice droefgeestig, en ze draaide de pasta zo wild rond dat die van de vork af gleed.

'Niks?' herhaalde Thea met volle mond.

'Nee, niks,' verzuchtte Alice. Ze bracht de lege vork omhoog en stak hem in haar mond. 'Dat is het 'm nou juist. Er gebeurt gewoon niks.' Ze haalde haar schouders op. 'Altijd maar werken en nooit spelen, dat maakt Mark een heel, heel saaie jongen.' Hoewel ze zich onmiddellijk ontrouw voelde, luchtte het haar ook een beetje op. 'Ik ben bang dat ik me verveel,' bekende ze met een geschrokken gezicht. 'Ik maak me zorgen, Thea. Weet je, misschien ligt het wel niet aan Mark, maar aan mij.'

Dat wilde Thea niet horen en ze wist niet wat ze hiervan moest denken, of hoe ze moest reageren. 'Mark is precies wat je wilde en hij is precies wat je nodig hebt. Hij is wat je nooit hebt gehad, en je bent juist met hem getrouwd vanwege zijn toewijding en zijn kalmte,' zei ze streng tegen Alice.

'Maar zijn toewijding geldt alleen zijn werk en hij is zo kalm dat het doodsaai is,' mompelde Alice. 'Zakendiners en die vervloekte opera. Echt Thea, dat is het enige wat we doen.'

'Heeft hij leuke vrienden op zijn werk?' vroeg Thea, in een poging positief te blijven.

'Mark heeft geen "vrienden op het werk", Thea. Hij heeft collega's en klanten. Die zijn best aardig – ongeveer even oud – maar saai.'

'Nou, ik ben dol op Mark,' zei Thea warm. 'Laten we eens wat vaker iets met z'n vieren gaan doen. Wat dacht je van salsa? Of die ontzettend leuke pubquiz waar jij en ik vroeger aan meededen. Ik weet het niet, schaatsen bij Ally-Pally?'

Alice haalde haar schouders op. 'Vind jij Mark een type voor salsadansen? Denk je echt dat hij vroeg genoeg van kantoor komt om mee te doen aan een pubquiz?'

'Kom op,' zei Thea rustig. 'Ben je zelf soms een beetje gestrest? Vanwege je werk?'

Alice' lach klonk hard. 'Ik krijg David Bowie op de cover, hoe kan ik nou gestrest zijn?'

'Misschien steekt Marks stress jou ook aan?' Thea wist dat ze niet echt overtuigend klonk.

'Met Mark is niks aan de hand, Thea. Het ligt aan mij,' fluisterde Alice. 'Ineens lijkt hij een stuk ouder dan ik.' Omdat ze het niet hardop kon zeggen, liet ze haar lippen geluidloos bewegen, terwijl ze naar het tafelblad staarde. 'Saai.'

Dat wilde Thea niet horen. Mark Sinclair was de redding van Alice. Het yin bij haar yang. Thea vond dat Alice volwassener was geworden toen ze met Mark was getrouwd; ze had een bepaalde norm gesteld en de regels omarmd. Thea kreeg er een ongemakkelijk gevoel van dat Alice ongelukkig was. Als haar beste vriendin aarzelde ze geen moment en gaf ze Alice een veeg uit de pan. 'Je moet niet vergeten waarom je met Mark bent getrouwd,' zei ze. 'En je mag ook niet vergeten dat al je playboy-achtige exen je diepongelukkig maakten. Je moet het huwelijk logisch bekijken, Alice, want je zit er nog een hele tijd aan vast. Natuurlijk zullen er ups en downs zijn in de temperatuur: koufronten, hittegolven, warme periodes. Misschien moet je dit gewoon als een onbestendige periode beschouwen.' Thea hoopte maar dat ze geruststellend klonk. 'Ik weet zeker dat alles weer tot bedaren zal komen en dan is er niks aan de hand.'

'Ik voel me verstikt, Thea,' zei Alice rustig. Sinds wanneer was haar beste vriendin meteoroloog annex huwelijkstherapeut geworden? 'De vonk tussen Mark en mij lijkt te zijn gedoofd. Er zijn geen prikkels meer. Alles lijkt ontzettend saai.'

'Alice, ik weet dat ik de echte romantica ben van ons tweeën, maar zelfs ik weet dat het huwelijk om meer draait dan opwindende seks of verliefd zijn. Trouwens, jíj zei toch dat vonken en prikkels alleen fenyl-en-nog-wat zijn?'

'Fenylethylamine,' mompelde Alice geïrriteerd. Thea woonde niet eens samen met Saul, dus met welk recht las zij haar de les? 'Ik bedoel, natuurlijk wil ik oud worden met Mark, maar ik wil gewoon niet oud zijn terwijl ik nog redelijk jong ben.'

'Het komt wel goed,' zei Thea, want ze moest er niet aan denken dat dat niet zo zou zijn. Ze geloofde in de mystieke heiligheid van verliefd-zijn; het beviel haar niks dat Alice het ontleedde in de chemische componenten, hoe luchthartig ze dat ook deed. Maar op dat moment bad Thea voor grote hoeveelheden adrenaline en dopamine en dat fenyl-en-nog-wat voor haar beste vriendin, zodat Alice het gevoel zou krijgen dat ze op een roze wolk van liefde dreef en ze het weer geweldig vond dat ze mevrouw Sinclair was.

Later die avond, nadat ze Alice een sms'je had gestuurd om haar te verzekeren dat alles goed zou komen en dat ze altijd voor haar klaarstond, belde Thea Saul om hem welterusten te zeggen. Hij was niet thuis en zijn mobieltje stond uit. Tien minuten later probeerde ze het opnieuw. En tien minuten daarna weer. Toen stond zijn gsm weer aan.

'Hallo,' zei Thea, die op de achtergrond verkeersgeluiden hoorde. 'Waar ben je?'

'Ik ben even een fles melk en wat chocoladekoekjes gaan kopen,' zei Saul. Het verbaasde Thea dat hij de melk en de Kitkats en Hobnobs die ze die ochtend had gekocht niet had gevonden. 'O,' zei Saul aarzelend. 'Heb je die gekocht? Dank je. Hoe ging het op Pilates?'

'Goed.' Thea installeerde zich lekker op bed voor een praatje.

'Wat was het vanavond? Rioja en friet?' vroeg hij lachend. Het was duidelijk dat hij er stevig de pas in had.

'Nou, Alice was een beetje moe en ze had geen trek in friet,' zei Thea. 'Zeg, waarom bel je me zo niet met je vaste telefoon?'

Het duurde maar liefst een halfuur voor Saul haar terugbelde en toen bleek dat hij niet naar de dichtstbijzijnde avondwinkel was gegaan, maar naar eentje verderop.

'Mag ik je iets vragen?' vroeg ze.

'Ga je gang.' Saul liep rond in zijn appartement.

'Mark... Jij kunt het toch goed met hem vinden?'

'Natuurlijk. Wie kan het niet met hem vinden?'

'Maar je vindt Richard echt aardig, hè?'

'Ja,' legde Saul uit. 'Richard is een toffe peer.'

'Is Mark dan geen toffe peer?' vroeg Thea.

Daar dacht Saul even over na. 'Mark is meer een aardige man dan een toffe peer,' verklaarde hij.

ADAM
juni, nummer 13
Speciale jubileumeditie vanwege het eenjarig bestaan
Een dubbelcover met David Bowie en Iman

- Vier mee! Het is heel wat werk, maar iemand moet het toch doen: het bestverkopende mannenblad van Groot-Brittannië bestaat een jaar
- Een mooi stel: meneer en mevrouw Bowie - beter kan het niet worden
- Mode voor het grote publiek of haute couture - wie ziet het verschil?
- Kweek spieren, verlies vet en eet als een paard. Nee, er zit geen addertje onder het gras
- Ze zei dat ze zestien was - en andere doemscenario's
- Draag het, hoor het, lees het, zie het - weet wat hip is en maak de blits

Alle kiosken puilden uit van de jubileumnummers van *Adam*. Die met de dubbelcover: David Bowie aan de ene kant en Iman aan de andere. Omdat Alice een reisje naar New York niet had kunnen rechtvaardigen en omdat Mark zelf langer dan verwacht in de VS moest blijven, nam hij zijn vrouw nu als troostprijs mee voor een verrassingstripje naar Marbella, een lief gebaar. Maar ook om iets te vieren: eindelijk had hij de Gerber-Klein-deal rond gekregen. Toen hij vroeg naar zijn werk was gegaan, had hij haar paspoort en vliegticket tegen haar tandenborstel gezet.

Mark pakte een exemplaar van *Adam* en rekende het af. Alice keek hem vragend aan. 'Ik neem de tijdschriften altijd mee naar huis, hoor.'

'Ja, maar ik wil mijn eigen exemplaar. Iedereen die iets voorstelt koopt *Adam*,' zei Mark liefjes. 'Je moet hét hebben. Trouwens, wat subliminale marketing kan nooit kwaad. Ik kan mijn *Economist* altijd achter de cover verbergen.'

Met een glimlach ging Alice op zoek naar een paperback. Ze was hard toe aan wat vrije tijd.

Dat gold voor hen allebei.

ADAM
juli, nummer 14
Tour de France-cover

- Supermannen of junkies - doping in het peloton
- De pornoster, de huisvrouw, de sekstherapeute - drie vrouwen geven je huiswerk
- Bloot op het strand - een opfriscursus om zelfverzekerd en bruin te worden
- Volgend jaar dragen we... Alles over de modewereld
- Ik verdien, ik leef, ik ben blut - haal meer uit je geld zonder te hoeven beknibbelen
- De beste - en de ergste - banen ter wereld
- Op eigen kracht - de selfmade successen... en de nachtmerries
- Prijsvraag! Er ligt voor vijftigduizend pond aan horloges klaar

ADAM
augustus, nummer 15
Cover met het beste van Groot-Brittannië

- Modellen, acteurs, zangers, enzovoort - het beste wat Groot-Brittannië te bieden heeft
- Een haai heeft mijn huiswerk opgegeten... en mijn arm - bijnadoodervaringen vrolijk onder ogen zien
- Koken - ze zal smeken om meer
- Ik ben dertig en ik weet dat ik nooit meer seks zal hebben
- Liam Gallagher - icoon of schavuit?
- Onroerend goed - kopen of huren, verkopen of verhuren?
- Onderzocht! Nieuwe releases - koop het, of niet. Geloof ons maar!

Alice en Thea hadden hun aandacht op Sally's buik gericht. Sally zuchtte en prikte zichzelf op verschillende plaatsten. Ze staarden nog wat langer naar haar buik. Ze ging staan, bewoog een beetje, liet zich met moeite weer zakken en legde haar handen over haar bobbel. 'Beweeg... of je krijgt geen zakgeld!' gromde Sally tegen haar buik.

'Was dat iets?' Thea snakte naar adem.

'Nee,' zei Sally. 'Maar dat wel! Vlug, hier met jullie handen!'

Thea en Alice drukten hun handen op Sally's buik en bleven zo een hele poos tevergeefs zitten. 'Ik weet wat... Ik zal wat chips met uiensmaak eten, daar gaat dat wurm altijd van koprollen.' Maar ze had net een enorme voorraad verorberd en er was niks meer over.

'Laten we de ringtest doen,' stelde Alice voor. 'Sally, geef me je trouwring, en Thea, ik heb je ketting nodig. Dan laten we hem boven Sally's buik hangen, en als hij heen en weer beweegt, wordt het een jongen. Als hij rondjes draait, wordt het een meisje.'

'O, mijn hemel. Het wordt een tweeling!' zei Thea toen de ring van de ene kant naar de andere bewoog.

'Het is eerder winderigheid,' zei Sally lachend.

Alice pakte de ketting af van Thea. 'Even serieus.' Haar gezicht stond zo ernstig dat de andere twee begonnen te lachen. 'Het werkt echt... Dat heeft mijn oma me zelf verteld.'

'Jouw oma zei ook dat je haar zou gaan krullen als je broodkorsten at,' mijmerde Thea. 'Maar ondanks alle toast die je hebt gegeten, moest je op je zestiende toch dat afschuwelijke permanentje nemen.'

'Hou je kop,' zei Alice. 'Kijk. De ring gaat rond en rond. Je krijgt een meisje. O. Wacht even. Nee, toch niet. Wat doet ie nu? Het is een jongetje.'

Al snel lieten ze de ring boven de kat zwaaien (die volgens de ring een mannetje was, hoewel de kittens die ze twee jaar eerder had gehad dat leken tegen te spreken), een foto van prins Charles op de *Radio Times* ('Jongen!' zei Alice triomfantelijk) en Richards schoenen ('Jongen! Zie je nou!' Alice moest lachen.) Zelfs de vloerplanken hadden volgens de ring een geslacht.

'Wanneer gaan Mark en jij zwanger worden?' vroeg Sally aan Alice. Ze hield zichzelf voor dat ze niet in paniek moest raken omdat de ring niet bewoog als zij hem liet hangen.

Alice pakte de ring en keek welk geslacht een kussen had dat onder Thea's trui zat. 'Ik weet het niet,' zei ze voorzichtig. 'Weet je, toen we verloofd waren, praatten we heel dromerig over baby's en zandbakken en Winnie de Poeh. Toen we het huis kochten, hebben we kamers aangewezen als kinderkamer. Maar eigenlijk hebben we het er sindsdien niet meer over gehad.'

'Maar Richard en ik zijn al zeven jaar getrouwd,' zei Sally. 'Jullie zijn eigenlijk nog jonggehuwden.'

'Al bijna twee jaar, hoor,' verbeterde Alice haar. Ze gaf Sally haar ring terug en deed Thea's ketting weer bij haar om. 'Ik voel me er gewoon nog niet klaar voor. *Adam* is mijn kindje. Trouwens, om zwanger te worden moet je met elkaar naar bed en mijn echtgenoot is altijd in een andere tijdzone dan ik en op een ander continent.'

'Mark wordt vast een prima vader,' voorspelde Sally. 'Hoe zit het met Saul en jou, Thea?'

'Met ons?' Thea keek op van een tijdschrift over zwangerschap. 'We wonen niet eens samen, laat staan dat we getrouwd zijn.' Haar trieste blik verraste Alice.

'Maar jullie zijn al eeuwen bij elkaar,' zei Sally.

Thea haalde haar schouders op.

'Je zit toch niet te wachten tot hij jou vraagt?' drong Sally verder aan, alsof het idee alleen al belachelijk ouderwets was.

Thea haalde nogmaals haar schouders op.

'Die lieve Thea is nog altijd even romantisch,' zei Alice vol genegenheid. Ze kneep geruststellend in Thea's arm.

'Nou en?' vroeg Thea ferm.

ADAM
september, nummer 16
Cover met William Dafoe

- De stille held – Dafoe laat zien wat cool zijn nu echt inhoudt
- Seks – leer de taal van de vieze praatjes
- De perfecte 'V' – krijg binnen een maand een goed figuur
- Diva's, musjes, engelen, gekken – vrouwelijke rockgodinnen
- Ja man, ik was erbij: Woodstock, Isle of Wight, Glastonbury
- Big Brother – elke dag registreren 130 camera's precies wat je doet
- Fastfood eten – angstaanjagende feiten die je naar de alfalfa doen grijpen
- Speeltjes, gadgets en hebbedingetjes – niet nodig, wél leuk

ADAM
oktober, nummer 17
Gids voor overleven. Onderwatercover

- Liefhebben zonder je libido te verliezen
- Platonische seks en toch vrienden blijven
- Zwemmen met haaien en het nog kunnen navertellen ook
- Bespeel de aandelenmarkt en vertel het na
- Bereid een feestmaal zonder dat je vrienden eraan onderdoor gaan
- Renoveer zonder je huis aan te tasten
- Survivaltraining in de Pyreneeën

Mark streelde Alice' buik, wendde zijn blik af van *Newsnight* en streek een haarlok achter haar oor. 'Wanneer is Sally uitgerekend?' vroeg hij.

'Over een paar maanden. Volgens mij is de precieze datum een feestdag,' zei Alice, met haar blik op het enorme tv-scherm gericht.

'Jij zou er geweldig uitzien als je zwanger was,' verkondigde Mark. Alice zei niks. 'Misschien moeten we het eens proberen. Tenslotte zijn we nu getrouwd. En voor je het weet zijn we oud. Bovendien is dit huis veel te groot voor ons. En ik weet niet hoe het met jou zit, maar ik geloof dat ik mijn biologische klok hoor tikken.'

Het liefst zou Alice een potje janken, maar ze wist niet waarom. Daarom deed ze net alsof ze moest hoesten en haastte ze zich naar de keuken voor een groot glas water.

ADAM
november, nummer 18
Mick Jagger op de cover

- Oud genoeg om je vader te zijn, cool genoeg om een vriend te zijn, rijk genoeg om een heel continent te kopen. Sir Mick, chapeau!
- Trouw of niet? Liefde zonder lust
- Lizzie Jagger - wat zou haar vader daarvan zeggen?
- Undercover in Afghanistan
- Armani of Burton - wie kleedt jou?
- Fitness - bereid je nu alvast voor op het kerstdiner van je moeder
- Seks en drugs: doe dit niet zelf
- Geld - sparen of uitgeven: is het het wel waard?

Kiki werkte al drie jaar in West End. Vanaf het moment dat ze op haar zeventiende uit Indonesië naar Groot-Brittannië was gekomen. Het beviel haar prima. Ze verdiende goed. Haar collega's stonden haar nu even na als haar familie. De meeste klanten waren oké. Haar woonruimte overtrof haar stoutste verwachtingen. Ze had het gevoel dat ze veel had om dankbaar voor te zijn, want ze wist dat veel mensen slechter af waren dan zij. Kiki koos ervoor om weinig vrije tijd te hebben, een ochtend en een middag per week, maar nooit een hele dag. Dat vond ze de moeite niet waard; ze wilde zo veel mogelijk sparen en zo weinig mogelijk uitgeven. Bovendien had ze niet zo'n hekel aan haar werk dat ze er zo vaak mogelijk van wilde wegblijven. Ze had al snel gemerkt dat er op maandagmiddag en zondagochtend niet veel klanten kwamen, dus had ze besloten om dan niet te werken.

Tijdens haar eerste jaar in Londen had ze zich op zondagochtend en maandagmiddag altijd te geïntimideerd gevoeld door de grootsheid van de hoofdstad en de snelheid van het leven om veel anders te doen dan van McDonald's naar McDonald's te trekken, in twee restaurants een maaltijd te gebruiken en zichzelf net zo veel zakgeld te geven dat ze nog een frisdrank en twee thee kon kopen om de tijd te vullen. Niet dat Kiki veel dapperder werd, maar naarmate de tijd verstreek, leek de stad kleiner te worden; haar ontzag nam af en haar voorliefde voor McDonald's verdween voorgoed. Haar Engels werd beter en ze merkte dat *Time Out* goed leesbaar was; daarom durfde ze verder van huis te gaan. Ze begon met de grote musea en galerieën en daarna bezocht ze de kleinere collecties. Daarvoor doorkruiste ze Londen van oost naar west en van noord naar zuid.

Ze meldde zich aan voor een rondleiding naar de Thames Barrier en wandelde door Hampstead met een groep onbekenden en een gids die was verkleed als Charles Dickens. Samen met andere bezoekers lag ze op haar rug onder een modern kunstwerk in de Tate Modern en ze verrekte haar nek tijdens een rondleiding te voet door het financiële district. Ze ging backstage bij het Royal Opera House en bekeek de orkestbak in het Barbicantheater. Ze drukte op de knoppen in het Sciencemuseum en reed in het treintje in het Kew Bridge-stoommuseum. Eerbiedig stil bekeek ze in Folgate Street gerenoveerde Hugenotengebouwen die werden verlicht door kaarsen en ze zong luidkeels mee met 'My Old Man Said Follow the Van' bij een interactief variétémuseum. Van waaiers tot poppen, van musical tot medische instrumenten, van wijn tot bussen: Kiki kreeg het idee dat overal een museum voor was.

Kiki had nog nooit van berichten voor de scheepvaart gehoord. Op haar werk stond de radio heel zachtjes op Heart FM, als hij al aanstond. Maar ze had gelezen over een tentoonstelling in een galerie in de Spitalfields Markt die Berichten voor de Scheepvaart heette, en hoewel ze Noord-Utsire niet van Zuid-Utsire kon onderscheiden, besloot ze daar op een regenachtige zondag in oktober heen te gaan.

'Op school, in de tweede, hebben Alice en ik een project gedaan dat Berichten voor de Scheepvaart heette,' zei Thea tegen Saul. 'Dat was ons eerste, en als ik onze David Bowie-collage buiten beschouwing laat, ook ons laatste uitstapje naar gemengde media.'

Lachend klapte Saul zijn paraplu uit om hen te beschermen tegen een plotselinge stortbui.

'Niet lachen,' protesteerde Thea. 'We hebben alle plaatsen die in berichten worden vermeld genaaid, geplakt, geboetseerd en uitgezaagd. We zijn er tijden mee bezig geweest. En hoewel we Duitse Bocht verkeerd hadden gespeld en dachten dat Lundy Fastnet één plaats was, zag het er hartstikke goed uit.'

'Dat geldt ook voor die hamburgers,' zei Saul verlekkerd toen ze door Spitalfields liepen. 'Die zijn groot, zeg.'

'Eerst de cultuur,' zei Thea. 'Daarna zal ik je op een lunch trakteren.'

De tentoonstelling was klein: één foto per locatie, maar de ruimte was slim ingedeeld met muren en schermen zodat de bezoeker het gevoel had dat hij een reis maakte. Daardoor ontstond ook een zekere privacy om rustig elke foto te kunnen bekijken en waren de geluiden van de markt niet meer dan achtergrondgeruis. Saul ging net weg bij Dogger en Thea naderde Biskaje toen Kiki weg stapte van Zuidoost-IJsland.

'Dag.'

Thea keek om, maar de begroeting leek voor Saul te zijn. Ze kneep haar ogen tot spleetjes en hield haar hoofd een beetje schuin terwijl ze het meisje aankeek. Ze kende haar ergens van. 'Dag,' zei Thea.

'O, hoi!' riep het meisje blozend. Nadat ze Saul en Thea gedag had gezegd, verdween ze, met de verlegen glimlach waaraan Thea haar had herkend.

'Ik weet het,' zei Thea tegen Saul.

'Sorry? Mooie foto van Rockall, moet je die lichtval eens zien.'

'Het meisje, dat meisje,' ging Thea verder. Eigenlijk vond ze de foto waar Saul op wees nogal gewoontjes.

'Hè?' Saul keek verward en liep door naar Bailey.

'Dat meisje dat jou en mij daarnet gedag zei.'

Saul wees op de foto van Malin. 'Dit vind ik nou mooi,' zei hij, nog altijd wijzend.

Thea kwam naast hem staan en liet haar hand in de zijne glijden. 'Die van Portland die erachter hangt vind ik mooier.' Ze trok Saul mee met haar hand in de zak van zijn spijkerbroek. 'Ze werkt een paar deuren verder dan The Being Well, in die louche massagezaak annex bordeel!'

'Echt waar?' Saul tuurde naar de Hebriden.

'Waarschijnlijk heb je haar wel eens gezien zonder het zelf te beseffen als je mij kwam bezoeken.'

Saul wendde zich af van Cromarty. 'Zullen we die burger gaan eten?' stelde hij voor. Met zijn arm om Thea's schouder voerde hij haar weg bij Viking en terug door de markt.

ADAM
december, nummer 19
Julia Roberts als kerstelfje op de cover

- Het enige kerstcadeau dat we willen is Julia
- Kerstfeestjes - geflikflooi met de feestdagen, feestelijke gunsten, mistletoe op onhandige plaatsen
- Kerstbonus - de mijne is groter dan de jouwe
- Kerstprullen - wij bekijken alle troep zodat jij het niet hoeft te doen
- Kerstvreugde - jouw beurt
- Kerstdiner - wat je wel moet doen
- Kerstdiner - wat je niet moet doen
- Kerstliederen - gratis cd: de mooiste geluiden van het jaar
- Na kerst - tips voor een knallend oudjaar

'Weet je, ik ben precies twee jaar getrouwd en dit is de eerste keer dat ik deze ovenschaal van Le Creuset gebruik,' vertelde Alice aan Thea, terwijl ze het etiket van het deksel trok.

'Komt dat doordat je meestal kant-en-klaarmaaltijden eet of doordat je heel vaak uit eten gaat?' vroeg Thea plagend.

Alice begon te lachen. 'Eigenlijk komt het doordat ik echt alles van Le Creuset op de cadeaulijst voor de bruiloft had gezet en ik heb deze schaal tot nu toe nog niet nodig gehad.'

'Deze kurkentrekker was zeker ook een huwelijkscadeau?' mopperde Thea. 'Hij is zo modern dat ik niet snap hoe hij werkt. Is het eigenlijk wel een kurkentrekker?'

Alice liet Thea de uien pellen en worstelde zelf met de kurkentrekker. 'Stom ding,' zei ze na een poosje. 'De oude ligt vast nog wel achter in de la.'

'Welke la?' Thea keek naar de indrukwekkende hoeveelheid laden om hen heen.

'Als jij het weet, weet ik het ook,' verzuchtte Alice. 'Kijk jij in die daar en deze hier, dan kijk ik in die en die.'

'Hebbes,' zei Thea na ruim vijf minuten gekletter en gevloek. Ook had Alice heel wat spullen teruggevonden die ze kwijt meende te zijn. Ze ontkurkte de fles rioja en schonk twee glazen vol. Daarna deed ze een scheut bij de saus die zachtjes borrelde in de kleine steelpan van Le Creuset. 'Wanneer komt Mark terug?'

'Vrijdag,' zei Alice.

'Jezus, dat is ook laat om nog kerstinkopen te doen,' zei Thea.

'Daarom kan hij maar beter gaan winkelen in Singapore, anders zal ik hem laten lijden tijdens de uitverkopen in januari,' verkondigde Alice.

'Heb ik al gezegd dat ik tweede kerstdag naar Sauls ouders ga?' vroeg Thea. Ze ging op een van de vele werkbladen zitten en keek toe hoe Alice sinaasappelplakjes en kaneelstokjes op de kip legde. 'Het is heel gek. Ik ken Saul in Londen en dan lijkt hij altijd heel zelfverzekerd, heel onafhankelijk, alsof hij altijd zo oud is geweest als nu, in zijn appartement heeft gewoond en dit werk heeft gedaan.' Ze trok haar benen op zodat Alice een rasp uit een la onder haar kon pakken. 'Maar in Nottingham staan foto's van zijn buluitreiking en houtsnijwerkjes die hij op school heeft gemaakt en tennistrofeeën van een Saul Mundy die ik niet ken. En ouders. Die vind ik ook heel raar, hoewel ze eigenlijk doodnormaal zijn en ontzettend aardig. Maar het kost me moeite om Saul met hen in verband te brengen.' Thea verschoof een beetje zodat Alice het recept kon lezen dat achter haar tegen de muur stond. 'Het is net alsof hij een deel van de identiteit kwijtraakt die ik hem toedicht als ik hem in het huis van zijn ouders zie.'

'Mark is geen spat veranderd,' zei Alice liefdevol. Ze deed de ovendeur dicht en veegde haar handen af aan haar spijkerbroek. 'Over anderhalf uur is het klaar. Zullen we iets te knabbelen nemen terwijl we wachten?' Alice en Thea gingen op de bank zitten om te kletsen, wijn te drinken en tortillachips te eten. 'De man op mijn trouwfoto is precies hetzelfde als die op de foto op de schoorsteenmantel bij zijn ouders, waarop hij als twaalfjarige een schaakmedaille krijgt van Peter Purves.' Alice strekte zich uit op de bank en legde haar voeten in Thea's schoot. 'Maar ach, ik ken Mark al zo lang dat het heel onwaarschijnlijk is dat ik voor verrassingen kom te staan of dat hij geheimen heeft.' Ze tikte met haar glas tegen dat van Thea en miste hem ineens vreselijk. 'Ik voel me schuldig,' bekende ze. 'Hij gaat weg en dat verwijt ik hem, maar als ik denk aan zijn schaakmedaille of aan de manier waarop hij zijn kleren 's avonds opvouwt, dan verlang ik vreselijk naar hem.'

'Overmorgen is het al vrijdag,' zei Thea troostend.

'Waarschijnlijk heb ik een rothumeur als hij terugkomt,' zei Alice berustend. 'Die arme Mark.'

'Mark beschouwt zichzelf als de gelukkigste man ter wereld,' zei Thea tegen haar.

'Jij en ik moeten vanavond onze goede voornemens voor het nieuwe jaar bedenken,' vond Alice. 'Tenslotte zien we elkaar niet meer voor volgend jaar. Ergens vind ik het jammer dat Mark een reisje heeft geboekt naar Parijs voor oud en nieuw, maar ik kan er echt niet over klagen, laat staan het afzeggen.'

Tijdens het eten van een heerlijke Marokkaanse kipschotel met saffraanrijst, geroosterde pompoen en Christmas crackers van Heals, vertelde Alice haar wensen voor het komende jaar.

'Ik wil voor het tweede achtereenvolgende jaar de prijs voor redacteur van het jaar in de wacht slepen.' Ze zette haar papieren kroontje wat rechter. 'Ik wil dat *Adam* hogere verkoopcijfers haalt dan *GQ*.'

'Dat zijn geen goede voornemens,' zei Thea. Ze probeerde het plastic fluitje uit dat in haar Christmas cracker had gezeten. 'Dat zijn commerciële doelstellingen.'

'Ze staan anders wel boven aan mijn lijstje met wensen.' Alice haalde haar schouders op, las de mop in haar cracker, maar die was zo flauw dat ze hem niet hardop wilde voorlezen.

'En Mark en jij?' vroeg Thea.

Heel behoedzaam zei Alice: 'Het zou een leuk idee zijn om meer tijd met elkaar door te brengen. Maar dat was vorig jaar ook mijn doel. Ach, ik zou minder vaak pissig tegen hem kunnen doen. En van opera leren houden.'

'En misschien naar baby's gaan verlangen?' suggereerde Thea.

'Ik ga morgen naar Sally.' Alice veranderde dan wel niet van onderwerp, maar leidde het gesprek wel van zichzelf af. 'Ik heb een schattig cadeautje gekocht voor de kleine Juliette.'

'Nou, voor het geval je wel gaat verlangen naar een baby, moet je tegen Sally zeggen dat ze je niet het verhaal van haar bevalling moet vertellen.'

'Had ze het gevoel dat ze een watermeloen uitpoepte?' vroeg Alice.

'Eentje met stekels,' fluisterde Thea.

'Nou, ik wil nog geen kinderen,' fluisterde Alice terug.
'Maar Mark wel,' zei Thea rustig.
Terwijl ze de kerstpudding van Marks & Spencer met verse lychees aten, vertelde Thea haar voornemens voor het komende jaar. 'Ik ga elke maand een andere kamer van mijn appartement opknappen,' zei ze. 'En ik wil om de dag hardlopen tijdens mijn lunchpauze. Ik ga mijn belastingformulier op tijd invullen en elke maand de rekening van mijn creditcard betalen.' Ze tikte met haar wijnglas tegen dat van Alice.
'En Saul?' vroeg Alice. 'Hoe denk je dat jullie relatie er volgend jaar om deze tijd uitziet? Zijn jullie dan getrouwd en hebben jullie een kind?'
Thea zweeg even. Met de achterkant van haar vork drukte ze zo hard op de pudding dat die platter werd. 'Eigenlijk hoop ik op een soort planning. Een strategie.' Ze nam nog een stuk kerstpudding en at bedachtzaam een paar happen voor ze de volgende lychee pelde. 'Wist je dat lychees ook wel babybilletjes worden genoemd?' vroeg ze.
Peinzend bekeek Alice de vrucht. 'Toch ga ik er niet door naar een kind verlangen.'
'Ik twijfel niet aan Sauls liefde,' legde Thea uit, 'maar we hebben het er nooit zo over. We hebben allebei geen probleem met vastigheid, maar we zijn er nooit voor gaan zitten om te bespreken hoe onze relatie er nou precies voor staat. We leven van dag tot dag. Heel rustig kuieren we voort, hand in hand.'
'Dat klinkt erg romantisch,' zei Alice. 'Trouwens, je weet dat het analyseren van een relatie een averechtse uitwerking kan hebben. Dan krijg je dat hele "we moeten onze relatie evalueren"-syndroom.'
'Ik weet het. Geloof me, daar heb ik inmiddels genoeg ervaring mee. Maar ik zou het niet erg vinden als Saul een keer zou verkondigen dat ik de ware voor hem ben.' Thea keek Alice aan en haalde haar schouders op.
'Ik weet precies wat je bedoelt.' Alice schonk hen allebei een glaasje cointreau in. 'Jij twijfelt er niet aan dat Saul jouw prins op het witte paard is, maar je wilt dat hij zich ook zo gedraagt. Roos tussen zijn tanden, op een knie voor je zitten, alles.'

Lachend sloeg Thea met haar vuist op tafel. 'Jezus, wat ken je me toch goed. Het is dat je al getrouwd bent, anders zou ik zeggen dat wij geknipt zijn voor elkaar.'

'Zou je ja zeggen als Saul je vroeg?' drong Alice aan.

'Hij hoeft me niet ten huwelijk te vragen. Daar gaat het helemaal niet om,' zei Thea.

'Jij bent echt heel raar,' zei Alice. 'Hoe superromantisch je ook bent, het huwelijk is niets voor jou, hè?'

'Jij bent minstens even raar,' kaatste Thea terug. 'Want jij kunt de liefde helemaal verklaren aan de hand van chemische stofjes, en toch ben je naar het altaar gelopen in een traditionele jurk met een brede glimlach op je gezicht.'

'Dat komt misschien doordat mijn ouders gelukkig getrouwd waren en een goed voorbeeld waren, en de jouwe niet,' zei Alice.

'Misschien wel, maar waar het met name op neerkomt, is dat ik verliefd-zijn op zich zoiets heerlijks vind dat het door mensen geschapen instituut van het huwelijk onbelangrijk lijkt. Ik geloof dat het de kracht van de ware liefde ondermijnt als je een stukje papier tekent.'

'Nou, ik vind het huwelijk een prima idee,' verklaarde Alice. Ze dacht even na. 'Jij ziet het huwelijk niet als de bekroning van liefde, maar ik zie liefde niet als bekroning van het huwelijk,' zei ze.

'Maar je houdt van Mark,' zei Thea waarschuwend. 'Ja, toch?'

'Ja, natuurlijk!' zei Alice. 'Wil je me dat alsjeblieft niet meer elke maand vragen?'

De Isley Brothers

'JE MOET ZELF DOEN WAT JE ANDEREN AANRAADT,' ZEGT ALICE heel nonchalant tegen Saul terwijl ze de contactvellen van een recente fotosessie bekijken voor een cover met Kate Winslet. Ze buigt zich over een lichtbak, draait haar haren handig op en zet ze vast met een balpen om ze uit haar ogen te houden. Ze houdt haar rechteroog tegen de loep en bekijkt geroutineerd alle foto's. Met potlood markeert ze er vier of vijf, waarna ze de loep aan Saul geeft en tevreden achteroverleunt.

'Wat heb ik anderen ook alweer aangeraden?' vraagt Saul goedmoedig terwijl hij de contactvellen nog sneller bekijkt dan Alice en het uiteindelijk eens is met haar eerste selectie.

'Nou, de cijfers van het laatste nummer laten zien dat het het best verkopende nummer tot nu toe was,' vertelt Alice hem. Ze markeert welke portretten van mevrouw Winslet moeten worden uitgeknipt. 'En volgens mij was het jouw idee om het het Romantieknummer te noemen, en jij kwam met de slogan voor de rug op de proppen: WARMTE KAN HEEL COOL ZIJN – ZET 'M OP, VALENTIJN. Kortom, jij hebt bedacht hoe de liefde en alles wat erbij komt kijken gepresenteerd moest worden.'

'Jij was het er niet mee eens!' schertst Saul, en hij trekt zijn wenkbrauwen op. 'Jij vond dat het februarinummer heel sarcastisch en ironisch moest zijn. En toen bleken *GQ*, *Arena* en FHM het allemaal op die manier te behandelen. Echt saai.'

'Hoe dan ook,' zegt Alice nogal streng. 'Je zou je eigen naam erop moeten zetten.'

'Probeer je me nou nog steeds over te halen om lid te worden van de redactie?' Saul slaakt een zucht en probeert stiekem een van Alice' memo's te lezen, ook al ligt het op z'n kop.

'Jezus, nee. Je jaarsalaris en extraatjes zouden me veel te veel op kosten jagen, meneer Mundy,' roept Alice uit. Ze houdt haar hoofd schuin en kijkt hem peinzend aan. Allerlei haarlokken raken los uit haar geïmproviseerde balpenclip. 'Ik bedoel dat je je werk mee naar huis moet nemen.'

'Als je me probeert te bewegen om thuis te gaan werken, doe jij bepaald niet wat je anderen aanraadt,' zegt Saul. 'Jij wordt al kwaad op Mark als hij na zeven uur 's avonds de *Economist* leest.'

'Niet op die manier, slimmerik,' zegt Alice vriendelijk. 'Ik stel alleen voor dat je een deel van je concentratie op de romantiek voor *Adam* van februari verlegt naar je privé-leven.'

'Alice,' zegt Saul overdreven geërgerd. 'Wat bedoel je in godsnaam? Ik snap niet waar je het over hebt en ik begrijp niet of je me uitkaffert, me vertelt dat ik minder vaak in jouw kantoor moet werken, of dat je vindt dat ik romantischer moet worden.'

'Ja!' roept Alice triomfantelijk uit. Ineens valt de balpen op de grond en hangt haar haar als een wolk rond haar schouders. 'De romantische held. Dat bedoel ik nou. Met een hoofdletter R.'

Saul fronst zijn wenkbrauwen en kijkt Alice argwanend aan. 'Heb je het over Thea?'

'Min of meer,' bekent Alice. 'Maar als je dat tegen haar zegt, vermoord ik je en daarna ontsla ik je.'

'Als. Ik. Thea. Wat. Vertel?'

'Nou, ik weet toevallig dat ze de laatste tijd wacht tot jij zegt wat je bedoelingen zijn.' Alice haalt haar schouders op. 'Kom op, Saul. Je bent slim genoeg om te begrijpen wat ik bedoel.'

Het was dat jaar ongebruikelijk zacht voor eind februari en Saul besloot om geen taxi te nemen, maar om met de bus te gaan. Al snel sprong hij daar weer uit omdat hij behoefte had aan een lange wandeling om alles op een rijtje te zetten na zijn gesprek met Alice. Bedenken wat ze precies had bedoeld was afwisselend eng en stimulerend. Toen het denken te lastig werd, ging hij een krantenkiosk in om te kijken welke bladen en kranten waar hij voor werkte in voorraad waren en waar die lagen. Soms belde hij de uitgevers op om zijn bevindingen door te geven. Eén winkel had de versieringen voor Valentijnsdag nog niet weggehaald, al waren de kaarten en hebbedingetjes wel afgeprijsd. Saul bekeek alles en kwam in de verleiding om een kaart te kopen, niet omdat hij goedkoop was, maar omdat er een vrolijke foto van twee amoureuze schildpadden op stond die Thea vast leuk zou vinden. Saul had haar voor Valentijnsdag al een grote envelop met hartjes gegeven, al had hij heel zorgvuldig alle snoepjes met ongepaste teksten als 'grote jongen' en 'lekker stuk' eruit gevist. Saul zette de kaart met de parende schildpadden terug en bekeek de tijdschriften. Hij zette *Adam* vooraan en liep toen verder. Hij voelde zich vaag verontrust. Was Thea ongelukkig? Ze had hem geen enkele reden gegeven om dat te denken. Hij was lichtelijk verbijsterd. Had hij haar ooit aanleiding gegeven hem niet te vertrouwen of te twijfelen aan zijn toewijding en genegenheid voor haar? Hij wist zeker van niet. Wel moest hij toegeven, was dat hij er na twee jaar en drie maanden zo aan gewend was dat Thea deel uitmaakte van zijn leven dat hij daar niet vaak meer bij stilstond.

Misschien was dat het probleem wel; misschien had Thea daar moeite mee, zoals Alice had laten doorschemeren. Hoewel hij zich er altijd op verheugde bij haar te zijn – en ze tegenwoordig bijna elke nacht samen waren – bedacht hij op dat moment dat hij dat nog nooit tegen haar had gezegd. Het was gewoon nooit bij hem opgekomen. Zou het niet gedwongen overkomen om dat nu te doen? En trouwens, het bleek toch zonneklaar uit hun gelukkige gedeelde leven? Bij haar hingen evenveel kleren van hem als bij hemzelf thuis, hun vriendenkringen waren zo met elkaar verweven dat het hem moeite kostte om zich te herinneren welke vrienden oorspronkelijk van wie waren. Hij had Thea's nieuwe stofzuiger gekocht en hij had haar badkamer met zo veel pietluttige trots opnieuw betegeld dat het net zo goed zijn eigen had kunnen zijn. Vaak verschoonde ze zonder erbij na te denken zijn bed, vulde ze zijn etensvoorraad aan en nam ze zijn telefoon op, vast of mobiel, als hij buiten gehoorsafstand was. Er waren nog zo veel andere tekenen die duidelijk maakten dat het om liefde ging, dat Saul het toch zeker niet hardop hoefde te zeggen? Iedereen wist dat Saul en Thea een team waren. Het was een zinnetje dat zo vaak werd gezegd dat het niet eens meer klonk alsof ze twee afzonderlijke mensen waren. Ze waren aan elkaar vastgegroeid: SaulenThea. Ze waren zo goed in balans dat haast niets de boel in het honderd kon sturen. Daarvoor konden ze het samen te goed vinden, ze mochten elkaar zo graag dat ze nooit een reden hadden voor onenigheid of ruzie.

Beschouwde hij Thea als te vanzelfsprekend?

Toen Saul eindelijk Great Portland Street in liep, was het al na zessen. Hij had drie uur gelopen en zijn voeten deden pijn en zijn gedachten waren nog altijd verward. Deed hij iets verkeerd, of deed hij het alleen niet goed genoeg? Met een omweg slenterde hij naar zijn straat. Vanaf de hoek keek hij omhoog en zag dat de lampen in zijn huis aan waren. Hij bleef een poosje kijken naar zijn rij ramen en dacht diep na over datgene waar hij anders geen moment bij stilstond. Thea Jessica Luckmore van drieëndertig was daar boven. Dat was een feit. Ze was een meter zestig lang, woog ongeveer zevenenvijftig kilo, had van nature vaal haar, bruine ogen, ondertanden die een beetje scheef stonden en indrukwekkende littekens van een boosaardige hond. Haar lievelingskleur was turkoois, haar lievelingsboek *Black Beauty*, haar lievelingsnummer aller tijden 'Cygnet Committee' van David Bowie, haar lievelingsfilm *Jules et Jim* en haar lievelingsdier een landschildpad. Ze was supporter van Chelsea, maar ze keek liever naar rugby. Van elektrische tandenborstels moest ze kokhalzen. Als ze verkouden was, dronk ze warme Marmite. Ze had ooit getapdanst voor het kinderprogramma *Blue Peter*. Al die feiten kende hij uit zijn hoofd. Op dat moment was ze in zijn appartement. Waarschijnlijk keek ze naar het vroege avondnieuws of stond ze onder de douche. Of misschien zat ze gewoon op de bank en liet ze de fysieke spanning wegvloeien die ze bij haar klanten had weggemasseerd. Saul liep een paar passen dichter naar het huis, maar bleef toen weer staan en keek opnieuw omhoog naar zijn appartement.

Eigenlijk weet ik niet wat ze daar doet, maar ik weet wel dat ik liever thuiskom in een appartement waar Thea is dan in een appartement zonder haar. Zij is synoniem met thuis. Ze is het licht in mijn leven. Zij geeft mijn eigen ruimte een persoonlijk tintje. Zij definieert mijn ruimte.

Hij bleef op de hoek treuzelen en ging helemaal op in zijn gedachten over gloeilampen. Het licht in zijn appartement brandde en alsof hij in een strip zat, stelde Saul zich voor dat hem ineens een lichtje opging. Alsof het antwoord op het leven zelf hem plotseling duidelijk was. Hoeveel feministen zijn er nodig om een lamp te verwisselen? Eentje maar, en die mop vind ik niet zo grappig. Hoeveel Thea's zijn er nodig om een lamp te verwisselen? Eigenlijk geen een. Saul was het weekend ervoor systematisch zijn flat door gelopen en had ze allemaal vervangen.

Februari mocht dit jaar dan zacht zijn, maar Saul gaf toe dat het nogal stom was om in gedachten 'Summer Breeze' van de Isley Brothers te horen. In de loop der jaren, als hij met vrienden besprak welke platen ze wilden meenemen naar een onbewoond eiland, of als hij alleen in bad zijn top-acht samenstelde, was dat het enige nummer geweest dat er altijd bij was geweest. Het was een van die nummers die hij in zijn hoofd prima kon zingen, maar als hij het hardop zong en probeerde om de kracht in zijn stem te leggen die het nummer bij hem opriep, was het resultaat tenenkrommend en vals. Maar op dat moment was het niet per se de zomerbries, noch het bizarre idee dat hij jasmijn wilde ruiken; het was niet de zoete en melodieuze wijs, noch de vrolijke stemmen. Voor Saul riep het nummer het beeld op van een man die terugkeerde naar huis en die zag, aan de manier waarop de gordijnen hingen en doordat er wat licht uit het raam scheen, dat zijn geliefde op hem wachtte. Dat ze haar armen naar hem zou uitstrekken, waardoor alles in zijn wereld goed zou komen. Meer dan goed. Het was allemaal zo heerlijk huiselijk. Wat wilde een man nog meer?

And I come home from a hard day's work
And you're waiting there
Not a care in the world
See the smile awaitin' in the kitchen
Food cookin' and the plates for two
Feel the arms that reach out to hold me
In the evening when the day is through

Met twee treden tegelijk rent Saul de trap op, zijn ziel gevuld door muziek die echoot in zijn hoofd en die hem het antwoord levert. Hij stormt naar binnen en Thea kijkt op. Daar is ze. Daar is ze. Ze zit op de bank, met haar voeten op de salontafel. Ze lakt haar teennagels. Ze draagt een T-shirt van hem, binnenstebuiten. Naast het flesje nagellak staat een mok en er ligt een verkreukelde verpakking van een KitKat. Op de televisie zijn de Simpsons, maar het geluid staat zacht. Er staat een cd op van die verdomde David Bowie.

'Hoi,' zegt ze. 'Ik lak mijn teennagels. De lak heb ik van Alice gekregen, het is Chanel. Ik heb iets heerlijks gekookt. Dat is over een uurtje klaar. Heb je een leuke dag gehad?'

Saul weet niet wat hij moet zeggen, want hij heeft geen idee waar hij moet beginnen of hoe hij het moet verwoorden. De Isley Brothers laten hem in de steek. Het enige wat hij op dit moment kan doen, is knikken en hoi zeggen. Hij drukt een kus op haar hoofd en hij kan zichzelf wel wat doen als hij langs haar loopt op weg naar de koelkast om een biertje te pakken.

'Is alles goed met je?' vroeg Thea hem een paar uur later. Een beetje wantrouwig keek ze hem aan.

'Ja, hoor,' verzekerde Saul haar. 'Hoezo?'

'Ik weet niet,' zei Thea kalm. 'Je lijkt diep in gedachten verzonken en je kijkt me telkens aan als je denkt dat ik het niet merk. Ik krijg het gevoel dat er een streep inkt op mijn kin zit, of een snotje.'

Saul trok haar tegen zich aan en sloeg zijn armen om haar heen. Teder drukte hij zijn lippen tegen haar slaap, terwijl ze naar het nieuws van negen uur keken.

Die nacht sliep hij onrustig. Ze waren met elkaar naar bed geweest en dat was meer heftig neuken geweest dan verfijnd liefdesspel, wat beter bij zijn vorige stemming had gepast. Daarna had hij eigenlijk uitgeput moeten zijn, volledig op van al zijn gepeins na die lange wandeling naar huis. Maar hij viel telkens in slaap en werd dan een uurtje later weer wakker. Om twee uur 's nachts werd hij weer wakker en hoorde hij de Isley Brothers opnieuw in zijn hoofd. Wees stil. Om vier uur werd hij wakker omdat zijn hart zo hard klopte dat hij de Isley Brothers niet langer kon horen. En Alice. Hou je kop, Alice. Ik kan zelf wel nadenken. Om vijf uur bereikte Saul een keerpunt.

Ik ben ervan overtuigd dat ik niets verkeerds heb gedaan, maar misschien, heel misschien, is het tijd om het juiste te doen.

Dat besef bezorgde hem een uitgelaten, maar ook bang, gevoel en het liefst zou hij Thea onmiddellijk wakker maken. Maar op een bepaald moment moest hij in een droomloze, geluidloze slaap zijn gevallen, want toen hij om acht uur met een schok ontwaakte, was hij doodmoe en gespannen, met als gevolg dat hij niet erg spraakzaam was.

'Tot straks, chagrijntje.' Thea drukte een zoen op zijn wang voor ze naar haar werk ging.

Zal ik haar mailen?

Haar vragen per sms?

Maar niet per telefoon.

Moet ik een liefdesbrief schrijven of een boodschap dicteren aan een bloemist, zodat die wordt opgestuurd met een enorm boeket en in het handschrift van een ander?

Zal ik gewoon The Being Well binnenlopen, haar overvallen en het haar rechtstreeks vragen?

Misschien moet ik het tegen haar fluisteren als we de liefde bedrijven.

Of het haar terloops vragen als we met elkaar naar bed zijn geweest.

Ik zou het tijdens een etentje kunnen doen, een kant-en-klaarmaaltijd, of worstjes bij de Swallow, of zelfs aan een tafeltje bij Sheekey.

Ik zou naar haar kunnen roepen van uit mijn raam als ik haar zie aankomen.

Moet ik haar onverwacht meenemen op reis om haar te vragen op een prachtige brug in Venetië, of in Parijs of zelfs in Las Vegas?

Moet ik iemand een Aston Martin DB7 aftroggelen, een eindje met haar gaan rijden en het dan vragen?

Moet ik deze ideeën eerst aan Alice voorleggen?

Of aan Ian?

Moet ik de Brutale Kerel het woord voor me laten doen in mijn column van aanstaande zondag?

Is een zingend telegram een leuk idee?

Ballonnen in een doosje?
Een taart waarop het met glazuur staat geschreven?
's Morgens vroeg? Morgenochtend, misschien?
's Avonds laat? Vanavond, dan?
Of moet ik het niet uitstellen en het nu doen? Kut, dan kan ik net zo goed meteen op mijn scooter springen en naar Crouch End rijden.
Moet ik haar een serenade brengen voor haar gotische toren?
Rapunzel, Rapunzel, ik wil je iets vertellen.
Heeft David Bowie ooit iets over dit onderwerp gezegd? Wacht, ik zal even met Google zoeken om die vraag te beantwoorden.

Maar wat zal ze zeggen?
Wat zal ze zeggen?
Zal ze ja zeggen?

Een vol huis

HET REGENT. HET GIET. HET KOMT MET BAKKEN UIT DE HEMEL OP een dag dat dat eigenlijk niet hoort. Het is de eerste dag van de lente en de dag dat Juliette Celia Stonehill gezegend wordt. Haar papa is kwaad omdat hij een feesttent heeft gehuurd, cateraars heeft betaald, alles prima heeft georganiseerd, maar heeft vergeten te hopen dat het weer goed zou zijn. Haar mama is een beetje in paniek omdat ze niet echt weet hoe ze zestig mensen moet opstellen op de benedenverdieping van een rijtjeshuis in Highgate.

'Sally!' zegt Thea. 'Ik heb een idee: jij, Richard en baby Ju gaan boven aan de trap op de overloop staan, de peetouders op de treden daaronder, op de volgende treden naaste familie en wij duwen en trekken net zo lang tot we allemaal op de trap of in de hal beneden staan.'

'Geweldig!' roept Sally uit. 'Maar... O!'

'Wat is er?'

'Kom even met me mee. Ga jij hier eens aan de voet van de trap staan. Goed, kijk omhoog vanuit verschillende hoeken en controleer even of je niet onder mijn rok kunt kijken.'

'Je hebt mooie knieën, Sally, maar meer kan ik niet van je zien.'

'Goed. Mooi zo. Maar... O! Is het onbeleefd om te vragen of iedereen zijn schoenen wil uittrekken? Het tapijt is net nieuw.'

'Ja, maar niemand zal het raar vinden als jij het vraagt.'

'Opletten, mensen! Mensen! We gaan de ceremonie op de trap houden. Wil iedereen zijn schoenen uittrekken, alsjeblieft? Zegt het voort. Zegt het voort. Thea, wil jij ervoor zorgen dat iedereen het hoort?'

Toen Saul Mundy het zo veel jaar geleden had uitgemaakt met Emma, was zij vooral van streek geraakt omdat hij niet had gehuild. Een van de dingen die de beproeving makkelijker hadden gemaakt voor Saul was een vermoeden dat Emma haar tranen liet lopen met een kracht die niet helemaal evenredig was met haar verdriet. Sindsdien had hij als Brutale Kerel een paar stukjes geschreven over het onderwerp mannen en tranen. Hij had zich vooral gericht op de tranen die werden geplengd en volwassen kerels die elkaar om de nek vielen als de Spurs op het laatste moment van Arsenal verloren. Een andere keer had hij beweerd dat, in tegenstelling tot wat de meeste mensen dachten, heteromannen vaak en veel huilen. Zo konden bijvoorbeeld de nummers van Bruce Springsteen de waterlanders in gang zetten. Of whisky, in ruime hoeveelheden. *Raging Bull* en *Chariots of Fire*. Worstelen met planken van IKEA. Schaamhaar dat vastzat in een rits, niet per se van jezelf. Die rits, dan.

Saul vond niet dat je je altijd groot moest houden, maar zelf huilde hij niet zo vaak. Kortgeleden, toen Springsteen hem een keer te veel was geworden. En toen de Spurs hadden verloren, natuurlijk. Maar die dag, de eerste lentedag, toen hij op zijn sokken in de gang van de Stonehills stond, huilde hij wel. Het leek net alsof de meest gekoesterde delen van zijn wereld met elkaar in botsing kwamen, maar toen ze elkaar raakten, werd hij omgeven door wolken van warmte en bevestiging.

'Saul?' fluistert Thea. 'Gaat het wel?'

Hij kijkt haar met een glimlach aan en knikt. Zijn ogen zijn bloeddoorlopen door de tranen die opwellen, zijn neus borrelt van het snot.

Thea ziet er zowel beschaamd als ontroerd uit. 'Ssst!' maant ze, omdat Sauls gesnuif ervoor zorgt dat mensen naar hem kijken, in plaats van naar de plechtigheid op de trap. Ze geeft hem een tissue die Alice haar met een elleboogstoot en opgetrokken wenkbrauwen heeft aangereikt.

'Zacht ei,' fluistert Alice tegen Thea, en die giechelt.

'Saul?' Thea ziet dat hij champagne achteroverslaat alsof het water is. 'Gaat het een beetje?'

'Prima, hoor,' zegt hij. 'Ik heb dorst.'

'En daarstraks?' vraagt Thea teder. Ze slaat haar armen om hem heen. 'Ging het wel daarginds?'

'Daarginds?' Saul fronst zijn wenkbrauwen en doet net alsof hij haar niet begrijpt.

Thea houdt haar hoofd schuin en kijkt hem onderzoekend aan.

'Wil je champagne?' biedt hij aan.

'Donder op!' zegt ze. 'Je weet dat ik niet tegen champagne kan. Dat is gemeen spul.'

'Je zou toch denken dat hij na een leven als broodschrijver beter tegen drank zou kunnen.' Een uur later bood Thea Sally haar verontschuldigingen aan terwijl Saul rondstommelde in de gang en onvast ter been de ingelijste foto's bekeek.

'Maak je niet druk.' Sally moest lachen. 'Neem hem mee naar huis en leg hem in bed met een emmer ernaast.'

'Dank je.' Thea rolde met haar ogen. 'Mark en Alice geven ons een lift.'

'Thea, is alles in orde met hen?' Sally dempte haar stem. 'Alice lijkt nogal... Afstandelijk? Afwezig? Ik weet het niet precies.'

Daar dacht Thea even over na. 'Alles is goed met haar,' zei ze. 'Ze is gewoon Alice. Mark zit veel in het buitenland en ze voelt zich een beetje... behoeftig.'

'We moeten gaan.' Alice had haar jas al aan. 'Mark moet verdomme nog naar kantoor.'

'Jij kunt toch wel wat langer blijven? Dan neem je straks gewoon een taxi naar huis,' stelde Thea voor.

'Ik denk dat ik zelf ook maar wat werk ga inhalen,' zei Alice effen. 'Als jullie nog mee willen, we gaan nu.'

'Dag, Alice. Dag, Mark. Dag, Thea.' Sally gaf hun allemaal een zoen en zwaaide hen na vanuit de deuropening. 'Dag, Saul. Oeps, voorzichtig, tijger. Jezus, heeft hij zich pijn gedaan?'

'Godallemachtig. Mijn knie. Au. Kut,' vloekte Saul terwijl hij wankelend naar Marks bijzonder mooie auto liep.

Hoewel Thea op de terugweg met name naar Saul keek, wiens gezicht aan het begin van Coolhurst Road tot haar schrik een groenige kleur kreeg, viel het haar ook op dat haar beste vriendin uit het raampje staarde en verzonken was in haar eigen gedachten terwijl haar schouders omlaaghingen. Op dat moment wenste ze dat ze Saul niet omhoog hoefde te houden en ze haar armen om Alice heen kon slaan. Ook merkte Thea dat Mark zogenaamd helemaal opging in het rijden en de route, en op die manier voorkwam dat iemand een praatje begon.

Hij is vast bang dat Saul op zijn crème leer gaat kotsen, zei Thea tegen zichzelf. Of misschien is hij met zijn gedachten al bij de problemen die hem op kantoor te wachten staan.

Thea legde Saul in haar bed met een emmer ernaast en een kan water en een pakje Nurofen op het nachtkastje.

'Ik hou van je, Thea,' brabbelde hij terwijl zij druk met hem in de weer was. Ze kleedde hem uit en klopte de kussens op. 'Ik hou echt van je en ik wil je voor altijd bij me hebben.'

'Zullen we even gaan plassen?' vroeg ze op haar beste verpleegsterstoon. 'Kom maar mee.'

'Ik wil niet plassen,' mompelde hij nukkig.

'Kom mee.' Ze trok hem mee naar de badkamer en deed zijn boxershort omlaag. 'Even lekker plassen.'

'Ik wil niet plassen,' zei Saul knorrig, terwijl het met wat hulp van Thea uit hem klaterde.

'Zo, nu gaan we weer naar bed.'

'Ik wil niet naar bed,' sputterde Saul tegen. Met zijn schouder botste hij tegen de deurpost, maar hij leek het niet te merken. 'Kom je even knuffelen? Lekker neuken?'

'Doe eerst maar een dutje,' kirde Thea. Op dat moment had ze helemaal geen zin om deze grote kerel met een drankkegel te knuffelen, laat staan met hem te neuken.

'Ik wil geen dutje doen.' Saul trok een pruillip toen ze net zo lang aan hem trok en tegen hem duwde tot hij veilig in het midden van het bed lag.

'Voel je je goed?' vroeg Thea. 'Er staat namelijk water naast je en een emmer naast je bed, als je je niet goed voelt.'

'Ik voel me prima,' mompelde Saul met gesloten ogen en een frons die hij niet kon laten verdwijnen. 'De kamer draait.'

'O, shit,' fluisterde Thea binnensmonds. Ze bracht haar gezicht dichter naar het zijne, sloeg tegen zijn wangen en schudde hem door elkaar. 'Saul! Saul! Doe je ogen open en ga rechtop zitten. Nu. Hé, ga rechtop zitten!'

Heel traag gingen Sauls ogen open en hij slaagde erin zichzelf op te hijsen tot hij min of meer zat. Hij keek in de richting waaruit hij Thea's stem gehoord meende te hebben en toen hij merkte dat ze een heleboel gezichten had, probeerde hij zijn glazige ogen strak op een paar ogen van haar te richten.

Op dat moment kwam zijn gezicht haar totaal onbekend voor en ze wist niet of ze zich geamuseerd voelde of dat hij haar afkeer opwekte.

'Ik hou van je, Thea,' brabbelde Saul, en in zijn ogen welden tranen op. 'Trouw met me.'

'Drink maar wat water, Saul,' zei Thea. 'Hier, neem een slokje. Goed zo, het is een lekker glas bier. Neem nog maar een slok. Mooi. Voel je je nog goed? Drink nog maar wat. Moet je weer plassen? Ja? Oké, ga dan maar mee. Nee, je kunt niet in de emmer plassen. O, shit. Nee, nee! Niet op het tapijt! Doe het dan maar in de emmer. Goed, nu gauw terug naar bed. Drink nog maar wat water, ik bedoel bier. Kleine slokjes, niet zulke grote. Ik ga de emmer even omspoelen en dan breng ik hem terug. Ben je misselijk? Nee? Nou, voor de zekerheid zal ik de emmer toch terugbrengen.'

'Ik hou van je, Thea en ik wil voor altijd met ons samenwonen en je vrouw zijn als je met me wilt trouwen.'

Thea streelde over zijn voorhoofd en ging de emmer schoonmaken. Ook schonk ze het glas water nog een keer vol.

Saul was zo dronken geweest dat hij zich geen woord meer kon herinneren van wat hij tegen Thea had gezegd. Saul was zo dronken geweest dat Thea niet de moeite had genomen een woord van zijn geraaskal serieus te nemen.

Peter, Gabriel

'THEA? MET MARK. HET SPIJT ME DAT IK ZO VROEG BEL.'

'Hoi, Mark. Ik was al op, hoor. Ik heb op de bank geslapen omdat Saul zijn roes uitslaapt in mijn bed. De zuiplap. Is alles in orde?'

'Ik heb iets met mijn nek gedaan, daarom bel ik ook zo vroeg. Ik hoopte dat je een gaatje voor me hebt. Het doet hartstikke pijn en ik kan mijn hoofd niet goed bewegen.'

'Ik heb mijn afsprakenboek niet hier. Om negen uur ben ik op mijn werk, zal ik je dan bellen? Ik kan wel even naar je kijken, maar misschien heb je een orthopeed nodig.'

'Om negen uur? O. Nou, ik heb een vergadering, en ik vroeg me af of...'

'O. Ja, natuurlijk. Kun je om acht uur komen? Weet je wat? Ik denk dat ik er wel om kwart voor acht kan zijn.'

'Je bent een schat.'

'Doe niet zo mal! O, is Alice daar? Mag ik haar even?'

'Ze slaapt nog, Thea. Vanwege mijn nek, begrijp je. Ze heeft in de logeerkamer geslapen om me niet te storen.'

'Soms is de oorzaak van spierkramp maar gedeeltelijk lichamelijk,' zei Thea een uur later voorzichtig toen ze zijn probleem bekeek. 'Zelfs de mildste steken kunnen verergerd worden door stress of spanning.'

'Het is nogal hectisch op dit moment,' zei hij.

Thea knikte.

'Op het werk,' voegde hij eraan toe, voor het geval ze zou doorvragen.

Weer knikte Thea. In de loop der jaren had ze gemerkt dat knikken terwijl ze met haar pen in de aanslag naar haar notitieblok keek vaak voldoende aanmoediging was voor haar klanten om eerlijker uit te wijden dan wanneer ze hen op de man af vragen stelde. Ze keek naar haar notitieblok en wachtte even, waarna ze opnieuw knikte. Maar Mark zweeg verder.

'Ik wil graag dat je een afspraak maakt met een van onze orthopeden. Dan en Brent zijn allebei heel goed. Maar je moet me beloven dat je het niet gaat afzeggen. Ik weet dat je het druk hebt, maar geloof me: het is een verkeerde zuinigheid om af en toe een uurtje orthopedie af te zeggen. Ik kan de jongens vragen of ze heel vroeg of heel laat een afspraak voor je kunnen maken. Als dat niet werkt, kan ik vragen of ze iemand kennen die dichter bij je werk een praktijk heeft.'

'Dank je, Thea,' zei Mark. 'Dat vind ik erg lief van je.' Voorzichtig boog hij zich voorover om zijn diplomatenkoffertje te pakken.

'Laat jezelf zakken, niet buigen! Laat jezelf zakken als een kind; kinderen zakken door hun knieën en houden hun rug recht, ze buigen hem nooit. En kom weer omhoog als een gewichtheffer, met je gezicht recht naar voren.'

Thea stond erop dat Mark zijn koffertje weer neerzette en een paar keer oefende hoe hij omlaag en weer omhoog moest gaan. Tot zijn verbazing bleek de eenvoudige techniek inderdaad heel efficiënt. 'Jezus, dank je, Thea.'

'Graag gedaan,' zei Thea met een glimlach. 'En niet zo met je hoofd rollen!'

'Sorry,' zei hij schaapachtig.

'Koop onderweg naar je werk een zak diepvriesdoperwten, wikkel die in een handdoek en leg hem tegen je nek,' raadde ze hem aan.

'Erwten?'

'Maïs is ook goed. En doe het alsjeblieft kalm aan,' zei Thea zacht. 'Of op z'n minst een beetje kalmer dan anders. Op je werk en thuis.'

Maar op dat moment had Mark zijn jas al aan en was hij weer op zijn hoede.

Een lekker, uitgebreid Engels ontbijt was werkelijk een wondermiddel, en hoewel Saul wakker was geworden met een enorme kater voelde hij zich twee worstjes, eieren, bonen, wat bacon en in spekvet gebakken brood later weer een stuk beter en was zijn hoofd helder. Hij zou teruggaan naar Thea's appartement om op te ruimen en dan zou hij de stad in gaan. De vorige dag was somber en regenachtig geweest, maar vandaag was een schitterende lentedag. Door de esthetische magie van zonlicht en een heldere lucht op een maandag in maart leek Crouch End een druk, onafhankelijk, redelijk schilderachtig marktstadje. Onbekenden zeiden elkaar opgewekt gedag; moeders flaneerden met de hipste buggy's waarin baby's lagen die felgekleurde kleertjes en schattige hoedjes droegen; gepensioneerden babbelden vrolijk over de prijs van dit en de kosten van dat, en was het weer gisteren niet vreselijk geweest? Twee aan twee renden joggers van en naar Priory Park; winkeliers stonden voor hun winkel en glimlachten opgewekt naar niets in het bijzonder; vrienden roddelden terwijl ze naar Banners gingen voor smoothies en lekkere hapjes. Saul bedacht dat Hollywood veel geld over zou hebben voor dit soort plaatjes; het was typisch Engels door de balans van lokale architectuur, couleur locale en plaatselijke bekenden. Precies op dat moment liep er een getalenteerde jonge tv-acteur langs Saul heen, die zei: 'Alles goed?'

'Hoi,' zei Saul, die in een bijzonder goede bui was.

Peter Glass daarentegen was niet in een goede bui. Sterker nog: Peter Glass had een ongelooflijke rotbui. Een paar weken lang was hij elke dag een paar uur bezig geweest met een potentiële koper die eerder die ochtend zonder enige verklaring of verontschuldiging plotseling van gedachten was veranderd. Dus het luxe reisje naar de Seychellen ging niet door. Evenmin als het inbouwen van nieuwe snufjes in de Beemer. 'Hoe gaat ie, moppie?' vroeg Peter Thea somber. Hij had een gezicht als een donderwolk. 'Als je de agressie die ik op dit moment voel kunt wegmasseren, zal ik je twee keer zo veel betalen als anders.'

'Dat is echt niet nodig,' verzekerde Thea hem. 'Ga maar gewoon liggen, dan zal ik me laten leiden door je lichaam. Vertrouw me.

Probeer je hoofd leeg te maken en niet te praten.'

'Ik zou zo in slaap kunnen vallen,' mompelde Peter een uur later.

Thea keek op haar horloge. Ze had een uur voor haar volgende klant kwam. 'Ontspan je maar een poosje, Peter. Ik ben zo terug.' In werkelijkheid kwam Thea pas veertig minuten later terug om hem voorzichtig wakker te maken.

Een balletdanser, een zwangere vrouw en een tennisleraar later is Thea's laatste klant voor die dag meneer Sewell. Ze is hem meneer Sewell blijven noemen, hoewel hij nu een regelmatige klant is die haar af en toe zelfs zonder enige aanleiding heel persoonlijke informatie toevertrouwt. Kortgeleden had hij gezegd dat zijn nek nog altijd niet beter voelde, hoewel hij zelf veel gelukkiger was nu hij weer was teruggegaan naar zijn vrouw. Bij zijn laatste bezoek had hij teksten geciteerd uit de nieuwe televisieserie met Ricky Gervais en daarbij had hij zo hard gelachen dat het bed had geschud. Souki komt Thea tegen als ze naar beneden naar de wachtkamer gaat. Ze heeft een latte en een muffin in haar hand.

'Meneer Sewell is er,' zegt ze. 'En Saul. Met koffie en cakejes voor iedereen. Wat is het toch een schatje.'

'Dag, meneer Sewell. Waarom gaat u niet naar boven om u klaar te maken?' Thea knikt Saul op dezelfde manier toe als al haar klanten. 'Ik kom zo bij u.'

Saul wacht tot meneer Sewell naar boven is verdwenen. Thea smacht naar die muffin. Ze was die ochtend vroeg begonnen en het is een lange dag geweest.

'Ik ben uitgehongerd!' zegt ze. Ze loopt naar Saul toe, die haar het cakeje voorhoudt. Net als ze het wil pakken, trekt hij het terug. 'Hé!' protesteert ze.

'Zeg ja!' zegt Saul. 'Als je ja zegt, mag je het hebben.'

'Ja?' vraagt Thea. 'Goed hoor: ja, alsjeblieft.'

'Maar je weet helemaal niet waar je ja tegen zegt!' roept Saul uit.

'Ik heb zo'n honger dat ik op alles ja zeg,' verzekert ze hem.

'Echt waar?' vraagt hij met twinkelende ogen. Thea knikte en likt letterlijk haar lippen af. Nog altijd houdt hij de muffin omhoog. 'Zou je ja zeggen tegen een Gimp-masker en een kruisloos slipje van polyester?'

Thea kijkt hem aan alsof hij gek is. 'Ja, ja. Geef me die stomme muffin nou, anders kom ik nog te laat bij meneer Sewell.'

'Zou je ja zeggen tegen samenwonen?' vraagt Saul, en hij houdt haar de muffin voor.

Thea's hart lijkt in haar keel te springen en haar maag maakt salto's. Ze kan alleen nog maar aan Sauls voorstel denken. Ze kan geen woord uitbrengen en die arme meneer Sewell ligt in zijn onderbroek met zijn gezicht naar beneden op het bed in de zolderkamer.

'Nou?' drong Saul aan. 'Ga je nog ja zeggen?'

Thea staart hem aan.

'Is dat ja?' Verleidelijk beweegt hij de muffin op en neer.

Thea snakt naar adem.

'Ik wil bij jou zijn,' zegt hij overredend. 'Laten we gaan samenwonen en voor altijd bij elkaar blijven. Nog lang en gelukkig leven.' Hij pulkt een stukje chocolade uit de muffin. 'Zeg ja, en de muffin is van jou.'

Thea knippert met haar ogen, grijnst en knikt dan. 'Ja,' zegt ze geluidloos. Ze begint te lachen.

'Geweldig. En dat allemaal voor de prijs van één muffin.' Hij draait haar om zodat ze met haar gezicht naar de trap staat. 'Aan het werk, juffie.' Lachend geeft hij een zacht duwtje tegen haar billen. 'Tot straks.'

Thea is vijf minuten te laat bij meneer Sewell.

'Het spijt me dat ik u heb laten wachten,' verontschuldigt ze zich. Ze legt de muffin op tafel. Moet ze hem opeten of hem uit sentimentele overwegingen bewaren? Dat is een dilemma. 'Goed,' zegt ze tegen meneer Sewell. 'Hoe gaat het met uw rug?'

'Best wel goed,' zegt hij, en hij tilt zijn hoofd een stukje op. 'En hoe gaat het met jou?'

Het is de eerste keer dat meneer Sewell Thea een min of meer persoonlijke vraag stelt en ze schrikt er nogal van. 'O, prima,' zegt ze luchtig. 'Met mij is alles goed, dank u.' Ze legt haar handen zacht op zijn rug, sluit haar ogen en haalt diep adem. Heel gecontroleerd ademt ze uit, terwijl ze haar handen omhoog laat glijden naar zijn nek en dan opzij naar zijn schouders. Ze beweegt op en neer over zijn armen en laat haar handen dan weer via zijn schouders omlaag over zijn rug gaan. Hij zucht van opluchting en genot. Ze vindt zijn lichaam prettig aanvoelen. Veel zachter en ontvankelijker dan tijdens zijn laatste bezoek. Deze massage gaat haar makkelijk af.

Cohen & Howard

ALICE DRUKTE THEA DICHT TEGEN ZICH AAN TOEN ZE HAAR OMhelsde. En toen ze voelde dat Thea zich los wilde maken, hield ze haar nog steviger vast. 'Mooi,' zei ze. 'Ik ben hartstikke blij. Het is het goede moment. Het is echt geweldig.'

'Denk je dat ik er goed aan doe?'

'Je vraagt naar de bekende weg.'

'Ben je blij voor me?'

'Je vraagt naar de bekende weg.'

'Jij denkt toch wel dat Saul de Ware voor me is?'

'Je vraagt naar de bekende weg.'

Alice en Thea keken elkaar aan met een blik vol manische, aanstekelijke opwinding in hun dansende ogen. Ook waren ze een beetje buiten adem.

'Nou, dat was het dan,' zei Alice. 'Jij en ik zijn nu helemaal volwassen. Jezus, ik ben vast zwanger tegen de tijd dat je je house-warming party geeft.' Haar schouders zakten wat. 'Dan kan ik alleen nog een oerlelijke kaftan en steunkousen dragen.'

Bedachtzaam keek Thea haar aan. 'Ik zat niet echt te denken aan een house-warming, ik wil niet dat er iets gemorst of gebroken wordt op het nieuwe tapijt! Maar overweeg je echt zwanger te worden?'

'Ik geloof niet dat ons huwelijk het zal redden als ik dat niet doe,' meende Alice een beetje somber.

'Verdomme,' zei Thea. 'Zeg dat nou niet. Dat meen je toch niet? Ik bedoel, ik weet dat je een beetje depri bent geweest, dat je nogal in dubio hebt gestaan, maar daar hebben we toch net zo lang over gepraat tot het was opgelost? Keer op keer. Je gelooft toch niet echt dat een baby de oplossing is?'

Alice zweeg. Ze keek Thea aan met lippen die spijtig vertrokken waren. 'Ik zal nooit vergeten dat jouw moeder jou smeekte om de reden te zijn die moest voorkomen dat je vader zou weggaan. Hoe oud was je toen? Vijftien?'

'Veertien,' verbeterde Thea haar.

'Wanneer heb je hem voor het laatst gezien?' vroeg Alice.

'Ongeveer drie jaar geleden,' gokte Thea.

'Het is heel interessant dat een scheiding een kind beïnvloedt in zijn houding tegenover de liefde als volwassene,' zei Alice rustig. 'Heel veel kinderen willen niks weten van langdurige relaties, of ze worden heel cynisch. Jij bent opgegroeid met een behoorlijk slecht huwelijk als voorbeeld, maar dat lijkt jou heel vastberaden te hebben gemaakt om in eeuwige liefde te geloven. Daar zit een leuk artikel in voor *Adam*: hoe worden mannen beïnvloed door de scheiding van hun ouders.'

'Nou, kennelijk hebben jij en ik dan geboft met Saul en Mark, aangezien die allebei uit een goed nest komen,' zei Thea peinzend.

'Als je het zo zegt, lijkt het net alsof ze bekroonde rammen zijn,' zei Alice lachend. Toen veranderde haar gezichtsuitdrukking en ze legde haar hand op Thea's wang. 'Jij hebt altijd een soort sprookjesachtige verwachting gehad van liefde en eeuwigheid gehad. Ik weet dat ik je daarmee heb geplaagd. En soms heeft het je problemen opgeleverd. Maar volgens mij is het ook je grote kracht. Ik mag je dan stangen dat je hopeloos romantisch bent, maar stiekem bewonder ik je erom.'

'Dus je vindt het niet erg dat ik niet geloof dat fenyl-en-nog-wat de oorzaak is van liefde?'

Alice lachte en schudde haar hoofd.

'Toen ik klein was,' zei Thea voorzichtig, 'kon ik het lawaai van de ruzies alleen buitensluiten door me voor te stellen dat ik in een fantasiewereld vol helden en heldinnen leefde, waar de liefde altijd overwon. Dat was de enige manier om iets moois in mijn leven te hebben.'

'Nou, nu is Saul je held,' zei Alice stellig.

'En Mark de jouwe.' Met een waarschuwende klank in haar stem ging Thea verder: 'Alice, gebruik een baby alsjeblieft niet als lijm voor je relatie.'

Peinzend bekeek Alice haar trouwring. 'Lijm, plakband, klittenband,' zei ze zacht. 'Er is in elk geval een weerbestendig bindmiddel nodig.'

'Bindmiddel.' Thea dacht na over dat woord. 'Het moet uit jezelf komen, uit je huiselijke situatie,' zei ze beslist. 'Je moet gewoon geduld hebben en uitzoeken wat het is.'

'Genoeg over liefde en kleverige zaken,' zei Alice. 'Een vrouw kan niet haar hele lunchpauze naar slechte beeldspraak luisteren.'

'Maar liefde ís kleverig.' Thea haalde haar schouders op en gaf haar een knipoog. 'Als we het over pijpen hebben.'

Met zijn strakke pak, drukke das en spaakwaterval deed de makelaar van Cohen & Howard Thea denken aan Peter Glass, maar aangezien Saul Peter Glass niet kende en Thea vermoedde dat alle makelaars hetzelfde waren, zei ze er niks over. Maar op het moment dat de makelaar zijn gelhaar gladstreek en zijn dikke pen hebberig tussen zijn vingers liet rollen alsof het een sigaar was, vroeg Thea zich af of ze niet beter naar Peter Glass hadden kunnen gaan. Die was die ochtend nog geweest. Helemaal in de wolken. Hij had net een aanbetaling gedaan voor een super-de-luxe reis naar de Seychellen en hij had zijn Beemer ingeruild voor een duurdere Merc. Zijn nieuwe vriendin had hij meegenomen naar Chinawhite. Hij had nauwelijks nog last van zijn nek.

'Juffouw Luckmore,' zei de makelaar, 'moet Cohen & Howard ook de verkoop van uw woning afhandelen? We hebben ook een kantoor in Muswell Hill, en een aandeel in de postcodewijken N10, N8 en N22.'

'We zullen het in overweging nemen,' bemoeide Saul zich ermee. Hij sprak zijn klinkers een octaaf lager uit dan Thea gewend was. 'Als u uw commissie tot één procent verlaagt. Tenslotte verkoopt u mijn appartement ook, en gaat u de aankoop van ons nieuwe huis regelen.'

Het kon Thea niet schelen dat Saul in haar plaats had geantwoord; dat vond ze eigenlijk wel aandoenlijk. Bovendien bespaarde hij haar anderhalf procent, waar ze waarschijnlijk een IKEA-keuken voor kon kopen.

'Als we het eens kunnen worden over zo'n commissie,' zei Saul, 'mag u allebei de woningen verkopen.'

'Onmiddellijk?' De makelaar likte begerig langs zijn lippen.

Saul en Thea keken elkaar aan. Saul trok een wenkbrauw op en zijn glimlach werd breder. Thea beet op haar lip, niet vanwege twijfels, maar om een aanzwellend gevoel van opwinding in te tomen. 'Onmiddellijk,' zei ze tegen de makelaar.

Met een handvol folders over specifieke woningen verlieten Saul en zij het kantoor. Ze liepen arm in arm en huppelden zowat op weg naar Patisserie Valerie in de Marylebone High Street, waar ze de details van de huizen onder het genot van koffie en taart wilden bekijken. Eén april mocht dan de dag zijn waarop iedereen elkaar voor de gek hield, maar het bleek voor Thea en Saul de dag te zijn waarop ze heel verstandige besluiten namen. Saul sloeg zijn arm om haar middel en trok haar dicht tegen zich aan om haar een klapzoen op haar slaap te geven.

Stralend keek ze naar hem op. 'Ik loop te trappelen van opwinding.' Ze begon te ratelen over een keuken in shaker-stijl, granieten aanrechtbladen en koelkasten in retro-roze. Enthousiast zei ze dat ze naar Purves & Purves moesten voor tapijten en dat ze Barcelonastoelen à la Mies van der Rohe heel goedkoop op internet had gezien. Met een voetenbankje en zonder bezorgkosten. Misschien crème. 'Voor stoffen moeten we naar het Designer Guild!' riep ze uit. 'Kunnen we een superkingsize bed kopen? Ik ben gek op de verfkleuren van Farrow & Ball.' Ze maakte sprongetjes van opwinding. 'Kijk, Bridgewater!' zei ze opgetogen toen ze voor de winkel met dezelfde naam stond. 'O, hemel. Ik ben dol op haar serviesgoed.' Een paar stappen verder rende ze ineens de weg over en trok ze Saul mee naar de White Company. 'Prachtig!' herhaalde ze toen ze haar handen zacht over de stapels linnengoed liet gaan. 'Zullen we van de slaapkamer een vredig toevluchtsoord in rustige kleuren maken? Champignon. Ecru. Vlas. Bont. Vanille.'

'Wil je ook bijpassende badjassen van wafelkatoen?' vroeg Saul, die een badjas voor zich hield. Thea merkte zijn lichte sarcasme niet eens op.

'Nee, badjassen kun je beter bij de Conran Shop kopen,' zei ze ernstig. 'Daar kunnen we wel even naar de prijzen gaan kijken als we thee hebben gedronken.'

Thea's oog werd zelfs getrokken door een ouderwetse winkel

met huishoudelijke artikelen toen ze verder liepen en ze dweepte met hun uitgebreide sortering Velida-zwabbers en accessoires. Daarna babbelde ze verder over crèmekleurig tapijt, Venetiaanse spiegels en terracotta potten voor op het terras, al dansend voor Sauls voeten, zodat hij bijna struikelde. Ze sloeg haar armen om zijn hals en ging op haar tenen staan om hem te zoenen, en nog eens te zoenen. Kalmpjes sloeg hij zijn arm om haar middel, tilde haar op en liep gewoon door naar Patisserie Valerie. Thea begon te lachen en omhelsde hem terwijl hij haar verder droeg.

'O, hier, dit is voor jou,' zei Saul. 'Het is maar zilver, maar ik vond het precies bij je passen. De juwelier is de zus van Ian.'

Voor Waitrose keek Thea naar de ring. Daar stond een inscriptie in:

∞ *Ik heb mijn dromen onder jouw voeten gespreid* ∞

'Loop voorzichtig, want je loopt op mijn droom,' maakte Thea het vers af. Ze was dol op dit gedicht van Yeats. Verrukt keek ze Saul aan, vol liefde en boordevol opwinding over hun toekomst. Ze deelden dezelfde dromen en hun toekomst lag voor hen open. Zelfs de grootste bruiloft ter wereld, het mooiste appartement dat er te koop was of de duurste ring van Tiffany, kon Thea geen fijner gevoel geven dan het duizelingwekkende geluk dat ze op dat moment voelde.

'Goed gedaan, man,' zei Richard tegen Saul. Hij stopte zijn racket terug in de hoes.

'Maar je hebt me vernietigend verslagen,' zei Saul lachend. Ze liepen van de baan naar de douches.

'Ik bedoelde met Thea, sukkel!' Richard gaf hem een vriendschappelijk zetje. 'Sally heeft me verteld dat jullie samen een liefdesnestje gaan kopen.'

'We hebben onze appartementen te koop gezet bij Cohen & Howard,' riep Saul over de muur van het douchehokje.

'Heel verstandig,' zei Richard. 'Hebben ze nog iets van hun commissie af gedaan?'

'Reken maar,' zei Saul. 'Ik bedoel, het is een makkie om die twee huizen te verkopen. En we hebben ze allebei in de goede tijd gekocht.'

'Nou, als je een architect nodig hebt...' zei Richard lachend.

'Ik had gedacht dat het moeilijk zou zijn om Thea over te halen weg te gaan uit Crouch End, maar ze vindt het hartstikke leuk om naar het centrum te verhuizen,' zei Saul peinzend.

'Bij Covent Garden staat een aantal mooie panden,' merkte Richard op. 'Aan de kant van Drury Lane. Ik weet er eentje dat nog niet is opgeleverd. Ik kan vragen of je een appartement mag bezichtigen.'

'Tof,' zei Saul dankbaar. 'Thea zou het ook leuk vinden om in Bloomsbury te wonen. Maar dat komt doordat ze te veel Merchant-Ivory films heeft gezien.'

'Ik moet anders wel zeggen dat de wijk waar je nu woont echt helemaal te gek is.' Na die woorden liep Richard de kleedkamer uit.

'Daar drink ik op.' Saul gooide het kluisje met een knal dicht en volgde hem.

'Eerst moet je erop drinken dat ik je met squash vernietigend heb verslagen.' Lachend keek Richard om terwijl ze naar de bar liepen. 'Daarna drinken we op jou en Thea.'

'En dan proosten we op je baby,' ging Saul verder.

'En daarna drinken we op mijn vrouw.'

'Waarom zijn we eigenlijk niet uitgegaan om Juliettes geboorte te vieren?' vroeg Saul verbaasd. 'Dat is toch al minstens vier maanden geleden?'

'Shit, het kostte me al moeite Sally over te halen me vanavond te laten gaan,' verzuchtte Richard. 'Ik mocht alleen weg als ik beloofde om voor twaalven thuis te zijn en maar een klein beetje aangeschoten, in plaats van behoorlijk lam. En als tegenprestatie mag zij zaterdag uitslapen én volgende week woensdag een avondje uit met Thea en Alice.'

'Jouw vrouw is een harde,' zei Saul, maar hij hief zijn glas toch voor haar op.

'Ik heb mijn twee prachtmeiden.' Gelukzalig haalde Richard zijn schouders op. 'Die kunnen me om hun vinger winden, maar dat vind ik helemaal niet erg.'

Hallo klein appartement. Hallo stukje Lewis Carroll-wereld. Ik heb je toevertrouwd aan een of andere snelle ritselaar-makelaar met een stom ringbaardje. Lance van Cohen & Howard in Muswell Hill. Hij zegt dat ie je zo zal hebben verkocht. En ik heb geen flauw idee waarom ik me schuldig voel. Alsof ik je in de steek laat voor een ongewisse toekomst, alsof ik je mijn rug toekeer na alle veiligheid die je mij hebt geboden. Maar dan denk ik aan een andere Thea die hier komt wonen en van je zal houden, tot ook haar leven verdergaat. Saul zegt dat ik niet emotioneel moet worden over de verkoop. Ik heb hem een klap gegeven vanwege die idiote opmerking! Het is toch logisch dat dit een heel emotioneel proces gaat worden? Wist je dat hij beweert dat ik eventuele kopers maar beter niet kan zien? Daar waren Lance en hij het roerend over eens. Saul zegt dat hij me kent, dat als eventuele kopers niet aan mijn strenge eisen voldoen, ik het huis niet aan ze zal verkopen, zelfs al bieden ze de vraagprijs. Ik vind dat nogal logisch, maar hij vindt het stom. Lance keek alleen maar ontzet.

Dit huis is een deel van mezelf, een uiting van wie ik ben en hoe mijn leven is geweest – een levend fotoalbum, een heel dagboek van mijn afgelopen vijf jaar. De dingen die deze muren hebben gezien! De troost die dit huis me heeft geboden, het veilige gevoel, de vlekken van mijn tranen, de sporen van mijn geluk. Ik zou er een roman over kunnen schrijven! Ik zal het nooit duidelijk kunnen maken aan mensen die niet evenveel van dit appartement houden als ik. Ik zal altijd van Crouch End houden en mijn herinneringen aan mijn prachtige eerste flat zullen altijd levendig blijven en ik zal ze blijvend koesteren. Ik ben hier heel, heel erg gelukkig geweest. Toen ik nog single was. Heel lang geleden.

De eerste die bij Thea door de voordeur kwam, bracht binnen een dag een bod uit. De tweede, die de woning een halfuur later kwam bezichtigen, bood de volgende dag de vraagprijs. Lance waarschuwde de derde nog voor die het appartement kwam bezichtigen dat hij in het eerste etmaal dat de woning te koop stond al twee aanbiedingen had gehad. Zodra diegene Thea's appartement zag, deed hij een bod, nog voor hij in de gang had gestaan met alle deuren dicht voor het maximale Lewis Carroll-effect. Thea wist niet precies hoe en waarom ze had gezegd dat ze erover na moest denken. Ook de potentiële koper begreep dat niet en hij verhoogde zijn bod prompt met vijfduizend pond, garandeerde een snelle overdracht van de contracten en gaf uit zichzelf alle relevante gegevens: zijn notaris, zijn taxateur en zijn hypotheekbank. 'Laat me er een nachtje over slapen,' zei Thea smekend tegen Lance.

'Nou, droom maar lekker, wijfie,' zei hij. 'Maar als ik jou was, zou ik vroeg gaan slapen, want geloof me, zodra het kantoor morgenochtend opengaat, staat de telefoon natuurlijk weer roodgloeiend.'

Die avond besloot Thea dat uit het 'moppie' van Peter Glass veel meer stijl en oprechte genegenheid sprak dan uit het 'wijfie' van Lance. Maar daar mocht ze haar besluit niet door laten beïnvloeden. Ze wilde gewoon een avond alleen in haar appartement zijn voor ze haar toestemming zou geven. Ze stuurde Saul een sms'je waarin ze hem welterusten kuste, maar aan Alice sms'te ze:

KUT KUT KUT MOET IK VERKOPEN VERKOPEN VERKOPEN??? TX
Het antwoord kwam direct: JA JA JA AXXXXXXXX
MAN = AARDIGE HOMO DIE FLAT PRACHTIG VINDT! stuurde Thea terug.
PERFECT TOCH? ;-) schreef Alice.
KIJK JE NAAR ER?
JA! antwoordde Alice, CARTER LEKKER DING
LUCA LEKKERDER! reageerde Thea.
BELLEN TIJDENS RECLAME?
OK XXX sms'te Thea.

'Dus als ik het bod aanneem, kan alles met een paar weken geregeld zijn.' Thea drukt de telefoon tegen haar andere oor en verandert na een lang gesprek over *ER* van onderwerp.

'Moet je horen, ik weet dat er niks mis is met deze koper, dat hij een flink bedrag heeft geboden, dat hij een aardige, gevoelige homo is die je kleurenschema's prachtig vindt en hetzelfde Rapunzel-gevoel heeft als jij, maar je moet je niet onder druk laten zetten,' vindt Alice. Ze klemt de telefoon onder haar kin terwijl ze het bad laat vollopen. 'Voor hetzelfde geld duurt het nog tijden voor Saul en jij iets vinden.'

'Ja, maar ik kan zolang bij hem intrekken.'

'Goed, maar dan moeten je spullen wel worden opgeslagen en het is zijn huis. Het mag dan cool en hip zijn, maar het is niet erg groot.'

'Dat is waar.'

'Je moet de contracten zo snel mogelijk regelen,' raadt Alice haar aan. 'En dan iets langer wachten met de afwikkeling. Op die manier heb je in elk geval de zekerheid van zijn aanbetaling.'

'Dat klinkt logisch,' stemt Thea in. 'Ik zal er een nachtje over slapen. Maar hoe gaat het met jou? Heb je alles al gepakt?'

Alice kreunt even. 'Nee,' verzucht ze. 'Wat moet ik in godsnaam meenemen?'

'Ik weet het niet,' zegt Thea. 'Wat is gebruikelijk op een gratis reisje waarop het management elkaar beter moet leren kennen? Ik heb nog nooit zo'n reisje gemaakt, zulke extraatjes zijn er niet in mijn werk.'

'Het is geen extraatje,' steunt Alice. 'Het is stomvervelend. Tenslotte kennen wij managers elkaar allemaal goed genoeg. Ik begrijp niet waarom we vijf dagen naar Frankrijk moeten. Een flinke bonus of meer vakantiegeld zou mij persoonlijk een groter plezier doen.'

'Ach, je kunt altijd nog gaan shoppen.'

'We zitten midden in de rimboe,' zegt Alice bits. 'De dichtstbijzijnde stad is Arles, en die staat meer bekend om Van Gogh of Cézanne of zoiets dan om Prada.'

'Je komt in elk geval lekker bruin terug.'

'Ik heb vandaag het weerbericht daar gezien. *Il pleut*.'

'Kom op, Alice. Het wordt vast leuk.'

'Ze hebben gezegd dat we een anorak moeten inpakken. Mijn Agnès B-regenjas komt het dichtst in de buurt, maar die ga ik niet meenemen.'

'Ik heb een anorak,' zegt Thea opgewekt. 'Die mag je wel lenen.'

'Is ie heel erg?'

'Doe normaal! Hij is van Berghaus, heel hip en ontzettend duur.'

'Mag ik hem dan lenen?' vraagt Alice een tikje schaapachtig. 'Dat zou fijn zijn. O... welke kleur heeft ie?'

'Zwart en rood,' zegt Thea, en Alice voelt gewoon dat ze haar wenkbrauwen optrekt.

'Hmm, mijn wandelschoenen zijn van zwart Gore-tex,' zegt Alice peinzend.

'Zie je, dan draag je de juiste kleding en staat het nog bij elkaar ook.'

'Op naar de Languedoc.' Alice klinkt nog altijd niet erg enthousiast. 'Jippieee.'

'Hoe laat ga je vrijdag weg?'

'Op een onchristelijk tijdstip,' kreunt Alice. 'Aanstaande dinsdag ben ik weer terug. Ik kan wel betere dingen verzinnen voor in een lang weekend, maar ja, niks aan te doen.'

'Ga je me sms'en als je daar bent?'

'Als ik midden in de Languedoc bereik heb,' zegt Alice zwartgallig.

'Is Mark dan ook weg?'

'Ironisch genoeg niet, dus nu kan hij eens alleen thuis ronddolen.' Er klinkt een zekere triomf door in Alice' stem. 'Hé, kun jij die anorak aan Saul geven? Hij heeft hier woensdag een vergadering, dus dan kan hij hem voor me meenemen.'

'Geen probleem,' zegt Thea. 'Zeg Alice, moet ik dat bod dan accepteren?'

'Ja, natuurlijk,' zegt Alice bemoedigend. 'Het is tijd om het balletje aan het rollen te brengen, Thea. Tijd om je stukje Lewis Carroll in te ruilen voor iets volwasseners.'

In gedachten ziet Alice Thea opgekruld op haar bank zitten en haar appartement rondkijken. Voor ze naar bed gaat, zal ze Thea nog een sms'je sturen, om nogmaals te zeggen dat ze de stap moet wagen. Dat het een goed besluit is. Dat ze er op elk terrein voordeel uit zal halen. Maar eerst zal Alice een grote hoeveelheid badolie van Panhaligon in het water laten lopen en genieten van haar bad. Voor hetzelfde geld kan ze in Cézanne-land alleen maar lauw douchen.

La Grande Motte

De groep vloog naar Montpellier. Alice' collega's hadden allemaal een rugzak bij zich. Sommigen hadden zelfs zo'n kleintje dat hij mee kon als handbagage. Omdat het al heel traumatisch voor Alice was geweest om een anorak in te pakken, was ze zeker niet van plan om haar grote Mulberry-reistas van ribstof in te ruilen voor een rugzak. Haar slechte bui werd nog slechter toen haar bagage beschadigd op de lopende band belandde. Prompt beende ze naar het kantoortje om haar beklag te doen.

'Kom op, Alice,' riep Steven Hunter van de muziekbranche. 'De bus wacht.'

Nog altijd met haar handen boos in haar zij draaide ze zich om en keek iedereen kwaad aan. 'Bus? Bus? Godallemachtig.'

Ze moest echter toegeven dat de bus zo slecht nog niet was met de airconditioning, ruime stoelen, grote hoeveelheid hapjes en drankjes, en prima vering. Dit was heel anders dan de bussen die ze zich van schoolreisjes herinnerde: schuddende, trillende bussen die gestoffeerd waren in kotskleuren. Helaas duurde haar goede bui niet lang en werd ze acuut weer chagrijnig toen ze bij het hotel kwamen.

'Dat is geen hotel,' siste ze tegen Jeanette Baker van de afdeling Lifestyle-bladen. 'Hierbij vergeleken ziet Center Parks er zelfs nog uit als Gleneagles.'

'Wat ben je toch een snob,' zei Jeanette plagend. 'Wat geeft het of het een bouwval is? Zolang er genoeg te zuipen is, hoor je ons niet klagen.'

Alice maande zichzelf niet zo kinderachtig te doen en ze vroeg met een glimlach: 'Denk je dat we een minibar op onze kamers hebben?'

'Kamers?' riep Jeanette uit. 'Je weet toch dat we bij elkaar op de kamer moeten?'

'Bij elkaar?' vroeg Alice.

'Delen,' legde Jeanette uit. 'Met z'n drieën.'

Schaterend van de lach gaf Alice haar een por. Terwijl de vrouw met het klembord die hen bij het vliegveld had opgehaald zich naar de receptie van het hotel haastte, nam Alice de situatie koeltjes in ogenschouw. De groep bestond uit twintig gerespecteerde managers die allemaal een hoge positie binnen hun bedrijf bekleedden en die allemaal volkomen terecht een prijs hadden gewonnen van de PPA, BSME of de ACE. De verkoopcijfers van hun bladen schoten omhoog en de bedrijven stonden bij hen in de rij om advertentieruimte te kopen. Bovendien waren de meesten getrouwd; iedereen was dertig of ouder en had een topsalaris met aandelenopties en een positie in de raad van bestuur. Natuurlijk zouden ze allemaal een eigen kamer krijgen met een minibar en een satelliettelevisie.

Mooi niet.

'Ik dacht dat je een geintje maakte,' zei Alice half huilend tegen Jeanette, met een uitdrukking van smekende paniek op haar gezicht.

'Nou, ik heb mijn iPod met speakers meegenomen en Jacquie Duckworth heeft belastingvrije gin en tweehonderd Marlboro Lights gekocht, dus bij ons wordt het hartstikke gezellig,' probeerde Jeanette haar op te vrolijken.

'Echt wel,' zei Jacquie. Haar belastingvrije tas rinkelde bevestigend. 'Wie heeft er nog een minibar nodig?'

'Daar hou ik je aan!' Alice hoopte maar dat haar begerenswaardige verzameling cosmetica van Bobbi Brown een gewaardeerde bijdrage zou zijn.

'Vergeet het maar,' zei Ben Starkey somber. 'Ze hebben iedereen van tevoren al ingedeeld.'

'Dat meen je niet!' riep Alice schor uit, terwijl Jacquie bijna haar sigaretten liet vallen en wit wegtrok.

'Hij heeft gelijk,' zei Jeanette mistroostig, waarna ze meesjokte met de uitgever van de hobbybladen en de oplagemanager.

De accommodatie stond op een groot terrein, rijtjes vrolijk gekleurde hutjes van B2-blokken die optimistisch 'chalets' werden genoemd. Toen Alice naar de hare slofte, zag ze ineens hoe mooi de omgeving was en dat het lelijke hotelcomplex daar nogal tegen afstak. Ze hoorde de zee, al zag ze hem niet, en de weidse hemel van de Petite Camargue waar al abrikooskleurige strepen in te zien waren, leek hoger en lichter dan die boven Londen. Achter het hotelterrein werden de duinen die naar de kust liepen omlijst door inktzwarte dennenbossen en in de lucht hing de kenmerkende geur van lagunes en moerassen. Alice' waardering voor de omgeving werd helemaal tenietgedaan toen ze bij chalet B27 aankwam. Vanbuiten was het erwtengroen, terwijl de B2-blokken aan de binnenkant donkergeel waren geschilderd. De badkamer had een kleur die nog het meest aan tomatenketchup deed denken. Het was bepaald niet klein – sterker nog: het was heel ruim, met een extra toilet en een grote hal die ook dienstdeed als zitkamer, waar heel vreemde zitmeubelen stonden die waren gemaakt van schuimplastic, bekleed met felgekleurd fleece. Maar in de slaapkamer ergerde Alice zich aan de indeling van de ruimte. Waarom werd er gesuggereerd dat de drie bedden wat privacy hadden door ze in rechte hoeken ten opzichte van elkaar te zetten, gedeeltelijk afgeschermd door lelijke meubels? Waarom hadden ze niet gewoon siermuurtjes geplaatst om daarvoor te zorgen? Alice rookte haast nooit en ze hield niet echt van gin, maar terwijl ze probeerde haar spullen uit te pakken, smachtte ze naar een slok van Jacquies gin en wilde ze haar longen dolgraag vol Marlboro Light zuigen.

'Nee maar, er zijn wel drie hangers om te delen.' Anita Farrell liet het klinken of het een grof schandaal was. 'Gelukkig voor jullie heb ik alleen vrijetijdskleding meegenomen, dus mogen jullie mijn hanger delen.'

Alice glimlachte even naar Anita, die een paar afgedragen pantoffels naast haar bed zette. Toen keek ze naar Rochelle, die ingelijste foto's van haar paard op haar ladekast had geplaatst.

Godsamme.

Alice was goed chagrijnig.

Waarom deelde ze geen kamer met Jeanette en Jacquie? Welk voordeel zou het haar carrière opleveren om een gammele kledingkast te delen met een vijftigjarige amazone en een oude vrijster die pantoffels droeg en de redactiemanager was van de businessbladen? Hoe moest dit haar genegenheid en trouw voor het bedrijf vergroten? En welk voordeel had het voor *Adam* en *Lush* en al haar andere bladen dat hùn uitgeefster een week in een walgelijk hutje doorbracht met twee van de saaiste vrouwen van het bedrijf?

'Mijn kerk organiseert een forum over hoe de media onze jeugd bederft,' zei Anita. Ze legde een stapel kleding die almaar meer kaki leek te worden op een plastic stoel. 'Tienerbladen, mannenbladen en dat soort dingen. Zou jij daar een voordracht willen houden, Alice? Om *Lush* en dat soort bladen te verdedigen?'

Godverdegodverdegodver.

'Kijk,' verzuchtte Rochelle, die een overdreven hoeveelheid dikke sokken in een la stopte. 'Daarom zijn pony's zo belangrijk. Heeft een van jullie het onderzoek gelezen dat we hebben gedaan voor het kerstnummer van *100% Horse*? Daaruit bleek dat kinderen die paardrijden veel minder vaak spijbelen of zich misdragen. Het is bewezen dat het ze uit de problemen houdt als ze op een ontvankelijke leeftijd idolaat zijn van een sport en de verantwoordelijkheid voor een dier op zich nemen. *Pony World* heeft nu meer dan vijfenzeventigduizend lezers. Heel bemoedigend, vinden jullie ook niet?'

Jezus christus nog aan toe.

'Rochelle,' zei Anita opgetogen, 'jij kunt ook aan het forum deelnemen! Alice en jij kunnen hier samen over discussiëren.'

Godallemachtig.

'Toen ik klein was, reed ik vaak paard,' zei Alice tegen het midden van de kamer. Ze probeerde twee Whistles-rokken, een blouse van Nicole Farhi en een Brora-vest op een hanger te krijgen. 'Ik was verliefd op een pony die Percy heette, maar het ging me vooral om het tongen met Nathan Jones achter de tuigkamer en John Player-sigaretten roken op de mesthoop met mijn beste vriendin Thea.'

Het eten werd geserveerd aan lange eettafels en zou worden gevolgd door iets wat Oriëntatie heette, volgens het gedrukte schema dat tegelijk met de hors d'oeuvres werd uitgedeeld. Alice zat samen met Jeanette en Jacquie te smoezen. Ze probeerden de beste tijd te vinden om gin te drinken en sigaretten te roken. Hun stemming steeg toen er kannen van aardewerk met een redelijk goede rosé tafelwijn werden gebracht, die tijdens de maaltijd voortdurend werden bijgevuld.

'Wat zou Oriëntatie zijn?' vroeg Jacquie.

'Vast een lange bergwandeling om karakter te kweken,' zei Alice kreunend.

'In het donker,' voegde Jeanette eraan toe.

'Maar het is in conferentiezaal B,' zei Jacquie.

'Misschien is het een emotionele workshop waarin we leren om de figuurlijke bergen te bedwingen die we in ons werk zijn tegengekomen,' zei Alice.

'Nou, dan kunnen we ons daar maar beter op voorbereiden.' Jeanette schonk meer rosé in hun glazen. Ze proostten met elkaar, op workshops en op voorbereidingen. Ze dronken op zich oriënteren en op Oriëntatie. Tegen de tijd dat ze naar conferentiezaal B liepen, konden ze niet meer in een rechte lijn lopen en waren ze niet meer in staat pijlen te volgen, zodat ze conferentiezaal B helemaal niet konden vinden.

Hij moest hier ergens zijn.

Hadden ze ons voor het eten maar een cursus oriëntering gegeven.

We kunnen altijd teruggaan naar mijn kamer en een klein slokje belastingvrije drank nemen.

Ja, dat is een goed idee.

Ach, als ze merken dat we verdwaald zijn, zullen de mensen die ons zoeken daar vast als eerste gaan kijken.

Precies, dus dan missen we ook niet zo veel georiëntatie.

Precies.

Goed plan.

Tof.

Toen ze met z'n drieën in de richting van Jacquies kamer strompelden, bedacht Alice dat dit toch wel veel weg had van een schoolreisje. St. Trinians voor grote meiden. Mallory Towers met drank. Op dat moment moest ze toegeven dat het toch nog leuk kon worden.

Paul Brusseque

De volgende ochtend was Alice de laatste die in de bus stapte. Het was een sombere dag, maar toch durfde ze haar zonnebril niet af te doen. Ze mompelde een verontschuldiging tegen twee mannenvoeten die in een paar stevige wandelschoenen waren gestoken. Ze zag dat Jacquie haast opgekruld als een bal in een stoel zat en dat een bijzonder bleke Jeanette dof voor zich uit staarde in een andere stoel. Anita en Rochelle zaten naast elkaar en ze sloegen hun blik neer toen zij langsliep. Achterin vond ze een lege stoel, waar ze zich op neerliet. Ze sloot haar ogen en bad dat de Nurofen die ze had geslikt snel zou werken. Plotseling werd haar behoefte aan absolute stilte verstoord door een stem met een nasaal Australisch accent. Ze nam aan dat die bij de man met de stevige stappers hoorde, maar ze was niet van plan haar ogen te openen om dat te controleren.

'Goed jongens, we gaan vanochtend naar de Mont Saint Victoire, die vereeuwigd is op de schilderijen van Cézanne. Maar wij gaan er geen waterverfschilderijtje van maken, wij gaan hem beklimmen.'

'Dat zullen we nog wel eens zien,' mompelde Alice binnensmonds.

Alice was de laatste die de bus uit stapte. Ze keek steels om zich heen en zag dat het grootste deel van haar collega's – eigenlijk iedereen behalve Jeanette, Jacquie en zij – de juiste kleding droeg om Cézannes berg op te lopen. Maar Alice droeg een spijkerrok, een coltrui van velours die de kleur had van bubbelgum en een stel Hogan-gympen zonder sokken.

'Goed, jongens, ertegenaan,' riep die vervloekte Australiër enthousiast.

'Ik ben geen jongen,' zei Alice tegen zichzelf. Ze kneep in de brug van haar neus in de hoop dat dat haar kloppende hoofdpijn zou verlichten. 'Dus ik ga niet mee.' Ze draaide zich weer naar de bus en zag dat de chauffeur een baguette op zijn schoot had liggen met reusachtige plakken ham die veel weg hadden van lappen zeemleer. Haar maag draaide om.

'Pardon?'

Shit. De opgewekte Australiër.

Alice keerde zich om. 'Ik ga je berg niet op lopen,' zei ze beleefd tegen zijn voeten. 'Ik voel me niet zo lekker. Bovendien geef ik geen enkel tijdschrift uit dat iets met wandelen te maken heeft.' De wandelschoenen tikten een keer geïrriteerd op de grond. Ze liet haar ogen omhoogglijden over de veters, naar geribbelde sokken die naar beneden waren gerold. Daarboven zag ze gebruinde, welgevormde kuiten met een mannelijke hoeveelheid stugge haartjes.

'Hoe heet je?'

'Pardon?' blafte Alice. Ze keek wat verder omhoog en zag een stel knieën, waarvan er een geschaafd was.

'Nou, Pardon, mijn ervaring is dat een kater een stuk sneller overgaat door een wandeling in de frisse lucht dan door een zonnebril en een slecht humeur.'

Alice liet haar blik over een stel dijen glijden die zo welgevormd waren dat ze in *Lush* 'waanzinnig lekkere dijen' genoemd zouden worden. Haar ogen bleven even rusten op de gerafelde rand van een gebleekte korte spijkerbroek. Daarna keek ze verder omhoog, naar een gespierd bovenlijf dat in een vaal T-shirt van een of andere obscure rockband was gestoken, gebruinde onderarmen en nog verder naar boven naar brede schouders en een sterke hals.

'Kom op,' drong hij kalm aan. 'Het is niet meer dan een rustige wandeling tegen een flauwe helling. En als het je te veel wordt, zullen we een echte teambuildingoefening doen en een stretcher van twijgjes voor je maken. Oké?'

'Godsamme. Ja, oké,' mompelde ze. Eindelijk maakte ze oogcontact en ze werd betoverd door een stel ogen met de kleur van cipressen. Uit gewoonte wierp ze hem een wellustige glimlach toe, en wonderbaarlijk genoeg voelde ze haar kater al verdwijnen.

'Wie ben je eigenlijk?' vroeg ze.

'Ik ben Paul Brusseque.' Hij stak zijn hand uit. 'Ik ben jullie groepsleider.'

Alice kwam zwaar in de verleiding om tegen Anita te zeggen – die ze inhaalde toen ze probeerde dichter bij Paul te gaan staan voor de wandeling – dat God toch bestond.

'Je bent wel het lievelingetje van de leraar, hè?' fluisterde Jacquie tegen Alice terwijl ze haar een knipoog gaf.

'Jij was toch getrouwd?' Jeanette trok haar wenkbrauwen op.

'Flikker op!' zei Alice met een lichte blos.

De middagsessie, weer in het hotel, was een grote teleurstelling. Alice was te vroeg gekomen, zorgvuldig opgemaakt met mascara, en ze had zich subtiel omgekleed. Helaas ontdekte ze al snel dat de workshop werd geleid door een forse Belgische psycholoog met een vreemde snorloze baard en de irritante gewoonte om zijn zinnen te doorspekken met 'non?'. Afwezig bladerde ze door het programma van de reis en ze vroeg zich af of Paul voor scheidsrechter zou spelen bij het slagbal voor het avondeten.

Dat deed hij.

Alice was op school altijd goed geweest in slagbal. Haar team en zij merkten tot hun grote vreugde dat ze vijftien jaar later nog altijd een goede slagvrouw was en een uitstekende veldspeler. Ze stond in het middelpunt van de belangstelling, iets waarvan ze altijd opbloeide. Ze had het gevoel dat ze dit al een poos niet meer had meegemaakt en toen ze aan de eettafel zat en met iedereen om zich heen een praatje maakte, bedacht ze hoe heerlijk ze dit vond. Het paste goed bij haar; het maakte haar gevatter en energieker. Iedereen hing aan haar lippen en lachte om haar anekdotes; ze had overal wel iets over te vertellen en iedereen wilde dat horen. Ze voelde zich populair en aantrekkelijk, en ze had gewoon geen tijd om het hele bericht af te luisteren dat Mark op haar telefoon had ingesproken. Iedereen zou die avond naar de bar gaan om nog iets te drinken. Ook de baardige Belg en die Paul.

Het leek net alsof Alice' radertjes van de begeerte, die tot voor kort hadden geslapen, langzaam weer in beweging kwamen, geolied door de flesjes Kronenburg-pils en gesmeerd door het veelvuldige oogcontact met Paul Brusseque. Ze luisterde aandachtig naar wat zijn beleefde praatjes met haar collega's over hem onthulden. Hij werkte hier elke lente en zomer, en daarna was hij skileraar. Dit was zijn derde jaar hier. Nee, hij was nog nooit in Engeland geweest, maar daar wilde hij graag heen. Zijn moeder was Australisch en zijn vader Frans. Hij kwam uit Cairns en dit jaar zou hij voor het eerst weer naar huis gaan sinds hij drie jaar geleden, op zijn zesentwintigste, naar Europa was gekomen. Hij was de man voor de buitenactiviteiten en Fritz, de Belgische zielenknijper, leidde de officiële workshops. En ja, hij had een heleboel fysieke activiteiten voor hen in petto. Morgen zouden ze naar Pont du Gard gaan. De dag erna naar een kathedraal in Les Baux. Ja, hij woonde op het terrein – in eenzelfde chalet als de gasten – maar dat was gewoon wit geschilderd. Zijn salaris was best tof. De regio was best tof. Het was best tof om elke week de Mont Sainte Victoire op te lopen. Arles en Nîmes waren best toffe steden. Carcassonne was schitterend, Montpellier nogal vervallen. Over het algemeen waren de Fransen best tof. Over het geheel genomen was Frankrijk het einde. Het Franse eten was overheerlijk. En het Franse bier was het beste ter wereld.

'En de Franse vrouwen?' Alice' stem klonk nonchalant, maar ze liet haar blik net wat te lang op hem rusten.

Paul keek haar effen aan. 'Sommigen zijn best tof,' zei hij. 'Maar anderen zijn heel opwindend, heel vrij.'

Alice voelde een steek van verlangen, maar dat verborg ze snel achter een kokette glimlach. 'Ben je getrouwd?' vroeg hij. Het liefst zou Alice nee zeggen. Eigenlijk hoorde ze ja te zeggen. Maar er kwam niets haar mond uit. 'Jezus, wat een knots van een ring,' zei Paul.

Alice keek omlaag en wenste dat ze hem niet droeg. 'Hij is nep,' loog ze.

'Dus je bent niet getrouwd?' vroeg Paul.

'Dat heb ik niet gezegd,' zei ze hooghartig, en ze zag zijn blik donkerder worden. 'Ik zei dat mijn ring nep was.' Met opzet nam ze een grote teug van haar pils. 'De echte ligt thuis in de kluis.'

Met opgetrokken wenkbrauwen hief Paul zijn hand op. Zonder met haar ogen te knipperen trok Alice de ring af en legde hem erin. Hij schatte het gewicht en hield hem tegen het licht. Hij deed hem terug om haar vinger, waarbij hij zijn duim suggestief naar het midden van haar handpalm liet glijden. 'Je echtgenoot zal wel lekker verdienen,' zei Paul en tikte met zijn pilsflesje tegen het hare.

'Ik heb geboft,' gaf Alice toe.

'Nee, híj heeft geboft.' Paul keek haar recht in de ogen, zonder zijn bedoeling te verhullen.

In zijn contract staat waarschijnlijk wel iets over persoonlijke contacten.

Alice loopt terug naar haar kamer.

Een bepaalde clausule, zowel contractueel als moreel. Net als bij leraren en leerlingen. Waarschijnlijk is het verboden om iets met een klant te beginnen. Ongetwijfeld kan hij daarvoor ontslagen worden. Er loopt vast een dunne scheidslijn die is afgebakend in zijn taakomschrijving – en zijn persoonlijkheid – wat betreft flirten. Flirt zo veel je kunt om het moreel hoog te houden. Hij werd vast betaald om te flirten. Waarschijnlijk hebben ze hem verteld dat hij mijn zelfrespect moet opvijzelen.

Een beetje bibberig steekt ze haar sleutel in het slot.

Nou, ik kan me niet herinneren wanneer er voor het laatst met me is geflirt. Mijn ego had al lang een duwtje in de rug kunnen gebruiken. En ik had zin om terug te flirten. Het is leuk. Ik voel me vrolijk, uitgelaten en aantrekkelijk.

Even overweegt ze Jacquie of Jeanette te zoeken om gin te drinken en wat te kletsen, maar ze weet dat dat ongepast is, zelfs onverstandig. Trouwens, het is al laat. Ze mag het dan goed met hen kunnen vinden, het zijn geen echte vriendinnen, alleen de beste vriendinnen die ze hier heeft, zo ver van huis. Ze kijkt naar de sleutel in het slot. Ze haalt haar gsm uit haar tas. Misschien moet ze Thea even bellen.

Maar wat moet ze dan zeggen? Valt er wel iets te zeggen?

Ik heb niks gedaan en ik ben niet van plan om iets te doen. Waarom heb ik dan het gevoel dat ik iets verkeerds doe? Tenslotte ben ik getrouwd, en dat is toch het grootste anker dat het leven te bieden heeft? Ik ga echt niet verliefd worden op een groepsleider. Een groepsleider die ongetwijfeld een ploert is. Ik bevind me op verboden terrein.

Ze keek naar het lege schermpje van haar telefoon en vroeg zich af wat ze precies aan Thea moest sms'en. Ze toetste een h in. Hallo? Help? Hoe gaat het ermee? Heb het hier leuk? Hoera, ben aan het flirten. Hete kerel. Of een g? Gewoon wat aan het flirten? Geile knul – wat moet ik doen? Ze haalde de letters weg en deed haar telefoon uit.

Een beetje onschuldig flirten kan geen kwaad.

Het ligt eraan hoe solide je basis is, Alice. Je bent een getrouwde vrouw die niet voor honderd procent gelukkig is. Flirten zou best eens onverstandig kunnen zijn.

Pont du Gard

Heimelijk, maar vaardig streelde Paul Alice' billen toen ze de volgende ochtend uit de bus stapte na hun aankomst in Nîmes. Dat verraste haar zo dat ze hem alleen met open mond kon aanstaren.

'Heb je je wel eens afgevraagd waar je spijkerbroeken vandaan komen?' vroeg hij.

'Whistles,' vertelde Alice hem. Tot haar ontzetting was haar blos nog niet weggetrokken.

'In de negentiende eeuw begonnen ze hier in Nîmes met de productie van een stevige stof,' zei Paul. 'Die werd door Levi Strauss geïmporteerd naar Californië. Die heette Serge de Nîmes.'

'De Nîmes!' riep Alice uit toen het kwartje viel en Paul haar achterste nogmaals stiekem betastte. 'Denim!' Onmiddellijk vergoelijkte Alice zijn brutale aanval op haar billen. Hij wilde gewoon iets duidelijk maken. En daar slaagde hij prima in.

Paul zei tegen de groep dat ze elkaar over twee uur weer bij de bus zouden treffen om naar de Pont du Gard te gaan. 'Wil je koffie?' vroeg hij aan Alice.

'Nee, dank je.' Alice deed met opzet koeltjes, zoals het tijdschrift *Lush* aanraadde. Ze liep weg met Jacquie en Jeanette en schudde voor Paul extra met haar in spijkerbroek gestoken kontje.

Alice had vlinders in haar buik gevoeld bij de aanblik van Pauls verlekkerde glimlach toen ze de later de bus weer in stapte. Nu ze echter de Pont du Gard zag, daalde haar stemming en kreeg ze het gevoel dat er een steen op haar maag lag. Was haar kennis van wereldberoemde architectonische monumenten echt zo slecht? Stelde haar eindexamen geschiedenis zo weinig voor? Hoe had ze Agrippa's monumentale aquaduct kunnen vergeten? En nu, blijkbaar in de naam van teambuilding en karaktervorming, moesten ze er helemaal overheen lopen.

'Goed, jongens.' Paul hield de microfoon vast als een rockzanger. 'Daar is ie dan! Tweehonderdvijfenzeventig meter lang, bijna vijftig meter hoog en gebouwd om dagelijks twintigduizend kubieke meter water in Nîmes te krijgen: de Pont du Gard! Wees voorzichtig, we gaan er helemaal overheen lopen, er liggen stenen platen over het kanaal waar het water vroeger stroomde, maar er is geen leuning. Als ik jullie iets mag aanraden: kijk niet omlaag.'

'Ik heb hoogtevrees,' fluisterde Alice tegen Jeanette en Jacquie. 'Ik ga daar niet overheen lopen, dat kan ik niet. Echt niet. Ik word al niet goed als ik ernaar kijk.'

De vorige dag had Alice geen zin gehad om de lagere hellingen van de Mont Sainte Victoire op te lopen omdat ze een gigantische kater had en omdat ze de fraaie vormen van Paul Brusseque nog niet had ontdekt. Vandaag had ze zich zowaar verheugd op de activiteiten, op de kans wat met Paul te dollen en oogcontact met hem te hebben. Maar nu was ze echt bang. Ze wilde niet over deze brug lopen. Ze had hoogtevrees en was doodsbenauwd.

Ze was ervan uitgegaan dat ze vandaag dingen zouden gaan doen die ze leuk vond, dingen waar ze goed in was en waarbij ze zich kon uitsloven. Iets als slagbal, of iets anders waarbij ze het stralende middelpunt was. Maar nu had ze een probleem. Als ze toegaf dat ze bang was, zou ze zichzelf het genoegen ontzeggen in het gezelschap van Paul Brusseque te verkeren. En misschien zou dat ook betekenen dat hij haar minder leuk ging vinden. Maar, als ze koos voor zijn gezelschap en over die verdomde brug liep, zou ze gillend gek worden. Zo wilde ze zich niet voelen, en ze wilde niet dat de anderen haar zo zouden zien.

'Ik doe het niet,' zei Anita vastberaden. 'Geen sprake van.'

'Ik blijf wel bij je. Dat vind ik niet erg,' zei Alice zogenaamd onbaatzuchtig. 'Ik blijf bij Anita,' zei ze tegen Paul. Geluidloos zei ze erachteraan dat haar collega bang was.

'Anita, wil je dat Alice bij je blijft?' vroeg Paul, die al had gemerkt dat Alice zenuwachtig was.
'Natuurlijk niet,' zei Anita. 'Ik red me best.'
'Weet je het zeker?' vroeg Paul.
'Ja, hoor,' zei Anita. 'Ik heb een boek bij me.'
'Kom mee, Alice,' zei Paul kalm.
Ze dacht vlug na, maar ze kon geen enkele uitvlucht bedenken; daarom liep ze achter Paul aan. Ze voelde zich misselijk, maar dat wilde ze ten koste van alles verborgen houden.
'Kijk eens naar boven.' Paul kwam vlak achter haar staan en wees naar voren, zodat zijn onderarm langs haar wang streek. 'Zie je die fallus? Tussen die twee bogen? Daar?' Alice keek, maar haar zenuwen waren zo gespannen dat ze alleen zag hoe hoog alles was. 'Dat beeldhouwwerk hebben de Romeinen gemaakt om onheil af te weren.'
In Alice' keel welde een vreemd geluid op, dat ze haastig in een lach veranderde. Ze hoopte maar dat die vrolijk klonk en niet gemaakt.

Alice bevindt zich vijftig meter boven de rivier. En er is geen leuning. En in de stenen zitten regelmatige, grote gaten. De rest van de groep loopt er gewoon overheen, al zijn sommigen wat behoedzamer dan anderen. Maar ze doen het allemaal. Alice kan het niet. Ze kan het echt niet. En nu komt Paul terug met uitgestoken hand. Zijn stem klinkt vriendelijk maar streng als hij haar aanmoedigt de eerste stap te zetten. 'Kom op, mevrouwtje, je kunt het best. Je kunt het.'
Alice doet een stap naar voren en blijft stokstijf staan. Ze gaat flauwvallen. Nee, dat doet ze niet. Eerst gaat ze overgeven. Nee, toch niet. Ze is niet van plan zijn hand te pakken. Ze wil zijn hand niet vasthouden en ze wil niet op deze brug staan, hoe beroemd die ook is. Ze is bang, echt panisch.
'Zie je angst onder ogen,' dringt Paul aan. 'Kom op, meisje. Zie je angst onder ogen en vertrouw op mij. Ik zal je veilig naar de overkant brengen. Dan voel je je echt geweldig. Kom op. Lopen!'
'Nee. Ik kan het niet.'
'O, je kunt het best. Je bent een sterke vrouw. Je kunt het.'
'Ik wil het niet.'

'Ik wil dat je het doet.'

'Het kan me niet verrekken wat jij wilt!' zegt Alice, die ineens heel goed weet wat zij wil. 'Ik kan het niet, ik wil het niet en ik ga het niet doen. Begrepen?'

Voorzichtig draait ze zich om en haar keel schiet vol tranen van angst, schaamte en opluchting. Heel zorgvuldig schuifelt ze weg. Ze haat zichzelf en ze haat Paul en zijn stomme motivatiepraatje. Ze haat zichzelf omdat ze indruk op hem wilde maken; ze haat zichzelf omdat ze daar te zwak voor was. Haar angst onder ogen zien? Waarom zou ze dat in godsnaam doen? Alleen om indruk te maken op een stoere Australische reisleider? Misschien is het onder ogen zien van je angsten en het erkennen van je grenzen wel een kracht en geen zwakheid. Ze heeft hoogtevrees, mensen. *Compris?* Ze vindt het niet erg om hoogtevrees te hebben. Ze is dol op haar hoogtevrees!

'Geef het niet op, Alice.' Paul is haar weer achternagelopen. 'Daar ben je te sterk voor.'

Alice draait zich om en kijkt naar zijn knappe, gebruinde gezicht. 'Donder toch een eind op, man,' gromt ze. 'Laat me met rust.'

Ze verschuilt zich achter een groepje dennen ver bij Anita vandaan. Het is er stil en de lucht is warm en geurig. Ze zit met haar rug naar het aquaduct. Als ze zo opgelucht is dat ze niet over de Pont du Gard hoeft te lopen, waarom voelt ze zich dan zo klote?

Flamingo's zien er heel gek uit als ze vliegen: ineengedoken, en ze lijken veel te stijf om aërodynamisch te zijn. Tot Alice ze met eigen ogen had zien vliegen, had ze zelfs gedacht dat ze het niet konden. Evenmin als emoes en rotspelikanen en dodo's. Ze had flamingo's altijd als komische vogels beschouwd met hun enorme snavels, eenpotige houding en kunstmatig aandoende kleuren. Eigenlijk had ze nooit zo diep nagedacht over flamingo's, tot ze in haar eentje bij een lagune van de Camargue vlak naast het hotel zat. De zeekraal en de tamarisk van het fluisterende moerasland vormden een veilige beschutting waarachter ze kon toegeven aan haar sombere stemming. Boven haar hoofd vlogen flamingo's. Ze verlevendigden de avondhemel, die dezelfde kleur had als hun verentooi.

'Artemia.'

Het was Pauls stem en ze voelde zijn adem tegen haar nek. Hij ging achter haar zitten. Ze drukte haar knieën dicht tegen haar borst terwijl hij zijn gebruinde, welgevormde benen aan weerskanten van haar uitstrekte.

'Artemia,' herhaalde hij. 'Dat is het lievelingshapje van de flamingo's: een weekdier waardoor ze die prachtige kleur krijgen. Zien die vogels er niet bezopen uit?'

Volgens mij sta ik op het punt me bezopen te gedragen, dacht Alice. Op dat moment voelde ze echter meer vrees dan opwinding. Maar haar blik werd als een magneet naar de atletische pracht van Pauls benen getrokken en haar maag maakte een buiteling toen ze dacht aan zijn strelingen over haar achterwerk, door haar spijkerbroek heen. In een paar tellen had ze besloten dat ze ver van huis was, dat niemand het te weten hoefde te komen, en dat het niets te betekenen zou hebben. Het vooruitzicht van seks met deze man liet haar adrenalinespiegel stijgen en het evenwicht tussen moraal en verstand verschoof opeens. Voorzichtigheid en twijfels werden nu overstemd door een roekeloze wellust. Snel vergoelijkte ze voor zichzelf dat een heftige one-night stand met deze typische seksgod zelfs heel goed kon zijn, een noodzakelijk wondermiddel. Daarmee kon ze het zelfvertrouwen terugwinnen dat ze de afgelopen maanden was kwijtgeraakt. Daarmee kon ze de seksuele wanverhouding herstellen die thuis was ontstaan. Zou het er niet voor zorgen dat ze vrolijker werd? Dat ze wat vriendelijker in de omgang werd? Iedereen zou er voordeel bij hebben.

Dus negeerde Alice de Mark die ze in gedachten met een lieve glimlach naar zich zag kijken. Dat beeld verving ze door een beeld van Mark in Marbella, met zijn verbrande voorhoofd en benen die veel bleker waren dan die van Paul, en twee keer zo dun. Weer keek ze naar Pauls benen en naar zijn handen met de mooie vingers, zijn armband van Mexicaans zilver, die hij vast had verkregen door het een of andere gewaagde avontuur.

Alice deed net alsof ze de alarmbellen niet hoorde rinkelen. Haar geheugen liet haar in de steek op het gebied van haar huwelijksgelofte. In plaats daarvan leunde ze tegen Paul en terwijl hij verder babbelde over weekdieren en tamarisk of zoiets, vroeg zij zich alleen af wanneer ze zouden gaan neuken.

Niet die avond, bleek al snel, ondanks hun heftige verbale voorspel, waardoor Alice niet eens bezwaar zou hebben gemaakt als Paul haar in een hoek van de bar had genomen. Helaas vormden mensen en details obstakels. Alice was ervan overtuigd dat Jeanette en Jacquie weg zouden gaan als ze hun zou vertellen dat ze met Paul naar bed wilde. Maar ze kon het echt aan niemand vertellen. En dus flirtten Jeanette en Jacquie zelf met Paul, en leken ze niets te merken van de spanning die tussen hem en Alice hing. Daarnaast stond de bar vol met collega's van haar en van hem, en konden ze niet ongemerkt samen wegglippen. En waar moesten ze heen? Naar Alice' chalet, waar Anita ongetwijfeld zat te bidden en Rochelle haar stomme paard sms'te? Of naar het zijne, dat hij deelde met de vreemd bebaarde Belgische psycholoog, die het een buitenkansje zou vinden om hun heftige vrijpartij te analyseren? Nee, ze moesten het doen met superintens oogcontact, gebarentaal van vochtige, vaneengeweken lippen, geheime tekens van vingers die elkaar even aanraakten als ze hun bierflesje pakten. Hun blikken ontmoetten elkaar voor gevaarlijke, maar opwindende seconden. Ze gingen tegelijk naar het toilet, zodat hun lichamen langs elkaar streken. Na één zo'n rendez-vous bekeek Alice zichzelf aandachtig in de spiegel. Ze gloeide zowaar! De nabijheid, de onafwendbaarheid van seks met Paul was bedwelmend, en dat gevoel werd extra versterkt door alle belemmeringen en hindernissen die in de weg stonden.

Alice slentert terug naar haar hut, afwisselend fluitend en neuriënd, bevallig, maar opzettelijk heupwiegend. Ze werpt een paar keer een blik achterom om te kijken of Paul haar volgt. Dat doet hij niet. Dat is zowel frustrerend als spannend. Ze is dronken van de mix van verwachting en begeerte. Na lang buiten te hebben gestaan en na een laatste blik op het pad om te kijken of ze Paul ziet, doet ze de deur van het chalet achter zich dicht. Het licht in de slaapkamer is uit en ze loopt rond op haar tenen, giechelend in zichzelf. Ze rommelt in het donker door haar spullen, op zoek naar haar mobieltje. Ze vindt het en gaat in bed liggen. Ze doet de telefoon aan onder het kussen om Anita en Rochelle niet wakker te maken. Er flitsen twee sms-berichten op. Ze beantwoordt dat van Mark met een kort welterusten. Dan leest ze dat van Thea.

OMIJNGOD! HEB BOD VOOR FLAT GEACCEPTEERD!!! AG MET JOU???? TXXXXX

Alice stuurt een bericht terug, vol felicitaties en kusjes. Dan gaat ze lekker in het donker liggen om te genieten van de opwinding die ze voelt. Thea en zij zijn vaak op hetzelfde moment het gelukkigst. Godzijdank hebben ze nooit op hetzelfde moment een crisis.

Tof voor Thea. Het is het juiste moment voor haar om verder te gaan. Ze heeft haar ideale man gevonden, iemand op wie ze zowel stapelverliefd is als dat ze hem supergeil vindt, en Saul voelt hetzelfde voor haar.

Alice' mobieltje trilt als er nog een sms'je binnenkomt. Het is van Thea.

DANK JE! NEEM ER VOOR JE OP…!! XXXX

Zal ik naar buiten sluipen om haar te bellen? Ik kan niet alles wat er is gebeurd sms'en. Jezus, wat zou ik deze opwinding graag met haar delen.

Er klinkt gezoem als het volgende bericht binnenkomt. Weer van Thea.

HOE GAAT IE? HEB JE AL GENOEG VAN BRIE EN TEAMBUILDING NONSENS? WANHOOP NIET. SNEL WEER THUIS.

Dat trof Alice als een klap in haar gezicht. Morgen was de laatste dag.

En we gaan naar een of andere achterlijke kathedraal. Nu begrijp ik dat het niet de vraag is wanneer ik zal neuken met Paul, maar waar.

Les Baux

'Ik weet wel wat leukers voor mijn laatste dag dan een bezoek aan een saaie oude kathedraal,' mompelde Alice tegen Paul. Opzettelijk stak ze haar borsten naar voren en ze likte wulps langs haar lippen toen ze na het ontbijt langs hem liep.

'Ga die bus in, brutaal kreng,' gromde hij zowat. Hij haakte zijn vinger in de achterkant van haar rok toen ze hem passeerde, waardoor hij een uitdagende glimp van haar ondergoed opving.

De bus bracht het gezelschap naar het hart van de Alpilles, naar de Val d'Enfer en het spectaculair mooie dorp Les Baux. Toen de groep te voet verderging, vertelde Paul dat deze streek, deze vallei van de hel, de inspiratie had gevormd voor Dantes *Goddelijke komedie*. Alice keek om zich heen, gebiologeerd door de prachtige natuurlijke formatie, waarvan enkele door de wind waren geërodeerd tot vreemde, verwrongen vormen en andere waren gehouwen en gekerfd tot strakke, rechte hoeken door de winning van donkerrood bauxietsteen en romig kalksteen.

Paul bleef staan. 'Ongetwijfeld kunnen velen van jullie wel iets leukers bedenken voor de laatste dag dan een bezoek aan een saaie oude kathedraal.' Hij keek de groep rond, sloeg de beledigd uitziende Anita over, en liet zijn blik ten slotte op Alice rusten. 'Nou, geloof me. Zo'n kathedraal hebben jullie nog nooit gezien en dit wordt een religieuze ervaring die je nog lang zal heugen. Welkom bij de Cathédrale d'Images, jongens.'

Het was een steengroeve geweest. Maar nu was het meer dan een steengroeve. Jean Cocteau had het als filmset gebruikt, maar het was veel meer dan een podium. Het had Dante geïnspireerd, maar het was veel meer dan alleen een achtergrond. De Cathédrale d'Images was net een enorme galerie, een enorme tentoonstellingsruimte, maar de schilderijen waren vergankelijk en bestonden in feite helemaal niet. De groep liep erdoor en verdween diep in de berg, in een enorme hal die in stukken werd verdeeld door reusachtige stenen pilaren die men tijdens het uithakken had laten staan om het hele bouwwerk te ondersteunen. Nu was elk oppervlak een natuurlijk scherm geworden voor de projectie van voortdurend veranderende afbeeldingen die wel twintig meter hoog konden zijn: boven, onder, van de ene naar de andere kant, daar, hier, overal. Drieduizend afbeeldingen. Dit was geen tentoonstelling, dit was geen klank-en-lichtspel, hierbij vergeleken stelde IMAX niets voor.

Het zandsteen op de vloer was al lang geleden vertrapt tot een zijdezacht poeder, zo fijn als meel, zo licht als een veertje, zo diep als een strand. Instinctief trokken veel groepsleden hun schoenen uit en lieten ze al hun vooroordelen en remmingen varen. Dat gold ook voor Alice. Overal om hen heen waren afbeeldingen van Afrika te zien op de rotswanden, terwijl melodieuze en intens ritmische Afrikaanse muziek alle andere geluiden en de neiging tot praten verdrong. Het effect was betoverend, haast hallucinerend. Als het de bedoeling van een kathedraal is om de bezoeker diep de boodschap in te trekken, dan was deze in onbruik geraakte, gerecyclede steengroeve zeker een kathedraal. Waar was Alice? In Afrika? In Frankrijk? Hoorde ze met haar oren en zag ze met haar ogen? Waarom was ze in de afgelopen drieëndertig jaar niet eerder op een dergelijke plek geweest? Haar lichaam bewoog mee op de hypnotiserende drums van de muziek en als in een trance liep ze door de hallen. Nu eens was ze helemaal alleen en leek ze te verdrinken in de afbeeldingen. Dan weer waren er ineens andere mensen, haar collega's, vreemden, die allemaal deze ruimte en de ervaringen deelden en instinctief op de maat van de ritmes bewogen. Ze werd omhuld door savannes, stof, gezichten, opgedroogde rivierbeddingen, wilde dieren en bloedrode hemels. Ze zag Rochelle, die nogal bizar in haar eentje danste, maar Alice voelde niet de behoefte om te lachen of achteruit te deinzen. Paul had gelijk: dit was een kathedraal omdat het een inspirerende plek was waar iedereen die er binnenkwam een intense, spirituele roes beleefde. Paul had gelijk. Waar was hij eigenlijk?

Hij is achter me, hij staat naast me, hij is voor me. Het beeld van een enorm stamhoofd, gehuld in mantels die de kleur van zonsopgang hebben, wordt over hem heen geprojecteerd. Pauls gezicht is rood en geel. Nu wordt hij bedekt door een altijd groene boom. En nu staat hij dicht tegen me aan. Zijn lippen zweven voor de mijne. Contact. Tong. Ik kus Paul. En zijn handen glijden over mijn hele lichaam, ze knijpen in mijn borsten, spelen met mijn kont en wrijven over mijn rug. Jezus, zijn bicepsen, zijn wasbordje, zijn strakke kontje. We deinen en pulseren op de muziek, die oorverdovend en goddelijk is. Shit, wat ben ik opgewonden, niet alleen omdat hij zo bedreven is met zijn tong en lippen, of vanwege de uitdagende bobbel van zijn erectie of omdat hij in mijn tepels knijpt en met zijn lippen mijn hals liefkoost. Het is meer. Het is de energie van deze plek. Het is de vreemde tegenstelling van zacht steen dat als poeder tussen mijn tenen omhoogkomt. Het is de dreunende Afrikaanse drum. Het zijn de zwoele, rijke, steeds veranderende kleuren. Het lijkt net of ik stoned ben. Je zou kunnen zeggen dat we stoned zijn in deze steengroeve. Eigenlijk is het lekkerder dan stoned zijn, het voelt echter. Mijn zintuigen zijn hyperalert. Ik kus Paul zo gretig dat het lijkt alsof ik half uitgehongerd ben. Ik heb geen idee of anderen ons kunnen zien en het kan me ook niet schelen als dat het geval is. Dit is precies wat ik wil dat er gebeurt. Dit is precies de plek waar ik wil zijn.

Het veelbetekenende gedoe begon in de bus. Het leek alsof de verbondenheid die de groep in de Cathédrale had gevoeld werd weggevaagd door het felle zonlicht en de plotselinge hitte waarmee ze bij hun vertrek geconfronteerd werden. Alsof ze zich door hun ogen te beschermen tegen de zon verstopten voor de onverwachte spiritualiteit die ze net hadden gevoeld. Alsof het ineens ongepast was voor uitgevers en redacteuren om blootsvoets en gelukzalig te worden gezien, terwijl ze normaal bekendstonden om hun zakelijke houding en scherpte. Hoezeer ze zich ook op hun gemak hadden gevoeld in de Cathédrale d'Images, dat gevoel verdween zodra ze weer buiten in het daglicht stonden. Prompt begon het gefluister. Alice was ontzet. Hoe kon iets wat zo heerlijk was geweest en zo goed had gevoeld zo snel negatieve gevolgen krijgen? Zelfs Anita gedroeg zich met Rochelle als de eerste de beste roddeltante terwijl ze in de rij stonden om de bus in te gaan.

'En wat vind jij ervan?' fluisterde Jeanette met opgetrokken wenkbrauwen. Ze liet zich op de stoel naast Alice zakken en gaf haar een por in de ribben.

'Ja!' zei Jacquie, die haar hoofd ineens boven de stoel voor hen uitstak. 'Hoe denk jij erover, Alice?'

Kut. Is dat het dan? Is dit het gevolg van een trance-achtige vrijpartij in een of andere excentrieke steengroeve? Ik heb mijn reputatie op het spel gezet voor een misstap die is waargenomen. Was dat het werkelijk waard? Shit, we hebben alleen gezoend en elkaar wat betast, we zijn niet op de vloer gaan liggen om echt te neuken. Godsamme, als we wel hadden geneukt, zou het wat meer de moeite waard zijn geweest. De Vallei van de Hel, echt een heel toepasselijke naam.

'Ze zijn allebei volwassen,' zei Alice zo ongeïnteresseerd mogelijk. 'Mensen moeten niet zo snel met hun oordeel klaarstaan of anderen bekritiseren. Misschien kan wat er is gezien wel worden verklaard door de ellende die zich achter de schermen afspeelt. Je begrijpt me wel.'

'Jezus, Alice!' zei Jacquie. 'Ik had niet verwacht dat je dat zou zeggen.'

'Ik ook niet,' zei Jeanette instemmend. 'Tenslotte is ze je grootste rivale op het werk, en je moet ervoor zorgen dat je zijn steun niet kwijtraakt. Die hebben we allemaal nodig.'

'Dat geldt zeker voor mij,' verzuchtte Jacquie. 'Maar ik heb die niet zo hard nodig dat ik dat bij hem zou doen.'

Alice keek van de een naar de ander terwijl de kwartjes begonnen te vallen, als een eenarmige bandiet die de jackpot uitspuugde. Hoe kon ze het best terugkrabbelen?

'Is zij niet getrouwd?' vroeg ze om een slag om de arm te houden. Ze probeerde om net te doen alsof ze wist waarover – en over wie – ze het hadden.

'Clare?' fluisterde Jacquie heftig. 'Heb je niet gehoord dat Clare haar verloving heeft afgeblazen? Al was de Vera Wang-bruidsjurk al besteld?'

Clare! Ze hebben het over Clare Cabot. Jezus christus!

'Hij is toch ook getrouwd?' Alice ging tot het uiterste, omdat ze nu precies wilde weten wat Clare met wie had gedaan in die steengroeve onder de grond.

'Geoff is meer dan alleen getrouwd, Alice. Zijn kindje is verdomme pas een paar maanden oud. Nee, een paar weken pas.'

Geoff, ze hebben het over Geoff. Godverdomme, Clare en Geoff. Dat heeft niemand zien aankomen.

'Ik vind Geoff aardig,' zei Alice peinzend. Ze staarde uit haar raampje toen de bus wegreed. Zou ze ooit nog eens terugkeren naar Les Baux? Misschien moest dit een unieke ervaring blijven, zodat de impact niet zou verbleken.

'Iedereen vindt Geoff aardig,' fluisterde Jeanette.

'Dat is het 'm nou net,' zei Jacquie.
'Wat heeft hem in godsnaam bezield om háár te kiezen?' vroeg Alice, voor de veiligheid.
Maar ik weet precies wat hen heeft bezield. Ik voel met ze mee. De Cathédrale d'Images heeft een soort magische kracht op hen uitgeoefend. Net als op mij. Maar Clare is betrapt, en ik niet.

Nu bleek dat Alice niet was gezien, alhoewel dat makkelijk had gekund, vertienvoudigde haar begeerte naar Paul, en het gevaar betrapt te worden maakte het idee van seks met deze man haast onweerstaanbaar. Dat was het enige waar ze nog aan kon denken. Helaas had ze die middag een strak programma dat bestond uit motivatieworkshops en rollenspeloefeningen; 's avonds werd er met het hele team gegeten en de volgende ochtend zou hun vliegtuig al vroeg vertrekken.
Ach, de baardaap uit Brugge zal ongetwijfeld doorzaniken over dat je moet geloven in de kracht van jezelf. Dus waarom doe ik niet gewoon wat hij zal aanraden? Ik moet mijn acties verantwoorden en kijken welk effect ik op anderen heb. Goed dan. Als het de bedoeling van dit reisje was om inspiratie op te doen, kan ik wel iets prikkelenders bedenken dan een stomme oefening van Fritz. Ik zal een rollenspel doen, maar niet in conferentiezaal B. Als er iets is waarvan ik geheid een goed gevoel over mezelf krijg, wat dit reisje zeker de moeite waard zal maken, iets waardoor ik positief en opgewekt naar huis zal gaan, is het wel wilde seks met Paul Brusseque. Alle managers van mijn niveau worden toch geacht zelf de touwtjes in handen te nemen als we dat nodig achten? En op dit moment wil ik graag de hand kunnen leggen op Pauls kloppende pik om te kijken hoe goed we bij elkaar passen.

Alice zei tegen Anita en Rochelle dat ze migraine had gekregen van de ervaring in Les Baux, en dat die alleen weg zou gaan als ze ongestoord in een donkere kamer lag. Ze vertelde Jeanette en Jacquie dat ze net deed alsof ze hoofdpijn had om onder de activiteiten van die middag uit te komen, en dat ze hen om zes uur in de bar zou zien. Ze zei tegen Paul dat ze spijbelde bij de workshops die middag, en dat hij over tien minuten naar haar kamer moest komen. Ze hield zichzelf voor dat dit echt een heel goed idee was. Dus begon ze verdwaalde haartjes bij haar bikinilijn te epileren, depte ze wat parfum op strategische plekken en trok ze schoon ondergoed aan. Ook deed ze snel wat mascara op en op haar gezicht verscheen een obscene, wellustige glimlach.

Paul doet zijn horloge af en legt het in de la van zijn nachtkastje. Hij wast zijn haar en spoelt het kalksteen van zijn benen en voeten. In de afgelopen drie seizoenen moet hij Les Baux minstens vijftig keer hebben bezocht, maar de plek betovert hem nog altijd. Hij wordt er tegelijkertijd fysiek en emotioneel door uitgedaagd en opgeladen. Hij vond het Afrikaanse thema van dit jaar het beste tot nu toe. Vorig jaar was het thema de zeven wereldwonderen geweest en het jaar daarvoor het oude Griekenland. Maar de tentoonstelling van dit jaar had iets, die meeslepende botsing van het primitieve en het overvloedige, zowel in geluid als in beeld. Net zoals Alice iets meeslepends had. Vorig jaar waren er een paar klanten geweest die hem voortdurend achterna hadden gezeten. De seks was makkelijk geweest en beide vrouwen hadden hem automatisch een flinke fooi gegeven, wat een onverwachte en leuke bonus was geweest. Betaald worden om een orgasme te krijgen bij vrouwen die snakten naar een goede beurt: dichter bij pornosterrendom zou hij nooit komen. Het jaar ervoor, zijn eerste jaar hier, was hij naar bed geweest met een oudere vrouw, gevolgd door een aantal verspilde maanden waarin hij zogenaamd verkering had gehad met Nathalie van de tennisclub.

Paul kleedt zich aan. Hij vraagt zich af in hoeverre Alice al zal zijn uitgekleed als hij komt. Misschien ligt ze wel met gespreide benen op bed. Bij die gedachte grijnst hij. Zij heeft alles wat hij belangrijk vindt: een knap uiterlijk, intelligentie, succes en pit. Maar morgen gaat ze terug naar Engeland. Net zoals tijdens de afgelopen vier dagen is Paul zo geil als boter. Hij trekt een nieuw boxershort en een schoon T-shirt aan en stopt een condoom in de zak van zijn broek. De afgelopen vier nachten heeft hij zichzelf tijdelijk verlicht met handwerk, maar als hij Alice de volgende ochtend zag, keerde zijn begeerte direct terug. En nu is hij ontboden. De aanstaande seks, na een aantal celibataire maanden, brengt zijn pik al in actie. Maar eerst bekijkt hij zijn spiegelbeeld. Hij ziet er goed uit.

Hij klopt en wacht op antwoord, alsof hij niet zeker weet of er iemand thuis is.

'Je bent heel beleefd,' zegt Alice plagend. Ergens had ze gehoopt dat hij zonder enige begroeting zou binnenvallen en haar woest zou nemen. Ze draagt een wit T-shirt en een spijkerbroek. Blootsvoets en zonder beha. Haar tepels zijn hard en haar kontje is uitdagend pront. Ze ruikt lekker en ziet er prachtig uit. En zijn pik wordt met de minuut harder. Ja, ze hebben de hele middag, maar eigenlijk wil hij haar nu direct neuken, om al het enthousiaste sperma in zijn kloppende zak dat zich sinds die ochtend heeft verzameld los te laten.

'Nou, nou, jij bent wel heel blij om me te zien.' Alice kijkt naar de bobbel in zijn short.

'Nee, dat is een pistool in mijn zak,' grapt hij.

'Nou, doe je holster dan maar af, cowboy,' zegt Alice. 'Dan kunnen we ervoor gaan.'

Als Alice het allemaal zou opschrijven, zou ze zichzelf tot de orde roepen vanwege de grote hoeveelheid clichés. Maar hoe kan ze anders beschrijven dat ze natter is dan ooit tevoren? Dat haar vrouwelijkheid voor hem klopt? Dat haar lippen gezwollen zijn door het vooruitzicht gekust te zullen worden en dat haar hart als een razende tekeergaat door zijn vurige blik? Op dezelfde manier is het gewoon waar dat zijn hunkerende pik hard is, dat zijn kontje stevig is en dat de spieren van zijn borstkas rollen. Haar borsten voelen onmiskenbaar zwaar aan en in haar plooien welt zo veel honing op dat hij die niet allemaal kan oplikken. Ze verslinden elkaar alsof hun honger onverzadigbaar is.

Allemachtig, wat is dit opwindend. Mark houdt altijd een beleefde, hygiënische afstand van mijn kont als hij me eens oraal bevredigt. Het is heerlijk dat borsten weer tieten zijn en om zo ruw te worden behandeld. Ik kan me niet eens herinneren hoe Mark mijn genitaliën noemt, maar Paul zei net: 'Jezus, wat heb je een lief kutje.' Ik heb dit echt nodig. Ik heb dit gemist. Het is heel verfrissend om suf te worden geneukt, in plaats van dat er plichtsgetrouw met me wordt gevreeën.

'Godsamme, wat ben jij een geile teef,' hijgt Paul. Met zijn tong likt hij haar oorlel, waarna hij zich zuigend een weg baant naar haar kin en haar vervolgens een diepe zoen geeft.

'Je neukt zelf ook heel lekker,' zegt Alice terug. Ze likt de zoutige vochtigheid van zijn borst terwijl ze omlaagglijdt om zich te goed te doen aan zijn pik. Tot haar verbazing zijn zijn ballen geschoren. Dat bevalt haar wel. Ze wil kronkelen, ze wil zich laten gelden en ze draait zich van de ene kant naar de andere. Op die manier is zij de baas en bepaalt zij het tempo en de positie. Nu wil ze op haar rug liggen en gedwee zijn, genieten van deze man die helemaal wild is van verlangen naar haar. Hij legt haar op haar zij en stoot via de achterkant bij haar naar binnen. Hij trekt haar bovenste been over zijn middel, zodat haar lichaam helemaal uitgestrekt ligt onder zijn aanraking. Ze draait haar hoofd om en hun monden hechten zich aan elkaar. Onderwijl liefkoost hij haar tieten en laat hij zijn vingers tussen haar schaamlippen glijden. Daar vindt hij haar clitoris en hij wrijft er zacht over tot ze praktisch klaarkomt.

'Niet komen,' beveelt hij. Hij trekt zich terug en laat zijn lippen gekmakend zacht over haar tepels gaan. Nu raakt hij haar helemaal niet meer aan, maar ligt hij tussen haar benen en kijkt hij strak naar haar poesje. Speels kantelt Alice haar heupen en hij brengt zijn gezicht naar haar toe. Teder laat hij zijn tong over haar buitenste schaamlippen gaan. Ze kronkelt en spreidt haar benen, erop vertrouwend dat hij zijn mond tegen de plek zal drukken waar zij hem wil, maar hij werkt niet mee.

'Neuk me, rotzak,' bijt ze hem toe.

Ineens zuigt hij aan haar clitoris en laat hij een vinger diep in haar vagina verdwijnen, en een andere in haar anus, en het extatische orgasme waar ze zo naar heeft gesnakt doet haar lichaam schudden. Terwijl haar lichaam blijft schudden door de rillingen van genot, gaat hij op zijn hurken boven haar zitten en ze neemt zijn lul in haar mond. Eindelijk penetreert hij haar weer en hij neukt haar zelfverzekerd en kort, waarna hij zich weer uit haar trekt en klaarkomt op haar buik.

Alice steekt haar vingers in het kleverige plasje en wrijft het sperma over haar buik. Daarna zuigt ze elke vinger af terwijl ze hem strak blijft aankijken. Ze heeft het gevoel dat ze net in haar eigen pornofilm heeft gespeeld, en ze heeft van elke minuut genoten. Dit reisje was echt een geweldig idee. Moet je eens zien waarmee ze naar huis gaat!

De volgende ochtend slaagde Paul er niet in om wat tijd aan Alice te besteden. Toen ze de bus in stapte, kon hij alleen haar hand schudden en zeggen: 'Goed gedaan.' Net zoals hij alle anderen een hand gaf en feliciteerde. Hij zwaaide hen uit, maar vanwege het getinte glas kon hij niet zien wie er terugzwaaide.

Hij besloot om die dag naar het strand te gaan om zich te ontspannen en zich voor te bereiden op de groep die de volgende dag zou komen. Deze groep had hem een tof O'Neill-short cadeau gedaan en dat wilde hij aantrekken. April werd met het uur warmer en de delicate lentegeur werd elke dag iets meer verdrongen door de sterkere geur van de zomer. Bij de receptie lag een brief van Alice op hem te wachten, die hij ongeopend meenam naar het strand.

Lieve Paul,
Ongetwijfeld loop je al rond in je hippe nieuwe short. Even voor alle duidelijkheid: ik heb niets gegeven toen ze met de pet voor je rondgingen. Ik wil je niet het gevoel geven dat je een hoer bent... Dus hier is mijn mobiele nummer. Bel me als je ooit in Londen bent. Ik wil dolgraag spijbelen van mijn werk en je op mijn eigen, onvolprezen manier vermaken...
Alice Heggarty

Het briefje maakte hem aan het lachen en deed hem naar Alice verlangen. Later zou hij 'onvolprezen' wel opzoeken. Eerst zou hij aan zijn bruine kleurtje gaan werken en erover nadenken hoe hij binnenkort een keertje naar Londen kon gaan.

Le retour

ALICE HAD DIRECT NAAR KANTOOR KUNNEN GAAN, MAAR DAAR had ze geen zin in, al waren ze al rond lunchtijd terug. Ze had de middag thuis kunnen doorbrengen, om weer te wennen aan haar eigen leven, maar daar had ze ook geen zin in. Ze had naar Thea kunnen gaan om haar alles te vertellen en haar advies te vragen, maar dat wilde ze niet doen, nu nog niet. Wat ze wel wilde, was nog een paar heerlijke uurtjes alleen zijn en niemand verantwoording hoeven afleggen. Ze wilde zich koesteren in de herinneringen aan de afgelopen paar dagen, zich voor de geest halen hoe Paul eruitzag, smaakte en voelde. Weer even in Les Baux zijn. Heel kort maar. Niet om te dagdromen, maar alleen om zich het te herinneren.

Dus bracht Alice haar middag door in een internetcafé aan Tottenham Court Road. Ze surfte langs de bezienswaardigheden en de feiten over de Camargue, de Pont du Gard, over Arles en Nîmes, over Les Baux en flamingo's. Ze bezocht de O'Neill-website en klikte op dezelfde short die ze voor Paul hadden gekocht. Ze vond de website van het hotel, klikte op alle foto's en analyseerde de wazige figuurtjes. Het was stom om naar de prijslijst te kijken, zei ze tegen zichzelf op het moment dat ze dat deed. Ze zocht op Google naar Pauls naam en vond niets. Hij hoorde ook niets te zijn, hield ze zichzelf voor. Ze zou heus niet teruggaan, of hem ooit nog eens zien. Hij zou geen andere rol in haar geheugen mogen spelen dan die van kortstondige wip, een heerlijke neukpartij zonder verdere verplichtingen, seks zonder enig schuldgevoel, een ritsloos nummer dat het best maar vergeten kon worden.

Tijdens zijn laatste sessie had Fritz tegen de groep gezegd: 'Neem wat wij je geven en maak daar nieuw werkmateriaal van.'

Dat zou ze doen, echt waar. Ze kon het laten slaan op haar leven in het algemeen. Ze zou Paul echt niet gaan vereren, naar hem smachten of hem door de vertekening van haar geheugen of de alledaagsheid van het bestaan veranderen in iets anders dan een lekkere Franco-Australiër met wie ze had geneukt. Ze zou haar voordeel doen met de gebeurtenis, ervoor zorgen dat ze er eeuwig dankbaar voor zou blijven. Tenslotte was haar seksuele dorst gelest en waren de veerkracht in haar pas, de glinstering in haar ogen, haar energie en haar glimlach in ere hersteld.

Mark komt thuis met een bos bloemen en een opgewonden glimlach.

'Hallo, daar,' kirt hij, en hij omhelst zijn vrouw. 'Jezus, wat heb ik je gemist. Ik heb nog geprobeerd je te bellen.'

'Geen bereik.' Alice haalt haar schouders op en omhelst hem ook. Ze ziet dat hij naar de kapper is geweest en dat zijn haar vreselijk zit, maar ze zegt er niets van.

'Was het leuk?' Hij trekt zijn colbertje uit, doet zijn das en de bovenste knoop van zijn overhemd los, wrijft over zijn slapen en knijpt in de brug van zijn neus. 'God, wat een dag. Het is fijn om thuis te zijn.'

'Het ging wel.' Weer haalt Alice haar schouders op. 'Je kent die cursussen wel: wat buitenactiviteiten, wat onzinnige motivatietechnieken. Alles was tot op de minuut geregeld.'

'Was het net zo saai als je vreesde?' vraagt Mark. Hij bekijkt de post, maar laat alle enveloppen dichtzitten.

'Niet echt,' zegt Alice. 'Maar je raadt het nooit: we sliepen met z'n drieën op een kamer. Ongelooflijk, hè? Er waren ook maar drie hangers.'

Mark moet lachen en hij zoekt een goede rioja uit, waarna hij op zoek gaat naar de moderne kurkentrekker. 'Nou, je ziet er prachtig uit, vrouw. Echt waar. Het buitenleven heeft je kennelijk goedgedaan. Al die frisse lucht en beweging. Dat kan ik ook wel gebruiken.'

'Het was allemaal heel schilderachtig, net een reclame voor Stella Artois. En eigenlijk waren de oefeningen ook niet van het kaliber bomen omhelzen of een oerschreeuw slaken. Maar ik ben niet over de Pont du Gard gelopen, want daar was ik te bang voor,' bekent Alice schaapachtig.

'Dat kan ik je niet kwalijk nemen,' zegt Mark. 'Ik heb het wel gedaan, en het is behoorlijk eng.'

'Ben jij daar geweest?' Alice is stomverbaasd, geschrokken en geïntrigeerd.

'Tijdens het jaar dat ik heb rondgereisd voor ik naar de universiteit ging.' Mark doorzoekt nog steeds de eindeloze hoeveelheid laden om de kurkentrekker te vinden.

'Ben jij ook naar Les Baux geweest?' vraagt Alice, haast beschuldigend.

'Ik geloof het niet.' Mark heeft de kurkentrekker gevonden. 'Was het leuk?'

'Gaat wel,' zegt Alice. 'Het stelde niet zo veel voor.'

Wat?!

TOEN ALICE EN THEA ELKAAR EEN PAAR DAGEN LATER ZAGEN, LIEpen ze allebei over van opwinding, babbelden aan één stuk door en eisten onophoudelijk dat er naar hen geluisterd werd.

'Dus de makelaar denkt dat mijn koper binnen een paar weken de contracten zal ondertekenen! En ongeveer een maand later is dan alles rond. En Saul en ik hebben echt een geweldig huis gezien.' Thea keek naar Alice voor een reactie. Haar vriendin grijnsde, haar ogen dansten en ze propte een chocoladeroomsoes in haar mond. 'Het is een maisonnette, met een dakterras! Het kan zo uit een woonprogramma komen, een prachtig ingedeelde ruimte met het mooiste sanitair en de mooiste accessoires. Echt, je gelooft je ogen niet als je de badkamer ziet! En de keuken is mijn droomkeuken. Het uitzicht – lieve hemel – wacht maar af!' Alice gloeide van opwinding, wat Thea zo blij maakte dat ze haastig verder praatte. 'Er is maar één appartement onder ons, en raad eens wie daar woont? Raad dan! René Overton!'

'Wie?'

'Eerlijk gezegd wist ik ook niet wie hij was.' Thea lachte en nam een slok thee. 'Maar we hebben uit betrouwbare bron vernomen dat hij dé kapper van de sterren is.'

'Dus je gaat bij hem geen kopje suiker lenen, maar zijn keramische steiltang?'

'Daar is mijn haar veel te kort voor, domoor!' Thea schaterde van de lach. 'Maar ik hoop dat hij op zijn vrije dagen niets leukers te doen heeft dan even naar het appartement boven hem te gaan om mijn haar te föhnen.'

Daar moesten ze een hele poos om lachen. 'Ik hoop ook dat ik nooit meer voor haarproducten hoef te betalen,' ging Thea verder.

'Dus dat onze enorme hypotheekaflossingen in evenwicht worden gehouden door gratis knipbeurten en grote flessen shampoo. Hoe dan ook, de koning van de kapsels woont op de eerste verdieping en op de begane grond zit een leuke meubelzaak.'

'Dus je hoopt ook al op gratis banken?' vroeg Alice lachend. 'Waarom bied je je huiskamer niet aan als een soort levende showroom, in ruil voor een complete inrichting?'

'Goed idee!' riep Thea uit en ze klonken met hun theekopjes en besloten nog een roomsoes te delen. 'Nou, hoe was Frankrijk? Minder erg dan je had verwacht? Ik heb *ER* voor je opgenomen, hier.'

Met opgetrokken mondhoeken keek Alice Thea aan en ze liet een wellustige glimlach op haar gezicht verschijnen. 'Het was... interessant,' zei ze, het woord sluw uitrekkend. 'Heb je wel eens van een plek gehoord die Les Baux heet?'

'Nee?'

'Van de Cathédrale d'Images?'

'Nee.'

'Dat is een plek... Ik weet niet goed hoe ik het moet omschrijven. Dante vond het prachtig, Cocteau vond het prachtig en jij zou het ook prachtig vinden. Het is een verlaten steengroeve en je loopt er rond terwijl er overal om je heen enorme afbeeldingen worden geprojecteerd en er fantastische muziek wordt gedraaid.'

Geschrokken keek Thea haar aan. 'Je bent toch niet in een hippie veranderd?'

Alice wierp lachend haar hoofd achterover. 'Nee, natuurlijk niet! Maar het was echt heel sfeervol en heftig. Het had op iedereen een bizarre uitwerking. Hoe dan ook, Clare Cabot, je weet wel, mijn aartsvijandin, heeft het met Geoff Sprite gedaan. Min of meer ter plekke, ongeacht wie er toekeek.'

'Dat meen je niet!' Thea snakte naar adem. 'Jezus! Dat is nog eens een schandaal. Wat afschuwelijk!'

'En ik heb onze gids geneukt.'

'Wát?!'

Alice beet op haar lip en sloeg haar ogen neer, en toen ze Thea weer aankeek, lag er weliswaar een schaapachtige blik in, maar ook een fonkeling. 'Een waanzinnig stuk, ene Paul,' fluisterde ze opgewonden met gefronste wenkbrauwen. 'Heel aantrekkelijk. Een uiterlijk dat je anders alleen ziet bij modellen voor Calvin Klein-ondergoed. Ongelooflijk knap, half Frans, half Australisch, echt de stereotiepe bergbeklimmende, mountainbikende, natuurgekke seksgod. Eigenlijk is hij eerder een *toyboy*, hij is nog niet eens dertig. De helft van het jaar is hij skileraar. Maar goed, we waren in de kathedraal – *cathédrale* – en daar speelt van die kloppende, sexy, ritmische muziek, en overal zijn van die beelden van Afrika. En Paul en ik hebben vanaf mijn komst al geflirt en het is overduidelijk dat hij me wel ziet zitten. En ik durf wel toe te geven dat ik daar een geweldig gevoel van krijg. Een echte opsteker... Geloof me, dat soort aandacht is precies wat een vrouw nodig heeft om zich weer sexy te voelen. Dus ik loop door die steengroeve met de beelden en geluiden van Afrika, en ik zie mijn collega's dansen. Het leek net alsof iedereen stoned was. (Stoned in een steengroeve, best grappig, hè?) Maar goed, ineens staat Paul daar. En er is al die aantrekkingskracht, en we hebben elkaar al dagen zinderende blikken toegeworpen en zwoel over onze lippen gelikt en per ongeluk-expres langs elkaar gestreken. En, Thea, hij staat vlak tegen me aan en hij begint me gewoon te strelen en te zoenen. Echt tongzoenen, zoals we vroeger deden in de tienerdisco. Gretig, wellustig tongzoenen en betasten. Het was zalig.'

'Wat?'

Alice keek Thea aan. 'Daarna heb ik hem geneukt.' Onmiddellijk sloeg ze haar handen voor haar gezicht en begon te kreunen.

'Wát heb je gedaan, Alice?'

Alice keek tussen haar vingers door. 'Toen we terug waren in het hotel ben ik weggeglipt om te kunnen seksen!' Ze legde haar handen op schoot en beet schuldbewust op haar lip. 'We zijn weggeslopen voor de meest ongeremde, vunzige, wilde seks van mijn leven.'

'Wat?'

'Wil je niet de hele tijd "wat" zeggen?'

'Maar Alice,' protesteerde Thea. Ze liet haar blik over het gezicht van haar beste vriendin gaan en probeerde een leugen te ontdekken, een duidelijke overdrijving. Alles behalve de dansende pretlichtjes die ze zag.

'Wat!' riep Alice uit. Haar gezichtsuitdrukking wisselde tussen schaamte en triomf.

'Je bent getrouwd!' riep Thea.

Alice keek naar Thea. Ze had gedacht dat Thea verbaasd zou zijn – misschien volslagen van haar stuk gebracht – maar ze had wel verwacht dat haar beste vriendin haar zou steunen. Ze schrok van Thea's frons. 'Nou en?' Defensief haalde ze haar schouders op.

'En Mark dan?' vroeg Thea zacht.

'Wat is er met hem?' vroeg Alice effen. 'Hij komt er heus niet achter. Ik ga natuurlijk niet bij hem weg voor een of andere gids. Doe niet zo moreel verontwaardigd, Thea! Ik heb een slippertje gemaakt, dat is alles. En weet je? Ik heb er helemaal geen spijt van en ik voel me ook niet schuldig. Dat was precies wat ik nodig had en ik voel me fantastisch. Het heeft mijn zelfvertrouwen opgekrikt. Het krijgt heus geen onaangename gevolgen.'

Thea dronk haar thee. Die was lauw en ze trok een gezicht toen ze hem doorslikte. Desondanks nam ze nog een slok om zichzelf wat tijd te geven om na te denken, want op dat moment wist ze echt niet wat ze moest zeggen. Het liefst zou ze Alice een mep of een uitbrander geven en zeggen: 'Wat bezielde je in godsnaam? Waag het niet om dat nog eens te doen!' Thea was helemaal ontdaan door het gedrag van haar vriendin. Maar ze deed het niet. Ze kon het niet.

Kijk toch eens naar Alice – kijk alleen maar. Weg is de bleekheid van de laatste tijd, de matte blik in haar ogen, haar ineengezakte houding, haar vermoeide blik die niets leek te zien, haar gedesillusioneerdheid over haar lot. Moet je haar nu zien: ze ziet eruit alsof ze veertien dagen in een luxe kuuroord is geweest, alsof ze de loterij heeft gewonnen, alsof ze van de zesde naar de zevende hemel is gestegen, alsof ze de tijd van haar leven heeft. Ze is razend knap en kalm, en ze straalt puur geluk uit. Ze heeft de gloed over zich van een vrouw die lekker is genomen.

'Jij bent echt vreselijk,' zei Thea ten slotte. Ze deed luchtig en opgewekt, al kostte het haar moeite. 'Je bent een slet.'

'Ik weet het!' Alice' gegiechel veranderde in een zucht bij de herinnering. ‘Geloof me, als je moest kiezen tussen Paul Brusseque en Brad Pitt is de keuze niet moeilijk.’

‘En als je tussen hem en Mark Sinclair moest kiezen?’ vroeg Thea. Ze trok haar wenkbrauwen streng omhoog.

‘Flikker een eind op!’ blafte Alice verdedigend; wat ze probeerde te verbloemen door koket haar lippen te tuiten. ‘Het was maar een one-night stand. Meer niet. Doe toch niet zo moeilijk. Geloof me, mevrouw Schijnheilig, als jij in contact kwam met iemand die half zo geil was als Paul Brusseque, ver van huis en in de wetenschap dat het een geheimpje zou blijven, dan zou het jou ook moeite kosten om je slipje niet uit te trekken.’

‘Maar ik heb Saul,’ zei Thea ferm. ‘Ik zou er geen zin in hebben.’

‘Als je oog in oog komt te staan met de verleiding, ben je een hulpeloze, gewillige slavin, geloof mij maar,’ zei Alice met een dreigende, diepe stem, en ze bewoog haar vingers met een duidelijk superioriteit.

Nu Alice alle gedachten aan Mark ver uit haar geweten had gebannen, leek het wel of Thea alleen nog maar aan hem kon denken. In gedachten zag ze hem voortdurend voor zich. Het deed er niet toe dat hij het overspel van zijn vrouw nooit zou ontdekken; Thea had vreselijk met hem te doen. Ze had het gevoel dat Alice haar medeplichtig had gemaakt aan haar misdaad, want zo beschouwde Thea het. Voor haar waren seksuele trouw en echte liefde onlosmakelijk met elkaar verbonden. Om de laatste te kunnen laten bestaan, moest het eerste onvoorwaardelijk zijn. Niemand zou ooit zo veel van Alice houden als Mark, en Thea geloofde dat er evenveel van hem moest worden gehouden. Op dat moment wist Thea niet wat erger was: het feit dat Alice Mark ontrouw was geweest, of dat hij beklagenswaardig was als bedrogen echtgenoot. Uit naam van Mark voelde Thea de vernedering en de verbijstering. Ze hoopte oprecht dat hij het niet te weten zou komen zodat die gevoelens hem bespaard bleven. Het was vreselijk.

‘Gaat het wel?’ Teder strijkt Saul Thea’s haar achter haar oor. Hij maakt zich zorgen, want ze is de hele avond al afwezig. Ze bijt op de huid rond haar nagels, speelt met haar ring en ze fronst voortdurend haar voorhoofd; ze heeft zelfs een of twee keer gehuiverd.

'Ja, hoor.' Thea knikt met minimaal oogcontact, hoewel Saul wel een trieste blik in haar ogen ziet. 'Ik ben gewoon moe.'

'Weet je het zeker?' Saul vraagt door, omdat ze bijna altijd opgewekt is. Vooral de laatste tijd is ze aanstekelijk euforisch geweest. Hij ziet haar niet graag ongelukkig, maar hij weet niet hoe hij haar kan helpen en het is niets voor hem om zijn neus in andermans zaken te steken.

'Echt waar,' zegt ze weinig overtuigend, maar hij weet dat ze verdere vragen probeert te voorkomen. 'Ik ben doodop. Soms stimuleert het me om massages te geven, maar soms put het me volkomen uit. Ik denk dat ik maar naar bed ga.'

'Goed.' Saul legt zijn hand zacht op haar voorhoofd en tikt dan met zijn vinger tegen het puntje van haar neus. 'In mijn tas vind je het laatste nummer van *Grand Designs* dat ik voor je heb gekocht.'

'Dank je.' Thea neemt het tijdschrift mee naar bed, blij met de afleiding. Daar moet ze aan denken: aanrechten en stoffen, vloermaterialen en verschillende verlichtingsmogelijkheden. Niet aan Alice, ze wil niet aan Alice denken. Of aan Mark. Nee, ze zal denken aan het samenwonen met Saul. En ze glimlacht in de wetenschap dat niemand, maar dan ook niemand, van Brad Pitt tot Paul Brusseque, haar in verleiding kan brengen Saul te verlaten.

SMS SEX

HET IS VREEMD, IK HEB DE NEIGING EEN ANONIEM STUK TE schrijven in *Adam* over de voordelen van overspel. Ik wil verkondigen welk effect een one-night stand op mijn leven heeft gehad. Ik wil opstaan en verdedigen wat onze maatschappij afkeurt en moreel verwerpelijk vindt. Dat is het niet. Ervoor voelde ik me belabberd; ik twijfelde aan het nut van het huwelijk en ik zag mijn toekomst somber in. En dat had allemaal met seks te maken. Alleen met seks. Die instinctieve, vleselijke uitwisseling. Gewoon seks, dat is alles. Ik weet het zeker. Een dosis pure seks en ik ben genezen! Nu ben ik weer gelukkig met mijn echtgenoot, ik voel me weer even levenslustig en optimistisch als vroeger, zowel op mijn werk als thuis, en het mooiste is nog wel dat ik gelukkiger en kalmer ben dan in maanden het geval is geweest.

Als Alice zich vrolijk voelde, werd iedereen die ze tegenkwam aangestoken door haar monterheid en energie. Haar team produceerde werk waarmee prijzen gewonnen konden worden en Mark plukte de vruchten van het goede humeur van zijn vrouw. Ze was geanimeerd, maar liefdevol; bruisend, maar attent. Ze werd niet kwaad toen hij zei dat hij de week erna naar Singapore en Tokyo moest, maar kwam in plaats daarvan thuis met drankjes van de natuurgenezer om alle primaire en secundaire effecten van een jetlag te verhelpen. Ze bedreven weer twee keer per week de liefde en Mark merkte met enige trots dat ze elke sessie wilde verlengen, dat ze haar ogen de hele tijd dichthield, alsof ze intens genoot van hun gemeenschap.

Het duurde een week. Toen kwam het eerste sms'je. En door dat te beantwoorden (eerst hield ze zichzelf voor dat het onbeleefd was om niet te reageren, maar als ze eerlijk was, stuurde ze een bericht terug in de hoop dat daar ook weer reactie op zou komen) belandde Alice met een klap in de donkere diepten van geheimen, leugens en verraad.

'Is dat jouw telefoon?' vroeg Mark. Hij trok iets uit de *Financial Times* en stopte het in de zak van zijn colbertje. 'Jezus, het is bijna twaalf uur. Wie sms't je nou zo laat nog? Ach, dat ligt natuurlijk ook voor de hand.'

'Het is Thea maar. Die maakt zich druk om de verkoop van haar huis en zo,' zei Alice. Ze wist niet hoe ze zo kalm kon blijven nadat ze had gezien dat het een buitenlands nummer was. 'Ik kan maar beter reageren, ik weet precies hoe stressvol zoiets is.'

'Waarom bel je haar niet gewoon? Zo krijg je nog RSI aan je duim.'

'Saul slaapt waarschijnlijk al, daarom sms't ze natuurlijk,' zei Alice met een nepgaap. 'Ik ga lekker in bad en dan zal ik haar antwoorden.'

'Zeg maar dat wij onze notaris van harte kunnen aanbevelen.'

'Zal ik doen.'

Met enorme zelfbeheersing weerstond Alice de aandrang naar de badkamer te rennen. In plaats daarvan slenterde ze achteloos weg. Terwijl het bad volliep, ging ze op de rand zitten en las het bericht. In haar buik vloog ineens een zwerm opgewonden vlinders en haar hart sprong in haar keel.

HET IS LAAT. LIG HIER AAN JOU EN JE NATTE POES TE DENKEN.
PBX

Het liefst wilde Alice opgewonden gillen en rondrennen terwijl ze uitriep: 'Het is van Paul! Het is van Paul!' Wat moest ze zeggen? Moest ze wel antwoorden? Of moest ze hem negeren? Moest ze Thea sms'en en haar vier of vijf mogelijke manieren om te reageren sturen? Shit, het bad stroomde haast over.

Alice zat in bad en las Pauls bericht steeds opnieuw. Giechelend ging haar duim aan het werk:

POESJE NAT DOOR AAN JOU TE DENKEN

Durfde ze dat? Durfde ze dat te schrijven? Durfde ze dat te versturen?

Ze durfde het.

Kom op, kom op, reageer nou toch!

Kom

op!

Reageerreageerreageer!

Ja!

KEIHARD. WAAR BEN JE?

Ze slaakte een kreet van vreugde.

'Alice?' riep Mark aan de andere kant van de deur. 'Gaat het wel?'

'Hè? Ja, prima. Met mij is alles goed. Thea doet gewoon maf.'

IN BAD, HEEL ZEPERIG

Ze wachtte een paar minuten voor ze het verstuurde.

'Alice?'

Godverdomme, Mark, wat is er nou?

'Ja?'

'Ik wil graag binnenkomen om mijn tanden te poetsen en zo.'

Shit, het volgende bericht was net zoemend binnengekomen en ze wilde het dolgraag lezen.

'Maar de deur zit op slot,' ging Mark verder.

'Jezus, kan ik niet even in alle rust een bad nemen?' vroeg Alice pissig. 'Over twee minuten ben ik klaar. Oké?'

Ze hoorde Mark weglopen. Ze voelde zich eerder opgelucht dan schuldig. Ze keek naar haar telefoon.

GEILE TEEF

Paul had gelijk. Dat was ze. Ze was geil. Bijzonder opgewonden en vreselijk geil. Op dat moment was ze zo geil dat het haar niet kon schelen dat ze een teef was.

Vijf penny kostte het. Alice bedacht dat de prijs van een verhouding vijf penny voor een sms'je was geweest. Maar het kwam niet bij haar op dat het ten koste van haar huwelijk kon gaan. Tenslotte was het alleen wat onschuldig ge-sms. Virtuele seks. Niet echt. Niemand hoefde het te weten. Maar het duurde niet lang voor Alice van het ene sms'je naar het andere leefde, en tussendoor was ze behoorlijk humeurig. Haar stemmingen gingen als een slinger heen en weer tussen vrolijkheid en steelse verwachting; haar bitse frustratie trof iedereen die bij haar in de buurt was. Op haar werk kon ze ongeduldig en chagrijnig zijn, en ze kon kortaf en snauwerig doen tegen Mark, of ze kon inspirerend en energiek zijn voor haar team en liefdevol en levendig thuis. Het lag er maar aan of ze een sms'je van Paul verwachtte of niet. Niemand in haar omgeving begreep wat het probleem was en of het wel of niet hun schuld was. Omdat niemand wist waar hij aan toe was, deed iedereen heel behoedzaam in haar buurt en probeerde het haar zo veel mogelijk naar de zin te maken.

Thea schrok toen Alice haar haar mobieltje gaf en zei dat ze door de berichten heen moest scrollen. 'Je zei dat het alleen een one-night stand was.'

'Dat was het ook.' Met gefronste wenkbrauwen griste Alice haar mobieltje terug en ze staarde naar het schermpje alsof daar een foto te zien was. 'Jezus, neem toch niet alles zo serieus, Thea. Het zijn gewoon domme, onschuldige berichtjes, maar die zorgen er mooi wel voor dat ik een leuke dag heb.'

Opnieuw voelde Thea zich verscheurd tussen haar eigen moraal en Alice' aanstekelijke energie.

'Ze moeten je wel een kapitaal kosten,' zei ze.

'Ik koop tegenwoordig van die sms-bundels die de telefoonbedrijven voor tieners op de markt hebben gebracht!' zei Alice. Op haar gezicht lag een grote, wellustige grijns.

'Laat me het laatste nog eens lezen,' zei Thea, omdat ze het gevoel had dat dat van haar werd verwacht. Hoewel ze Alice niet wilde aanmoedigen, wist ze dat het als beste vriendin van de overspelige vrouw haar plicht was om haar niet van zich te vervreemden.

En toen Mark voor zaken naar Singapore en Tokyo vloog, begon de telefoonseks. Alice belde Paul toen ze alleen thuis was, en ze was niet van plan om Thea's goedkeuring, toestemming of advies te vragen. En de openlijke vunzigheid van de sms'jes werd vervangen door ondeugend gegiechel, kokette verwijzingen en toen, vreemd genoeg, vijf minuten gebabbel over koetjes en kalfjes. Elke avond.

'Hij is gewoon een vriend,' verklaarde Alice tegen Thea, nadat ze haar mobieltje tegen het oor van haar vriendin had gedrukt zodat die zijn stem kon horen. 'We zijn gewoon vrienden.'

'Wel intieme.' Thea kon het niet laten dat te zeggen. 'Je hebt hem immers geneukt?'

Dat wuifde Alice weg. 'Hij woont in Frankrijk. Daar neukt iedereen!' zei ze luchtig, alsof Thea's insinuatie belachelijk was.

BEN JE WAKKER? KUN JE PRATEN? BEN JE ALLEEN?

Ja, Alice was wakker, maar nee, ze kon niet praten want Mark en zij zouden net gaan eten.

'Ik moet even naar de wc,' zei ze tegen Mark. Stiekem deed ze haar gsm in haar kontzak. 'Kun je even in de saus roeren en de rijst over een paar minuten uitzetten?'

'Wil je wijn? Witte?' vroeg Mark, die weer aan de onvermijdelijke zoektocht naar de vervloekte kurkentrekker begon.

Alice doet de toiletdeur op slot.

NIET ALLEEN, HOE GAAT IE, GROTE JONGEN?

IK KOM luidt het antwoord.

Alice begint te lachen en stuurt haar antwoord:

VIESPEUK, JE WORDT NOG BLIND!

KOM DAARHEEN stuurt hij terug.

Voor Alice de kans heeft om die informatie te verwerken, laat staan een antwoord te formuleren, krijgt ze een serie berichten.

NAAR LONDEN
AANST DINSD
3 NACHTEN
BEREID JE MAAR VOOR, SCHATJE,
IK ZAL JE SCHRAAL MAKEN

O
mijn
god

Alice zit op de gesloten wc-bril en is met sms-stomheid geslagen.

Ze zet haar telefoon uit zonder te reageren. Dan legt ze hem op de stortbak, omdat ze ineens de irrationele angst heeft dat Paul eruit te voorschijn zal komen als een geest uit een fles.

O
mijn
god

Een tafel voor vier

'IK KAN ME NIET HERINNEREN DAT HET VIJF JAAR GELEDEN ZO'N gedoe was toen ik mijn appartement kocht.' Met een sip gezicht keek Thea de tafel rond.

'Toen kocht je voor de eerste keer,' zei Mark troostend. Daarna vroeg hij de wijnkelner welke rode wijn hij kon aanbevelen en bestelde daar een fles van.

'Maar het ligt niet aan mij,' wierp Thea tegen. 'Het komt doordat de koper advocaat is en daarnaast ook nog een ongelooflijke mierenneuker. We hadden de contracten al lang en breed kunnen ondertekenen, maar dat wil hij pas doen als een bouwkundige een of ander onbelangrijk detail heeft bekeken.'

'Is jullie bod geaccepteerd voor het huis dat jullie leuk vonden?' vroeg Mark aan Saul.

'Nee, we hebben het verhoogd, maar ze hebben nog niet toegehapt,' zei Saul, terwijl hij Thea een geruststellend kneepje in haar pols gaf.

'Domme pech, net als dat idiote postcodefiasco. Thea probeert te verkopen in een kopersmarkt en jullie proberen te kopen in een verkopersmarkt. En dat allemaal in dezelfde stad,' zei Mark. 'Zeg Thea, mocht je jouw huis verkopen voor jullie iets anders hebben gekocht, dan kun je je spullen altijd bij ons opslaan.'

'Dank je,' zei Thea somber. Dat was op dat moment maar een schrale troost. 'Ze zeggen dat verhuizen na doodgaan of scheiden het meest stressvolle is wat je kunt meemaken.'

'Ga dan maar niet dood, en ik zou voorlopig ook nog maar even wachten met trouwen.' Mark begon te lachen. Hij keek naar Alice, die naar haar schoot staarde. 'Gaat het wel, schatje?'

'Hè?' Ze hief haar hoofd op en keek de tafel rond alsof het haar verbaasde dat ze hier met hen zat. 'Alles gaat prima. Echt waar. Alleen wat gezeur op het werk, ik moest net een van mijn tekstredacteuren sms'en.' Ze zwaaide met haar mobieltje en liet dat toen in haar tas vallen. Thea wendde haar blik af toen ze Alice' zelfvoldane glimlach zag. 'Heb je de contracten al ondertekend?' vroeg Alice aan haar. 'Dat zou deze week toch gebeuren?'

Thea kreunde, legde haar hoofd in haar handen, keek weer op en nam dankbaar een slok wijn. 'Vraag daar maar niet naar,' zei ze hees, waarna ze alle spannende ontwikkelingen nogmaals tot in de kleinste details vertelde.

'Heb je mijn sms'je nog gehad?' vroeg Alice, alsof ze geen woord had gehoord van Thea's verhaal.

'Welk sms'je?'

'Over mijn klant,' zei Alice.

Thea keek op haar mobieltje. 'O, daar is het. Ik had het nog niet gezien.'

DON JUAN KOMT VOLGENDE WEEK NAAR UK!!!!!!

Thea las het en herlas het. Wat moest ze in godsnaam zeggen? Op dat moment? Op die plek? In een chic restaurant, waar de echtgenoot van haar beste vriendin haar gsm kon zien. 'O,' stamelde ze. 'Ja, ja.'

'Hij wil je graag ontmoeten,' ging Alice vrolijk door terwijl Thea vurig hoopte dat zij de enige was die zag hoe triomfantelijk Alice keek.

'Oké.' Thea knikte langzaam. 'Oké.'

'Wie is het?' vroeg Mark.

'Paul,' zei Alice luchtig, alsof ze Mark eraan wilde herinneren dat hij hem ook kende. 'Ik vind dat Thea hem moet beoordelen.'

'Paul Wie?' vroeg Saul.

'Hij hoort niet bij het *Adam*-team,' zei Alice afwijzend. 'Hij is van een andere afdeling.'

Thea kon maar moeilijk geloven dat zij degene was die moest blozen. Hoorde Alice dat niet te doen? Maar die had te veel lol met haar bedekte toespelingen. 'Ik heb hem verteld dat hij voorzichtig moet zijn. Ik heb gezegd dat hij volgende week plat op zijn rug zal liggen, dus ik geloof dat hij echt baat zal hebben bij Thea's oordeel.'

Thea's eetlust was op slag verdwenen. Gelukkig voor Alice namen Mark en Saul aan dat ze geen trek meer had vanwege de stapel faxen en het gedoe rond de verkoop van haar huis.

'Alice was wel vrolijk, zeg.' Saul trekt zijn kleren uit en gooit ze op de vloer.

'Zeg maar gerust manisch,' vindt Thea. Ze raapt Sauls kleren op en legt ze op de stapel wasgoed die ze al had uitgezocht.

'Gaat alles wel goed tussen Mark en haar?' vraagt Saul voorzichtig.

Thea doet net alsof ze hem niet heeft gehoord en loopt met het wasgoed naar de keuken om het in de wasmachine te stoppen. Hopelijk vergeet Saul zijn vraag als ze doet alsof ze het druk heeft. Als ze terugkomt, ligt hij in bed de FHM te lezen.

'Nieuw nummer, nieuwe problemen?' vraagt Thea.

'Hebben ze die?'

'Pardon?'

'Problemen. Je zei dat Alice en Mark problemen hebben.'

Thea lacht gemaakt. 'Nee, nee! Ik vroeg of dat de nieuwe FHM was.'

Saul kijkt naar de cover en knikt. Thea gaat met haar rug naar hem toe in bed liggen en ze gaapt overdreven om aan te geven hoe moe ze is. Saul legt de FHM weg en komt als een lepeltje tegen haar rug aan liggen. 'Zeg nou niet dat je opgewonden raakt van een paar softpornoplaatjes in een stom mannenblad!' roept Thea uit als ze Sauls erectie hoopvol tegen haar onderrug voelt drukken.

'Doe niet zo stom,' mompelt hij, en hij liefkoost haar nek. 'Dat kwam doordat ik jouw naakt de was zag doen. Je kontje heeft zo'n mooie perzikvorm.' En hij duikt onder het dekbed naar het voorwerp van zijn verlangen. Hij kust haar billen en spreidt ze onverwacht om ver naar beneden te likken. Thea sluit tevreden haar ogen en zwemt in de fysieke sensaties die Saul oproept, om de stress van de verkoop van haar appartement en haar ongemak over het gedrag van haar beste vriendin achter zich te laten.

Soms vindt Thea het fijn om dominant te zijn tijdens seks met

Saul; dan neemt zij het initiatief en bepaalt zij het tempo en de posities. Op andere momenten heeft ze er behoefte aan dat ze helemaal gelijk op gaan, dat hij evenveel naar haar verlangt als zij naar hem, dat hij haar van achteren wil nemen op het moment dat zij zich omdraait, dat ze aan zijn lul wil zuigen zonder dat haar dat wordt gevraagd, dat hun orgasmen praktisch gelijktijdig zijn. Maar er zijn ook momenten, zoals nu, dat ze wil dat de liefde met haar wordt bedreven. Ze wil bewust voelen dat Saul van haar houdt en haar begeert, haar aanbidt, dat hij aan niets en niemand anders dan aan haar kan denken.

Na de daad, als Saul op zijn rug hijgend weer op adem komt, kruipt Thea dicht tegen zijn borst aan. Ze legt haar hand zacht over zijn lul, die nog half hard is en af en toe nasiddert.

'Jezus, dat was lekker,' zegt Saul.

Thea glimlacht. Mooi zo. 'Saul,' zegt ze met de stem van een bang klein meisje, een stemmetje dat ze niet vaak gebruikt. 'Beloof me dat wij nooit zo worden.'

Hij doet zijn hoofd naar beneden, zodat hij haar kan aankijken, en zij kijkt naar hem op, terwijl ze koket haar wimpers neerslaat. 'Zoals Alice en Mark,' zegt ze heel zacht. Ze heeft grote ogen opgezet en ze ziet er bekoorlijk uit.

'Ik wist wel dat er iets was,' zegt Saul. 'Wat is er met die twee aan de hand?'

'Ik weet het niet,' zegt Thea ontwijkend. 'Waarschijnlijk is het niks. Je weet hoe Alice is. Maar ik wil voorkomen dat wij ons ooit zo zelfgenoegzaam gaan voelen.'

Saul drukt een zoen op Thea's voorhoofd. 'Ik weet precies wat je bedoelt. Het leek net of Alice zich er niet van bewust was dat haar man ook bij ons aan tafel zat. Ze praatten zonder echt te communiceren, ze babbelden niet met elkaar. Ze zorgden gewoon dat er genoeg mensen waren voor een tafeltje voor vier personen.'

'Ik wil dat jij en ik altijd een hechte band houden en het gevoel hebben dat we verliefd zijn,' verkondigt Thea. Ze kust Saul terug en draait zich om. Als ze in slaap valt, voelt ze zich wat gelukkiger en veiliger.

M.P.

'HELP ME!'

Thea kreeg een bang voorgevoel en het liefst had ze opgehangen. Met tegenzin had ze zich neergelegd bij de mogelijkheid van zo'n telefoontje van Alice, al had ze stiekem – en kennelijk tevergeefs – ook gehoopt dat Alice zou zeggen dat Paul van gedachten was veranderd, of dat hij naar Lancashire zou gaan, of dat zij van gedachten was veranderd en zijn telefoontjes nu negeerde.

'Help je me met een alibi?' vroeg Alice smekend. 'Alsjeblieft! Kom op, je hebt het beloofd. Je moet je aan onze belofte houden elkaars M.P. te zijn.'

Plotseling had Thea grote spijt van die ene noodlottige schooldag toen ze stiekem achter het natuurkundelokaal waren gaan roken. Ze hadden elkaar uitgedaagd en verklaard dat ze altijd elkaars medeplichtige zouden zijn. Ze hadden plechtig beloofd dat als een van hen werd betrapt, de ander haar lot zou delen. Maar ze waren geen van beiden betrapt en tijdens de acht daaropvolgende lunchpauzes hadden ze het hele pakje Sobranie Cocktail-sigaretten opgepaft. En daarna, als er iets op stapel stond dat risico's met zich meebracht of verkeerd kon gaan, verplichtten Thea en Alice zich ertoe elkaars medeplichtige te zijn. Ik doe het als jij het doet. Kom op, laten we het proberen! Maar ditmaal was het verschil dat de medeplichtige alleen als wachtpost fungeerde, en niet als mededader.

'Uiteraard valt het precies in de week waarin Mark niet op reis is,' klaagde Alice. 'Dus help me alsjeblieft, Thea. Je moet gewoon.'

'Wanneer?' vroeg Thea uit plichtsgevoel. Ze zag zichzelf als een onwillige handlanger voor een misdaad die ze niet wilde begaan.

'Vanavond! Morgenavond! En de avond daarna!' Alice' blijdschap en goede humeur werkten aanstekelijk en Thea moest zich streng voor ogen houden dat haar vrolijkheid een verwerpelijke oorzaak had.

'Wat is je smoes?' verzuchtte Thea.

'Morgenavond Pilates, met jou. En een of andere extra koopavond bij Heals op donderdagavond, met jou. Hij vliegt vrijdagavond terug.'

'Wanneer komt hij?'

'Vanavond laat,' zei Alice dolenthousiast.

'Je klimt toch niet stiekem uit het raam om vanavond nog bij hem te kunnen zijn?' vroeg Thea effen.

'Nee, dat kan ik nog net weerstaan.' Alice moest lachen.

'Je staat bij me in het krijt, mevrouw Sinclair,' zei Thea.

'Vind je ook niet dat ik de aankomende drie dagen beter juffrouw Heggarty kan zijn?'

'Ik zou best naar die koopavond willen,' zei Thea. 'Dan kunnen Saul en ik naar een eettafel kijken.'

'Dat heb ik maar verzonnen, sukkel!'

'Alice,' zei Thea waarschuwend, 'weet je zeker dat je er goed aan doet? Neem je niet een enorm risico?'

'Ja, natuurlijk is het een groot risico, maar ik moet het gewoon doen,' zei Alice. 'Ik voel me ertoe verplicht, dus in dat opzicht moet het het juiste zijn, zelfs al lijkt het op papier verkeerd en achterbaks. Alleen door het te doen kan ik het achter me laten.'

'Ik dacht dat die one-night stand daar al voor had gezorgd,' bracht Thea haar in herinnering.

'Dat dacht ik ook,' zei Alice somber. Toen klaarde ze weer wat op. 'Raad eens?'

'Wat is er?'

'Ik ga morgenmiddag en donderdagochtend spijbelen van mijn werk.'

'Shit,' riep Thea uit. 'Wees toch voorzichtig.'

'Kalm maar, Thea. Ik weet dat je er alles over wilt horen.'

Dat was het 'm nou net: hoezeer Thea Alice' daden ook afkeurde en haar gebrek aan moraal betreurde, ze wilde er inderdaad alles over horen. Dit zou best eens rampzalig kunnen aflopen, maar het was net een vreselijk auto-ongeluk waar je toch naar moest kijken.

Omdat je je vreemd genoeg bijzonder levend voelt als je naar adem snakt en huivert bij de aanblik van iets wat zo erg is dat je haast niet kunt geloven dat het echt gebeurt. En het is ontnuchterend om te denken: gelukkig ben ik dat niet. En beschamend om te denken: ik hoop dat dat mij nooit overkomt.

Juffrouw Heggarty en meneer Brusseque

ALICE' EERSTE GEDACHTE WAS: JEZUS, WAAR BEN IK IN GODSnaam mee bezig? Dit is niks voor mij. Echt niet.

Maar haar verlangen om haar fantasie als sexy verleidster uit te leven, om tegemoet te komen aan haar behoefte aan losbandigheid met de bergbeklimmende, met de natuur communicerende seksgod, was sterker dan al haar wanhoop over waar zich die smerige daad moest voltrekken. Paul had haar een adres in Clapham gegeven: Blanchard Road 23a. Het was de a die Alice het meest van haar stuk bracht.

Toch bleef ze optimistisch, ook toen de taxi hortend over Blanchard Road reed en zowel Alice als de chauffeur hun nek verdraaide om de huisnummers te kunnen lezen. Het was een mooie straat. En rustig. Dat was een goed begin. De rit was duur, maar dat rechtvaardigde ze door te denken dat het welbesteed geld was.

'Nummer 23, liefje.'

Alice zag de aftandse voordeur en de vele bellen, en ze hoopte dat die alleen een ironische façade waren voor een prachtige woning. Misschien waren de bierflesjes en de dozen van afhaalmaaltijden die in de voortuin waren gegooid alleen een sluwe truc om eventuele inbrekers om de tuin te leiden. Toen ze aanbelde, stelde ze haar verwachtingen naar beneden bij en bad ze dat er geen gebatikte sprei-en tegen de muur waren gespijkerd als behang, of posters van Jim Morrison op de deuren hingen waarop hij op zijn Jezusachtige manier omlaag keek. Alsjeblieft geen ban-de-bom-symbolen die met een markeerstift op de koelkastdeur waren gemaakt. En al helemaal geen patchoeli-wierookstaafjes.

Wat ben je toch een snob, Alice.

Dat ben ik niet, ik ben die van wiet vergeven panden gewoon ontgroeid.

Die tijd heb je gehad?

Precies (al heb ik nooit een sprei als behang gebruikt).

Maar nu ben je een getrouwde vrouw van drieëndertig die op stand in Hampstead woont.

Inderdaad.

Die haar werk in de steek laat voor wat licht overspel in de middag.

Toen Paul Alice door het kijkgaatje zag, aarzelde hij even en keek hij alleen maar. Wat een prachtig mantelpakje. Hij zag dat ze ongeduldig werd en enigszins minachtend om zich heen keek. Er verscheen een grijns op zijn gezicht. Hij zou haar eens echt reden tot kreunen geven. En op dat moment was het de kosten van zijn reisje naar Engeland, de regelingen die hij daarvoor op zijn werk had moeten treffen, de leugens die hij Brigitte had verteld – met wie hij net iets had – meer dan waard.

'Het is niet bepaald het Ritz,' zei hij. Hij deed de deur open met zijn vriendelijke glimlach en hij bekeek Alice van top tot teen als een gokker die een renpaard beoordeelt. 'Maar de lakens zijn schoon en er is verder niemand.'

'Voor het bedrag van die taxirit had ik een mooie hotelkamer voor ons kunnen boeken!' zei Alice pissig. Ze liep langs hem heen en stond ineens in een gemeenschappelijke hal die nodig gezogen moest worden. Stijfjes bood ze hem haar wang aan voor een zoen, maar Paul nam haar kin tussen duim en wijsvinger en draaide haar gezicht naar hem toe. Hij sloot zijn mond over de hare en ineens voerden hun tongen een dans uit.

'Laten we neuken,' mompelde hij. Alice' verlangen om met hem naar bed te gaan was zo sterk dat ze niet eens de pizzeriafoldertjes en andere troep in de hal zag, of de stank van de kookkunsten van alle mensen rook. Ze besteedde zo weinig aandacht aan haar omgeving dat het net zo goed wél het Ritz had kunnen zijn. De flat zelf was onverzorgd en ingericht met saai, versleten meubilair en spuuglelijke snuisterijen, zoals een papieren lantaarn met een scheur, en er stond een bord met opgedroogde saus op de bank.

Alice zag wel dat er geen Indiase spreien aan de muur hingen, en dat was zo'n opluchting dat ze de rest van het appartement door een roze bril bekeek en ze haar illegale uitstapje van zowel haar werk als haar huwelijk kon rechtvaardigen. Dus neukte Alice zich suf op een matras op de grond, onder twee aan elkaar geritste slaapzakken.

Pas toen ze met een schok ontwaakte uit haar sluimering, waarvan ze zich niet kon herinneren dat ze erin was weggezakt, een beetje koud en met het irritante geluid van Pauls lichte gesnurk naast zich, besefte ze dat dit huis aan de andere kant van Londen lag en dat haar omgeving bijzonder onplezierig was. Op een normale woensdag zou ze nu op weg zijn naar huis. Voor haar geestesoog verscheen het beeld van haar luxe badkamer en de grote, zachte badlakens van Egyptisch katoen. Daarbij voelde ze ook een steek van schuldgevoel. Maar dat zou betekenen dat ze iets verkeerds had gedaan, en ze was voorlopig niet bereid om dat toe te geven. Het was het best als ze het allemaal uit haar hoofd zette. En de beste manier om dat voor elkaar te krijgen was door zichzelf iets anders te geven om aan te denken. Daarom rolde ze zich om en begon ze Paul te kussen en te strelen. Al snel neukten ze weer en werd haar geweten niet langer geplaagd door gedachten aan werk, huwelijk en vieze slaapkamers.

Elke keer dat de telefoon ging, schrok Thea en was ze bang dat het Mark was die wilde weten of ze zijn vrouw had gezien. Wat hoorden ze vanavond ook alweer te doen? De koopavond bij Heals of Pilates? Saul ging ervan uit dat Thea's spanning werd veroorzaakt door de verwachting dat de makelaar zou bellen met nieuws, of dat nou goed of slecht was. Ze zei het niet tegen hem, maar ze was bijna opgelucht dat het de makelaar van de verkoper was, die hun gewijzigde bod afwees.

'Kom, laten we uitgaan,' zei Saul. 'Een paar drankjes, misschien een superpittige Indiase maaltijd. Dan hoeven we even niet aan bakstenen en cement te denken.'

Maar Thea was bang dat ze Mark tegen het lijf zouden lopen, wat hoogst onwaarschijnlijk was omdat hij niet dol was op Indiaas. 'Nee, laten we naar de bioscoop gaan,' stelde ze voor. In een donkere zaal zouden ze veilig zijn, dacht ze.

'Goed idee,' zei Saul. 'De nieuwste film van Arnie is vast een welkome afleiding. Laten we gaan.'

Maar ineens vroeg Thea zich af wat er zou gebeuren als Alice haar nodig had. Stel dat alles in Clapham vreselijk was misgelopen? In de bioscoop had haar mobieltje geen bereik. Dat risico kon ze niet lopen. 'Nee,' zei ze verward. 'Indiaas. Hier in de buurt.' Onderhand was Saul een beetje kwaad, maar na een kip karahi zou dat weer helemaal over zijn.

Toen Alice het hele eind naar Hampstead terugreed in een taxi, begon ze Thea te sms'en, maar ze stopte halverwege een woord. Wat moest ze schrijven? Moest ze zeggen wat Thea al wist: HEB NON-STOP GENEUKT. LOOP NU ALS JOHN WAYNE? Of iets wijsgerigers als: ZULKE GOEDE ORGASMEN KUNNEN NIET SLECHT ZIJN?
In plaats daarvan drukte ze op de sneltoets om Thea te bellen. Maar wat moest ze zeggen? We hebben tot etenstijd geneukt en daarna heb ik gedoucht in een bad met vieze randen en zo'n rubberen douchestuk dat je op de kranen bevestigt als bij een melkmachine? Moest ze Thea vertellen dat het appartement werd gehuurd door een vriend van Paul? Dat er op een gegeven moment een kerel was binnengekomen die op de bank een joint rolde naast het bord met de opgedroogde saus toen zij en Paul de slaapkamer uit kwamen? Welke details van de afgelopen middag waren eigenlijk het vertellen waard? De enige mensen die wisten waar ze was geweest waren zij, Paul en Thea. En zij wisten alle drie dat de hele middag om seks had gedraaid, en hoe heerlijk het orgasme ook was geweest, de techniek van seks was heel simpel.

Omdat ze zo in gedachten was verzonken, vloog de rit voorbij. Haar taxi reed al door Camden. Ze besloot Thea een kort sms'je te sturen voor ze naar bed ging om te bevestigen dat ze de volgende dag met elkaar zouden lunchen. Laat Mark alsjeblieft niet thuis zijn.

Laat dit alsjeblieft een dag zijn waarop hij tot laat op kantoor moet blijven voor een vergadering of zo.

Thea vond Alice' tienerachtige blos en gegiechel best vertederend. Die Paul was er in elk geval in geslaagd haar vriendin weer vrolijk en levenslustig te maken.

'Ik kan haast niet wachten tot jij hem leert kennen!' verkondigde Alice. Ze trommelde met haar vingers op het restauranttafeltje in het veilige Maida Vale. 'Echt, hij is knapper en opwindender dan iedereen die je ooit hebt gezien, in het echte leven of op tv of in een film. Echt waar!'

'Hou je mond, gek.' Thea gaf haar een por. 'Je praat als een puber.'

'Daar is hij. Daar is hij.'

Thea was vreselijk teleurgesteld. Ze geloofde er heilig in dat uiterlijk schoon alleen maar vertoon was, maar ze moest toegeven dat Paul een stuk was, op een stoere, Timberland-achtige manier. Niet echt haar type, maar zonder meer aantrekkelijk en duidelijk hoteldebotel van Alice. Hij schudde haar hand en nam toen die van Alice in de zijne, waar Thea een ongemakkelijk gevoel van kreeg.

'Vind je het leuk in Londen?' vroeg Thea zo streng dat Alice haar onder de tafel een schop gaf.

'Heel leuk.' Hij woelde door zijn toch al verwarde haren.

'Wat heb je tot nu toe gedaan?' Thea probeerde haar benen buiten schopbereik te houden. 'Waar ben je geweest?'

'O, je weet wel, voornamelijk in Clap Ham.'

Het viel zowel Thea als Alice op dat hij de stomme h uitsprak, maar Alice vond het schattig, terwijl het Thea mateloos irriteerde. Ze vroeg hem bijna naar de hoofdstad van Schotland om hem Edinbro te horen zeggen.

'Dus je bent nog niet wezen sightseeën?' vroeg Thea uitdagend.

'Zoals Bucking Ham Palace? Of Saint Paul's Cathedral?'

Die 'ai' is ook stom, eikel!

'Een van de galerieën?' hield Thea vol, ook al bleef Alice haar boos aankijken. 'Of een van onze prachtige parken?'

'Deze keer niet.' Paul wierp Alice steels een verlekkerde blik toe, die Thea niet ontging. 'Ik heb namelijk een strak schema. Maar misschien de volgende keer.'

'De volgende keer?' riep Alice uit.

'De volgende keer?' zei Thea ontzet.

'Ach, de reis hierheen stelde niks voor. Waarom niet?'

Alice verontschuldigde zich en ging haar gezicht betten met

koud water. Ongemakkelijk keken Thea en Paul elkaar aan.

'Is ze soms met een eikel getrouwd?' vroeg Paul.

'Wie?' snauwde Thea. 'Mark? Een eikel? Hij is een van de aardigste mensen die ik ken.'

Dat leek Paul te verbazen. 'Nou, ze krijgt anders niet wat ze nodig heeft.'

Voor Thea daarop kon reageren, was Alice alweer terug. 'Als je wilt, kunnen we vanmiddag wel een wandeling door Regent's Park maken,' zei Alice tegen Paul. 'Als je vindt dat je iets moet doen om je bezoek hier te rechtvaardigen.'

Paul haalde zijn schouders op, en daarna verscheen er een uiterst wellustige blik op zijn gezicht die Alice opwindend aanstekelijk vond.

'Thea,' zei Alice, zonder haar blik van Paul af te wenden. 'Slaap jij vanavond bij Saul?'

Thea had net gedaan alsof ze helemaal opging in haar frietjes. 'Ja, hoezo?'

'Ik moet je kamerplanten echt even water geven.' Likkebaardend keek Alice Paul aan, terwijl ze Thea's benen probeerde te vinden om er met haar voet tegenaan te duwen.

'Sorry?' Thea wist precies wat Alice bedoelde, maar het overviel haar zo dat ze zich diep beledigd voelde.

'Wil je dat ik je kamer een grote beurt geef?' vroeg Alice. Ze keek Paul aan en giechelde speels. 'Of dat ik je was doe?'

'Alice, vraag je of je mijn appartement mag gebruiken om Paul te neuken?' blafte Thea. Ze hoopte dat Alice zo zou schrikken dat ze zich wat netter zou gaan gedragen en dat Paul zich zou schamen.

'We zullen het netjes achterlaten,' zei Paul. Het was duidelijk dat hij onder de tafel met Alice voetjevrijde.

'Alsjeblieft?' vroeg Alice zo smekend mogelijk.

'Ik moet gaan. Over twintig minuten heb ik een klant,' zei Thea. Met een boze blik liep ze weg.

Net toen Alice opstond om haar achterna te lopen en haar sleutels op te eisen, zag ze dat Thea ze al op haar bord had gelegd. In een plas ketchup.

Onnodig suggestief likte ze de saus af. 'Laten we de bezienswaardigheden van Crouch End gaan bekijken,' zei ze, en ze kuste Paul intiem terwijl een serveerster de tafel afruimde.

Ruzie

THEA WAS ONTZET, KWAAD EN BELEDIGD. DE ARME PETER GLASS kreeg een massage die zo krachtig was dat hij er praktisch buiten adem van raakte. Thea's laatste klant kreeg een plichtmatige veertig minuten, waarna hem werd verteld dat hij er nu veel beter aan toe was, ook al liep hij even stijf haar kamer uit als hij eerder was binnengekomen. Later snauwde Thea tegen Saul: 'Zeg maar dat dit ons laatste bod is en dat ze het kunnen aannemen of een eind op kunnen rotten.' En daarna, toen ze zag dat ze een telefoontje van Mark had gemist, barstte ze in tranen uit.

'Schatje, wat is er?' Saul probeerde haar te troosten.

'Niks,' huilde Thea.

'Vertel het me maar.' Saul drukte zijn lippen op haar hoofd.

'Alice,' zei ze snikkend.

'Wat is er met Alice?' Ineens herinnerde Saul zich dat hij haar die middag niet op kantoor had gezien. 'Is alles goed met haar?'

'We hebben ruzie,' fluisterde Thea. Ze voelde een steek van eenzaamheid bij de gedachte dat Alice dol- en dolgelukkig was en niet eens wist dat ze ruzie hadden.

'Waarover?' Saul veegde haar neus af.

Maar dat wilde Thea niet vertellen. Tenslotte had ze geheimhouding moeten zweren en een deel van haar kon het vertrouwen van haar vriendin niet beschamen. Een ander deel wilde het misdrijf, de zonde, gewoon niet aan Saul onthullen. Hij mocht Alice graag. Hij werkte met haar samen. Hij vond Mark ook aardig. Het was zo walgelijk dat ze er niet over wilde praten. Ze wilde niet hardop zeggen dat ze haar levenslange beste vriendin haatte vanwege haar gedrag dat alles dreigde te ondermijnen wat heilig voor hen hoorde te zijn, alles wat ze hoorden na te streven. Dit was geen speels geflirt of jeugdig experimenteren. Het was regelrechte promiscuïteit. Het was gevaarlijk en spijtig, en Thea wenste dat het niet gebeurde want ze kreeg er een onveilig gevoel van. Waarom deed Alice niet normaal?

'Waarover?' herhaalde Saul.

'Het is gewoon iets doms,' zei Thea. Dankbaar wreef ze haar neus langs Sauls schouder. 'Niks.'

'Het waait wel over.' Saul drukte een zoen op haar voorhoofd. 'Zo gaan die dingen nou eenmaal. Ze is je beste vriendin. Wedden dat ze je sms't voor ze vanavond gaat slapen? Nou, moet ik die makelaar echt bellen om ons laatste bod uit te brengen en te zeggen dat de verkoper het kan accepteren of anders een eind kan oprotten?'

Met een glimlach zei Thea: 'Ik hou van je, Saul.' Ze snoof even. 'Ik zou nooit iets doen om je te kwetsen, ook al zou je het nooit te weten komen.'

Saul keek haar met een verwarde glimlach aan. 'Dank je, schat. Voor mij geldt hetzelfde,' zei hij.

Thea boog zich naar hem toe en nam zijn gezicht in haar handen. Teder drukte ze een kus op zijn mond. 'Ik zal de makelaar bellen,' zei hij, terwijl hij haar terugkuste. 'Zijn we het erover eens dat dit ons laatste bod is?'

Thea had haar ogen dichtgedaan en ze knikte. Ze hield zo veel van Saul. Wat er ook gebeurde, zij hoorde bij hem.

Thea's klant van twaalf uur

'Hoi, ik kom je sleutels terugbrengen. En ik heb een latte meegenomen.'

'Alice, ik heb nu geen tijd. Mijn klant van twaalf uur kan elk moment komen.'

'Ik ben je klant van twaalf uur, gekkie.'

'Wat? Jij? Waarom?'

'Omdat ik pas vanmiddag op kantoor hoef te zijn. Bovendien heb ik net afscheid genomen van Paul en ik heb zo fanatiek aan indoorsport gedaan dat ik wel een massage kan gebruiken.'

'Nou, die zal niet gratis zijn.'

'Ik heb vooraf al betaald. Gaat het wel met je? Is er iets gebeurd? Met je appartement?'

'Alice, kleed je uit en ga op je buik op de tafel liggen. Heb je ergens pijn of last van je spieren?'

'Niet echt. Maar ik heb Paul wel bijzonder atletisch geneukt. En ik ben bang dat ik wat te veel hooi op mijn vork heb genomen.'

'Heb je ook geen diepere pijn? Heeft hij je vanbinnen geraakt?' vraagt Thea.

'Nee!' zegt Alice, nogal triomfantelijk.

'Gaat het niet dieper? Echt niet?'

'Helemaal niet,' zegt Alice. 'Tenzij jij iets kunt vinden wat ik niet voel.'

Thea kijkt naar Alice die op haar rug ligt, naar haar ontegenzeggelijk mooie lichaam. En ze wordt overvallen door een gevoel dat grenst aan walging.

'Ga alsjeblieft op je buik liggen,' zegt Thea. Ze trekt haar klompen uit en loopt naar de tafel. Ze staart net zo lang naar Alice tot die

Thea's kalme, regelmatige ademhaling op haar huid kan voelen. Thea is geconcentreerd en klaar om te beginnen. Ze weet precies bij welke massage Alice baat zou hebben. De effleurage kan ze wel overslaan – de rustgevende techniek van kalme, lichte strelingen waar ze anders een sessie mee begint en beëindigt. Effleurage kan het best worden gebruikt om pijn te verlichten en om iemand te laten ontspannen. Nou, Alice heeft kennelijk geen pijn en ze lijkt zich volkomen op haar gemak te voelen. Ook heeft Thea niet het idee dat Alice vandaag iets zou hebben aan petrissage, de drukkende of knedende methode die voornamelijk wordt gebruikt om spierweefsel te laten spannen en ontspannen; had Alice niet opgeschept dat neuken met Paul haar hele lichaam had getraind? Alice heeft zeker geen lymfemassage nodig en Thea vermoedt dat frictiemethodes ook niet hoeven; tenslotte is er al voldoende frictie tussen hen. Misschien is het tijd voor wat stimulerende percussiebewegingen: hakken, kloppen en slaan zouden Alice vandaag heel veel goed kunnen doen. Maar Thea zal Alice voornamelijk behandelen met huidrollen, al staat het nog te bezien of die dat als verwennerij zal beschouwen.

Met een methode die lijkt op het met de hand rollen van shagjes, trekt Thea een worstje van Alice' huid omhoog en gebruikt ze haar duimen om dat op en over haar vingers te rollen. Dat geeft het gevoel dat er geknepen, getrokken en gescheurd wordt. Omdat de techniek een rollende beweging is, wordt er niet gestopt en haalt Thea haar handen nooit weg. Eerst zegt Alice niks, omdat ze aanneemt dat het goed voor haar is en ze ervan uitgaat dat het ongemak zal verdwijnen. Dan verandert het ongemak in pijn, en die houdt maar niet op.

'Au!' Alice snakt naar adem. Thea blijft haar huid rollen, helemaal langs haar rug, middel, schouders en nek.

'Shit, Thea!' roept Alice uit. 'Dat voelt als omgekeerd prikkeldraad.'

'Ontspan je nou maar.' Thea's stem klinkt kalmerend, maar ze fronst haar wenkbrauwen erbij, wat Alice niet kan zien.

'Thea... Au!' protesteert Alice, maar Thea gaat door en rolt Alice' huid steeds opnieuw. Ik zal even een stukje oprollen. Wat dacht je van een lekkere, dikke rookworst? Nu ga ik een joint rollen, voorzichtig, langzaam en strak. Goed, volgens mij is het tijd voor wat cocktailworstjes. Nog even wat huid oprollen. Een lekkere dikke Churchill-sigaar. Weet je wat? Ik probeer je huid helemaal om te rollen, zo ver als het kan.

'Thea! Je vermoordt me zowat.'

'Niet waar,' zegt Thea minachtend. 'Ik werk gewoon van een onderlaag naar de huidoppervlakte. Ik gebruik een variant van de bindweefselmassage. Omdat oppervlakteweefsels uit een groot membraan bestaan, gaat men ervan uit dat ze in verbinding staan met de hersenen en dat iemands emotionele staat de weefsels kan beïnvloeden en andersom. Dus ik probeer gewoon het bindweefsel te ontwarren, glad te strijken en te herstellen. Goed?'

'Maar het doet pijn.'

'Onzin. Zie het maar als een krachtige invloed op je bindweefsel.'

'Maar ik weet niet wat dat betekent.'

'Alice, doe niet zo kinderachtig. Blijf dan gewoon liggen en denk aan Engeland.'

Thea gebruikt de techniek op Alice' bovenarmen. Alice rukt zich los. De pijn is zo hevig dat de tranen in haar ogen springen. 'Hou op, ja! Zo is het wel genoeg. Bedankt, Thea. Hou nou maar op.'

'Ik zal nog even een paar zenuwknopen opzoeken,' zegt Thea bedrieglijk vriendelijk.

Alice slaakt een zucht van verlichting als het huidrollen ophoudt. Dan slaakt ze een gil. Ze kan niet precies aangeven waar Thea net drukte, maar haar slapen doen pijn.

'O, jee,' zegt Thea. 'Volgens mij heb je daar nog wat behandeling nodig.' Ze drukt ergens anders en de pijn wordt teruggevoerd als een steek in Alice' been. Ze vindt nog een punt en Alice' oogballen voelen aan alsof ze in reepjes worden gesneden. 'Jemig, Alice. Ik raad je intensieve therapie aan. Je zit in de knoop.'

'Zit ik echt in de knoop?'

'Ja.'

Alice gaat overeind zitten. Haar ogen tranen en op haar voorhoofd is een frons te zien. Haar rug voelt aan alsof er talloze etterende wonden en blauwe plekken op zitten. 'Kan ik je vergunning laten intrekken?' vraagt ze verwijtend als ze zich aankleedt. 'Je bent een echte sadist.'

'Kan ik jou laten ontslaan?' Thea staat met haar rug naar haar toe en ruimt de handdoeken op. Ook legt ze een nieuw stuk dekpapier over het bed.

'Nou, mijn redactie mag af en toe hoofdpijn van me krijgen, maar ik doe ze lichamelijk geen pijn,' zegt Alice lachend. 'Dus welke gronden wil je daarvoor aanvoeren?'

'Dat je spijbelt om van je huwelijk te kunnen spijbelen.' Thea zet haar handen in haar zij. Ze heeft de bal vol overtuiging naar Alice geslagen en ze is klaar voor alles wat er terugkomt. Alice staart haar aan, maar Thea is degene die het staren het langst volhoudt.

'Wil je me soms iets vertellen, Thea?' vraagt Alice woedend.

'Ja, eigenlijk wel.' Thea is blij dat ze de kans krijgt om haar hart te luchten. 'Je doet stom en ik ben kwaad omdat je alles op het spel zet wat je hebt. Je gedraagt je als iemand aan wie we altijd een hekel hebben gehad. En ik wil het er nog niet eens over hebben dat je mijn huissleutels hebt geleend.'

Ineens ziet Alice eruit alsof ze in huilen kan uitbarsten en Thea hoopt dat ze dat zal doen. 'Je hebt het recht niet om het me zo moeilijk te maken,' zegt Alice verdedigend. Ze slaat haar armen strak om zich heen en wrijft over haar bovenarmen, alsof Thea die huid net weer heeft gerold. 'Alleen omdat jij zielsgelukkig bent met Saul en alle liefde, alle passie, alle dromen hebt. Doe niet zo verdomd neerbuigend. Je hebt geen flauw idee hoe het is. Ik voel me ongelukkig. Hoe kun je dat nou niet zien? Je bent nota bene mijn beste vriendin. Ik ben al maanden ongelukkig, dat zou jij toch moeten weten.'

'Je hebt niks om ongelukkig over te zijn,' zegt Thea. Ze is even kwaad over Alice' zwakke verdediging als over haar immorele daden. 'Hou op met dat slachtoffergedrag. Je verveelde je gewoon.'

'Ja, inderdaad,' snauwt Alice terug. 'Vervelen is nog zwak uitgedrukt. Geld kan alle luxe kopen die me omringt, maar mijn lichaam en ziel snakken naar aandacht.'

'Jezus nog aan toe!' Thea moet haar kaken opeenklemmen om niet te gaan schreeuwen. 'Mark is stapelverliefd op je. Hij aanbidt je. Dat weet je best. Daarom ben je met hem getrouwd. Hoe kun je dat allemaal op het spel zetten?'

'Waag het niet om helemaal schijnheilig te worden,' zegt Alice waarschuwend.

'Dat ben ik niet,' zegt Thea kil. 'Maar zet de feiten eens op een rijtje. Het is niet te geloven gewoon. Je bent nog niet eens drie jaar getrouwd en je gedraagt je als een slet. Alleen omdat je boos bent omdat Mark hard werkt, af en toe moet reizen en omdat je niet snapt hoe de thuisbioscoop werkt of omdat je je belachelijke kurkentrekker niet kunt vinden.'

'Je hoeft me niet te beledigen,' blaft Alice. 'Ik heb die kurkentrekker niet als huwelijkscadeau gevraagd.'

'Ik ben blij dat je over je huwelijk begint,' zegt Thea gekmakend rustig. 'Dus je weet nog wel welke cadeaus je hebt gevraagd, maar niet meer welke beloftes je Mark hebt gedaan?'

'Aan wiens kant sta je eigenlijk?' vraagt Alice oprecht geschrokken.

'Aan die van Mark,' verkondigt Thea. 'Niemand zal ooit meer van je houden, je een veiliger gevoel geven, voor je zorgen of zo veel van je pikken. Je bent knettergek dat je dat allemaal op het spel zet om met een of andere stoere spetter te neuken.'

Uit Alice' oog rolt een dikke traan langzaam naar het puntje van haar neus. Ze fluistert iets.

'Harder,' beveelt Thea.

'Ik weet het.' Alice' stem klinkt schor. Met de rug van haar hand veegt ze haar neus af. 'Weet je wel hoe saai het is om aanbeden te worden door iemand op wie je niet verliefd bent?' Alice kijkt haar aan en Thea is met stomheid geslagen. Ze wilde dat dit een grote uitbrander werd, een gerechtvaardigde reprimande. 'Je hebt gelijk, Thea: ik bén een ondankbare trut. Ik hoop echt dat Mark het nooit ontdekt. Hij verdient dit niet.' Met betraande ogen steekt Alice haar armen uit naar Thea als een kind dat hunkert naar de omhelzing van zijn moeder. 'En inderdaad, ik heb alles op het spel gezet voor de vergankelijke fysieke vervoering van seks met een ongelooflijk stoere spetter. Maar ik kan er niks aan doen. Ik smacht ernaar. Ik heb dit soort aandacht nodig. Als ik die niet krijg, zou ik het niet overleven.'

'Je zei dat het maar een one-night stand was.' Thea recht haar schouders en slaat haar armen over elkaar.

'Je hebt het recht niet me te veroordelen,' schreeuwt Alice. 'Je weet niet hoe het is. Loop naar de hel.'

'Je bent gek.' Thea lacht hardvochtig. 'En je hoeft niet bij mij te komen als het allemaal misgaat.'

'Val dood, Thea,' bijt Alice haar toe. 'Alsof jij het allemaal zo goed weet.'

Thea's klant van zes uur

HET IS EEN LANGE DAG GEWEEST. DE MAKELAAR HEEFT THEA EN Saul nog altijd niet laten weten of hun laatste bod is geaccepteerd en ze hebben nog niets van de deelgemeente Haringey gehoord, wat inhoudt dat Thea de papieren voor haar oude flat deze week niet zal tekenen. Maar ze is vooral gedeprimeerd om Alice. Hoe heftig haar afkeuring ook is, Thea leeft alsnog mee met het feit dat haar beste vriendin lijdt, hoe verknipt ze haar dilemma ook vindt. Maar Alice is kwaad weggestormd en Thea weet niet precies wat ze nu hoort te doen.

Ze heeft nog een klant, ene meneer St. Clare. Souki heeft 'nieuwe kl.' bij de naam geschreven en Thea vraagt zich af of ze wel de energie heeft voor het benodigde gedoe van aantekeningen maken, inschatten en de botkenmerken van een nieuwe patiënt beoordelen. Ze sjokt de drie trappen af en zorgt dat ze met een glimlach de wachtkamer in stapt. O, kut, kut, kut. Daar zit Mark en hij ziet er maar bleekjes uit. Of komt dat door de herinnering aan de gebronsde seksgod Paul?

'Mark!' zegt Thea alsof het een aangename verrassing is. Wat moet hij hier nou?

'Hallo, Thea.' Hij komt overeind.

'Eh... Mark, weet je, ik heb een klant om zes uur,' zegt Thea vriendelijk. 'Gaat het wel?' Ze weet niet eens of Mark wel weet dat Alice hier is geweest voor een massage.

'Ik bén je klant van zes uur,' zegt Mark. 'Ik heb je gisteravond geprobeerd te bellen op je mobieltje, maar je nam niet op en ik wilde geen speciale gunsten zoals de vorige keer. Daarom heb ik officieel een afspraak gemaakt.'

'St. Clare,' zegt Thea. 'Ze hebben Sinclair verkeerd gespeld, daarom is het me niet opgevallen.'

'Het is mijn nek weer. Kijk maar,' zegt Mark. Hij draait zijn hoofd een heel stuk naar rechts, maar naar links haalt hij maar de helft van die afstand.

'Kom maar boven,' zegt Thea. 'Dan kunnen we eens kijken wat er aan de hand is. En wat we eraan kunnen doen.'

Het liefst zou Thea Mark naar Dan of Brent verwijzen, een van orthopeden, maar die zijn allebei altijd een week van tevoren volgeboekt, en bovendien is hun therapie vandaag misschien niet van toepassing. Ondertussen kan zij wel een aantal dingen doen voor Mark. Ze bekijkt de knoop in zijn ruitvormige spier en de stijfheid rond de borstspier, die allebei bijdragen aan de pijn en de stijfheid die hij in zijn nek voelt. Onder normale omstandigheden zou ze lang en diep met haar duim of vinger op het gevoelige plekje drukken. Hoewel dat meestal heel veel pijn doet, zorgt het ook haast altijd voor onmiddellijke verlichting. Maar een deel van haar talent als masseuse is het inschatten van de toestand van de klant. En Mark is een open boek voor Thea, al weet hij dat zelf niet. Thea meent dat hij vandaag vooral een vriendelijke aanraking kan gebruiken, wat ouderwetse genegenheid. Ze wil dat hij haar kamer gekalmeerd en ontspannen zal verlaten.

'Ga maar op tafel liggen, Mark,' zegt ze zacht. 'Op je buik.' Ze verwarmt wat etherische geraniumolie in de brander en controleert of de kamer warm genoeg is. Dan loopt ze naar Mark en blijft naast hem staan. Ze ademt in en uit, en nog een keer in. Ze sluit haar ogen en ademt diep, gecontroleerd en stil uit. Goed, Mark, dit is speciaal voor jou.

De aanraking. Thea legt haar handen op Marks rug en drukt zacht; ze laat zijn lichaam van de ene naar de andere kant wiegen, van de ene hand naar de andere. Ze houdt het ritme kalm en constant, en al snel voelt ze dat hij zich overgeeft en dat zijn lichaam zich door haar laat leiden. Als Mark helemaal ontspannen en geconcentreerd is, strijkt Thea rustig met haar handen van zijn onderrug naar zijn schouders en eroverheen, weer naar beneden en er weer overheen. Die effleurage ontspant Mark zo erg dat Thea de ruimte tussen zijn oren en zijn schouders groter ziet worden naarmate hij zich er meer aan overgeeft. Ze kneedt hem spaarzaam. Het enige wat ze wil, is hem omgeven met een gevoel van kalmte, van welzijn en hem heerlijk vertroetelen. Als Thea een massage geeft, voelt ze soms negatieve energie of spanningen van haar klanten haar eigen lichaam in stromen, waardoor ze zich heel futloos gaat voelen. Bij andere klanten kan de massage juist voor beiden heel stimulerend zijn. Maar vandaag bij Mark voelt ze zo weinig energie van welk soort dan ook dat ze hem alleen maar streelt. Terwijl haar handen hun aanhoudende warmte weloverwogen over zijn lichaam verspreiden, sluit ze haar ogen en beeldt ze zich in dat ze genegenheid en hoop via haar armen door haar vingers stuurt, die door hem worden opgenomen.

'Mark, als je er klaar voor bent, mag je op je rug gaan liggen,' zegt Thea, zonder haar handen ook maar een moment van hem af te halen. Ze bedekt hem met schone handdoeken en loopt naar de kop van de tafel, terwijl ze al die tijd een hand op hem laat rusten. Zijn ogen zijn half gesloten en daar is ze blij om. Ze legt zijn hoofd een beetje schuin, zodat het half in haar hand rust. 'Ik ga een beetje druk uitoefenen met mijn vingertop vlak bij de aanhechting van je musculus sternocleidomastoideus,' zegt ze, en doet dat vervolgens. Dan gaat ze rechtop staan en neemt ze zijn hoofd in haar handen, met haar vingertoppen aan de onderkant van zijn schedel. 'Nu ga ik hetzelfde doen bij punten op je achterhoofd,' zegt ze tegen hem. Ze vermoedt dat de duur van zijn uitademing recht evenredig is met de spanning die ze heeft verminderd. Mooi zo.

Thea streelt langs zijn hals, over zijn schouders en zijn bovenarmen. Ze laat haar handen over zijn schedel gaan en trekt aan zijn haarlokken als een troep ijverige elfjes op een weefmissie. Dan verandert ze van ritme en positie, en drukt ze heel licht en afgemeten op de acupressuurpunten van zijn gezicht. Ze staat op en trekt eerst aan zijn ene arm en dan aan de andere, omlaagstrelend tot ze bij zijn handpalmen komt. Die masseert ze zorgvuldig, waarna ze over al zijn vingers wrijft en daar plotseling een zacht tikje tegen geeft.

Mark heeft het gevoel dat Thea al zijn stress en spanning naar zijn armen heeft geleid en die nu uit hem weg laat vloeien. Hij weet zeker dat hij bergjes van negativiteit op de grond naast het bed zou zien liggen als hij zou kijken.

Thea is al ruim anderhalf uur met Mark bezig en hij ligt zo stil dat hij dood lijkt. Ze kan wel huilen, maar ze bijt hard op haar wang. 'Gaat het?' vraagt ze. Zo laat ze doorschemeren dat ze nog wel wat meer tijd aan hem wil besteden voor het geval hij 'niet echt' zegt.

Mark is te ontspannen om te praten, maar hij gelooft dat hij een vaag knikje geeft.

'Goed,' zegt Thea. 'Neem alle tijd die je nodig hebt.' Op haar tenen loopt ze de kamer uit.

Als ze ruim een kwartier later terugkomt, zit Mark in een van de plastic stoelen, in zijn pak, met zijn das keurig gestrikt en zijn diplomatenkoffer tegen zijn benen.

'Hoe voel je je nu?' vraagt Thea.

'Geloof me, Thea, dat was precies wat ik nodig had.'

'Mooi zo,' zegt Thea. 'Maar eigenlijk moet je ook wat orthopedie hebben.'

'Kun je Alice niet leren hoe dat moet?' vraagt Mark lachend. 'Toe, om mij een plezier te doen.'

Dat vindt Thea helemaal niet grappig, maar dat wil ze niet laten merken. Daarom geeft ze Mark een kus en zegt ze tegen hem dat hij een afspraak moet maken met Dan of Brent. Als ze haar kamer opruimt, denkt ze na over de bizarre situatie. Het komt geen moment bij Alice op om haar man te masseren, hoewel hij dat heerlijk zou vinden. En Saul wil nooit dat Thea hem masseert, omdat hij daar, volgens eigen zeggen, het nut niet van inziet.

Kille bejegening

HET WAS GEK VOOR THEA OM ZOIETS GEDENKWAARDIGS TE BELEven als het ondertekenen van de contracten zonder Alice om het mee te vieren. En het was vreemd dat Alice helemaal geen behoefte had om Thea te bellen, hoewel ze wist dat ze baat zou hebben bij haar advies en steun. Alice voelde zich even neerslachtig als Thea zich opgetogen voelde. De toestand met Paul was lang niet zo zorgeloos en ongecompliceerd als ze had gewild. Het was ontmoedigend dat haar vrijpostigheid zo makkelijk was vervangen door een irritante onzekerheid die direct in verband stond met de tijd die het Paul kostte een sms'je te sturen, met de lengte en toon van zijn afgekorte woorden. Ze was zelfs jaloers op Pauls nieuwe groepen en ze stelde zich voor hoe een of andere knappe vrouw heupwiegend voor hem over de Pont du Gard liep, of hem verleidde in de Cathédrale d'Images, of wetenswaardigheden met hem uitwisselde over de eetgewoonten van de flamingo. En hoewel ze zichzelf voorhield dat ze haar eigen raad moest opvolgen, of op z'n minst de redactie van *Lush* moest gehoorzamen, ontdekte ze dat ze vaak het advies in de wind sloeg om zich 'ongenaakbaar op te stellen' en ze hem ook niet 'onvriendelijk behandelde om hem gretig te houden'. In plaats daarvan stuurde ze hem berichtjes waarin soms alleen maar stond: HEB JE M'N LAATSTE SMS GEHAD?? Haar humeur op kantoor hing af van het feit of Paul wel of niet had geantwoord. Als ze op antwoord wachtte, was ze ongeconcentreerd en ongeduldig. Als hij wel had geantwoord, bruiste ze van opwinding en creativiteit. Maar Mark was degene die het het zwaarst te verduren had van het effect van de lengte en de frequentie van Pauls berichten. Als Alice een antwoord verwachtte, was ze chagrijnig en afwezig. Als zijn bericht fatsoenlijk lang was en een schunnige inhoud had, deed ze kortaf tegen Mark omdat ze het hem kwalijk nam dat hij Paul niet was. Als Pauls sms'-je kort en nietszeggend was, was Alice nog snibbiger tegen Mark en was ze boos dat hij alles was wat ze had.

Alice had Thea nodig en ze wist dat ze er profijt van zou hebben als ze met z'n tweeën haar probleem zouden 'behandelen', alle onredelijke twijfels zouden vernietigen, een constructieve manier van denken zouden bepalen, een realistische weg naar voren uitstippelen. Daarbij kwam nog dat Alice Thea gewoon miste. Het was heel eenzaam om haar eigen spiegelbeeld in vertrouwen te nemen; ze kon zichzelf geen scherpzinnige antwoorden geven, en als ze bepaald advies niet wilde horen, kon ze zich gewoon omdraaien en boos weglopen. Zonder Thea ontbrak het Alice aan zelfvertrouwen en motivatie om onder ogen te zien hoe haar relatie met Mark ervoor stond, hoe de situatie met Paul zich ontwikkelde en wat ze moest doen met de een, de ander of met allebei.

Thea miste Alice gewoon; ze wilde de mening van een ander horen als ze rondkeek in de winkel van Cath Kidston op Marylebone Road, ze wilde dat Alice haar meenam naar dat tentje dat ze kende bij Westbourne Park waar ze prachtige antieke spiegels verkochten.

Toch was Thea nog steeds kwaad dat Alice zich gedroeg als een zorgeloze snol. En Alice was geïrriteerd door wat zij zag als schijnheilige arrogantie en een volslagen gebrek aan begrip van Thea. Hoe konden ze beste vriendinnen zijn als ze elkaars moraal niet begrepen? Wat stelde hun vriendschap nou helemaal voor als hun ethiek en normen zo volkomen in tegenspraak met elkaar waren? Zulke tegenpolen trokken elkaar absoluut niet aan. Alice' enige troost was dat ze wist dat haar geheim veilig was, hoe verwerpelijk Thea het ook vond. Ondanks haar stilte en afkeer bleef Thea standvastig loyaal. Ze betwijfelde zelfs of Thea iets tegen Saul zou zeggen.

Mark en Saul wisten dat hun partners ruzie hadden, maar ze hadden geen van beiden een idee waarom. Het leek stom dat twee volwassen vrouwen die al sinds hun kindertijd bevriend waren, twee zielsverwanten, niet tegen elkaar spraken. Maar toen Mark aan Alice probeerde te vragen wat er aan de hand was, en Saul dat aan Thea vroeg, werden ze zo afgesnauwd dat beide mannen besloten om het niet meer over de vriendin te hebben tot ze weer in genade was aangenomen. Mark, die op advies van de orthopeed weer naar Thea was gekomen voor een massage, waagde het een zin te beginnen met: 'Thea, waarom praten jij en Alice...' Op dat moment kreeg hij het gevoel dat zijn huid tot corduroy werd geknepen en durfde hij zijn zin niet af te maken. In elk geval durfde hij zijn zorgen om zijn huwelijk niet aan Thea te vertellen. Maar omdat ze toch niet met Alice sprak, wist ze waarschijnlijk ook niet waarom zijn vrouw zo'n slecht humeur had.

Tijdens een brainstormlunch met Alice schonk Saul haar wijnglas voor de derde keer vol en zei toen: 'Wanneer gaan Thea en jij het in godsnaam goedmaken?'

Alice kneep haar ogen tot spleetjes en wierp hem een vernietigende blik toe. Daardoor begreep hij maar al te goed dat hij zich er niet mee moest bemoeien.

Sally wist dat haar twee vriendinnen niet meer tegen elkaar praatten, maar noch Alice, noch Thea wilde vertellen waarom niet. Ze haalden alleen nietszeggend hun schouders op. Op Pilates probeerden Alice en Thea, als ze tenminste bij dezelfde les waren, elkaar de loef af te steken met stretchen, zich afwikkelen langs de muur, en betere pijlen, honden en kamelen te maken. Sally kon niets anders doen dan toekijken en wensen dat haar afrollen half zo goed was als dat van Thea, dat haar krijgers zo soepel waren als die van Alice. Dus iedereen in hun buurt zweeg over de situatie, hoewel iedereen het bizar en ongelooflijk kinderachtig vond.

Black Beauty

HET WAS EEN VAN DIE WARME MEIDAGEN WAAROP JE VERGEET dat de winter traag voorbijkroop en de belofte van zomer eindelijk mogelijk lijkt. Onder de glanzende, porseleinblauwe hemel barstte een overvloed aan bloemen open en sappige blaadjes ontvouwden zich glanzend en gaven de lucht een schone frisheid en warmte die geproefd en geroken konden worden. De dag had een helderheid die bij iedereen voor een vrolijk humeur en een lenteachtig *joie de vivre* zorgde. Alice kwam opgewekt op haar werk, wat meer werd veroorzaakt door het weer en het feit dat ze voor het eerst dat jaar sandalen droeg dan door het behoorlijk kinky bericht van Paul dat ze net had ontvangen. Saul had een artikel voor de *Evening Standard* afgeraffeld, zijn stuk voor de *Observer* vroeg de deur uit gedaan en een aantal langverwachte cheques verzilverd, wat allemaal aanleiding was voor de stralendste glimlach die maar mogelijk was. Toen Mark op zijn werk kwam, werd hij geroepen voor een vergadering met de CEO, de VP en de directeur, waarbij hij werd bevorderd, een enorme salarisverhoging kreeg en de verzekering van meer mensen en minder reizen. Thea werd alleen in haar appartement wakker en ze draaide haar gezicht naar een kus van zonlicht die door een kier in de gordijnen naar binnen viel. Wat een prachtige dag, dacht ze. Wat een prachtige dag.

'Goedemorgen!' Het was Saul.

'Ik zit in de bus!' Thea probeerde in haar mobieltje te fluisteren, terwijl ze zich onderwijl schrap zette voor de hobbels en bobbels in Kentish Town Road. 'Ik bel je wel terug als ik op mijn werk ben.'

'Zit de bus vol?' vroeg Saul.

'Ja,' kreunde Thea. 'Er zijn alleen nog staanplaatsen.'
'Wil je je medepassagiers ergens van laten genieten?'
'Saul,' zei Thea verwijtend. 'Ik bel je wel als ik op mijn werk ben. Deze weg is verdomd hobbelig.'
'Thea... ons bod is aangenomen. Over een maand moet alles rond zijn.'
Plotseling maakte de knappe vrouw met het korte kapsel sprongetjes van vreugde en gilde ze het uit van blijdschap. 'We hebben het. We hebben het!' riep ze buiten adem tegen iedereen. 'Ons bod is geaccepteerd!' zong ze. 'We gaan een geweldig appartement kopen!' Haar medepassagiers moesten lachen om haar spontane emoties. Dat was precies wat Saul in gedachten had gehad, omdat hij wel had vermoed dat ze zo zou reageren.

Toen Peter Glass om tien uur voor een sessie kwam, praatte Thea nog meer dan hij. Hij kende de appartementen die ze bedoelde en verzekerde haar dat de koopprijs heel schappelijk was. Hij kon niet echt iets zeggen over haar stortvloed van ideeën voor kleuren in verschillende tinten taupe, maar hij liet haar doorbabbelen in de hoop dat ze haar onverdeelde aandacht al snel weer aan zijn vastzittende schouder zou schenken.
'O, goedemorgen, Gabriel!' zei Thea een uur later tegen een nogal verbaasde meneer Sewell. 'Hoe gaat het met je op deze prachtige dag?'
'Met mij gaat het goed, juffrouw Luckmore,' zei hij vrij bits, maar Thea merkte het niet eens. Ze huppelde zowat de trap op naar haar kamer.
'Kom dan maar gauw mee,' zei ze glimlachend tegen Gabriel. 'Ga maar op bed liggen; dan zullen we eens kijken.'

Ik weet dat de contracten nog niet zijn ondertekend... en ik weet dat dat proces veel stress en problemen kan opleveren, maar stik maar. Ik voel me lekker en ik heb een lange lunchpauze en het is een prachtige dag, dus ik ga helemaal naar de Ruth Aram-winkel lopen om iets leuks te kopen voor ons nieuwe huis. Misschien een lamp, of iets hips en functioneels voor de keuken! Of een fraai stuk keramiek, gewoon omdat het zo schitterend is.

Ze belt Saul om te vragen of hij mee wil, of om ergens een broodje te gaan eten om het te vieren, maar zijn mobieltje staat uit en ze vermoedt dat hij hard bezig is om een deadline te halen voor een stuk over de goede eigenschappen van de nieuwe generatie Bluetooths voor het blad *T3*, of dat hij geen bereik heeft omdat hij in het kantoor van een of andere fotoredacteur zit.

Nee! Daar zit hij niet! Hij werkt niet aan Bluetooth en hij bekijkt geen foto's, want daar is hij! Hij loopt vlak voor me! Daarzo! Saul! Saul! O, wat een heerlijke dag.

Saul loopt voor Thea uit door Berwick Street. Thea's stem komt niet boven de drukte van de markt uit, dus ze probeert haar pas te versnellen en ze slalomt tussen de standhouders en klanten door om hem in te halen. Dan ziet ze hem links afslaan.

'Hé! Saul! Meneer Mundy!'

Hij heeft haar niet gehoord. En een kerel rijdt op zijn bromfiets over de stoep, waardoor de voetgangers zich als kegels verspreiden. Thea huppelt de stoep op en af met de behendigheid van Gene Kelly in *Singing in the Rain*, al regent het niet, maar schijnt er een heerlijk zonnetje. Ze gaat de hoek om en is net op tijd om Saul een paar meter verderop in een deuropening te zien verdwijnen.

Verdomme. Snel. Ik zal hem nog eens bellen. Kut, die staat nog steeds uit. Kennelijk heeft hij een vergadering. Bluetooth of foto's of zoiets.

Een beetje teleurgesteld besluit Thea om toch door deze straat te lopen omdat het niet zo ver om is, en misschien zijn er een eindje verder nog interessante winkeltjes, hoewel er voornamelijk sekswinkels en louche videotheken zitten.

Hier. Hier heeft Saul zijn vergadering. Daar binnen.

Vreemd.

Dat ziet er niet uit als een kantoorgebouw.

Er is geen voordeur!

Nou ja, die is er wel, maar hij staat open. Maar er is in elk geval geen receptie met een koudwatertank, en op de glazen ruit staat geen logo van een bedrijf. Het enige wat de open voordeur onthult, is een kale hal en een trap met glanzende verf die even erg afbladdert als de nagellak van een slet.

Op de deurstijl zijn twee bellen met onder elke een naambordje dat bevestigd is met plakband.

BLACK BEAUTY, EERSTE VERDIEPING

MODELLEN!TOP

Thea staat op de stoep en deinst terug. Wat gek, ze weet zeker dat Saul hier naar binnen ging. Heel zeker zelfs. Misschien is dit allemaal heel erg C. S. Lewis, denkt ze bij zichzelf: je gaat bij de ene plaats naar binnen en je komt ergens anders weer naar buiten. Ze bekijkt de belendende panden. Het ene is het kantoor van een taxibedrijf waar een slaperige Oegandees op de stoep zit met een klembord op zijn knie. Het andere een winkel die perspex in alle soorten, maten en kleuren verkoopt. Maar die is gesloten. OVER EEN UURTJE TERUG, staat er op een briefje. Nee, Saul is pertinent in dit gebouw verdwenen.

Thea blijft aarzelend voor het pand staan. Black Beauty en Topmodellen. Even stelt ze zich voor dat Kate Moss en haar vriendinnen boven naar dagtelevisie kijken, maar dat is zo'n bizar idee dat ze erom moet grijnzen. Hoe dan ook er staat: Modellen!Top, en niet 'Topmodellen', dus Thea laat haar fantasie varen.

Black Beauty? Thea loopt op de Oegandees af, die lui op een gammele stoel zit en met een pen tegen zijn klembord tikt.

'Wilt u een taxi, mevrouw? Waar moet u heen?'

'Nee, dank u. Ik ben gewoon... Weet u misschien welk bedrijf er nog meer in dat gebouw zit?' vraagt Thea.

De man kijkt ernaar en haalt zijn schouders op.

'Is daar misschien een kleine studio of een bedrijf dat nieuwe apparaten maakt? U weet wel, mannenspeeltjes en zo?' De taximan grinnikt. 'Of zit er soms iets wat met uitgeven te maken heeft?' houdt Thea vol.

'Nee. Alleen de meisjes,' zegt de man. 'Alleen die meisjes.'

'O.' Thea fronst haar wenkbrauwen. Wat gek. Ze staart naar het gebouw. Waarschijnlijk is er helemaal bovenin een piepklein kamertje van een schrijver. Ongetwijfeld is Saul daar om een of andere freelancer een opdracht te geven. 'Zit er helemaal bovenin een schrijver?' vraagt ze. De taximan haalt zijn schouders op en schudt zijn hoofd. Blijkbaar weet hij het niet zeker, denkt Thea. De perspexwinkel is nog altijd dicht. Misschien hebben ze een klein magazijn in het gebouw ernaast en heeft Saul wat perspex nodig.

BLACK BEAUTY

Wacht! O, hemel! Black Beauty!

Thea bedenkt een verklaring die zo aannemelijk en hartverwarmend is dat ze bijna in katzwijm valt vanwege Sauls vriendelijkheid.

Hij heeft er onderzoek naar gedaan! Het is een specialistische boekhandel die zich helemaal heeft toegelegd op *Black Beauty*, het geweldige boek van Anna Sewell! Hij koopt een eerste druk voor me!

Echt waar?

Echt waar, Thea?

Ze ziet de taximan zijn stoel binnen zetten en het kantoor op slot doen. Daarna loopt hij naar de markt. Verder is het stil op straat. Er loopt nog een man die zijn sleutelbos laat rinkelen. Perspex te koop. Wat is dat in godsnaam voor handel? Hoeveel perspex moet je per dag verkopen om je brood te verdienen? Hoe lang staat Thea daar al? Ze heeft geen idee. Hoe lang is Saul daar al binnen? Ze weet het echt niet.

'Pardon.' Ze loopt naar de perspexman toe als hij de winkeldeur opent. 'Wat zit hiernaast?'

'Meisjes van plezier, liefje,' zegt hij theatraal, luchtig.

'En wat nog meer?' vraagt Thea. 'Zitten er ook schrijvers? Of kleine, rare bedrijfjes? Een zaak die iets met het uitgeven van tijdschriften te maken heeft?'

'Nee,' zegt de man. 'Alleen de meisjes. Probeer het een paar straten verderop eens. Daar zitten wat boekhandels en zo.' Hij gaat de winkel in en Thea blijft op de stoep staan. Er welt een misselijk gevoel in haar op en ze voelt zich verward. Kom op, denk na. Er moet een verklaring zijn. Waarom is Saul daar binnen? Wat doet hij daar? Wanneer komt hij weer naar buiten?

BLACK BEAUTY, EERSTE VERDIEPING

MODELLEN!TOP

Waar is Saul? Waar is hij? Op de eerste verdieping? Of op de bovenste?

Voor Thea houdt het denken een keer op, want tenslotte zijn alleen de meisjes daar binnen. En Saul. Pijnlijk langzaam begint Thea's leven te versplinteren in stukgeslagen beelden en gebroken herinneringen, halfbakken theorieën en haastig verworpen tekenen en aanwijzingen, die er allemaal voor zorgen dat ze er niet in slaagt de feiten onder ogen te zien.

Er gaat een deur open. Voetstappen komen de trap af. Thea vreest dat ze zich niet kan bewegen, maar ineens staat ze in de perspexwinkel. Haar hart klopt in een verschillend tempo in haar keel en haar hoofd. Een vreemde kracht drukt haar maag tegen haar ruggengraat en laat alle vocht in haar mond verdampen. Haar geweten komt in opstand. Ze schreeuwt tegen zichzelf: stomme trut! Hoe durf je Saul te belasteren? Hoe durf je te denken dat hij zoiets kan doen? Dat hij jou zoiets kan aandoen! Kijk! Zie je wel! Het is Saul niet! Natuurlijk is het Saul niet, het is een volslagen vreemde! Gewoon een of andere dikke, oude zielenpiet van in de zestig die bij zijn moeder in Purley woont en nog nooit een vriendin heeft gehad.

Nee.

Het is Saul. Het is Saul. Het is Saul.

Thea ziet Saul voorbijslenteren door haar gebroken sluier van perspex. Saul wordt vervormd door dit prisma van scherven, lagen en vlakken in heldere kleuren en verschillende maten van doorzichtigheid. Alles is verdraaid en gefragmenteerd, als een kubistisch schilderij. Wat is echt? Hoe voeg je het weer aaneen tot een geheel? Hoe kan de betekenis ontcijferd worden?

Dat was Saul.
Hij was het.
Echt waar.

Hij wierp geen steelse blikken om zich heen. Hij sloop niet stiekem weg. Hij hield zijn hoofd fier opgeheven en hij zag er best gelukkig uit.
'Ik moet even uw toilet gebruiken.'
Dat heeft nog nooit een klant tegen meneer Perspex gezegd en deze dame lijkt niet eens een klant te zijn, maar meneer Perspex haalt zijn schouders op en zegt tegen Thea dat de wc achterin is. Ze geeft over. Ze gooit alles naar buiten wat ze in zich heeft. Ze spoelt het weg, maar ineens komt er nog meer. Ze trekt nog een keer door, waarna haar maag zich weer krampachtig samentrekt, en haar keel staat in brand als ze gal in het toilet kotst. Trek het door. Trek het door. Ze kokhalst en braakt, maar eindelijk is er niks meer over. Fysiek is het een opluchting, al voelt ze zich nog altijd vreselijk misselijk.

Niks meer over. Er is niks meer over.

Alice?

BEN JE DAAR MR. B?

Ja, hij is er!

HOE GAAT IE? MIS JE, GEKKE, SXY TEEF! :-)

MIS JOU OOK :-(

'Met wie sms je, Alice?'
'Met niemand... Ik bedoel, het is iets van het werk, Mark.'
'Heb je zin in Thais?'
'Sorry?'
'Zullen we Thais gaan halen?'
'Ja. Goed. Zie maar. Laat me dit even afhandelen, Mark.'

SLECHTE TIMING. SMS LATER XXXXXXXXX

'Sorry, Mark. Wat zei je ook alweer?'
'Heb je trek in Thais?'
'Eigenlijk heb ik niet zo veel trek.'
'Nou, de koelkast is helemaal leeg.'
'Ik heb het druk gehad!'
'Het is geen kritiek, Alice. Ik zei alleen dat we niks in huis hebben. Dus heb je zin om ergens te gaan eten of om een maaltijd te halen?'
'O. Oké. Ja hoor, bestel maar flink wat, dan eet ik wel wat mee.'
'Goed. Tenzij je liever uit wilt gaan?'
'Nee. Iets halen is prima. Haal maar wat.'

BEN JE DAAR, GROTE JONGEN?

JA, DENK AAN JOUW LEKKERE LIJF...

MIJN LEKKERE LIJF HEEL NAT!

IK HRD EN GEIL. WIL JE ZUIGEN?

YUM, YUM, YUM! KOM VOOR ME. KOM JE NOG NAAR DE UK??!!

GRAAG, MAAR BEN BLUT :-(

MAAR IK WIL MET M'N TOYBOY SPELE

KUN JE BELLE?

NEE, NU NIET. GAAT NIET XXXXX

'Daar zijn we dan. Ik heb veel te veel gehaald. Is alles goed met je, Alice?'

'Sorry? Ja, hoor. Ik zat aan mijn werk te denken.'

'Ik ben ook langs de videotheek geweest.'

'Ik moet nog wat werk doen. Vind je het erg als ik dadelijk een uurtje verdwijn?'

'Nee, hoor. Hier, ik zal even voor je opscheppen. Alsjeblieft, schat.'

'Dank je, Mark.'

K KAN JE TIX STUREN

WAT IS TIX?

TICKETS! SUKKEL. HEB JE ALLEEN BALLEN, GEEN HERSENS? EASYJET/EUROSTAR ETC

MAAR IK BEN BLUT ALICE!

JE KUNT VAST WEL EEN MANIER BEDENKEN OM ME TERUG TE BETALEN, MR. B

KAN JE NEUKEN TOT JE OM GENADE SMEEKT...

HMM, GOED IDEE

EVEN SERIEUS, MEEN JE DAT, ALICE?

JA, ZAL INFORMEREN. BEL/SMS JE MORGEN XXXXXXXXX

XXXXXXXXXXX

'Hoe ging het?'

'Dat was heerlijk.'

'Maar hoe ging het? Je werk? Ben je helemaal klaar?'

'O. Ja. Het ging goed. Ik wilde even iets uitzoeken. Mark, moet je binnenkort nog op reis?'

'Ik weet het niet precies. Hoezo?'

'O, niks. Het doet er niet toe.'

'Ik weet wel wat je wilt: een vakantie! Goed idee, Alice. We zijn in geen tijden weg geweest. Weet je wat, ik zal het morgen op mijn werk regelen. Wat een geweldig idee. Wat dacht je van een superde-luxe vakantie op de Maldiven?'

'Maar moet je nog op zakenreis? Binnenkort?'

'Ik geloof het niet, er staat niks gepland. Maar weet je wat, ze kunnen de boom in! Ik zou het zo afzeggen!'

BEN JE DAAR? X

Toen Alice' mobieltje twee uur later zoemde omdat ze een nieuw bericht had, begon haar hart sneller te kloppen, maar het ging meteen weer langzamer toen ze Pauls naam niet op het display zag verschijnen. Haar hart ging wel weer iets sneller kloppen toen ze zag dat het van Thea was. Alice las het en besloot het te wissen.

Ik ben er wel, Thea. Maar hier ben ik nog niet helemaal klaar voor, mevrouwtje.

Thea?

'Hoi schatje, met mij. Ik heb een boodschap ingesproken op je vaste nummer. Bel me als je dit hoort. Dag!'

VANDAAG LUNCHEN? VANAVOND FILM? SX

'O. Dag, schatje. Ik ben het maar. Ben je je mobieltje soms kwijt? Nou ja, bel me zodra je tijd hebt. Dag.'

AARDE AAN THEA, AARDE AAN THEA... WAAR BEN JE??? BEL ME!! SX

'Hallo, liefje. Ben je ontvoerd door ruimtewezens? In een put gevallen? Weggelopen? Ik begin me zorgen te maken, bel even. Goed. Dag.'

KOMEN MIJN SMS'JES WEL AAN, TELEFOON KAPOT? SXX

'Eh... met mij... Saul. Ik denk dat je je gsm hebt verloren, maar ik spreek dit bericht toch in en ik zal je vaste nummer nog een keer bellen. Als je dit bericht hoort, wil je me dan bellen, schatje? Tot horens. Dag.'

'Thea, het is al lunchtijd. Wil je me alsjeblieft bellen zodra je dit bericht hoort? Ik hou van je.'

'Alice? Met Saul. Ja, ik kom rond drieën. Zeg, heb jij toevallig iets van Thea gehoord? Nee? Nee, zomaar, ik denk dat ze haar mobieltje kwijt is, dat is alles. Stomme trut. Goed, tot straks. Ja, ik zal ze meenemen.'

'Thea, met Saul. Als je daar bent, wil je dan opnemen? Ik ben even bij The Being Well langsgegaan, maar daar was je niet en zij weten ook niet waar je bent. Kun je me bellen zodra je dit hoort? Of sms'en? Ik ben thuis, maar mijn mobieltje staat ook aan. Tot horens. Ik hou van je.'

'Hoi Alice, nogmaals met Saul. Zeg, vind je het heel erg als ik de vergadering afzeg? Thea is niet op haar werk, ze neemt haar mobieltje en haar vaste telefoon niet op en ik begin me echt ongerust te maken. Sorry? Ik heb haar twee avonden geleden gezien, ik heb haar gisterochtend gesproken om haar te vertellen dat ons bod is geaccepteerd. Ze ging uit haar dak in de bus. Sindsdien heb ik niks meer van haar gehoord. Wat? Ja, het bod op het huis dat we leuk vinden, dat gaat door. Hoor eens, ik ga maar naar Crouch End, ik heb sleutels. Is dat dan goed wat betreft die vergadering? Tof. Ja. Morgen is prima.'

Shit. Thea's sms'je van gisteravond. Alice grijpt haar telefoon en stuurt snel een bericht.

ALLES GOED?

Na twee minuten stuurt ze er nog een.

ALLES GOED? AXX

Thea kan wel huilen van opluchting. Er komt hulp. Alice is er.

NEE. TX

BEN JE THUIS? AXXX

JA, KUN JE KOMEN?? HEB JE NODIG, HEEL, HEEL ERG TXX

OK. KOM ERAAN. SAUL OOK ONDERWEG

Saul? Onderweg hierheen? Nee, nee, nee! Kut. Ik wil hem niet zien. Ik moet gaan.

Toen de knettergekke student Thea de bons had gegeven, was haar hart gebroken en de pijn was vreselijk en onverdraaglijk geweest, maar op een louterende, Brontë-achtige manier. Maar Saul had haar hart niet gebroken. Als hij dat opzettelijk had gedaan zou ze zich tenminste nog in een romantische maalstroom van treuren, huilen en vergeefse hoop kunnen storten. In plaats daarvan zat Thea opgezadeld met zijn verraderlijke geheim en dat was verstikkend. Hierbij vergeleken stelde een gebroken hart niets voor. Het enige waar ze het afgelopen etmaal toe in staat was geweest was ijsberen in haar appartement en hyperventileren, zich naar de wc haasten om niets anders uit te kotsen dan leegte die even bitter was als gal. Ze was niet in staat geweest om rationeel te verwerken wat ze had gezien; de harde feiten waren te groot geweest om verstandelijk te kunnen bevatten. Daarom had ze Sauls berichten ook genegeerd. Uiteraard had ze zijn 'welterusten'- en 'goedemorgen'- en 'Thea, waar ben je, schatje?'-boodschappen gewist. En het is logisch dat ze zich haar flat uit haast nu ze weet dat hij eraan komt.

Vandaag voelt ze zich nog veel beroerder dan gisteren; toen had ze tenminste iets om over te geven en te veel om over na te denken. Vandaag voelt ze zich leeg, verdoemd en uitgeput. Er kan geen andere uitleg zijn, geen ontsnapping van wat ze heeft gezien. De naakte feiten schitteren haar in felle kleuren tegemoet, even verblindend als een tl-buis; maar ze kan haar ogen er niet voor sluiten, ze kan zich niet met een ruk afwenden, want die dingen staan toch op haar netvlies gegrift. Ze voelt zich radeloos en ellendig. Ontzetting, verbijstering, woede en gekwetstheid komen rampzalig met elkaar in botsing. Saul had iets ongelooflijks gedaan, maar ze moest het wel geloven, want ze had het met eigen ogen gezien. Afwisselend walgt ze van hem en is ze ook een beetje bang voor hem. Het ene moment schreeuwt ze hardop dat ze hem nooit meer wil zien en het volgende moment snikt ze stilletjes bij het angstaanjagende idee van een toekomst zonder hem.

Hij is niet de man die ik dacht dat hij was. Hij is iemand anders.

Mijn Saul is weg. Wie is deze andere Saul? Wie is hij? Een man die vreselijke dingen doet.

Gisteren was Thea nog ontzet. Maar de golven van adrenaline en de aanhoudende behoefte om over te geven zorgden voor een bizar respijt, een tijdelijke afleiding van het ontcijferen van de feiten en het toegeven van de betekenis daarvan. Vandaag wordt ze verteerd door het verraad, verpletterd door hoe afgrijselijk alles is. De realiteit valt niet langer te ontkennen en aan de waarheid valt niet te ontkomen.

Heeft Saul dat gedaan?

Ja.

Hij, met hen?

Ja.

Hoe durft hij te beweren dat hij van me houdt en om me geeft, terwijl hij elders voor seks betaalt? Je kunt niet het een én het ander doen. Dat is ethisch onmogelijk en moreel verwerpelijk. Of de liefde heeft zijn betekenis verloren, of hij heeft nooit van me gehouden. Je kunt gewoon geen seks bedrijven met prostituees en van je partner houden. Dat is een feit. Een ander feit is dat ik gisteren rond lunchtijd zin had in een broodje en Saul in een snelle wip.

Op wankele benen verlaat Thea haar appartement. Ze huivert voortdurend, al is deze dag nog mooier dan de vorige. Met hangende schouders loopt ze over straat, haar armen om haar lege, pijnlijke maag geslagen. Haar gezicht is spierwit, ze draagt slippers en ze kijkt droevig. De mensen kijken haar na alsof ze precies weten wat haar is overkomen, alsof ze voor altijd is gebrandmerkt, gestigmatiseerd. De arme ziel, ze heeft net ontdekt dat haar vriend naar de hoeren gaat. Moet je haar nou zien; ze strompelt over Topsfield Parade, ze loopt midden op de rijbaan! Is ze soms gek? Dronken? Ziek? Nee, ze heeft ontdekt dat haar vriend betaalde seks heeft. Jezus, wat afschuwelijk.

'Alice?'

'Thea!' reageert Alice meteen. 'Is alles in orde met je? Wat is er aan de hand? Ik ben onderweg. Ik zit in een taxi in Dartmouth Park, maar het verkeer is één grote ellende. Is Saul er al?'

'Maar Alice, ik wil Saul niet zien.'

Van pure verbazing zwijgt Alice. Daar was ik in geen duizend jaar op gekomen, denkt ze totaal verbijsterd. Wat heeft die rotzak gedaan? Ze zal hem vermoorden. 'Waar ben je?'

'Buiten.'

'Waar buiten?'

'Buiten in een zijstraat.'

'Ben je nog in Crouch End? Loop naar een kant van de straat en vertel me de straatnaam. Niet ophangen.'

De taxirit kost een kapitaal. De chauffeur kent Crouch End niet, dus hij vindt het best dat Alice door de stadsplattegrond bladert en hem aanwijzingen geeft.

'Links... Linkslinkslinks!' blaft ze. 'Daar! Daar is ze. Vaart minderen. Wilt u alstublieft stoppen? Stoppen en even blijven wachten? Nou, doe verdomme dan je waarschuwingslichten aan. Ik ben zo terug.'

Thea loopt tien passen naar de ene kant en dan tien passen naar de andere. Als ze Alice' voetstappen hoort, kijkt ze op en blijft ze staan.

'Kom mee,' zegt Alice kalm en vriendelijk. Ze slaat haar arm om Thea's schouder, alsof ze een oud dametje of een klein kind naar de overkant van de straat helpt. 'Ik ben er nu.'

Het was net alsof het bekend was wat je moet doen in een noodgeval. Als er niets aan de hand is, ben je bang dat je niet helder kunt nadenken of kunt handelen, of dat je er niet in slaagt het juiste te doen. Maar als die omstandigheden zich voordoen, reageer je plotseling scherpzinnig en efficiënt. Zo ging het ook met Alice.

'Alice, schrijft Saul iets over prostituees? Ga je een stuk publiceren in *Adam* over betaalde seks?'

'Nee.'

'Ik zag hem gisteren een bordeel binnengaan. Ik heb gewacht tot hij weer naar buiten kwam. En dat deed hij.'

Instinctief begreep Alice dat ze niet moest laten merken hoe erg ze hiervan schrok. Ze wist dat ze Thea's bewering niet mocht bagatelliseren, dat ze Saul nog niet moest bekritiseren of verdedigen, dat ze Thea geen valse hoop mocht geven, of juist al haar hoop moest vernietigen. Ze moest Thea weer een beetje tot zichzelf zien te brengen, haar kalmeren, haar een veilig gevoel geven. Ook moest ze naar haar luisteren zonder te oordelen en zonder al te veel commentaar te leveren. Op dat moment deed het er niet toe of Saul het wel of niet had gedaan, of hij een klootzak was die gecastreerd moest worden, of dat hij een man was die onschuldig werd belasterd, of Thea zich moest laten testen op SOA's, of ze de confrontatie met Saul moest aangaan, of hun relatie dit wel of niet zou overleven. In plaats daarvan moesten er praktische zaken geregeld worden die veel dringender waren. Alice besefte dat Thea iets moest eten, moest slapen, niet alleen moest zijn, en dat Saul moest worden afgescheept, op z'n minst tijdelijk. Als Alice hem namens Thea belde, zou hij direct weten dat er iets aan de hand was en zou hij hen niet met rust laten.

'Snap je?' vroeg Alice aan Thea, die ze mee terug had genomen naar Hampstead. Daar had ze een warme kruik voor haar gemaakt en haar cola zonder prik laten drinken. 'Het is heel logisch. Je moet hem bellen. En snel ook.'

Thea staarde een poosje naar de telefoon. En toen belde ze het nummer omdat Alice maar bleef herhalen dat ze dat moest doen.

'Hoi.' Ze raapte al haar acteertalent bij elkaar en probeerde zo opgewekt mogelijk te klinken. Ondertussen keek ze naar Alice om steun te zoeken en haatte ze zijn stomme, mooie stem.

'O, Thea, godzijdank!' riep Saul uit. 'Waar heb jij in vredesnaam uitgehangen?'

'Ik heb gisteren mijn mobieltje verloren,' loog Thea overtuigend. 'Toen ik aan het shoppen was. Ik ben het gaan ophalen en heb toen besloten om vandaag vrij te nemen.'

'Maar niemand wist waar je was!' wierp Saul tegen.

'Maar ik heb naar kantoor gebeld en een bericht op het antwoordapparaat ingesproken,' loog Thea.

'Ik kon je niet bereiken,' zei Saul zacht. 'Ik maakte me ongerust.'

En al die keren dat ik jou niet kon bereiken, Saul? Had je toen echt vergaderingen of deadlines? Of zijn mobieltjes verboden in bordelen? Storen die de apparatuur soms? Verstoren die je ritme?

'Ik ben zelfs bij je langsgegaan,' zei Saul. 'Geloof me, als je het over drie weken wilt verkopen, moet je hard gaan opruimen. Het was één grote bende, jongedame.'

O, god. Mijn flat wordt over drie weken verkocht.

Thea kreeg het ijskoud en ze rilde hevig toen dat besef plotseling tot haar doordrong. Alice sloeg haar sjaal van fijne wol om Thea's schouders.

'Kom je vanavond bij mij?' vroeg Saul.

'Ik ben moe,' zei Thea naar waarheid. 'En ik moet nog een hoop uitzoeken.'

'Ik bel je later wel.' Sauls stem klonk zo warm dat het Thea moeite kostte om niet te geloven dat hij echt van haar hield.

Om halftien 's avonds kwam Mark thuis. Toen hij Alice' waarschuwende blik zag, begroette hij Thea alsof het heel normaal was om haar daar aan te treffen. Een halfuur later belde Thea Saul en zei ze dat ze zo bij hem zou zijn.

'Is dat nou wel verstandig?' vroeg Alice, die zich ongerust maakte om de afwezige glans in Thea's ogen. Ze had liever dat Thea nog een kleine snack at, een aromatherapiebad nam en vroeg naar bed ging, zoals ze hadden afgesproken.

'Ik moet hem gewoon zien,' zei Thea. Ze wilde Alice niet bekennen dat ze ineens werd bevangen door de angst dat Saul misschien ergens een snelle, betaalde wip ging maken als hij alleen was. Deed hij dat soms wel vaker? Als ze de nacht in haar eigen flat doorbracht en ze hem laat belde om hem welterusten te zeggen en hij vertelde dat hij buiten was om koekjes of zoiets te kopen bij de avondwinkel?

'Wees voorzichtig,' zei Alice zorgzaam. 'Je bent kwetsbaar. Als ik jou was, zou ik vanavond niks zeggen. Je moet echt nodig wat gaan slapen. Wil je soms wat valium?' Thea schudde haar hoofd. 'We lossen dit wel op, Thea,' zei Alice. 'We bedenken wel wat we moeten doen.'

Alice was niet in stemming om stiekem met Paul te sms'en. Ze moest haar telefoon vrijhouden voor Thea. Sterker nog: voor het eerst vond ze het vervelend dat er berichten van Paul kwamen en ze las ze niet. Mark was vroeg naar bed gegaan met de dagboeken van Winston Churchill. Alice was gekwetst. Hoe had Saul dit Thea kunnen aandoen? Hoe kon Saul zo'n man zijn? Normale, aardige kerels deden zoiets niet. Wie had ooit zoiets gehoord? Bovendien had hij Thea. Hoe kon hij haar op die manier beledigen? Alice wist niet hoe ze het had. En de enige die haar kon troosten lag boven Winston Churchill te lezen. Gelukkig was Mark er. Gelukkig was Mark zichzelf, eerlijk en standvastig, en stond hij altijd voor haar klaar. Ze vlijde zich tegen hem aan en zonk weg in de veiligheid die hij haar bood.

'Is alles goed met Thea?' vroeg Mark. Hij legde een vinger tussen zijn boek, voor het geval Alice wilde praten. 'Ze zag er vreselijk uit.'

Alice slaakte een zucht, dankbaar voor Marks intuïtieve zorgzaamheid, maar bezwaard omdat ze het geheim niet mocht verraden. 'Het komt wel weer goed met haar,' zei ze. Ze liet Mark een poosje verder lezen. 'Mark?'

'Ja?' vroeg hij, zijn vingerboekenlegger in de aanslag.

'Laat maar.'

'Gaat het wel, Alice?' vroeg hij. Hij deed het boek dicht en legde het neer. 'Je ziet er nogal ontstemd uit.'

'Ik ben nogal down,' bekende Alice fluisterend en haar stem klonk scherp door de tranen die in haar keel prikten.

Mark deed het licht uit en nam haar in zijn armen. 'Het komt wel goed,' zei hij. 'Kalm maar. Ga maar lekker slapen. Alles gaat weer voorbij.'

Het kwam niet door Marks simplistische optimisme dat er een glimlachje op Alice' gezicht verscheen, maar doordat hij precies wist wat hij op dat moment voor haar moest doen. Hij wist dat hij niet moest doorvragen, niet moest proberen logisch te redeneren. Hij hoefde haar alleen dicht tegen zich aan te trekken en daarom deed hij dat. Dat was precies goed en daarom hield ze van hem. Voor het eerst voelde ze een verschroeiend schuldgevoel vanwege haar eigen zonde en het liefst had ze een potje gejankt vanwege de grote spijt die haar overviel.

Voor Thea was het heel bizar dat Saul kon doen alsof er niks aan de hand was. Maar ja, in zijn ogen was er ook niks aan de hand. Waarom zou hij níét willen praten over hun nieuwe appartement? Waarom zou hij haar níét in zijn armen trekken, met haar rondzwieren en haar bedelven onder de vreugdezoenen? Uiteraard wilde hij ook vertellen hoe ongerust haar verdwijning hem had gemaakt. En allicht wilde hij de details van de hypotheek bespreken. Natuurlijk vroeg hij aan haar of alles goed met haar was. En vanzelfsprekend wilde Thea het liefst schreeuwen: 'Vuile viezerik, waarom neuk je in godsnaam met hoeren als je mij hebt?'

Maar dat deed ze niet. Niet omdat Alice tegen haar had gezegd dat ze zich moest inhouden, maar omdat ze ineens een soort perverse drang voelde. Toen ze naar bed gingen, begon zij met hem te vrijen: atletische, dwingende, hongerige seks. Ze wilde niet de liefde bedrijven, ze wilde iets bewijzen. Ze moest het gevoel krijgen dat zijn hartstocht voor haar hem buiten zichzelf van opwinding kon brengen. Dus ze kronkelde en snakte naar adem en bewoog zich vol zogenaamde overgave. Ze deed net alsof elke stoot en kanteling haar genot bracht. Ze liet haar stem heel overtuigend liegen. Haar bedoeling was om alle bewegingen en kreunen van Saul te analyseren. Ze moest zijn reactie beoordelen. Genoot hij ervan? Kwam hij wel helemaal aan zijn trekken? Kritisch peilde ze elke stoot en elke kreun; ze evalueerde de duur en de intensiteit van zijn hoogtepunt en gedurende de hele vrijpartij bestudeerde ze zijn ademhalingspatroon en zijn gezichtsuitdrukking.

Er kon geen enkele twijfel over bestaan: ze maakte deze man helemaal dol. Waarom betaalde hij dan voor seks met een ander?

'Jezus, dat was lekker,' zuchtte Saul. Zijn postcoïtale gevoelens van triomf verzachtten zich tot tedere dankbaarheid. Hij rolde naar Thea en omvatte haar borst voorzichtig terwijl hij het puntje van haar neus kuste.

Doe je dat soms bij alle vrouwen, vroeg Thea zich af. Ze draaide haar hoofd en slikte een opkomende golf misselijkheid weg.

'Ik val vast als een blok in slaap.' Saul grinnikte even en deed toen het licht uit. Als een lepeltje kwam hij tegen haar aan liggen en drukte zijn gezicht in haar nek.

Het voelde allemaal smerig. Alsof alles goed moest worden schoongeboend of in de kookwas moest. Sauls lakens. Sauls badkamer. Sauls bestek. Thea's lichaam.

'Ik heb deze week drie keer Pilates,' zei ze de volgende ochtend na een uitgebreide, kokend hete douche. Eigenlijk had ze er maar een. Saul knikte terwijl hij twee croissants verorberde omdat Thea had gezegd dat ze geen trek had. 'En Alice en ik gaan vanavond naar de bioscoop.'

Dat is niet waar, maar Alice speelt het spelletje wel mee.

'Jij hebt het maar druk,' zei Saul liefdevol. 'Vergeet niet dat je ook moet beginnen met inpakken.'

O, shit. Mijn flat. Over iets meer dan veertien dagen.

'Ja,' zei Thea instemmend. 'Er moet heel wat worden geregeld.'

'En dit weekend gaan we naar mijn ouders, weet je nog?'

'Dit weekend? O. O, hemel. Dat was ik vergeten.'

Ik ben het echt vergeten. Eerlijk waar.

'Ja. Dat is toch geen probleem? Ze verheugen zich erop je weer eens te zien.'

'Nee, maar ik heb Alice beloofd om te...'

'O.'

'Sorry.'

'Geeft niks. Dan gaan we toch een andere keer?'

'Jij gaat toch wel? Je moet echt gaan, Saul. Anders zijn ze vreselijk teleurgesteld.'

'Ja, ik ga wel. Kun je proberen je plannen met Alice te veranderen? Wat die dan ook zijn?'

'Ik zal het proberen.'

Nee, dat ga ik niet doen.

Thea popelde om Sauls appartement te verlaten en ze verzon een vroege klant bij The Being Well. Maar toen ze eenmaal op haar werk was, ging ze alleen op haar zolderkamer zitten en wilde ze het liefst heel hard terugrennen naar Sauls appartement. Een uur later voelde ze een intense haat. Tegen lunchtijd was ze zo verward dat ze zich afvroeg of ze zich alles had ingebeeld. 's Middags werden alle twijfels verdreven door pure woede. Tegen theetijd was ze uitgeput. Toen Saul haar belde, bezorgde zijn stem haar rillingen. Ze durfde hem niet onder ogen te komen zolang haar emoties zo wisselend en rauw waren. Ze beweerde dat ze griep had en slaagde erin hem vijf dagen te ontlopen.

Het oudste beroep

HET IS ME NOOIT EERDER OPGEVALLEN. HET IS ME NOOIT EERder opgevallen, maar ineens zie ik dat de wereld vol prostituees is. Of raak ik er op dezelfde manier door geobsedeerd als ik geobsedeerd was door bruiloften? Nog geen maand geleden leek de hele wereld om trouwen te draaien; overal waar ik keek, zag ik bruidjes en trouwerijen en alles stond in het teken van liefde en romantiek. De reclame van De Beers op bussen. De kerk die helemaal versierd was met bloemen. De huwelijksreisspecial in de reisbijlage van de *Observer*. Een bruiloft die verkeerd afloopt in *EastEnders*. En nu zie ik overal sporen van het oudste beroep ter wereld. Ik kom net bij een krantenkiosk vandaan waar ik voor het eerst die handgeschreven kaartjes op de ramen heb gelezen. Het was ongelooflijk hoeveel 'exotische massages' of 'volwassen pret' of 'speeltjes en rollenspel' daarop worden aangeboden. Op eentje stond zelfs: 'Meesteres. Leuk appartement.' Hoe durft meneer Patel die kaartjes in zijn winkel te hangen? En in de krant die ik net heb gekocht staan drie verschillende schandalen in verband met hoeren: een politicus die een straatprostituee oppikte in zijn auto, een politie-inval naar aanleiding van een zedenzaak in de buitenwijken, en een vermaard acteur die in een hotel in Leeds is gearresteerd met een escortgirl en een hoeveelheid harddrugs. Als ik een schandaalblad had gekocht, had ik waarschijnlijk nog veel meer van dat soort verhalen gelezen.

Is het je wel eens opgevallen dat de hoofdstraat van elke wijk minstens één louche massagezaak annex sauna telt? Maar heb je er wel eens iemand naar binnen of naar buiten zien gaan? Moet je eens in een telefooncel bij je werk kijken; die puilen uit van de kaartjes waarop de diensten worden aangeboden van Aziatische nymfomanen, rondborstige blondines, Thaise prinsessen, fantastische tweelingen en talloze andere prostituees met bizarre namen. Wie gebruikt er tegenwoordig nog een telefooncel? Iedereen heeft toch een mobieltje? Doen die cellen alleen nog dienst als prikbord voor pooiers? Op twee kaartjes stond dezelfde foto, maar een andere naam en telefoonnummer. Alsof een hoerenloper het er uiteindelijk alleen maar om gaat dat hij 'm ergens in kan steken, en uiterlijke details inwisselbaar of onbelangrijk zijn. Misschien doet het er gewoon niet toe hoe ze eruitziet.

Zijn ze knapper dan ik?

Zijn ze beter in bed dan ik?

Hoeveel kost het?

Hoeveel betaalt Saul?

Hoeveel geld heeft hij er in de loop der jaren aan uitgegeven?

Ik haat hem, ik haat hem, maar hoe kan ik hem dan missen? Ik heb hem al een week niet gezien en zo langzamerhand heb ik geen smoesjes meer. Ik heb al zogenaamd griep gehad. Nu poeier ik hem af met niet-bestaande Pilateslessen en niet-bestaande afspraken met Alice. Ik weet dat ik mezelf niet kan blijven voorhouden dat ik alles later wel op een rijtje zal zetten. Ik weet niet wat ik moet doen. Ik kan niet geloven dat dit is gebeurd. Misschien is het wel niet gebeurd. Misschien heb ik me vergist. Waarschijnlijk is er een logische verklaring voor. Dat moet wel. Saul Mundy gaat niet naar de hoeren. Dat is echt een walgelijke en belachelijke veronderstelling.

'Alice? Heb je tijd om te lunchen? We moeten iets doen.'

'Tuurlijk heb ik tijd.'

Het is een van de vreemdste tekenen van hun vriendschap, maar ook het oprechtste bewijs van hun intimiteit en toewijding dat het noch bij Alice, noch bij Thea is opgekomen om te erkennen dat ze weer met elkaar praten. Sterker nog: ze zijn als vanzelf weer de beste vriendinnen geworden. Ze hebben elkaar geen verontschuldigingen aangeboden of rustig besproken waarom ze zo'n ruzie hebben gemaakt. Thea zit in een crisis; waarom zou ze zich niet tot Alice wenden voor hulp? En waarom zou Alice niet alles uit haar handen laten vallen om er voor Thea te zijn? Zich verontschuldigen? Wie moet zich verontschuldigen bij wie? Weet je dan niet dat liefde betekent dat je nooit hoeft te zeggen dat je ergens spijt van hebt?

Thea en Alice volgden de weg die Thea een week daarvoor had afgelegd, over Berwick Street. Of was het de weg die Saul had afgelegd? Ze sloegen links af en bleven staan voor de Black Beauty-stal. De deur stond wijd open en ze zagen de sjofele trap omhoog.

'Wil je dat ik naar boven ga?' vroeg Alice.

Thea keek haar aan alsof ze gek was. 'Wat wil je dan doen?'

'Ik weet het niet.' Alice haalde haar schouders op. 'Iets aan de weet komen? Met ze praten? Vragen of ze Saul kennen?'

'Nee!' riep Thea. 'Nee! Ik weet niet eens precies waarom ik hier wil zijn.'

Ze staken de straat over en bleven daar treuzelend staan. Ook nu zat de perspexwinkel een uurtje dicht. 'Heb je nog perspex nodig?' vroeg Alice aan Thea terwijl ze voor de winkel bleven talmen. Het klonk alsof ze het over tandpasta of postzegels had, en Thea lachte zenuwachtig, met een frons op haar voorhoofd. Ze keken toe en wachtten. Niemand ging het gebouw in of uit.

'Zouden ze ook vrije dagen hebben?' vroeg Alice.

'Wat doen we hier eigenlijk?' vroeg Thea aan Alice.

'Ik weet het niet,' bekende Alice. 'Als we hier langer blijven staan, gaan ze nog denken dat we er willen werken.'

Daar lachte Thea dapper om, maar toen ging er een man naar binnen, waardoor haar glimlach prompt verdween.

'Shit,' siste Alice. 'Dat zou een van onze vaders geweest kunnen zijn. Zag je hem? Keurig in het pak en zo... gewoon?'

'Ik wil hier weg,' zei Thea smekend. Ze liep een paar meter naar de ene kant en toen een paar meter naar de andere. 'Ik weet niet wat ik moet doen. Ik wil niet wachten tot hij weer naar buiten komt. Ik wil hem niet zien. Ik wil hier niet staan terwijl hij betaalde seks heeft, op een paar meter afstand van ons.'

Alice stak haar arm door de hare en ze liepen snel weg. Ze ging met Thea naar een café en gaf haar daar alle gelegenheid om zwijgend voor zich uit te staren. Na een hele poos keek Thea op en ze zei heel zacht: 'Ik weet niet wat ik moet doen, Alice. Ik weet echt niet wat ik met dit alles aan moet. Hoe moet het nou met al mijn plannen?'

'Hou je van hem?'
'Ja.'
'Is dat genoeg?'
'Dat denk ik niet.'
'Had je al twijfels voor je dit ontdekte?'
'Nee, geen enkele twijfel.'

Hoofdschuddend haalde Alice haar schouders op. 'Zelfs zonder het hem te vragen weet ik dat deze man met heel zijn hart van je houdt.'

'Maar hij gaat naar de hoeren!' wierp Thea tegen. Ineens vond ze het vreselijk dat Saul iets ter verdediging zou kunnen aanvoeren.

'Dat weten we niet zeker.' Alice hoopte dat ze zelfverzekerder klonk dan ze zich voelde.

'Ik zag hem naar binnen gaan en weer naar buiten komen!' verklaarde Thea. 'Ik geloof niet dat Black Beauty de fanclub voor Anna Sewell is. Ik geloof niet dat Modellen!Top boetseerklei of modeltreintjes verkoopt.' Thea zat in elkaar gedoken en wiegde heen en weer door de pijn van dit alles. 'Ik wil het liefst weglopen.'

Hoewel Alice zich machteloos voelde, probeerde ze haar toch te troosten. 'Als je op de loop gaat voor pijn, zal die je achtervolgen. Maar als je standhoudt, de confrontatie aangaat, dan is de pijn maar half zo scherp,' zei ze kalmerend.

'Dan kun je net zo goed zeggen dat gedeelde smart halve smart is, maar dat is niet zo, Alice. Dat is echt niet zo,' huilde Thea zonder tranen. 'Ik heb je verteld dat Saul betaalt voor seks, hoeren neukt, prostituees bezoekt – geef het beestje maar een naam – en wat heeft dat opgelost? Mijn verdriet vermindert er niet door, het wordt alleen maar erger.'

Bedachtzaam zoog Alice op haar onderlip. 'Misschien gaat hij niet met hen naar bed. Misschien heeft hij een of andere seksuele afwijking waar hij zich voor schaamt, verkleedt hij zich graag als baby of als non, of kijkt hij graag toe zonder zelf iemand aan te raken. Misschien krijgt hij graag klappen of wil hij dat er op hem gespuugd of gepist wordt. Wat dan ook.'

'Hij heeft mij toch?' brulde Thea. 'Laat hij mij maar slaan, als hij dat wil. Als het hem opwindt, wil ik best op hem pissen. Hij vervult al mijn verlangens, waarom zou ik de zijne niet kunnen vervullen?'

Alice zweeg even. 'Ik zal even voor advocaat van de duivel spelen, oké?' Voor ze verder ging wachtte ze tot Thea met tegenzin haar schouders had opgehaald. 'We kennen de details niet, maar wat we wel weten is dat het Sauls geheim is. Ja toch? Hmm? Een geheim waarvan hij per se niet wil dat jij erachter komt. Per ongeluk heb jij zijn meest persoonlijke gril ontdekt, hoe afwijkend wij die ook vinden. Jij mocht het niet weten. Hij zou zich doodschamen.'

'Nee!' gilde Thea bijna. 'Nee, Alice, nee. Jezus, soms pulk ik in mijn neus en eet het op, soms wapper ik met het dekbed om te genieten van de stank van mijn scheten, soms fantaseer ik over een neukpartij met een paar mannen tegelijk; dat zijn mijn geheimen waarvan ik niet wil dat Saul erachter komt. Jezus, nee! Die staan niet in verhouding hiermee.'

'Op onze leeftijd hebben we allemaal een bepaalde geschiedenis.' Alice probeerde het op een andere manier.

'Dit is geen geschiedenis!' protesteerde Thea. 'Vorige week is geen geschiedenis!'

'Het enige wat ik zeker weet, is dat hij dit niet doet om jou te kwetsen.' Alice probeerde evenwichtig en overtuigend te klinken. 'Oké? Begrijp je dat? Saul zou nooit iets doen om jou te kwetsen. Jij bent zijn grote liefde en volgens mij weet je dat best. Wat hij ook doet, waar hij ook voor betaalt, het ís een rare, verontrustende, duistere voorliefde, maar op papier is hij een geweldige vriend. Je hebt nog nooit aan hem getwijfeld, je hebt nog nooit zo innig, zo volkomen van iemand gehouden. Dus kun je ermee leven?'

'Net doen of mijn neus bloedt?' Thea is verbijsterd. 'Negeren dat de man die ik eer met mijn seksuele trouw tussen de middag hoeren neukt?' Alice kijkt naar het tafelblad. 'Wat zou jij in mijn plaats doen, Alice?' vraagt Thea haar effen. Op dat moment beschouwde ze Saul niet zozeer als een duister figuur, maar meer als de duivel in eigen persoon. 'Als jij zou ontdekken dat Mark betaalt voor seks?'

Ze keken elkaar aan en de tranen sprongen hun in de ogen. Ze wisten allebei dat Mark dat nooit zou doen.

'Ik haat hem. Ik haat hem. Ik haat hem,' snikte Thea.

'Weet je,' zei Alice voorzichtig, 'volgens mij wíl je hem dolgraag haten, maar ik geloof niet dat dat je ooit zal lukken.'

'Ik wil hem nooit meer zien.'

'Weet je,' zei Alice. 'Op een bepaald moment zul je wel moeten.'

Thea's afspraak van twee uur

'Hoi, moppie.' Peter Glass zat in de wachtkamer en was halverwege de *Evening Standard* toen Thea laat terugkwam van haar lunch met Alice. Thea was niet in de stemming om moppie te worden genoemd. Op dat moment haatte ze alle mannen.

'Hoe gaat het ermee, Peter?' vroeg ze plichtmatig, terwijl ze hem voorging naar haar kamer. Betaal jij voor seks, Peter Glass? Gooi jij kruis of munt tussen het ene soort massage en het andere? Heb ik vandaag gewonnen of verloren?

'Net als anders, schatje. Je weet wel: gestrest, overwerkt,' zei hij lachend. 'Vandaag heb ik last van die rottige onderrug van me, Thea. De pijn breidt zich uit naar mijn been, ik loop mank en het doet zelfs pijn om in mijn Beemer te rijden.'

'Goed.' Snel las Thea haar aantekeningen door van zijn laatste bezoek. 'Trek alles maar uit op je boxershort na en ga op het bed leggen.' In haar rustige kamer was ze Peter al snel dankbaar voor zijn pijntjes; nu had ze tenminste iets om helemaal in op te gaan. Ruim een uur kon ze aan iets anders denken dan haar problemen en zich erop concentreren andermans pijn te verlichten. Daar was ze goed in. Met haar handen op Peters rug begon ze zijn heupen ritmisch van de ene naar de andere kant te bewegen.

'Hoe gaat het met je, mop?' vroeg Peter, en zijn stem klonk ineens zachter toen zijn lichaam zich onder Thea's handen ontspande. 'Alles goed? Zijn de contracten voor het nieuwe huis al getekend? En het verkoopcontract van jouw huis?'

Thea hield op met bewegen en voor het eerst in haar carrière haalde ze haar handen helemaal van een klant af tijdens een massage. Peter voelde de kilte en geïsoleerdheid en hief zijn hoofd op en draaide het opzij om haar aan te kijken. 'Gaat het wel?' vroeg hij.

'Ja,' zei ze, hoewel ze er slecht uitzag. 'Peter, kan een verkoper ineens besluiten een contract niet te tekenen?'

'Wil je het herroepen?' blafte hij, alsof het om een ongehoorde misdaad ging. Thea haalde haar schouders op. 'Jezus christus, Thea.' Hij legde zijn hoofd weer in de uitsparing van het massagebed. 'Dan moet je het hele bedrag van de aanbetaling ophoesten. De wet is net veranderd om dat soort misdrijven te voorkomen.'

'Dat dacht ik al,' zei Thea gemaakt vrolijk.

'Word je bang?' vroeg Peter.

'Nee, ik vroeg het me gewoon af.' Thea's nonchalance was gespeeld.

Verder zei ze niks. Ze spoot nog wat lotion op haar handen en liet met lange, soepele halen een effleurage op Peters rug los. Op de momenten dat hij niet kreunde van genot of zuchtte van opluchting, vertelde hij haar wat er in zijn leven was gebeurd, op zijn werk en privé. Hij had de Beemer in de prak gereden, zijn vriendin de bons gegeven en was met haar beste vriendin naar bed geweest om haar jaloers te maken, maar was daarna alweer iets begonnen met een lerares.

'Niet mijn gebruikelijke type, Thea,' zei hij verwonderd. 'Ze is wat ouder dan ik en bepaald geen "stuk" te noemen. Maar ze is hartstikke leuk en ik kan met haar lachen.'

Thea haakte haar vingers achter de pezen van Peters brede rugspieren en trok en duwde in het midden. Dat legde hem even het zwijgen op, waarna hij een tirade tegen een concurrerend makelaarskantoor begon. Ze begon met een diepe weefselmassage op een plek waarvan hij niet eens besefte dat die wel een behandeling kon gebruiken en ze slaagde er tijdelijk in de stress weg te masseren die zijn concurrenten rond zijn nek en schouders hadden veroorzaakt.

Hij heeft een mooi lichaam.

Niet echt mijn type.

Maar als ik hem objectief bekijk, is hij in goede conditie.

Toch windt hij me niet echt op.

Thea laat haar vingers zacht op en neer glijden over Peters ruggengraat. Op en neer. En nog wat verder omlaag. Omlaag tot de kuiltjes boven zijn billen. Ontspan je. Ontspan je maar. Daar laat ze een hand liggen en met de andere gaat ze naar zijn rechterbeen. Ze streelt omhoog over zijn achillespees, en dan omlaag. En nog een keer. Dan begint ze zijn benen met twee handen zacht te masseren. Ze laat haar handen eromheen glijden naar de binnenkant van Peters dijen. Dit is geen massage. Dit is ondubbelzinnig; dit is liefkozen. Ze voelt niks. Het is makkelijk om suggestief met haar vingertoppen langs de zoom van zijn boxershort te strijken.

Eerst lag Peter volkomen ontspannen en roerloos op de tafel, maar ineens springt hij op met een beschaamde uitdrukking op zijn gezicht overeind. Voor het eerst in zijn leven weet hij niet wat hij moet zeggen. Daarom trekt hij zijn kleren haastig aan en zegt iets als: 'Jeetje, is het al zo laat?' En: 'O, hemel, er wachten klanten op me.' 'Ik moet gaan. Bedankt voor de, eh... Ik voel me een stuk beter.'

Thea's afspraak van vier uur

EIGENLIJK HAD THEA GABRIEL SEWELL WILLEN AFZEGGEN. ZE wilde vroeg ophouden, want sinds Peters sessie had ze een barstende hoofdpijn en dat kon een geldig excuus zijn om Saul vanavond niet te zien, om Pilates af te zeggen en gewoon naar huis te gaan. Om naar huis te gaan, op de bank te gaan zitten en niks in te pakken. Maar die middag had ze de ene na de andere klant met rugpijn gehad en toen ze om vijf voor vier naar beneden ging, was meneer Sewell er al, en stond zijn gezicht even uitdrukkingsloos als anders.

'Komt u maar, meneer Sewell,' zei ze niet erg enthousiast of verwelkomend. Hij volgde haar naar boven. 'Hoe gaat het met u?' vroeg ze mechanisch, terwijl ze een groot glas mineraalwater voor zichzelf inschonk.

'Best wel goed eigenlijk,' antwoordde Gabriel Sewell. Hij zou ook wel een glas water lusten. 'De rechterkant zit nog steeds vast, maar de pijn is behoorlijk afgenomen.'

Dit was de eerste keer dat Thea geen enkele belangstelling had voor haar klant, ondanks het feit dat hij zijn fysieke verbetering aan haar te danken had. 'Kijk eens naar links,' zei ze tegen hem. 'En nu naar rechts. En nog een keer naar links, alstublieft. En nogmaals naar rechts.'

'Ik zou het geen pijn meer willen noemen,' verklaarde Gabriel. 'Het is meer een ongemak.'

Nou, als het alleen ongemak is, meneer Sewell, had ik liever gehad dat u uw afspraak had verzet naar volgende week.

'Wilt u zich alstublieft uitkleden, op uw ondergoed na, en op uw buik gaan liggen?' zei Thea ongeïnteresseerd. Misschien zou ze hem een halfuur masseren en hem de helft laten betalen.

Thea begon aan een werktuiglijke massage, als een musicus die toonladders oefent, of een springruiter die op zijn beste paard een blokje om gaat. Iets om bezig te blijven. Haar gedachten dwaalden af en ze vroeg zich af of er in de zogenaamde massagesalons ook gekwalificeerde masseuses werkten. En als dat zo was, op welke vaardigheid lieten ze zich dan voorstaan? Keken ze bij de arbeidsbureaus of in de plaatselijke krant bij 'Personeel gevraagd' onder 'Masseuse' of onder 'Prostituee'? Zouden ze beginnen met een schoudermassage om te rechtvaardigen wat er volgde? Saul zei altijd dat hij massages niet erg prettig vond. Kwam dat doordat hij nog nooit een echte massage had gehad? Of zei hij tegen de meisjes dat ze zijn nek konden overslaan en meteen naar zijn lul moesten?

Thea kijkt omlaag naar meneer Sewell. Hij heeft een mooie rug, glad met wat sproetjes op de schouders. Die loopt taps toe naar zijn taille, en zijn benen zijn gespierd met precies voldoende haartjes om mooi mannelijk te zijn, in plaats van te zwaar behaard. Ze negeert het stemmetje in haar hoofd dat zegt dat ze gek is, dat dit niet zal helpen, dat dit een heel slecht idee is en fundamenteel verkeerd. Langzaam laat Thea haar vingertoppen langs Gabriels ruggengraat omlaagglijden, net als ze bij Peter heeft gedaan. En dan beginnen haar handen zijn benen te liefkozen met afwisselend lange strelingen over de hamstrings en zachte aaitjes over de binnenkant van zijn dijen. Maar op het moment dat Peter geschrokken was opgesprongen, Thea ellendig achterlatend, doet Gabriel zijn benen wat verder van elkaar. Dat signaal maakt Thea vreselijk, maar onmiskenbaar opgewonden.

Waar nog meer, meneer Sewell, vraagt ze inwendig aan zichzelf. Wat kan ik vandaag nog meer voor u doen? Brutaal strijkt ze over de naad van zijn slip. 'Draait u zich maar om,' mompelt ze. Jezus, wat is dit gemakkelijk.

De erectie van meneer Sewell is indrukwekkend. Zo indrukwekkend zelfs dat de aanblik ervan Thea zowel opwindt als bang maakt. Peter was verward geweest, maar Gabriel ligt daar trots gezwollen. Het is duidelijk dat hij wel zin heeft. Hij is keihard en gretig, en Thea ziet dat zijn lul verwachtingsvol beweegt, licht gehinderd door het belemmerende ondergoed. Ze weet niet of ze geschokt of geprikkeld moet zijn omdat deze man haar hier en nu zou willen neuken. Zonder enige twijfel zou hij daar graag voor betalen.

Maar ik mag je niet eens, denkt Thea als ze neerkijkt op zijn verwachtingsvolle lichaam. Je bent mijn type niet. Je bent chagrijnig, zwijgzaam en kil.

'Mevrouw Luckmore?'

Tot haar schrik merkt Thea dat hij haar aandachtig aankijkt terwijl zij in gedachten verzonken naar zijn penis staart.

'Mevrouw Luckmore,' herhaalt hij. 'Is het à la carte, of een standaardmenu? Wat zijn de specialiteiten vandaag?'

Ineens belandt Thea van een veiligheidszone in gevaarlijk gebied en dat bevalt haar niks. Snel, bedenk iets. Doe onschuldig. Doe of je gek bent. 'Ik zou u een Indiase hoofdmassage kunnen geven,' stelt ze voor.

Gabriel houdt zijn hand meesmuilend boven de bult van zijn penis. 'U bedoelt dat u me zult pijpen?'

'Pardon?' vraagt Thea geschrokken.

Prompt veranderde Gabriel in zijn normale, korzelige zelf. 'Nou, bent u ervoor in of niet?'

Thea kon wel huilen. Ze voelde zich smerig. 'Ik begin nooit iets met klanten,' mompelde ze. 'Dat wordt op ethische gronden ontmoedigd. Sorry.'

'Ik had het niet over een relatie,' zei Gabriel. 'Alleen over pijpen of zo. Laat ook maar zitten, ik neem die hoofdmassage wel. Kom maar op.'

Ik word gek, ik kan niet meer helder denken. Ik kan het allemaal niet meer bevatten. Ik moet eens goed nadenken, maar dat lukt niet. Net alsof ik het mezelf niet toesta. Ik moet besluiten wat ik ga doen, maar ik kan geen beslissingen nemen omdat ik er niet over kan denken. Over minder dan twee weken moet ik mijn huis uit. Maar hoe kan ik me met inpakken bezighouden als ik niet meer weet waar mijn huis is? Ineens moet ik zo veel meetorsen dat ik onder het gewicht dreig te bezwijken. Misschien moet ik alles in een opslagruimte dumpen en op de vlucht slaan.

De afspraak van Thea en Sally om zes uur

OOK AL BONSDE HAAR HOOFD EN WAS ZE UITGEPUT DOOR HAAR BIzarre dag, toch ging Thea die avond naar Pilates. Ze wist dat ze baat zou hebben bij een uur waarin ze zich kon afsluiten voor alles wat haar plaagde; een uur om zich op haar lichaam te richten, zich te focussen, zich te concentreren op haar ademhaling, op alles wat ze echt was: een skelet omwikkeld door spieren, gewrichten en bindweefsel, die een ingewikkeld maar logisch geheel vormden. Dan hoefde ze niet te denken aan Peter of Gabriel en wat er bijna was gebeurd; dan kon ze alles vergeten over Saul. Respijt, zelfs al was het maar voor een uurtje. Daar snakte ze naar.

Alice kwam niet naar Pilates, al had ze tijdens hun lunch nog gezegd dat ze er wel zou zijn. Stiekem voelde Thea zich opgelucht, want ze had geen zin gehad in Alice' vriendelijke blikken, bemoedigende kneepjes en bezorgde gefluister of alles goed ging. Thea had geen zin om haar problemen nader te bekijken tijdens de patat en de wijn na de les, en ze wilde al helemaal niet tegen Alice zeggen hoe idioot ze zich die middag had gedragen. Ze wilde alleen aan haar lichaam denken, aan in- en uitademen, aan neutraal blijven. Toch was het leuk om Sally te zien en toen ze vroeg of Thea zin had in een hapje bij de Stonehills, zei Thea gretig ja. Het zou fijn zijn om met Sally te zijn, dacht ze, om geen enkele reden of aanleiding te hoeven hebben om over 'het' te praten. Het zou positief zijn om gewoon wat te babbelen over andere onderwerpen dan hoe haar toekomst en prostitutie met elkaar verweven leken te zijn. Ook was Sally's uitnodiging een goede reden om niet naar huis te gaan en te moeten denken aan inpakken, en gaf die haar een prima excuus om Saul op z'n minst nog een avond niet te hoeven zien. Bovendien, zo hield

Thea zichzelf voor, zou het ontspannen en prettig zijn om zich onder te dompelen in de perfecte huiselijkheid van de Stonehills.

In Highgate mocht Sally jammeren zo veel ze wilde over slapeloze nachten, haar treurige seksleven, de teloorgang van haar sociale leven en haar taalvermogen en het vernietigende effect van babykots op kleding. Voor Thea was de geur in huize Stonehill opwekkend en genezend. Drogend wasgoed. Babyshampoo. Bloemen die de echtgenoot aan zijn echtgenote had gegeven. Een bepaalde huiselijke trots. Alles rook warm, schoon, gezellig, compleet en volwassen. Het was een geur die Thea altijd in haar leven had gewild, en op dat moment wenste ze dat ze hem in een flesje kon stoppen. Voor het geval dat.

Laat Sally niet merken dat je verdrietig bent. Verman je, Thea.

'Waarom zou Alice niet zijn gekomen?' Sally gaf Thea een stel tomaten om te snijden terwijl zij ovenfriet op een bakplaat strooide.

Thea haalde haar schouders op. 'Ik heb met haar geluncht en toen zei ze dat ze zou komen.'

'Hebben jullie de strijdbijl begraven, elkaar een hand gegeven en het goedgemaakt?' vroeg Sally nieuwsgierig.

'Echt wel.' Vlug begon Thea basilicum in stukjes te trekken.

'Jullie tweeën zijn net een oud getrouwd stel.' Lachend probeerde Sally Parmezaanse kaas te raspen met een dunschiller. 'En over getrouwd gesproken: hoe gaat het met Saul? Richard is vanavond met hem squashen. Hij komt zo thuis en als je wilt, kan hij je naar huis brengen. Als hij tenminste niet meer dan één pilsje heeft gedronken na de wedstrijd.'

De afstand tussen het huis van de Stonehills in Highgate tot Thea's appartement in Crouch End was niet meer dan tweeënhalve kilometer. Precies lang genoeg, meende Richard, om te bespreken hoe de verkoop van de flat ervoor stond.

'Mag ik je iets vragen, Richard?'

'Tuurlijk,' zei hij, in de veronderstelling dat het over zijn expertise als architect zou gaan.

'Heb jij er ooit voor betaald?' vroeg Thea onomwonden.

'Ik?' vroeg Richard. 'Nee, meestal gebruiken we elkaar in ons bedrijf.'

Omdat Thea helemaal opging in haar eigen gedachten had ze even niet door dat Richard haar vraag verkeerd had begrepen en stelde ze zich kortstondig een ware architectenorgie voor. 'Nee!' zei ze. 'Geen architectengedoe. Seks. Heb je ooit betaald voor seks?'

Stomverbaasd keek Richard haar aan. Had hij dat goed gehoord? Gelukkig werd het belangrijkste stoplicht tussen Archway Road en Shepherd's Hill net rood. 'Nee,' antwoordde hij ferm. 'Dat heb ik nooit gedaan, maar ik ken heel wat mannen die dat wel doen.'

'Die het vroeger hebben gedaan?' ging Thea op zijn antwoord in. 'Of die er nu voor betalen?'

'Jezus, Thea, waar gaat dit om?' Alhoewel Richard moest lachen, verscheen er ook even een frons op zijn voorhoofd.

'Een klant van me had het verkeerde idee over mij.' Door opzettelijk dubbelzinnig te zijn paste Thea de waarheid handig aan.

Kennelijk vond Richard dat aannemelijk, want hij ging erop door. 'Ik ken mannen die er een keer voor hebben betaald, maar ik ken ook kerels die regelmatig naar een prostituee gaan. Echt, je zou versteld staan.'

'Waarom?' vroeg Thea.

'Waarom ze het doen, of waarom je versteld zou staan?' was Richards wedervraag. Thea kon hem alleen maar aanstaren; ergens wilde ze de details niet horen, maar aan de andere kant wilde ze er meer over weten. 'Je zou versteld staan hoeveel mannen het doen. Mannen met een goede baan, zoals ik,' legde Richard uit. 'Mannen die alles hebben: een goed inkomen, een knappe vrouw, een mooi huis, leuke kinderen.'

'Waarom?' vroeg Thea opnieuw.

Daar dacht Richard even over na. 'Misschien gewoon omdat ze het kunnen. Het is typisch iets voor mannen, hè?'

'O ja?' vroeg Thea treurig.

'Het is vreemd en tegenstrijdig,' peinsde Richard, 'maar het libido van een man zit ingewikkeld in elkaar, juist omdat het zo primitief en simpel is. Wat op zich ook weer deugden zijn.'

'Deugden?' blafte Thea. 'Noem je onzedelijkheid een deugd?'

'Ik bedoel – en ik vertel je dit onder strikte geheimhouding – dat er op mijn kantoor een man werkt van mijn leeftijd, met ongeveer dezelfde positie als ik. Hij leidt een fantastisch leven en is gelukkig getrouwd met een beeldschone, leuke vrouw. Maar goed, af en toe heeft hij zin in een wip, zoals ik soms zin heb in een broodje. De moraal en de risico's ervan komen niet eens bij hem op. Het is een fysieke behoefte. Hij heeft honger en gaat even van kantoor weg om die honger te stillen.'

'Stel je voor dat zijn vrouw erachter komt.' Thea had een intense hekel aan Richards collega.

'Dat gaat niet gebeuren.' Richard haalde zijn schouders op. 'Tenzij ze hem laat volgen door een privé-detective. Maar dat zou ze nooit doen, omdat hun relatie zo goed is. Je kunt zeggen dat mannen die naar prostituees gaan de minst erge vorm van overspel bedrijven, omdat het niets te maken heeft met emotioneel verraad.'

'Maar stel dat die beeldschone, leuke vrouw van die man het wel ontdekt?' hield Thea vol.

Richard hield voet bij stuk. 'Dat gebeurt echt niet. Je weet niet half hoe eenvoudig en discreet het is.'

'Hoe weet je dan dat hij het doet als het zo eenvoudig en discreet is?' was Thea's wedervraag.

Het licht sprong op groen en Richard stak Archway Road over en sloeg onder het zachte schijnsel van een oranje lantaarnpaal Shepherd's Hill in bij de bibliotheek.

'Je schrikt er misschien van,' zei hij, 'maar op een middag raadde hij me iemand aan.'

'Wat?!' riep Thea uit.

'Hij beval de diensten aan van een nieuw meisje waar hij net vandaan kwam.'

'Godsamme!' protesteerde Thea, vol walging over die collega. 'Net alsof hij je vertelt dat ze bij de croissanterie een heerlijk nieuw broodje hebben dat je echt moet proberen.'

Richard begon te lachen. 'Precies,' zei hij. 'Maar in mijn geval heb ik hem vriendlijk bedankt en gezegd dat ik geen rood vlees eet.'

'Klootzak!' riep Thea uit. Richard had haar nog nooit horen vloeken, laat staan dat hij haar ooit als iemand anders dan de lieve, milde Thea had gezien.

'Mijn collega is echt heel aardig.' Richard voelde zich verplicht de man te verdedigen. Hij reed verder. 'Je zou hem leuk vinden. Dat is juist het gekke.'

'Zeg alsjeblieft dat dit niet over jezelf ging.' Thea's stem klonk boos en in haar ogen lag een woedende blik.

Zijdelings keek Richard naar haar, voor hij het knipperlicht aanzette en rechtsaf de lange Stanhope Road insloeg. 'Verdomme, natuurlijk ging het niet over mij,' zei hij, duidelijk beledigd. 'Ik heb nooit zulke dingen gedaan. Dat is echt niks voor mij, zoiets trekt me gewoon niet. Niet toen ik alleen was. Niet na een avondje stappen met de jongens. Niet als ik ver van huis ben.'

'Beloof het me,' zei Thea waarschuwend.

'Thea!' zei Richard vermanend. Vragend keek hij haar aan. 'Wat is er met je aan de hand?'

'Dat was ontzettend schokkend,' verkondigde ze, vlak voor ze uitstapte. Ze keek niet of ze het portier wel goed had dichtgedaan en ze vergat Richard te bedanken voor de lift naar huis.

In de gang geniet Thea van een Lewis Carroll-moment, omgeven door gesloten deuren. Omdat ze niet kan besluiten waar ze heen wil, gaat ze daar zitten en ze blijft er een hele poos tot ze is gekalmeerd. Ze pakt haar mobieltje en overweegt Alice te bellen om haar te vertellen wat ze net van Richard heeft gehoord. Het is vreemd, maar Richards verhaal is uiteindelijk meer verhelderend dan choquerend. En hoewel de details betreurenswaardig zijn, heeft ze er wel iets aan gehad.

Ik heb nu bijna het gevoel dat ik redenen heb om Saul te vergeven – informatie waardoor ik hem wat beter begrijp. Feiten die mijn walging en schrik horen te verminderen. Logische verklaringen die mijn innerlijke onrust tot bedaren kunnen brengen. Misschien moet ik me opgelucht voelen, misschien moet ik mezelf voorhouden dat het in feite niks met mij te maken heeft, dat hij zich gewoon als een typische man gedraagt. Misschien moet ik geloven dat zijn emotionele trouw aan mij hem heilig is. Dat alles weer goedkomt.

'Maar als Richard Stonehill ervoor kiest niet naar de hoeren te gaan, waarom kan Saul dan niet hetzelfde doen?' brult Thea.

Ryanairs vlucht van 10.10 uur

In Carcassone weet Paul Brusseque alleen dat er in Engeland een heet mokkel is aan wie hij voortdurend moet denken als hij aan boord gaat van de vlucht van Ryanair waar hij het geld voor bijeen heeft weten te schrapen. Goed, ze is getrouwd, maar wat geeft dat? Voorzover hij heeft begrepen uit het weinige dat ze hem heeft verteld over haar echtgenoot en privé-leven, rammelt haar huwelijk nogal. In elk geval zit het niet helemaal lekker. Zoiets. Dus als ze zin heeft in iets lekkers zonder verplichtingen, zal hij zich niet door ethische overwegingen laten tegenhouden.

Tix. Ze had vaag laten doorschemeren dat ze hem tix voor Engeland zou sturen. Maar Alice Heggarty is nogal een flirt, een speelse flirt. Haar sms-seks heeft hem ongelooflijk opgewonden, zelfs zo erg dat hij alles op alles heeft gezet en een vlucht heeft geboekt om het echte werk te kunnen krijgen. Dan is hij haar scharrel maar, haar vrijer, haar toyboy, haar stoere vent, haar vleesgeworden fantasie. Nou en? Dat is veel beter dan een saaie echtgenoot zijn die haar waarschijnlijk niet kan bevredigen en haar ongetwijfeld aan de lopende band bedriegt. Is hij verliefd op haar, de echtgenoot? Hij moet wel gek zijn als hij dat niet is. Is Paul verliefd op haar? Of neukt hij haar alleen graag? Zo graag dat hij om twee dagen vrij heeft gesmeekt en al zijn geld bijeen heeft geschraapt voor een ticket om haar te verrassen. Ga lekker zitten en geniet van de vlucht. Maar het is tof om maar gewoon te dóén en te zien wat ervan komt. Het zou saai zijn om je hart altijd door je verstand te laten leiden.

Het is veel beter om je pik achterna te lopen, denkt Paul vrolijk.

Paul komt aan op Stansted en vraagt zich af welke kant Londen op is. En waar hij zijn euro's kan omwisselen. En wanneer hij contact moet opnemen met Alice. En hoe: sms'en, bellen of gewoon naar haar toe gaan? En waar moet hij slapen?

Het geluid van haar gsm liet Alice schrikken. Ze dacht dat ze hem in de stille modus had gezet. Instinctief wilde ze het document dat ze op de computer las verbergen, wat nogal dom was, omdat de beller niet kan weten wat er op haar scherm staat. Zelfs iemand die over haar schouder meelas zou alleen de website van de *Guardian* zien en een artikel uit hun archief over prostituees in Groot-Brittannië. Alice deed onderzoek. Geïnspireerd door haar bezoekje aan Soho met Thea tijdens de lunchpauze. Tenslotte was dit echt iets voor *Adam*.

Maar het sms'je dat haar gsm een signaal deed afgeven, verbaasde haar. Paul. Ze had het kunnen weten. Hij stuurt haar bijna elke dag een sms'je rond dit tijdstip. Het was gek, maar Thea's situatie had Alice' plezier in haar buitenechtelijke avontuurtje aanzienlijk doen afnemen. Haar ego werd nog altijd gestreeld door Pauls berichtjes en haar antwoorden bleven ondeugend, maar alles leek nu zo bizar dat het praktisch onschadelijk was. Het was niet meer dan een virtuele affaire want ze had hem al ruim drie weken niet gezien of gesproken. Dat was zelfs de vorige maand geweest. Voor Alice waren de sms'jes niet meer dan wat afleiding van alle dagelijkse zorgen, een opkikkertje op geschikte momenten en een lekker sausje om haar flauwe privé-leven wat op te peppen. Het was nog steeds leuk om een geheim te hebben. Het waren alleen woorden, geen daden, dus wat kon het voor kwaad?

Het is bepaald ironisch dat er een plaats en een tijd zijn voor spontaniteit, en als die niet met elkaar in overeenstemming zijn, worden de werking en de bekoring ervan ernstig in gevaar gebracht. Als Paul de week ervoor onverwacht was langsgekomen, zou ze opgewonden zijn geweest vanwege zijn ongehoorde arrogantie. Dan zou ze hebben gespijbeld van haar werk of ze zou hem haar kantoor in hebben gesmokkeld, of ze zou tegen Mark hebben gelogen en een zakelijk feestje hebben verzonnen dat de hele avond zou duren. Maar Pauls sms'je kwam een halfuur nadat Alice op kantoor was teruggekeerd van haar bezoek aan Soho met Thea, precies op het moment dat ze de socio-economische feiten en getallen las over prostitutie. Ruim vijftig procent van alle mannen heeft betaalde seks gehad. Vijftig procent van die groep betaalt er regelmatig voor. Vijfenzeventig procent van hen is ABC1-man, van dertig tot zestig. *Adam* werd vooral gelezen door ABC1-mannen van dertig tot vijftig. Alice vermoedde dat de meerderheid van de *Adam*-lezers had betaald voor seks en dat een flink deel regelmatig naar de hoeren ging. Daarna liep ze in gedachten haar collega's na en vroeg ze zich af wie het had gedaan, wie het zou doen, en wie niet. Daar kwam ze niet uit; daar kwam ze echt niet uit. Maar uit de statistieken bleek dat er een aantal hoerenlopers moest zijn. Zou ze Thea deze informatie laten lezen? Zou het helpen om te weten dat Sauls gedrag niet afwijkend was? Dat hij niet de enige was? Dat de minderheid waar hij toe behoorde niet echt klein was? Of zou het maar weinig troost bieden en geen enkel nut hebben?

ZIN IN EEN WIP?

Alice moest even glimlachen om Pauls sms, tot ze zich afvroeg of hij er wel eens voor had betaald.

WAAR BEN JE?

Ze zou later wel reageren. Voorlopig zette ze haar gsm in de stille modus. Ze maakte een bookmark van de webpage, sloot de internetverbinding en richtte haar aandacht op de spreadsheets en de budgetten van haar afdeling. Twintig minuten later keek ze op haar telefoon.

O, Paul, heb je niks beters te doen dan me te bedelven onder de sms'jes? Ga de Mont Sainte Victoire beklimmen, of zo.

MOOI WEER!

Alice keek naar buiten. Het was een prachtige dag.

GA N BERG BEKLIMMEN, TREK JE AF! sms'te Alice terug. IK ERG DRUK XXX

Haar telefoon ging over. 'Met Alice Heggarty,' zei ze, met haar blik op een spreadsheet gericht.

'Hoe druk is "druk" precies?' vroeg Paul.

'Toe nou,' zei Alice vermanend. 'Ik ben aan het werk.'

'Wat zou je zeggen van een potje pijpen?' vroeg Paul.

'Ga je aftrekken, ga een berg beklimmen. Flikker een eind op.'

'Maar er zijn geen bergen in Londen,' zei Paul peinzend. 'En Leicester Square is niet de goede plek om me af te trekken.'

Alice was met stomheid geslagen. Paul grinnikte. Was Paul hier? Op Leicester Square? Ze had hem geen tickets gestuurd. Ze had absoluut niet gevraagd of hij wilde komen. Het was geen moment bij haar opgekomen dat hij zou komen als ze hem niet had gebeld. In een paar tellen moest ze accepteren dat verhoudingen niet om controle draaien, maar elk moment een grote janboel konden worden.

Paul genoot van elke seconde dat Alice zweeg; hij stelde zich voor dat ze daar geschokt en opgetogen zat, als een razende al haar afspraken voor die middag verzette en bedacht hoe ze het snelst bij hem kon komen. Hij wist niet precies waar Liverpool Street was ten opzichte van Leicester Square.

'Ben je híér?' wist Alice ten langen leste uit te brengen.

'Ja,' antwoordde Paul.

'Maar sinds wanneer?' vroeg Alice. 'En voor hoe lang? En waarom heb je niks gezegd? Dan had ik tickets gestuurd.'

'Ik wilde je verrassen,' zei Paul.

Alice bekeek haar agenda. Die middag had ze niet veel te doen en heel even vroeg ze zich af of dat een meevaller was of niet. Ze had geen deadlines om toezicht op te houden, niemand met wie ze een afspraak had, zodat ze geen leugens hoefde te vertellen – kortom, ze had geen enkele reden om die middag geen vrij te nemen. Vlug stelde ze voor zichzelf vast dat er vandaag geen enkel obstakel lag op haar pad naar voorgeschreven passie. Dat moest een teken zijn. Het lot gaf haar toestemming om ontucht te plegen. Ze voelde zich haast beschermd. Als dit verkeerd was, zou het toch niet zo gemakkelijk zijn?

Waar? Wanneer? Hoe?

Thea? Sleutels? Crouch End?

Vandaag was niet de juiste dag om Thea om hulp te vragen bij haar buitenechtelijke escapades.

'Neem de Northern Line tot Camden Town en ontmoet me over twintig minuten in de schoenenwinkel tegenover de ondergrondse,' fluisterde Alice omzichtig. In één keer viel ze terug in haar rol van overspelige echtgenote.

Paul begreep er geen snars van. 'Is de ondergrondse ook een winkel?'

Licht geïrriteerd zei Alice: 'Doe niet zo stom! De ondergrondse, het metrostation, over twintig minuten.'

'O. Oké. Gaaf.'

Ze had zich aan hem geërgerd, waardoor de opwinding die ze hoorde te voelen bij iets wat clandestien was, was verflauwd, en dat maakte haar boos.

Is het dan een teken dat de andere kant uit wijst? Een doodlopende straat met een onmiskenbaar VERBODEN IN TE RIJDEN-bord? Terwijl ze haar handtas pakte, besloot ze om alle ontnuchterende gedachten en verantwoordelijkheden in haar kantoor achter te laten.

Het is een rustige dag, het is een prachtige dag, niemand zal erachter komen, waarom zou ik mezelf dat pure, fysieke genot onthouden?

Alice vond het niet erg leuk dat ze vóór Paul in de schoenenwinkel was. Ze had parmantig naar binnen willen lopen, haar haren naar achteren willen gooien en hem naar zich toe willen lokken door alleen haar wenkbrauwen op te trekken. In plaats daarvan bekeek ze schoenen die ze toch nooit zou dragen, wierp ze blikken op haar horloge, terwijl ze zich afvroeg of de winkel wel had onderzocht of keiharde hiphop tot meer aankopen leidde.

Paul was een kwartier te laat. 'Sorry, liefje, die Northern Line is een gekkenhuis! Ik was te ver doorgereden en moest uitstappen op Tof Nee nog iets.'

'Tufnell Park,' verbeterde Alice hem. 'Hallo.'

'Hoi. Toffe gympen.' Paul pakte een paar op. 'Hoeveel is zeventig pond?'

'Eens even denken,' zei Alice. 'Volgens mij is dat ongeveer zeventig pond.'

Paul lachte. 'Ik bedoel in euro's,' zei hij verontschuldigend.

'Wil je die echt kopen?' Alice keek op haar horloge. Niet dat ze haast had, maar ze had de winkel nou wel gezien.

Paul bekeek de gympen eens goed. Ze waren heel cool, maar waarschijnlijk veel te duur. 'Nee,' zei hij, en hij zette ze terug. Daarna gaf hij Alice een kneepje. 'Je ziet er geweldig uit.'

'Kom mee,' zei Alice, al wist ze niet precies waar ze heen moesten.

Ze slenterden langs de fruit- en groentekraampjes op Inverness Street. 'Wat wil je gaan doen?' vroeg Alice aan Paul, omdat ze vermoedde dat hij niet echt appels of wortels wilde kopen.

Wellustig trok hij zijn wenkbrauwen op en Alice keek hem meesmuilend aan. 'Maar laten we eerst iets gaan eten,' zei Paul prozaïsch. 'Ik heb honger.'

Alice keek toe terwijl hij een bord spaghetti bolognese verorberde en ze wendde haar blik af toen hij met volle mond praatte. Ze betaalde voor hij een toetje kon bestellen. Ze wilde aan de seks beginnen. Bij Paul Brusseque ging het niet om gezellig praten of het aanschaffen van hippe gympen. Hij hoorde geen ietwat naïeve toerist in Londen te zijn. Hij hoorde niet te laat te komen, of in verwarring te raken door het Londense metronet en de wisselkoers tussen het pond en de euro. Bij hem hoorde het alleen om rauwe seks te draaien. Hij moest grommen, niet babbelen. Hij moest naakt en mannelijk zijn en niet geobsedeerd worden door modieus schoeisel. Uiteindelijk hoorde hij haar minnaar te zijn: ongeremd en stoer, en geen vriend.

Als ze in West End waren geweest, was ze misschien in de verleiding gekomen een kapitaal uit te geven aan een hippe hotelkamer voor de middag. Maar ze waren in Camden Town, waar op loopafstand geen populair hotel te bekennen was. 'Laten we naar mijn huis gaan, dat is vlakbij,' zei Alice. Ze riep een taxi door op haar vingers te fluiten, wat Paul geweldig vond. Daarom zei hij dat hij haar echt supercool vond. Hij vroeg telkens of ze nog een keer zo wilde fluiten, terwijl Alice wenste dat hij zijn mond hield. Zijn sex-appeal werd zienderogen minder en ze wilde hem dolgraag neuken voor het helemaal was verdwenen.

Kom terug, Paul. De Paul die ik me herinner.

Maar Alice, dit ís Paul. Jij wil de fantasie-Paul, die je zelf hebt bedacht sinds je terug bent uit Frankrijk. Tenslotte is het niet moeilijk om een avontuurtje dat wordt verdiept door sms'jes naar eigen smaak te verfraaien.

Bij Belsize Park begon Alice Paul te zoenen om te voorkomen dat hij doorbabbelde. Oppervlakkig gezien was hij immers nog altijd uiterst kusbaar. Ze sloot haar ogen voor de bekende omgeving van Haverstock Hill en ging in gedachten terug naar Les Baux en Clapham, de momenten en plaatsen waar Paul haar eerder had gekust. Hij smaakte hetzelfde en zijn bedreven tongrotaties wonden haar tot haar grote opluchting nog altijd op.

In stilte betaalde ze voor de taxirit en ze liep voor hem uit de trap naar haar huis op. Ze had geen zin om Pauls reactie te zien. Ongetwijfeld was hij verbluft door haar mooie huis en ze wilde het effect dat het op hem had niet zien. Ze had geen zin in vragen en ze wilde er niet aan denken dat ze haar echtgenoot onder zijn eigen dak ging bedriegen.

'Shit, Alice,' zei hij zacht en verbaasd. Haastig vulde ze zijn mond met haar tong en schopte ze de voordeur dicht.

'Hallo, mevrouw Sinclair.'

Kut, kut, kut.

Woensdag. De werkster kwam op woensdagmiddag.

'Hallo, Carmen,' zei Alice tegen de stevig gebouwde Braziliaanse vrouw. Opgelucht merkte ze dat Carmen niet had gezien dat ze Paul zoende. 'Hoe gaat het ermee?'

'Heel goed, mevrouw Sinclair. Dank u. Ik strijk nu, het huis is heel erg schoon.'

'Dank je, Carmen.' Stel Paul voor. Verzin iets. 'Dit is Paulo, hij komt even kijken naar de... de...' Verdomme, naar de wat? Hij komt naar mijn tieten kijken, Carmen. Ik wilde door hem geneukt worden op mijn net opgemaakte bed, Carmen. 'Naar de badkamer.'

'Gaat u badkamer veranderen, mevrouw Sinclair?' Vol afgrijzen keek Carmen haar aan. 'Maar is heel mooie badkamer. Heel nieuw. Heel schoon.'

'Druk,' zei Alice. 'Hij komt de druk controleren. Deze kant op, Paulo. Volg mij maar.'

Alice nam Paul mee de badkamer in. Ze dacht aan druk en wierp zichzelf een vermoeide blik toe in de spiegel. Dankzij Marks aandringen op een geavanceerde waterhuishouding, was de druk namelijk prima. 'Paulo,' zei Alice hard, voor het geval Carmen haar kon horen, of enige interesse had, 'dit bedoel ik nou.' Ze zette de badkranen open en het water stroomde luid kletterend in het bad. Alice wendde zich tot Paul en legde haar vinger op zijn lippen. Ze ritste zijn spijkerbroek open, en vervolgens deed ze de knoopjes van haar blouse los. Ze wilde neuken en weer weggaan. Ze wilde met hem naar bed en daarna moest hij vertrekken. Hij speelde met haar borsten en bracht ze gretig naar zijn mond, terwijl zij haar vingers in zijn haar verstrengelde en hun omhelzing bekeek in de spiegel. Ze zagen er samen prachtig uit. Heel sexy. Ze trok aan zijn hoofd tot zijn gezicht voor het hare was en ze tongden elkaar heftig. Langzaam knielde ze en trok zijn spijkerbroek omlaag, vervolgens zijn boxershort, waarna ze haar mond onmiddellijk om zijn indrukwekkende stijve sloot. Ze kokhalsde bijna. Hij had een lange reis achter de rug en had zich door het centrum van Londen gehaast. Eigenlijk moest hij eerst douchen. Of zich op z'n minst wassen, maar daar was nu geen tijd voor. Het enige wat Alice wilde, was harde, heftige seks. 'Begrijp je wat ik bedoel, Paulo?' riep ze ineens, voor het geval Carmen nog luisterde.

'Ja!' schreeuwde Paul terwijl Alice hem pijpte en zijn ballen streelde.

Hij trok haar omhoog en zette haar zo dat ze de wastafel kon pakken, met haar gezicht naar de spiegel. Hij boog haar iets voorover, trok haar slipje naar beneden en penetreerde haar. Ze zag hoe ze genomen werd, zag zijn gezicht vertrekken van intens genot. Dit was precies wat ze wilde: seksueel zo begeerd worden dat de daad zelf hebberig was, primitief en bijna ruw. Ze bestudeerde Paul; hij had zijn kaken opeengeklemd en zijn ogen zaten stijf dichtgeknepen. Hij pompte en stootte, en kwam explosief klaar.

'Ben jij klaargekomen, liefje?' vroeg hij.

Alice dacht aan climaxen en anticlimaxen en besloot geen rechtstreeks antwoord te geven. Ze legde haar vinger op haar lippen en zei geluidloos: 'Ssst', terwijl ze de kranen uitdraaide. Stilte. Ze zag dat Paul zijn broek optrok en voelde zijn zaad uit haar druppelen.

Ze hadden geen condoom gebruikt. Hoe had ze zo stom en roekeloos kunnen zijn? Waar was ze in godsnaam mee bezig? Wat bezielde haar? Alice walgde van zichzelf.

'Wat gaan we nu doen?' vroeg Paul, die dacht aan Bucking Ham Palace. Of Carnaby Street.

'Ik moet wat mensen bellen voor mijn werk,' zei Alice.

'Ken je ook iemand bij wie ik op de grond kan slapen?' vroeg Paul. Verward keek Alice hem aan. 'Ik kan niet naar Clapham. Mijn vriend is weg, en ik heb vergeten zijn sleutels te vragen.'

'Sorry,' zei Alice. 'Ik geloof niet dat ik je kan helpen.'

'Je vriendin in dat Crouch-huppeldepup?'

'Nee! Ik bedoel, ze gaat binnenkort verhuizen, dus we kunnen het haar niet vragen.'

Paul keek naar Alice en Alice keek naar Paul. 'Twee nachten, hè? Ik boek wel een hotelkamer voor je.'

'Alice, ik ben blut.'

'Ik betaal wel.'

Moet ik naar een SOA-kliniek?

Moet ik de morning-afterpil nemen?

Ik heb Thea hard nodig, maar ik kan haar hier niet mee opzadelen. Het zal haar niet alleen van streek maken, maar ze heeft op dit moment al meer aan haar hoofd dan ik zou aankunnen. Ik wilde van twee walletjes eten, maar nu lijk ik me erin te verslikken. Dan moet ik me maar in mijn eentje beroerd voelen en dat accepteren als mijn verdiende loon.

Omdat Alice ervan overtuigd is dat een dosis vernedering louterend zal werken, gaat ze naar de apotheek en dwingt ze zichzelf om oogcontact te houden terwijl ze om anticonceptie voor noodgevallen vraagt. Ze weet dat een portie schuldgevoel ook genezend zal werken. Daar wordt ze door verteerd als Mark een paar uur later thuiskomt en haar zoals altijd begroet met een vrolijke kus. Hij heeft een fles heerlijke wijn bij zich en verse ingrediënten voor zijn eigengemaakte pesto. Ze heeft geen honger; daar hebben haar spijt en afkeer van zichzelf voor gezorgd.

Pas als ze later die avond haar schaamte probeert weg te wassen in een gloeiend heet bad, beseft ze dat ze haar Pilatesles helemaal is vergeten. Nu krijgt ze haar geld niet terug. Dat betekent dat die stomme, luizige wip met Paul haar vijfenveertig pond kost. Plus zijn hotelrekening. Eigenlijk is de prijs die ze betaalt nog veel hoger, iets waar ze zich maar al te goed van bewust is. Ze neemt een bad in de badkamer voor logees omdat ze de hare niet in durft. En ze heeft tegen Mark gezegd dat ze in de logeerkamer gaat slapen, met een smoes over een aanval van Thea's zogenaamde griep, maar in werkelijkheid vindt ze dat ze het niet verdient om naast hem te slapen in hun echtelijke bed. Eigenlijk moet ze Thea even bellen om te vragen of alles goed met haar is. Maar Thea's gsm staat uit omdat ze op dat moment helemaal opgaat in haar gesprek met Richard Stonehill.

O, Thea. O, Thea. Waarom is ons leven zo'n puinhoop, terwijl we nog maar begin dertig zijn en onze levens tot kortgeleden zo perfect waren? Hoe heeft de zaak zo snel uit de hand kunnen lopen? Het grote verschil is dat jij het slachtoffer bent van jouw situatie en ik de aanstichter in de mijne. Jij verdient redding en geluk, maar persoonlijk zie ik niet hoe je die moet krijgen. Neem mij, met mijn trouwe, aanbiddende echtgenoot. Waar was ik in godsnaam mee bezig? Alstublieft God, laat mijn straf niet zijn dat Mark erachter komt. Alstublieft God, laat Mark er alsjeblieft niet achter komen, het zou hem kapotmaken. Ik wil niet dat Mark verdriet heeft. Ik heb het nooit gedaan om hem te kwetsen. Behoed hem alstublieft voor pijn. Alstublieft God, laat Mark nooit te weten komen wat ik heb gedaan. Ik beloof dat ik het nooit meer zal doen. Alstublieft God, bespaar Mark die kwelling, ik zweer dat ik niet degene ben die er gemakkelijk vanaf zal komen: daar zullen mijn schaamte en spijt wel voor zorgen. Eerlijk waar.

Maar weet je? Eigenlijk geloof ik niet in God.

Ik ben bang.

Ik ben misselijk.

O, Thea, ik wil dit zo graag met je bespreken. Maar dat gaat niet. Ik kan het niet. Jij hebt al te veel om te verwerken. Mijn eenzaamheid en mijn wroeging moeten me hier op de een of andere manier doorheen slepen en me leren om op een betere manier te leven en lief te hebben dan ik tot nu toe heb gedaan.

Sauls afspraak van drie uur

KAN IK JE ZIEN?

NEE, BEGRIJP DAT AJB

STIK! TOE. VANAVOND GA IK WEG...

NEE, PAUL. ONMOGELIJK. BEGRIJP HET, AJB, AJB...

IK BEN HELEMAAL HIERHEEN GEKOMEN VOOR JOU

DAT HAD IK JE NIET GEVRAAGD

O NEE?

KAN NIET. SORRY. EN AJB: GEEN SMS, ETC. MEER. AJB

Etc.? Paul las allerlei betekenissen in het woord op zijn mobieltje. Noemde Alice seks 'etc.'? Arrogante teef. Paul besloot dat het makkelijker was haar te haten dan om te protesteren, smeken of tegenwerpingen te maken. Hij wilde niet het gevoel krijgen dat zijn reis voor niks was geweest. Hij vond het niet erg leuk dat hij zelf voor zijn vliegticket had betaald, maar het gaf hem voldoening om overdreven veel te bestellen op Alice' kosten bij de roomservice en de minibar leeg te plunderen. Londen had meer te bieden dan die stomme Alice Heggarty of St. Clair, of hoe ze dan ook maar heette. Hij zou gewoon naar Buckingham Palace en Carnaby Street gaan. Hij zou Alice beschouwen als iemand met wie hij ervaring had opgedaan; tenslotte kon een mens daar nooit genoeg van hebben. Zo leidde hij immers zijn leven. Toyboy, seksspeeltje, minnaar van rijke teef? Goed. Best. Dat had hij achter de rug en dat kon hij doorstrepen op zijn lijst.

Saul verheugde zich op zijn afspraak met Alice om drie uur. Hij was dol op brainstormsessies, dus hij had zich goed voorbereid en zorgde ervoor dat hij vroeg op kantoor was.

'Hoi,' begroette hij haar, en hij gaf haar twee kussen.

'Saul,' zei Alice vriendelijk. Ze bood hem haar wangen aan, maar kuste hem niet terug. Ze was moe en gespannen. Ze wilde Paul Brusseque het land uit hebben en ze wilde haar leven terug. Maar al had ze besloten om het contact met Paul te verbreken, ze had geen zin om terug te keren naar Marks warme, eenvoudige omhelzing. En die emotie, of het gebrek daaraan, verbijsterde en deprimeerde haar. En nu stond ze tegenover de losbandige Saul Mundy.

'Wil je koffie?' vroeg ze. Ze zou haar best doen zich te gedragen als de echte Alice Heggarty, getalenteerd uitgever, en haar alter ego's van overspelige echtgenote en hoeder van haar beste vriendin tijdens kantooruren niet toe te laten.

'Graag,' zei Saul. 'Hoe staat het leven?'

'Prima,' zei Alice. Ze deed haar best om niet te schrikken van die vraag of schuldig te kijken. 'En met jou?'

'Er is vertraging opgetreden bij de aankoop van ons nieuwe huis,' klaagde Saul. 'Ik durf het niet tegen Thea te zeggen, want die heeft het al zo moeilijk met de verkoop van haar appartement volgende week. Ik heb haar nauwelijks gesproken, laat staan gezien. Heb jij haar gezien? Elke keer dat ik bel, zegt ze dat ze zo druk bezig is met het uitzoeken van al haar spullen dat ze geen tijd heeft om te praten. Ze hoeft alleen maar in te pakken, maar het kost haar verdomd veel tijd. Ik mag niet komen, omdat het volgens haar één grote troep is, maar ze beweert ook dat ze geen tijd heeft om bij mij te slapen!' Saul lachte, maar Alice dacht dat hij er beter aan zou doen eens tussen Thea's regels door te lezen. 'Die malle meid!' zei hij liefdevol. 'Wanneer heb jij haar voor het laatst gezien? Bij Pilates?'

'Nee. Ik heb haar het laatst gezien in het weekend. Ik heb mijn afgelopen les afgezegd.' Ineens wilde Alice graag van onderwerp veranderen en ze klopte op haar bureau. 'Aan de slag,' zei ze. 'Hoe gaat het met *Adam*?'

'Wat dacht je van: van Apple tot Blackberry; de fruitige technologie? En niet alleen omdat ik op gratis weggevertjes hoop.' Saul glimlachte.

'Leuk.' Alice maakte aantekeningen. 'Ik heb de agent van Nick Hornby ontmoet, maar in plaats van een doorsnee-interview wil ik iets doen over zijn ervaringen als ouder van een autistisch kind. Ik heb voorgesteld een groter bedrag dan normaal te doneren aan zijn TreeHouse Trust-liefdadigheidsorganisatie.'

Saul knikte bedachtzaam. 'Ik zat zelf aan een nummer over vaderschap te denken, met schrijvers, beroemdheden en Jan met de pet.'

'Goed idee,' zei Alice enthousiast.

'Voorbeelden van vader-kindrelaties,' ging Saul verder. 'Van Homer en Bart Simpson tot George Bush senior en George Dubya, Ringo Starr en Zac Starkey, prins Charles en William, Beckham en Brooklyn.'

'En dochters dan?' Uitdagend keek Alice Saul aan.

'Paul en Stella McCartney,' zei Saul lachend. 'Terry en Gaby Yorath, Jimmy en Lisa Tarbuck, Nigel en Nigella Lawson, Mick Jagger en zijn dochters Jade en Lizzie.'

'Homer en Lisa Simpson.' Ook Alice begon te lachen. 'We kunnen het Nick Hornby-stuk in dat nummer gebruiken. Goed. En verder?'

'Ik heb een geweldige kop: DE RIPPER BEDROGEN voor een gedegen stuk over nagebootste misdaden,' stelde Saul voor.

'Daar horen vast toepasselijke gruwelijke foto's bij,' zei Alice hoopvol.

'Uiteraard. En wat dacht je van: VOLWASSEN TIENERS?' vroeg Saul. 'Gezien die hele opleving van crossfietsen, skateboarden en de Beastie Boys, die volgens mij nog ouder zijn dan ik. KOOP EEN FIETS EN LAAT JE JEUGD HERLEVEN – zoiets.'

'Goed,' zei Alice peinzend. 'Heel goed.'

Er heerste een kameraadschappelijke stilte, die alleen af en toe werd doorbroken door wat goedkeurend gemompel of het bedachtzaam zuigen op pennen als er naar inspiratie werd gezocht. Alice probeerde een artikel te bedenken bij de uitstekende titel WEG BIJ DE AFGROND. Ze had namelijk een inspirerend interview gehoord met een bergbeklimmer die zijn ledematen was kwijtgeraakt door bevriezing. Hij had het overleefd en had later een andere berg beklommen. Ineens zag ze Paul in gedachten voor zich, in zijn wandelschoenen met zijn gespierde bruine benen. Ze voelde zich belaagd en keek weg van de onwelkome invasie in haar geest. Eerst staarde ze wat gedachteloos in de verte, maar ineens viel haar blik op haar plank. De ingelijste eerste cover van *Adam*, haar trofee voor uitgever van het jaar, die zwaartekracht trotserende schicht perspex met de houten voet. Zonder enige waarschuwing dacht ze ineens aan de perspexwinkel, naast de deur van Black Beauty en dat Modellen!Top. En plotseling hoorde ze ineens wat Saul twee jaar geleden tijdens die prijzenregen tegen haar had gezegd. Hij had beweerd dat hij graag overal een vinger in de pap had. Hij had gezegd dat dollars zijn verlangen naar afwisseling niet konden kopen – nou, blijkbaar wel, alleen waren het geen dollars, maar ponden sterling, die zijn pondjes vlees kochten. Hoewel Alice achteraf allerlei dubbele betekenissen ontdekte in de dingen die hij had gezegd over zijn carrière, sprong één ding dat hij had gezegd er echt uit.

Hij had gezegd hoeveel hij van Thea hield. Hij zei – en toen viel het me niet eens op – dat hij trouw aan haar was 'in mijn geest en in mijn hart'. Waarom zei hij niet 'met lichaam en ziel'? Waarom moest hij zijn trouw zo nodig kwalificeren? Hij had het specifiek over zijn verdachte geest, zijn halve hart, terwijl hij wel oppaste om te praten over het fysieke aspect.

Ze knipperde en onderdrukte een rilling. Langzaam keek ze naar Saul, die tegenover haar zat en irritant met zijn Mont Blanc-pen tegen zijn ondertanden tikte, terwijl hij nadacht over nieuwe ideeën voor het tijdschrift.

'ERVOOR BETALEN,' zei ze heel kalm. Haar effen blik maskeerde het snelle kloppen van haar hart.

Saul was nog bezig met het formuleren van: DAT IS TOCH GEEN MUZIEK? HOE WE ONHERROEPELIJK OP ONZE OUDERS GAAN LIJKEN, waardoor hij Alice' toespeling niet doorhad. 'Ervoor betalen?' herhaalde hij, alsof ze het over eersteklas reizen of ziekenfondsrekeningen had.

'SEKS VOOR GELD,' ging Alice verder. Nauwlettend hield ze Sauls reactie in het oog, maar er gebeurde niet veel. Hij keek haar alleen doordringend aan. Oogcontact houden, Alice. Voer de druk nog wat op. 'VERSLAAFD AAN HOEREN,' probeerde ze. Nu niet ophouden. 'PROSTITUEES EN HUN KLANTEN.' Saul knikte een paar keer. Had ze zijn aandacht? Ze wist het niet zeker. 'HOEREN EN HOERENLOPERS.' Ze meende een zekere aarzeling in zijn geknik te bespeuren. 'ER-VOOR BETALEN,' zei ze opnieuw. Tijd om haar wenkbrauwen op te trekken en hem daarna kwaad aan te kijken. Saul keek met overdreven veel belangstelling naar zijn pen; hij had zijn vinger op het puntje van de balpen gelegd. Had ze een gevoelige snaar geraakt? Tijd voor de genadeklap. Dit doe ik voor jou, Thea. 'WIP OF EEN BROODJE? SEKS KOPEN TIJDENS JE LUNCHPAUZE.' Alice zweeg even om haar woorden zo dramatisch mogelijk te laten klinken. 'Wat vind jij ervan, Saul?' Haar stem klonk messcherp en de vraag leek in de lucht te blijven hangen. 'Dit past toch precies in jouw straatje? In jouw zijstraatje in Soho?'

Heel traag keek Saul haar aan en ze schrok. Hij keek absoluut niet schuldig. Hij probeerde zich niet haastig te verdedigen. Geen arrogante ontkenning, die zij vervolgens de grond in kon boren. Geen bazelend wrak dat ze kon uitfoeteren. Geen tranen van spijt die ze kon weigeren af te vegen. Saul zag alleen lijkbleek, nog bleker dan wanneer hij een geest zou hebben gezien. Meer alsof hij zijn eigen dood had voorzien en die zeer binnenkort zou plaatsvinden. 'Jij zou zo'n artikel toch zo kunnen schrijven, Saul?' vroeg ze stekelig. '"Ik heb een beeldschone vriendin, maar daarnaast betaal ik voor een vlugge wip. Zet maar op mijn onkostennota. Ik zal het geld even uit de kleine kas halen!" Of heb je er een rekening lopen?'

'Alice,' zei Saul, niet zozeer om te protesteren als wel om haar te vragen te zwijgen.

Ze zaten in de lawaaiigste stilte ooit; de tijd leek uiterst langzaam te verstrijken, de realiteit leek even te blijven steken in dit gespannen moment. Hun gedachten schoten veel te snel alle kanten op om ze vast te kunnen pinnen. Er kon niets aan worden gedaan. De tijd kon niet worden teruggedraaid; de woorden noch de daden konden ongedaan worden gemaakt.

'Ze weet het,' zei Alice na een hele poos zacht.

Saul wendde zijn hoofd met een ruk af bij de ondubbelzinnige betekenis van die zin en staarde naar Alice' deur terwijl in zijn keel onzichtbare tranen prikten als doornen.

'Ze heeft je gezien,' legde Alice schor uit, en die woorden drongen door tot in Sauls diepste wezen.

De giftige stilte bleef als een verstikkende mist in Alice' kantoor hangen. Alice wilde wel vijf miljoen vragen stellen. Waarom, klootzak? Waar was je mee bezig? Hoe kon je? Waarom heb je het in godsnaam gedaan? Hoe vaak doe je het? Hoe voelt het? In welk opzicht is het anders? Hoeveel betaal je ervoor? Hoeveel heb je eraan uitgegeven? Wanneer heb je het voor het laatst gedaan? Komt er een volgende keer? Waarom heb je het gedaan terwijl je een vriendin als Thea hebt? Alleen bleven haar woorden van verbazing steken in haar keel omdat Saul het waagde om zo gebroken te lijken. Haar aanval hing direct samen met de veronderstelling dat hij onmiddellijk in de verdediging zou schieten, of haar van liegen zou beschuldigen, of zelf zou liegen dat Thea zich had vergist of dat ze geen bewijs hadden. De afgelopen dagen had ze zich door middel van ingebeelde confrontaties op die reacties voorbereid en zo haar laatste, woedende aanval geperfectioneerd. In plaats daarvan werd ze geconfronteerd met een Saul die niet alleen sprakeloos en hulpeloos was, maar ook hard een zakdoek nodig had.

Alstublieft God, laat me die rotzak niet hoeven troosten.

'Hoe weet je dat?' vroeg Saul zacht. 'Hoe weet je dat zij het weet?'

'Ze is mijn beste vriendin,' zei Alice met opeengeklemde kaken.

'Wat moet ik doen?' vroeg Saul mat en zonder veel puf. Tot zijn afgrijzen besefte hij opeens dat Thea vorige week geen griep had gehad, dat ze niet zo vaak naar Pilates was geweest, dat ze het bezoek aan zijn ouders niet had afgezegd vanwege een eerder gemaakte afspraak met Alice. De waarheid was dat ze hem gewoon niet wilde zien en haar best deed hem te ontlopen. Die afwijzing kwam hard aan. 'Wat kan ik volgens jou nog doen?' vroeg hij aan Alice, omdat hij zelf geen idee had. In zijn wanhoop zocht hij raad bij degene die Thea het meest na stond. Alice haalde haar schouders op en kneep haar ogen dreigend tot spleetjes. Waarom moest zij zich inspannen om hem te helpen? Gedeelde smart is halve smart, maar hij verdiende het niet dat zijn last zou worden verminderd.

'Godsamme, je hebt Thea!' zei Alice kwaad. 'Waarom zou je die relatie zelfs maar op het spel willen zetten, laat staan hem definitief verpesten door met een ander het bed in te duiken?'

Er verscheen een grote frons op Sauls voorhoofd. 'Ik heb mijn relatie met Thea nooit, echt nooit op het spel willen zetten en ik heb haar nooit willen kwetsen,' zei hij zacht, maar met zo veel vuur dat Alice hem makkelijk had kunnen geloven.

'Toe nou, zeg. Je kunt je gedrag echt niet goedpraten,' zei ze.

'Nee,' beaamde Saul. 'Dat is waar. Ik kan alleen een verklaring geven, en die luidt: ik ben een man. Ik verzeker je dat ik niet abnormaal ben, ik doe alleen wat heel veel andere mannen ook doen. Ik heb de mooiste vriendin die ik me kan wensen, van wie ik zielsveel hou en met wie ik mijn leven wil delen, maar ook betaal ik, af en toe, voor seks. Het is alleen maar seks.'

Alice hoorde het uit zijn eigen mond. Hij bevestigde het. Hij gaf het toe. Hij erkende het. Hij biechtte de waarheid op. Het liefst zou ze iets naar zijn hoofd gooien of tegen hem gaan schreeuwen. Ze wilde hem zien kronkelen, ze wilde dat hij verlamd was van pijn. Eigenlijk zou ze hem daar niet zo mogen laten zitten terwijl hij uitlegde dat hij nou eenmaal een man was – *c'est la vie*.

'Ik zou niet méér van Thea kunnen houden,' hoorde ze hem zeggen. Zelf keek Alice naar haar Rolodex en overwoog die naar hem toe te smijten.

'Hoe durf je over liefde te praten?' vroeg ze woedend.

'Echt, ik hou meer van haar dan van welke andere vrouw ook, ze is mijn zielsverwant,' verklaarde Saul heftig. 'Ik hou zo veel van haar als ik kan, wat meer is dan ik voor mogelijk had gehouden. Ik aanbid haar. Daar heeft ze nooit aan getwijfeld. Evenmin als jij.'

'Waarom ben je haar dan aan de lopende band ontrouw?' viel Alice uit.

'Zo zie ik het niet. Het is maar seks. Het heeft niks te betekenen,' zei Saul. 'Ontrouw impliceert opzettelijke wreedheid en verraad.'

'Donder een eind op met je zieke theorie!' riep Alice, en hun werd weer het zwijgen opgelegd door een misselijkmakende stilte.

'Weet je, Alice, je hebt gelijk,' zei Saul na een hele poos. 'Je hebt gelijk: het zou een geweldig artikel opleveren. En misschien schrijf ik het wel – mijn zwanenzang voor *Adam*, zo je wilt. Je hoeft me er niet eens voor te betalen. Geef mijn gage maar aan de liefdadigheidsorganisatie van Nick Hornby. Maar ik waarschuw je: ik kan geen vernietigend oordeel over mijn eigen schaamte schrijven. Wat ik wel kan doen, is een stuk schrijven waarin ik uitleg waarom mannen seks prima kunnen scheiden van emotie en toch kunnen geloven in het huwelijk, liefde en trouw.'

'Saul!' protesteerde Alice, kwaad omdat hij een redelijke verklaring had en de situatie zo emotieloos en accuraat inschatte.

'Heel af en toe betaal ik voor seks, Alice,' zei hij zacht. 'Het is nauwelijks een gewoonte te noemen en het is geen probleem. Niks illegaals, niks gewelddadigs. Alleen een snelle wip. Ik doe het niet vanwege Thea, want we hebben een fantastisch seksleven. Ik doe het niet vanwege een soort macho machtsgevoel, ik ben geen vrouwenhater, geen seksmaniak, en ik doe het niet vanwege stress. Ik doe het alleen omdat ik het kan.'

'Maar het kan níét,' wierp Alice schril tegen. 'Dat kun je niet doen, niet als je Thea hebt.'

'Ja, ik kan het wel. Ik kan het onderscheid maken. Ik kan heel teder de liefde bedrijven met Thea of hartstochtelijke, kinky seks met haar hebben, maar zo nu en dan, als ze er niet is en ik geil ben, of me verveel en geen zin heb om me af te trekken, trek ik zeventig pond uit een geldautomaat en koop ik een snelle wip.'

'Je bent een walgelijke bedrieger!' schreeuwde Alice. 'Je bent een egoïstische, stomme, zieke klootzak!'

'Ja, en ik zal het kostbaarste wat ik ooit heb gehad verliezen,' stemde Saul in.

'Klerelijer!' beet Alice hem toe. 'Wie ben jij? Aardige mannen doen zulke dingen niet, begrepen? Die doen dat niet.'

'Zullen we erom wedden?' vroeg Saul fel. 'Hou maar eens een enquête onder alle mannen die je kent. Ik daag je uit.'

'Waag het niet om dit goed te praten of het minder erg te laten lijken.' Alice was opgesprongen. 'Het is belachelijk, verwerpelijk, onnodig gedrag voor een man die alles heeft.'

'Alice, ik kan dit niet goedpraten. Maar ik wil wel zeggen dat ik Thea nooit heb willen kwetsen en dat er nooit sprake is geweest van emotioneel verraad. Mijn enige grote spijt is dat Thea het weet. Ik weet niet hoe ik haar verdriet moet verdragen. En de gevolgen die het zal hebben. Shit, Alice, ik weet niet of Thea en ik hieruit zullen komen. Er bestaat een grote kans dat ik de liefde van mijn leven kwijtraak.'

Alice keek Saul aan. Er was geen oplossing. Tegen hem uitvallen had geen enkel nut. Dit zou niet goed aflopen. Zijn vlijmscherpe besef van Thea's enorme leed was zijn eigen grote lijden. Dat zag ze op zijn van pijn vertrokken gezicht. De onverkwikkelijke situatie zou niet beter worden en hij zou zich niet ellendiger gaan voelen als Alice verder tegen hem tekeerging. Het was zijn lot om Thea te verliezen.

'Ik moet gaan.' Sauls stem klonk hol en gesmoord.

'Wat ga je doen?' vroeg Alice treurig.

Hij haalde zijn schouders op. 'Geen idee. Thea heeft het voor het zeggen. Ik moet het aan haar overlaten. Ik weet het niet; misschien moet ik tegen haar zeggen dat ik weet dat zij het weet. Moet ik voor haar vechten? Moet ik me proberen te rechtvaardigen? Ik weet het niet. Jezus, ik weet het echt niet.' Hij stond op en draaide zich om naar de deur.

'Saul, je begrijpt toch wel dat ik niet meer direct met je kan samenwerken?' zei Alice zacht. 'Het spijt me. Het is voorbij.'

'Dat begrijp ik.' Saul stak zijn hand uit naar de deurklink. 'Ik zal *Adam* missen. Ik zal jou missen, Alice. Ik kan hier nu even niet aan denken. Ik raak Thea kwijt. Ik moet nu echt gaan. Ik weet niet wat ik moet doen. Wat kan ik doen? Vaarwel, Alice. Vaarwel.'

Saul vertrekt en Alice is uitgeput. Maar de onderliggende emotie die zich een weg baant door haar geweten en op haar ziel drukt, is schaamte. Saul voelt geen schaamte omdat hij er oprecht van overtuigd is dat hij niets verkeerd heeft gedaan, al heeft hij toegegeven dat hij degene die hem het dierbaarst is onopzettelijk vreselijk veel pijn heeft gedaan. Maar voor Alice voelt de schaamte aan als een stomp in haar maag. Die beneemt haar de adem en ze krijgt het gevoel dat ze stikt. Ze weet heel goed dat ze naast het verdedigen van Thea's eer en waardigheid een bijbedoeling had met haar wrede, moralistische huichelarij tegen Saul: die vermindert haar eigen schuldgevoel. Het is net alsof ze zichzelf en Saul op een weegschaal van doodzonden heeft gezet en er vervolgens voor heeft gezorgd dat Saul de verliezer was. In het openbaar nog wel. Zijn zonde is erger. Hij moet naar de hel. Alice had Saul beschuldigd van belachelijk, verwerpelijk, onnodig gedrag voor een man die alles heeft. Diep vanbinnen weet ze dat ze die keiharde beschuldiging net zo goed aan zichzelf kan richten. Wat had hij ook alweer gezegd? Volgens hem impliceerde ontrouw opzettelijke wreedheid en verraad. Dat was iets waar hij zich niet schuldig aan had gemaakt. Maar zij wel.

Saul had Thea nooit gekwetst. Als Thea hem niet had gezien bij Black Beauty of Modellen!Top, zou ze nog altijd zweven op een roze wolk van interieurideeën en dromen van huiselijkheid. Saul had zijn hoeren, wie dat ook waren, nooit het verkeerde idee gegeven en zij hadden nooit meer van hem gevraagd dan zijn geld. Een simpele transactie. Dank je. Nog een prettige dag verder. Jij ook. Maar Paul Brusseque had zijn schamele loon uitgegeven om naar Londen te vliegen en bij haar te zijn. Had Saul zijn hoeren ooit grove sms'jes gestuurd? Natuurlijk niet. Behandelde hij Thea ooit heel kil zodat hij aan hen kon denken? Nooit. Alice schaamt zich diep vanwege de pijn die ze Mark de afgelopen maanden heeft aangedaan en de beledigingen die ze naar zijn hoofd heeft geslingerd. Ze loopt naar de plank en legt de ingelijste eerste cover van *Adam* op de kop en ze draait haar trofee om.

Ik heb veel ergere dingen gedaan dan Saul. Mijn daden hebben direct voor verdriet en spanning gezorgd. Mark heeft de volle laag gekregen van mijn ongeduld, mijn egoïsme en mijn onrealistische verwachtingen van liefde op de lange termijn. Ik heb misbruik gemaakt van Paul Brusseque, hem om de tuin geleid en ik heb hem slecht behandeld.

Alice leunt met haar bonzende hoofd tegen het raam. Haar kantoor is heel hoog en ze kan ver naar beneden kijken. Ze heeft nog een hele weg te gaan.

Wie had er ook al weer iets gezegd in de trant van: het gaat er niet om wie je liefhebt, maar hoe?'

Ze neuriet een melodie en weet dat die 'Love the One You're With' heet. Heel toepasselijk, maar ze denkt aan een ander citaat dat nog relevanter is. Langzaam herinnert ze het zich weer. Het is geen songtekst of een zin uit een film; het kwam uit een artikel dat ze zelf heeft uitgegeven. Shit, had het jaren geleden niet in *Lush* gestaan? Vaag weet ze nog dat Thea en zij het artikel lazen terwijl ze soep aten. Bill en zij waren toen toch net uit elkaar? Wanneer was dat ook alweer – drie jaar geleden? Bijna. Alice gaat naar de kantoren van *Lush*, twee verdiepingen lager, en spit door hun archief.

VAN HARTZEER NAAR EEN SPROOKJESACHTIG EINDE IN ZEVEN STAPPEN

'Stap 5: Het gaat er niet om van wie je houdt, maar hoe je van iemand houdt,' mompelt ze. Ze is niet in de stemming om de overdaad aan uitroeptekens uit te spreken. 'Stap 6,' gaat ze verder, 'Pas je lijstje met wensen aan.' Geweldig. Wie heeft het geschreven? Ze herkent de naam: een van de vaste schrijvers die al lang geleden is weggekocht door het blad *Red*. Maar Alice heeft altijd geloofd dat de moraal van de bladen haar directe verantwoordelijkheid is. 'Als uitgever hoor ik te doen wat ik anderen opdraag.'

Peters afspraak van 16.24 uur

'SOUKI, KUN JIJ MIJN KLANT VAN VIER UUR ALSJEBLIEFT OVERnemen?'

'Gaat het wel? Je ziet er vreselijk uit, Thea.'

'Ik moet even wat frisse lucht hebben. Ik voel me niet zo lekker. Kun jij die klant nemen?'

'Eh... oké. Dat is toch die ballerina? Ja, prima. Ga maar gauw. O, trouwens, Saul heeft alweer gebeld. Jullie hebben toch geen ruzie?'

'Ik ben alleen gestrest vanwege de verkoop van mijn appartement.' Thea paste de waarheid wat aan, hoewel ze het liefst wilde schreeuwen: 'Waarom ziet iedereen ons als het ideale stel? Het is één grote schertsvertoning.'

Thea liep snel Paddington Street uit, stak Baker Street schuin over en rende zowat door Crawford Street. Ze wist precies waar ze heen moest, zelfs al was ze er nog nooit geweest, had ze geen afspraak en werd haar komst niet verwacht. Ze had het adres uit het dossier op haar werk gehaald en het nagekeken in de stratengids. Hier naar links. Rechtdoor en dan naar rechts. Hier moet het ergens zijn. Maar er zitten er een paar in deze straat en de huisnummers op deze gebouwen zijn slecht zichtbaar. Daar! Dat is het. Hier.

Thea stormde de kantoren van Henderson-Goode binnen.

'Ik moet Peter Glass spreken,' verkondigde ze.

'Hebt u een afspraak?' zei een gigantische vaas propvol zwaar geurende lelies. Thea dacht dat het een elektronisch nieuwigheidje was, tot ze een klein vrouwtje met te veel make-up aan het bureau erachter zag zitten.

'Nee,' zei ze. 'Zeg maar gewoon dat Thea Luckmore er is.'

'Waar gaat het om?' wilde de beschilderde pygmee weten.

'Iets!' zei Thea, en ze toverde een grimmige uitdrukking op haar gezicht die hopelijk iets uitdrukte als: ik ben groter dan jij, doe wat ik zeg!

Toen Peter kwam, stond Thea even raar te kijken. Hij leek maar half zo groot als anders en hij liep veel minder zwierig op haar af dan normaal. Vergeleken bij de andere, strak in het pak zittende makelaar in het super luxe kantoor leek Peter een deel van de brutale vlotheid te verliezen die hij altijd bij The Being Well tentoonspreidde.

'Thea?' vroeg hij met een ontdane blik.

'Ik moet je spreken!' probeerde Thea te fluisteren, maar door haar agitatie klonk het als een schor gesis.

'Kom maar naar mijn bureau,' zei hij vriendelijk, maar Thea keek achterdochtig naar de open kantoorruimte en schudde vastberaden haar hoofd. 'Goed, dan gaan we even naar buiten,' zei Peter. Hij keek de receptioniste aan en stak zijn hand naar haar op om aan te geven dat hij vijf minuten zou wegblijven. Met zijn hand onder haar elleboog nam hij Thea mee, alsof ze een ietwat geschift, maar onschadelijk ouder familielid was.

'Kom op, moppie. We kunnen net zo goed in mijn auto praten.'

Met een sleutel die totaal niet leek op een traditionele autosleutel piepte hij de wagen tot leven en hield een portier open voor Thea. Toen hij om de auto heen was gelopen en achter het stuur was gaan zitten, sloeg Thea met haar hoofd op het dashboard en huilde ze hartverscheurend.

'Moppie, moppie!' probeerde hij haar te troosten. 'Rustig aan. Kom op, moppie, zo activeer je de airbag nog.'

'Ik ben geen prostituee. Ik moet ergens wonen. Ik ben alleen. Ik ben dakloos.'

Peter vroeg zich af over welk van die vier onthullingen hij het het eerst moest hebben, of waarom Thea naar hem was gekomen. 'Kalm aan, mop, haal eens diep adem. Kut, ik heb geen zakdoek. Wacht even.' Hij sprong uit zijn stoel en liep naar de achterbak. Even later kwam hij terug met een boterzachte, redelijk schone zeem. 'Hier, gebruik dit maar.'

Dankbaar snoot Thea haar neus. Hij bood haar een mentholkauwgumpje aan en nam er zelf twee toen ze weigerde. Bedachtzaam kauwde hij erop terwijl haar gesnik afnam en ze alleen nog af en toe schokte en naar adem hapte.

'Kun je me alsjeblieft helpen?' vroeg ze zacht. 'Over iets meer dan een week verkoop ik mijn huis en dan heb ik geen plek meer om te wonen.'

'En dat super-de-luxe appartement dat je met je kerel gaat kopen?' vroeg Peter voorzichtig.

Met een kwetsbare blik in haar grote ogen keek Thea hem aan. 'Ik heb een paar weken geleden iets ontdekt,' fluisterde ze. 'Hij beweert niet alleen dat hij van me houdt en dat ik hem kan vertrouwen, maar gaat hij ook naar de hoeren.'

'Jezus, moppie, dat komt op een slecht moment, een heel slecht moment.' Peter bedacht hoe erg dit moest zijn voor Thea, en ogenblikkelijk begreep hij zowel haar recente bizarre gedrag tijdens zijn massage als haar vragen over het afblazen van een verkoop. Maar op dat moment had hij geen antwoorden paraat en was hij voor één keer met stomheid geslagen.

Dat vond Thea zo griezelig dat ze zich verplicht voelde verder te gaan. 'Zeg, ik vind het vreselijk dat ik je vorige week bij The Being Well het verkeerde idee heb gegeven,' bekende ze. 'Ik was zo verward... Ach... Ik weet het niet. Mijn gedachten dwaalden af, en mijn vingers dwaalden mee. Ik kon niet meer helder nadenken.'

Troostend klopte Peter op haar knie, terwijl hij zichzelf voorhield dat het stom was om zich kortstondig beledigd te voelen omdat Thea helemaal niet met hem naar bed had gewild. 'Er is niks gebeurd bij The Being Well, schatje,' zei hij opbeurend. Dat was waar: er was niks gebeurd. 'Wat een sukkel!' zei hij minachtend. 'Ik bedoel mezelf, niet jouw kerel. Al is die ook een sukkel. Nee, meer een klootzak. Arm moppie: je was van streek en gestrest, en in een vlaag van verstandsverbijstering probeerde je mij te verleiden en ik wees je af! Terwijl je me hard nodig had! Het spijt me, meisje.'

Thea wist niet precies wat ze van Peters interpretatie van de hele situatie of zijn bekentenis moest vinden. Het leek alsof hij zich verontschuldigde omdat hij niet iets barmhartigs had gedaan.

Op zijn gezicht verscheen een zachtere uitdrukking en hij kneep in haar arm. 'Ik maak maar een geintje. Ik doe lullig en zo grappig vind je me nu vast niet. Ik wilde je alleen aan het lachen maken. Thea, vergeet wat er is gebeurd. Onder de omstandigheden kan ik me heel goed voorstellen dat je volkomen doordraaide.' Thea knikte. 'Maar vat mijn weigering niet persoonlijk op. Ik bedoel, zie het zo: voor mij ben je een beeldschoon, deftig ding dat ik nooit zal kunnen krijgen! Jij bent onbetaalbaar, moppie, onbetaalbaar. Ik dacht echt niet dat je een slet was. Echt niet.'

Thea glimlachte braaf. Peter deed zo zijn best om haar te troosten, om aardige dingen te zeggen en haar op te vrolijken, dat het niet uitmaakte dat zijn woorden een lieve brij vormden. Het was fijn om hier te zitten, in zijn onpartijdige, maar veilige auto met het crèmekleurige leer en de sterke luchtverfrisser; met Peter zelf, zijn gouden zegelring, zijn met gel achterovergekamde haar en zijn gladde-jongensaccent, dat in tegenspraak was met zijn fatsoenlijke, innemend ongekunstelde persoonlijkheid.

'Maar goed, nu zakelijk,' zei hij. 'We moeten iets voor je vinden waar je je spullen kunt uitpakken. Wanneer is de overdracht? Volgende week? Nou, dan heb je een lot uit de loterij getroffen, moppie. Ik ben de allerbeste als het op kort huren en snelle service aankomt. Geloof me, ik heb overal in deze stad contacten. Noem de wijk waar je wilt wonen, het bedrag dat je wilt uitgeven en laat de rest aan mij over. Je hebt sleutels voor je zelfs maar "alsjeblieft" kunt zeggen.'

Omdat Thea direct het gevoel had dat haar last een stuk lichter was geworden, slaagde ze erin kalm terug te lopen naar The Being Well. Daar zou ze ruim voor haar afspraak van zes uur aankomen en ze had zelfs nog tijd om naar de krantenkiosk te gaan en het blad *Heat* en een reep te kopen, iets waar ze de afgelopen tijd niet naar had getaald. Net toen ze probeerde te kiezen tussen een Bros en een Yorkie biscuit&raisin, zag ze een rol Refreshers liggen. Maar in plaats van in huilen uit te barsten, deed die aanblik haar bloed koken. Ze voelde zich opgelucht.

Kwaadheid is goed. Kwaadheid geeft je een gevoel van macht. Met kwaadheid kan ik uit de voeten. Verdriet en tranen zijn vernietigend; die houden me alleen maar klein.

Ze liep de winkel uit en gooide haar hoofd triomfantelijk in haar nek, maar helaas verdween haar glimlach onmiddellijk toen ze Kiki tegen het lijf liep.

'Hallo,' zei Kiki verlegen, en ze haastte zich langs haar heen, zoals ze al zo vaak had gedaan op straat. Thea bleef roerloos staan terwijl Kiki verder liep naar het bordeel. Het mocht dan een prachtige dag zijn met een stralend blauwe lucht, maar ineens verschenen er uit het niets dikke regendruppels die kleine plasjes vormden op de warme stoep, als inkt op grijs vloeipapier. Uit de diepte van Thea's onderbewuste kwamen ineens herinneringen aan de tentoonstelling Berichten voor de Scheepvaart naar boven.

Trut! Daar was ze geweest. Die hoer die Saul gedag had gezegd en toen haastig was weggegaan toen ze mij zag. Stom wijf.

'Hé!' Met een ruk draaide Thea zich om en brulde Kiki na, net toen ze verdween in het gebouw waar ze werkte. 'Hé, kom terug!' riep Thea, hoewel degene tegen wie ze het had al was verdwenen. Zonder erbij na te denken beende Thea achter haar aan. Ze keurde de deur geen tweede blik waardig; ze bleef niet staan om te kijken of ze eerst moest aanbellen of dat ze eigenlijk een afspraak hoorde te hebben. Ze duwde, hij ging open en ze was binnen. Het leek net een afhaalrestaurant, waar je de keuken niet kunt zien, maar wel een idee krijgt van wat er wordt klaargemaakt. Alleen was het heel erg stil. Het gedimde licht, de donkerrode muren en de bedekte ramen droegen allemaal bij aan een schemerig sfeertje. Er hing een zware geur van slechte synthetische olie. Achter een saai bureau met goedkoop mahoniefineer zat een onopvallende vrouw van middelbare leeftijd die conservatief gekleed ging in een zwarte polo. Ze keek vrij verbaasd toen ze Thea zag. Die leek niet op het gebruikelijke type dat hier binnen kwam lopen, al was het ook niet volslagen ongehoord. Ze probeerden aan alle wensen tegemoet te komen. Misschien was ze wel op zoek naar een baan.

'Waar is ze?' blafte Thea. 'Die ene?'

'Sorry?' zei de receptioniste.

'Die ene die net binnenkwam!' Thea zette haar handen in haar zij. 'Klein, oosters.'

'Kiki?'

'Ik weet niet hoe ze heet, degene die een paar seconden voor mij binnenkwam.'

'Ja, dat was Kiki. Maar zij doet geen, eh... Jij moet Miss Lula hebben.'

Zodra Thea begreep wat de receptioniste bedoelde, trok haar maag samen en schreeuwde een stemmetje in haar hoofd: wat doe ik hier in godsnaam? 'Ik wil Kiki zien,' zei Thea heel kalm. 'Ik moet haar spreken.'

De receptioniste haalde haar schouders op. 'Wie ben je?'

Shit, ik heb hier geen tijd voor. Ik ben de vriendin van een vent die haar best eens kan hebben betaald voor seks.

'Kiki!' riep Thea in de richting van de siermuur die de receptie afscheidde van wat daar ook achter lag. 'Kiki!' Toen ze voetstappen hoorden die de trap af kwamen, keken Thea en de receptioniste elkaar aan met precies dezelfde geagiteerde verbijstering. Ze verwachtten elk moment een meisje te zien binnenkomen, hopelijk Kiki.

Ja, zij was het. 'Ja?' vroeg ze. Eerst keek ze naar de receptioniste, waarna ze zich zichtbaar verward tot Thea wendde. 'Hallo?'

'Kiki?' vroeg Thea, en haar ogen schoten heen en weer door adrenaline en een gevoel van ongemak.

'Ja, ik ben Kiki.'

Wat moest Thea nu zeggen? Ze had geen flauw benul. Ze wilde het meisje beledigen, haar uitdagen, haar voor gek zetten, haar duwen, de politie erbij halen. Eigenlijk was Thea bloednerveus en had ze het idee dat ze de draaikolk van een nachtmerrie in werd gezogen. Het liefst zou ze wegrennen, maar Kiki stond in de weg.

'Jij mij ergens voor nodig?' vroeg Kiki in verlegen, gebroken Engels. Onder alle make-up zag haar gezicht er lief en veel te jong uit. Wat ben je toch een ouwe viespeuk, Saul.

'Jij!' begon Thea, en ze wees naar haar en zwaaide tegelijk waarschuwend met haar vinger. 'Jij! Jij!' Kiki begreep er niks van, evenmin als de receptioniste. Maar ze konden het zich geen van beiden veroorloven dat er nu een klant zou binnenkomen die dit zou zien. Die zou linea recta ergens anders heen gaan.

'Mevrouw,' zei de receptioniste, 'u kunt maar beter gaan.'

'Maar hij was van míj, en ik hield zo veel van hem.' Thea negeerde de bank die bekleed was met fluweel dat plat en glimmend was geworden op de plekken waar de klanten zaten, en liet zich dramatisch huilend op de grond zakken. De receptioniste wilde de vrouw weg hebben uit de receptie, en als het even kon ook uit het pand. Kiki's eerste neiging was om naast het huilende zielige hoopje neer te hurken en teder een hand op haar schouder te leggen.

'Ik neem haar wel mee,' zei ze tegen de receptioniste. 'Geef werk maar aan Lula of Mitzi, ja? Ik neem haar mee voor tien minuten, ja? Kom, mevrouw, alsjeblief, kom.'

Thea was zo moe van de hele situatie dat het haar niet eens verbaasde dat ze dieper het bordeel in liep aan de hand van de jonge prostituee die haar ex-verloofde waarschijnlijk had bezocht.

Kiki nam Thea helemaal mee naar boven, naar een kamer die qua afmetingen en inrichting veel weg had van de kamer waarin Thea haar eigen klanten masseerde. In allebei stond een bed en was een wastafel. Maar Thea's massagetafel was geen klein tweepersoonsbed, opgemaakt met een roze, satijnachtige sprei en bijpassende kussens. Bij Thea's wastafel stond een pompflesje met handzeep en geen grote tube glijmiddel. Ook in deze kamer waren planken waar handdoeken op lagen, maar in plaats van Thea's crèmes en lotions, lag hier een nogal schamele verzameling dildo's. De met zwart gevoerde bloemetjesgordijnen, die nogal uit de toon vielen, zaten dicht. De kamer werd schaars verlicht door een gloeilamp die in het midden onder een goedkope lampenkap hing waar een zigeunersjaal met franje overheen was gedrapeerd.

'Toe, zitten gaan,' zei Kiki uitnodigend, terwijl ze zelf ingetogen op het randje van het bed ging zitten. Haar zachte stem, kleine gestalte en uit de toon vallende beleefdheid deden Thea denken aan de oosterse stewardessen uit tv-reclames van luchtvaartmaatschappijen. 'Je wilt water?' bood Kiki aan, en Thea schudde haar hoofd. 'Je voelt je al beter?' Nogmaals schudde ze mistroostig haar hoofd.

Langzaam sloeg ze haar ogen op, zodat ze Kiki recht kon aankijken. 'Heb je het gedaan?' fluisterde ze. 'Heeft hij het gedaan? De mijne? Met jou?' Er verscheen een frons op Kiki's voorhoofd en Thea vroeg zich af of ze de integriteit van het meisje had geschonden, de privacy van haar klanten. In werkelijkheid probeerde Kiki zich te herinneren hoe de man van deze mevrouw er ook alweer uitzag. 'We zijn uit elkaar,' ging Thea verder. 'Ik wil mijn hersenschimmen verdrijven, begrijp je? Ik moet het weten: heeft hij het gedaan? Hier?' Kiki leek zich Saul niet voor de geest te kunnen halen. 'Weet je nog dat je mij en hem bent tegengekomen op een fototentoonstelling?' probeerde Thea haar geheugen op te frissen. 'Misschien heb je hem ook wel eens op straat gezien?' Kiki keek nog altijd vragend. Met een zucht haalde Thea de foto van Saul uit haar portemonnee en gaf hem aan Kiki zonder er zelf naar te kijken.

Kiki concentreerde zich goed en toen knikte ze met een glimlach. 'Nooit met mij.' Ze was blij het te kunnen zeggen. 'Vóór hier ik werk ergens anders, ik geloof die man daar kwam. Maar nooit met mij.' Kiki zag Thea een beetje in elkaar zakken. Hoe kon ze deze arme, treurige vrouw in haar slechte Engels uitleggen dat mannen als hij niets bijzonder waren voor de meisjes? Of dat de meisjes niets bijzonders waren voor hen? Het was alsof hij geld stortte bij een bank, alleen kreeg hij een vleselijk ontvangstbewijs in plaats van een papieren. Een eenvoudige, altijd snelle transactie. Kiki wist dat het haar moeite zou kosten om dat goed te formuleren en de mevrouw zou het toch niet begrijpen.

'Hoe vaak?' fluisterde Thea.

Kiki haalde haar schouders op. Het antwoord op die vraag wist ze niet, maar ze vermoedde dat de mevrouw 'één keer, misschien twee' wilde horen, dus zei ze dat.

'Maar u werk hier in zelfde straat,' zei Kiki. 'Daar ken ik hem meer van.'

'Wat wilde hij?' vroeg Thea.

Kiki keek beschaamd. 'Ik weet het niet,' zei ze eerlijk.

'Hoeveel? Nee, laat maar zitten,' zei Thea snel. 'Dat wil ik niet weten. Het is voldoende dat ik nu zeker weet dat hij het heeft gedaan.' Ze sloeg haar handen voor haar oren en wiegde huilend heen en weer.

Kiki ging dicht naast Thea zitten en trok haar handen voorzichtig weg, waarna ze ze in haar schoot legde en bedekte met haar eigen handen. Thea zag hoe mooi Kiki's vingers waren. 'Ik kom uit Feroest,' begon Kiki, 'en in Feroest zeggen we dat echte liefde een ziel in twee lichamen is en dat hele liefde ervoor zorgt dat lichamen hierheen gaan en daarheen, maar dat de ziel altijd blijft. Mannen moeten...' Kiki zweeg even. Ze wilde niet 'klaarkomen' zeggen; daarom balde ze haar hand tot een vuist en spreidde daarna haar vingers om aan te geven wat ze bedoelde. 'Dat is gewoon zo,' verzuchtte ze. 'Het spijt me voor jou. Het is heel lastig het te begrijpen.'

'Vind je je klanten aardig?' vroeg Thea.

'Ze zijn prima. Ik ben voorzichtig. Dit is een goede plaats, de meisjes zijn goede meisjes. Schoon.'

'Haat je mannen?' vroeg Thea.

Met een glimlach schudde Kiki haar hoofd. 'Nee, ik haat mannen niet!'

'Heb je medelijden met ze?' Dat leek Kiki niet te begrijpen. 'Voel je je gebruikt?' Kiki was een beetje van haar stuk gebracht. 'Of ben je dol op seks?'

Kiki lachte en schudde haar hoofd. 'Het gevoel van seks is niks bijzonders voor me. Dit werk is makkelijk. Ik voel het nooit hier.' Ze klopt op haar hart. 'Ik kom van eenvoudige familie in Feroest,' legde ze uit. 'Ik kan ze veel geld sturen. Ze zijn trots op me.'

'Waar ligt Feroest?' vroeg Thea. 'Weten ze wat je doet?' Even keek Kiki somber, en Thea wist wat het antwoord was. 'Maar wil je geen echtgenoot? Een vriend?'

'O, ik heb een vriend,' zei Kiki stralend.

Vol afschuw keek Thea haar aan. 'Maar weet hij wel wat je doet?'

'Ja, dat weet hij. Hij weet het is alleen mijn werk en dat al mijn liefde voor hem is.' Ze keek Thea aan. 'Wij zijn een ziel in twee lichamen en onze liefde is heel. Ik ga naar mijn werk, net als hij.'

'Wat is hij dan?' Half en half verwachtte Thea dat Kiki 'pooier' zou zeggen.

'Hij heeft twee winkels voor sportschoenen,' zei Kiki. 'In Ealing.'

'Maar...' Thea slaakt een diepe zucht.

'Mevrouw... u bent mooi en slim, met speciale gaven,' zei Kiki zacht. 'Misschien lijkt mijn wereld duister voor u? Maakt uw ziel bang? Is niet zo. Meestal is het saai! En meestal vervelen de mannen zich gewoon en komen ze daarom.' Met een verlegen lachje keek Kiki haar aan. 'U wilt kijken? Mag best van me, kan mij niet schelen. Dan u ziet het is niet... *exotique*! Seks op die manier is gewoon heel saai.'

Op een vreemde manier voelde Thea zich ontroerd, maar ze schudde haar hoofd. Ze had genoeg gezien en gehoord. 'Jij bent ook mooi,' zei ze tegen Kiki, en ze meende het. 'En heel erg lief. Het spijt me dat ik tegen je heb geschreeuwd, maar het doet ontzettend pijn. Mijn hele wereld is ingestort. Misschien ben ik wel zwakker dan jij, want ik kan Saul gewoon niet de vrijheid geven om zichzelf te zijn. Ik wil dat hij een boek gaat lezen of zoiets als hij zich verveelt.' Thea sprak te snel, te ingewikkeld voor Kiki, maar ze begreep de strekking.

Ineens viel Thea's blik op een oude reiswekker die onopvallend in een hoekje op de grond stond. 'O, verdorie, ik kom te laat voor mijn klant van vijf uur,' riep ze uit. 'En jij ook.' Met een dappere glimlach keek Thea Kiki aan.

'Ik laat u uit via privé-ingang,' zei Kiki. Voor ze de kamer uit gingen, keek Kiki Thea nog een keer aan. 'Alstublieft, u denkt aan één ziel in twee lichamen? Mannen niet slecht, alleen mannen.'

'Dank je,' zei Thea, geëmotioneerd, volslagen uitgeput en nog altijd niet overtuigd.

Het regende niet meer en het daglicht was verblindend fel. Thea kneep haar ogen tot spleetjes alsof ze heel lang in het donker had gezeten. Nog één klant en dan kon ze naar huis gaan om verder in te pakken. Op haar gsm stonden twee berichten:

HOI SCHATJE, ZAL IK VANAVOND LANGSKOMEN, JE HELPEN PAKKEN? MIS JE, HEEL HEEL ERG, SXXX

KOM JE BIJ MIJ ETEN? WIJN EN DVD? AXXXXXXXXXXXXXXX

Ze belde Alice om te zeggen dat ze om acht uur zou komen.

Ze stuurde Saul een sms'je, terwijl ze zich naar The Being Well haastte.

NIET VANAVOND, FLAT TROEP TX

Zijn antwoord kwam vlak voor ze haar kamer in ging voor de sessie:

MAAR IK MOET MORGEN NAAR BIRMINGHAM EN GLASGOW VOOR 2 DA-
GEN VOOR EMAP-FOCUSGROEP... SXXX

Godzijdank, dacht Thea.

Alice, Thea, Mark en Saul

'Mark, kun jij de dvd klaarzetten voor Thea en mij?' riep Alice vanuit de badkamer. 'Ze komt als jij naar dat golfgedoe gaat. Ik lig even in mijn eentje te genieten in bad, de metro zat vandaag stampvol.'

'Geen probleem,' zei Mark uit de slaapkamer, waar hij zijn pak uittrok en iets aan aantrok wat geschikter was voor een golfbeurs in het Business Design Centre in Islington. Saul had hem de perskaartjes bezorgd, omdat hij wist dat het meer iets voor Mark was dan voor hem. 'Gaat het wel goed met onze Thea?'

'Ze heeft genoeg van het inpakken,' zei Alice. 'Mark, misschien komt ze hier een tijdje logeren.'

'Is alles goed met haar?' vroeg Mark opnieuw, met oprechte bezorgdheid. 'Is er iets aan de hand met Saul?' Haastig ontkende Alice dat. Mark wist heel goed hoe hecht de band tussen Alice en Thea altijd was geweest. Als een van beiden iets belangrijks beleefde, handelden ze dat samen af en sloten ze zich af voor de rest van de wereld. De onafhankelijkheid die ze uit die vriendschap putten was iets wat Mark bewonderde, al was hij er ook wel een beetje jaloers op. Toen ze een paar maanden geleden ruzie hadden gekregen, had Alice heel verloren geleken, helemaal van haar apropos, heel geïrriteerd. Hij wist nog altijd niet waarom ze onenigheid hadden gehad, en hij verwachtte ook niet dat Alice hem zou vertellen wat er nu met Thea aan de hand was. Wat intimiteit betrof, dacht Mark, gaapte er tussen mannen en hun beste vrienden een enorme kloof. Hij durfde toe te geven dat Alice Thea waarschijnlijk harder nodig had in haar leven dan hem. Maar het was makkelijk om daar dankbaar in plaats van ontstemd over te zijn. Thea was degene die Alice tot rede kon brengen, de enige die zijn vrouw kon vermanen; Thea was Alice' blijvende bondgenoot en, zo wist Mark, een groot fan van hem. Hij wist dat alleen Thea Alice kon berispen vanwege haar ongeduld en haar driftbuien kon kalmeren, dat Thea haar kon uitschelden als ze onbehouwen deed; hij had zelf gehoord dat ze Alice een standje had gegeven omdat ze kwaad op hem was en hij wist dat Thea Alice tot rede probeerde te brengen wat betreft de druk en de eisen die zijn baan aan hem stelde. Die lieve Thea, hij hoopte maar dat alles goed met haar was.

Zijn aandacht werd getrokken door een gezoem. Het kwam onder zijn uitgetrokken werkoverhemd vandaan dat op de grond lag tot hij het in de wasmand kon doen als Alice uit de badkamer was. Onder zijn overhemd lag haar gsm. Hij raapte hem op. BERICHT, flitste er op. PAUL B, stond er. NU LEZEN? werd er gevraagd.

Paul B?

JA drukte Mark.

JE BENT N TEEF, MAAR PR8IGE TIETN

Het duurde even tot de boodschap tot Mark was doorgedrongen, aangezien hij niet gewend was aan de afkortingen van het sms'en. Hij was geschokt en verontwaardigd. Die arme Alice werd overspoeld door vunzigheid, zoals die obscene pop-ups waar af en toe hun computer thuis door werd belaagd, die verstopt zaten in op het eerste gezicht onschuldige websites. Er moest een manier zijn om ze op mobieltjes te blokkeren. Net toen hij naar Alice wilde roepen, bedacht hij zich en ging hij met een plof zitten.

BERICHT PAUL B. NU LEZEN?

Dat was geen ongevraagd bericht.

Dat kon het onmogelijk zijn.

Alice moest de naam zelf hebben ingevoerd, anders kon de telefoon Paul B. niet herkennen. Paul B., wie dat dan ook was, was geen onbekende voor haar, en bovendien wist hij wat voor tieten ze had. Mark vond het niet zo erg dat deze Paul B. zijn vrouw een teef vond, maar hij schaamde zich dood dat deze man commentaar leverde op haar borsten. Hoe wist hij dat in godsnaam? Alice zei iets.

'Hè?' vroeg Mark afwezig, met zijn ogen strak op het schermpje van haar gsm gericht.

'Ik zei dat je niet op mij hoeft te wachten. Ik doe net een intensief haarherstellend masker met provitamine in mijn haar en dat moet tien minuten trekken en dan drie keer worden uitgespoeld.'

Tien minuten en drie keer uitspoelen. Hoe lang duurde uitspoelen? Vermenigvuldigd met drie.

Marks dilemma duurde maar heel even. Spioneren en eventueel pijn lijden? Of het negeren en zich voor altijd vragen blijven stellen? Tien minuten en drie keer uitspoelen was tijd genoeg, maar dan mocht hij geen seconde meer verliezen. Hij scrolde naar het envelopje. Daar aarzelde zijn duim even. Hou op met zingen, Alice. Ik kan je sms'jes niet lezen met zo veel lawaai.

ZIN IN EEN WIP?

Nog een.

JE WEET DAT JE WILT

Nog een.

WANNEER KAN IK JE ZIEN?

En nog een.

STIK! TOE. VANAVOND GA IK WEG...

Mark was verslagen, opgewonden en geschokt, en voelde ineens een scherpe pijn in zijn maag. Het liefst wilde hij zich afvragen wat dit te betekenen had, maar zelfs hij was niet naïef genoeg om te denken dat hier een onschuldige verklaring voor was. Hoeveel hij ook van Alice hield, hoe graag hij haar ook het voordeel van zijn verwarde twijfel wilde geven, het was zonneklaar wat hier aan de hand was. Hij hoefde zelfs niet tussen de regels door te lezen. De aard van de sms'jes was dusdanig dat er alleen naakte, harde feiten werden gepresenteerd. Er was geen ruimte voor hoogdravend proza, alleen een klein schermpje waar `ZIN IN EEN WIP?` op stond.

Mijn vrouw.

Mijn vrouw heeft een verhouding.

Mijn vrouw is naar bed geweest met een ander.

Wie is Paul B.?

Hoe durft hij het over 'tieten' te hebben?

Mark was er kapot van. Boven de felle pijn en het misselijkmakende gevoel van ongeloof steeg het besef op dat hij voor paal was gezet, dat hij de typische bedrogen echtgenoot was van een jonge vrouw die hem te kakken had gezet, een vrouw die een verhouding had via het infantiele medium van sms.

Ik zou nooit een Paul B. kunnen zijn, daar ben ik te ouderwets voor. Te ridderlijk, dom en eerbiedig. Ik dacht dat ze die eigenschappen het meest in me waardeerde, maar kennelijk betekenen ze het minst. Wat een sukkel ben ik. En de vraag die ik mezelf moet stellen, de vraag die de laatste draai van de dolkstoot vormt, is: waarom heeft ze geen van míjn berichten bewaard?

Hij hoorde Alice het speciale haarmasker voor de tweede keer uitspoelen.

Domme meid. Weet ze dan niet dat ik ook van haar hou als ze haar haren met afwasmiddel wast? Of is het dom om te denken dat ze voor mij mooi wil blijven en aan bepaalde maatstaven wil voldoen, in plaats van voor Paul B.? Maatstaven? Welke godvergeten maatstaven?

Hij hoorde dat Alice het bad liet leeglopen.

En ik heb haar berichten nog niet eens gelezen.

Mark wist dat Alice elk moment kon verschijnen en ze was wel de laatste ter wereld die hij nu wilde zien. Haastig legde hij haar mobieltje weer op de grond onder zijn verkreukte overhemd.

Ongetwijfeld zal het daar blijven liggen. Alice lijkt vuile was nooit te zien. Ik moet altijd alles opruimen. Zij ruimt nooit haar eigen rotzooi op.

'Mark heeft de dvd-speler voor ons klaargezet,' zei Alice tegen Thea, die was gekomen toen Alice haar haren net langdurig en nauwgezet had drooggeföhnd.

'Je haar ziet er prachtig uit,' zei Thea, die plukken in de lucht hield alsof ze strengen zijde bewonderde.

'Ik heb een nieuw product gebruikt, dat we hebben gekregen om uit te proberen,' zei Alice. 'Ik heb er ook een voor jou gejat. Wacht even. Alsjeblieft. Wil je witte of rode wijn? Kijk! Mark heeft de kurkentrekker zelfs op het aanrecht laten liggen, zodat we hem niet hoeven zoeken, zoals anders.'

'Wat een schatje is Mark toch,' zei Thea vol warmte. Ze koos voor de sancerre en pakte glazen terwijl Alice de fles ontkurkte. 'Hoe gaat het met je? Hoe staan de zaken met Mark ervoor?'

'Het komt allemaal goed,' voorspelde Alice, hoewel ze haastig een zak chips opentrok om haar plotselinge schuldbewuste kleur te verbergen. 'Echt, Thea. Het gaat allemaal veel beter en ik voel me veel meer in balans.'

'Mooi zo,' zei Thea. 'Daar ben ik blij om. Alice, met mij gaat het klote.'

Meelevend omhelsde Alice haar. 'Wat ga je nou doen?' fluisterde ze, haar stevig vastklemmend. 'Weet je dat al?'

'Nee, nog helemaal niet. Maar ik kan een poosje in een huurhuis gaan zitten.' Dat zinnetje klonk zo effen dat Thea het kennelijk uit haar hoofd had geleerd, hoewel ze voor zichzelf de vele implicaties van die zin nog moest uitwerken.

'Waar? Hoe?' vroeg Alice. Zou het niet beter zijn als Thea een poosje bij haar introk?

'Een van mijn klanten is makelaar,' zei Thea. 'Ik heb hem eerder vandaag om hulp gevraagd. Hij heeft al een appartement voor me gevonden in een flatgebouw in Highgate. Ik ga het morgen bekijken, al komt het pas over een paar weken beschikbaar. Mag ik in de tussentijd hier logeren?'

'Natuurlijk,' zei Alice. 'Maar hoe zit het met Saul?' Had Thea een besluit genomen? Nu al? Zonder hulp? 'Ik bedoel... heb je het al tegen hem gezegd? Weet hij op z'n minst al over dat huurhuis? Heb je hem gezien, met hem gesproken?'

Thea sloeg haar ogen neer. Er verscheen een frons op haar voorhoofd en ze beet op haar lip. 'Ik heb het hem nog niet verteld,' mompelde ze. 'Eigenlijk heb ik hem al in geen dagen gezien. Ik scheep hem telkens af. Ik stel het almaar uit. Ik weet niet wat ik moet doen.'

Alice vroeg zich af of dit het juiste moment was om Thea te vertellen dat Saul wist dat zij het wist. Nee. Dat was geen goed idee. 'Maar...?'

'Wat moet ik doen?' Het kost Thea moeite te fluisteren en haar stem kraakt door de dreigende tranen. 'Alles was in kannen en kruiken en nu is het een grote rotzooi. Er is niks meer over. Alles is weg. Mijn directe toekomst. Mijn langetermijntoekomst. Ik ben bang...'

Alice pijnigt haar hersens om iets verstandigs te zeggen, maar Thea is haar voor.

'Zelfs al slaag ik erin hem te vergeven, al accepteer ik dat seks en emotie voor mannen niets met elkaar te maken hebben, zelfs al geloof ik dat ik zijn grote liefde ben, ik zal nooit, nooit deze achterdocht en pijn kunnen vergeten, of mijn eigen principes die me vertellen dat het verkeerd is,' zegt Thea. 'Het is niet zoals het hoort. Fatsoenlijke mannen doen zoiets niet.' Ze zwijgt even en zij en Alice kijken elkaar strak aan. Op allebei hun gezichten staat verwarring te lezen.

Alice ziet dat Thea's gezicht vertrekt van wanhoop. En ineens ziet ze de Thea van veertien voor zich. Bijna twintig jaar later staan dezelfde vreselijke angst, het ongelooflijke verdriet en de afgrijselijke verbijstering in haar ogen te lezen als toen haar vader net was weggegaan. Er gaat een huivering door Alice heen en ze is blij dat zij Thea niet is. Op haar veertiende had ze precies hetzelfde gevoeld. Toen was ze dankbaar dat haar vader in niets op die van Thea leek. Op haar veertiende had ze zich uit school naar huis gehaast, haar armen om hem heen geslagen en was ze dolblij geweest dat hij haar vader was. En nu, op haar drieëndertigste, hoopte Alice vurig dat Mark snel zou thuiskomen van de golfbeurs, zodat ze hem kon omhelzen en blij kon zijn dat hij in niets op Saul leek.

Het leek Alice toch wel een goed idee om Thea te vertellen dat Saul weet dat zij het weet; misschien helpt dat Thea om tot een besluit te komen. 'Saul kwam gisteren voor overleg,' begon ze.

'Ik ben vandaag naar een bordeel geweest,' viel Thea haar in de rede. Het was veel makkelijker om het daarover te hebben dan over haar relatie.

Opeens kwam er geen geluid meer uit Alice' keel, laat staan hele woorden. Het enige wat ze kon was Thea met wijdopen mond aankijken. Onwillekeurig giechelde Thea toen ze haar verblufte blik zag. Dit kon best eens de eerste keer zijn dat ze haar vriendin zo had geschokt dat ze niets meer kon uitbrengen. Sterker nog: het was de eerste keer dat ze iets had gedaan wat als 'schokkend' kon worden omschreven. Alice nam een grote slok wijn. 'Waar? Wat?' wist ze eindelijk naar adem snakkend uit te brengen. 'Wat deed je daar in godsnaam, Thea?'

'Ik wilde de vijand confronteren,' zei Thea. 'Daarom ben ik naar dat bordeel vlak bij The Being Well gegaan. Ik moest mijn angsten onder ogen zien. Ik vernietig mijn vijand als ik hem tot mijn vriend maak.'

'Wie zei dat?'

'Abraham Lincoln.'

'Shit, waar heb je het over, Thea? De stichter van de Verenigde Staten inspireert je om naar een bordeel in Marylebone te gaan en vriendschap te sluiten met de prostituees? Ben je nou helemaal gek geworden?' Eigenlijk wilde Alice dolgraag de details weten, maar ze was ook een beetje bang voor wat ze te horen zou krijgen.

Een beetje schaapachtig zei Thea: 'Niet gek. Ik wilde alleen bewijs dat dit niks met mij te maken had.'

'En?'

'Het is het beste wat ik ooit heb gedaan,' beweerde Thea. 'Het was vreselijk en surrealistisch, maar achteraf gezien heb ik er een gevoel van vrede door gekregen.'

'Jezus, Thea.' Alice kon de bewondering in haar stem niet verhullen, al vreesde ze dat dat ongepast was. 'Waarom heb je me dat niet verteld? Waarom heb je me niet gebeld? Hoe was het?'

Plotseling beschouwde Thea haar bezoek als een ware expeditie, een avontuur. Ze was nota bene in een bordeel geweest! Ze had op een bed gezeten hand in hand met een hoer! Zij was de enige die ze kende die dat ooit had gedaan. Behalve Saul, natuurlijk. En misschien de helft van alle mannen, als de statistieken klopten. 'Ik heb een paar van die meisjes in de buurt gezien,' zei ze tegen Alice. 'Gewoon, als ze snoep kopen of een brief op de bus doen, net als ik.' Ze wilde niks tegen Alice zeggen over de scheepvaarttentoonstelling, over Kiki die Saul gedag had gezegd. Ze wilde zichzelf niet dwingen om onder ogen te zien hoe lang blinde liefde haar realiteitszin had vertroebeld.

'Jezus!' zei Alice verbaasd. Prompt had ze geen zin meer om naar de dvd van *Ocean's Eleven* te kijken nu Thea haar een inkijkje in het echte leven bood.

'Vandaag zag ik er een, en ik weet het niet. Ik werd een beetje gek,' gaf Thea verdrietig toe. 'Ik wilde haar beledigen. Ik wilde haar haten, haar de schuld geven. Ik wilde geloven dat het allemaal haar schuld was. Maar ik kon het niet en ik heb het niet gedaan, omdat het niet haar schuld ís. Nu begrijp ik dat zij niet op zoek gaat naar mannen. Hun voorkeur is niet haar schuld, niet haar verantwoordelijkheid en niet iets wat zij heeft gecreëerd.'

'Wie is ze dan?' Alice wilde liever details horen dan algemeenheden. 'Hoe is ze? Hoe oud? Hoe heet ze? Hoe ziet ze eruit? Wat heb je haar gevraagd? Wat heeft ze je verteld? O, god, heb je nog klanten van haar gezien?'

'Ze is jong. Ik heb niet gevraagd hoe jong, omdat ik bang was dat ze toch zou liegen,' zei Thea. 'Ze heet Kiki, maar dat is waarschijnlijk niet haar echte naam. Ze zegt dat ze uit Feroest komt.'

'Feroest?' riep Alice uit, en ze stelde zich een onschuldig Roodkapje voor met een kruisloos slipje onder haar rode cape.

'Dat zei ze, dat haar familie daar nog woont en dat ze ze financieel steunt. Zij vindt dat de seksuele driften van een man losstaan van zijn emotionele trouw en dat die nooit iets afdoen aan zijn verplichtingen als echtgenoot.'

'Aha,' zei Alice. Dat mag dan zo zijn, maar ik zou er niet mee kunnen leven, dacht ze.

'Ik vroeg of ze een seksmaniak was,' zei Thea.

'Dat meen je niet!'

'Ik vroeg of ze mannen haatte.'

'Dat meen je niet!'

'Ze heeft mijn hand vastgehouden.'

'Dat meen je niet!'

'Ik vroeg of ze haar werk leuk vond.'

'En? Wat zei ze?'

Nadat ze haar vriendin langer dan een week had getroost, haar pijn had gedeeld, haar had laten uithuilen, zonder echt iets te kunnen doen, vond Alice het heerlijk dat Thea's initiatief en kracht weer terug leken te zijn. Dagenlang had ze niet geweten wat ze Thea moest aanraden. Ze had haar geen hart onder de riem kunnen steken of haar kunnen troosten, en nu bleek de oplossing een bordeel te zijn.

'Het gekste is nog wel dat ik haar echt aardig vond,' rondde Thea haar verhaal een halfuur later af. 'Ze is lief en aardig. Ze lijkt in niets op het stereotype.'

'Tjonge, wat ben jij vriendelijk voor haar,' zei Alice verbaasd.

'Weet je, vroeger noemden ze prostituees "dwalende zusters" en ik voelde inderdaad een soort verwantschap, ik weet het niet... een heimelijke band. Ze is níét mijn vijand, ze is alleen maar een meisje dat werk doet waar veel vraag naar is.' Thea haalde haar schouders op.

'Jezus, wat ben jij dapper,' zei Alice vol tederheid en trots. 'Ik vraag me af waar Feroest ligt.'

'Ik weet het niet. Ze is oosters, dus waarschijnlijk in Thailand of zo.'

Alice knikte. Daarna staarde ze naar Thea. Ze zoog op haar onderlip, maar kon een proestbui bijna niet onderdrukken. Ze beet op haar lip, maar ze wist dat ze zo de slappe lach zou krijgen.

'Wat?' Van verwarring gingen Thea's wenkbrauwen op en neer.

'Thea?' gilde Alice. 'Feroest?'

'Ja?'

'Kan ze niet het "Verre Oosten" hebben gezegd?'

Thea fronste haar wenkbrauwen en toen kreunde ze. Daarna sloeg ze haar handen voor haar gezicht terwijl Alice 'Feroest' bleef zeggen met een vreemd Maleisisch accent. Algauw probeerde Thea het zelf ook. Het Verre Oosten. Ja, natuurlijk: het Verre Oosten!

'O, god.' Thea wist niet of ze moest lachen of ineen moest krimpen. 'O god, wat een dag! Ik word gek.'

'O, god, wat een dag,' zei Mark in zichzelf. Doelloos en zonder enige belangstelling liep hij rond op de golfbeurs. Onder de omstandigheden had dat de beste plaats geleken om heen te gaan. Hij had geen zin om rondjes rond zijn huis te lopen. Hij had niet de gewoonte om in zijn eentje naar het café te gaan, laat staan om zijn verdriet te verdrinken. Daarom liep hij langs de kraampjes en stalletjes en zag hij de sms'jes van Paul B. steeds voor zich, waar hij ook ging. 'Er moet een vergissing zijn gemaakt,' zei hij telkens, als een gefluisterde bezwering. 'Er moet een verklaring zijn.'

Dat zou Alice me nooit aandoen. Dat zou Alice me nooit aandoen. Dat zou Alice me nooit aandoen.

'Mark! Hoi, kerel.'

Toen Mark opkeek, zag hij Saul staan. 'Saul.' Mark gaf hem een hand. 'Ik wist niet dat jij ook zou komen. Hadden we ergens afgesproken?'

'Ik heb pas op het laatste moment besloten te gaan,' verzekerde Saul hem. 'Verder had ik niks op het programma staan. En het is min op meer op weg naar Thea. Ik ga straks nog bij haar langs om te vragen of ze hulp nodig heeft bij het inpakken.'

'Aha,' zei Mark. 'Ze is nu bij ons voor een avondje meidenfilm en snacks.'

Terwijl Saul ineens besefte dat Thea tegen hem had gelogen over wat ze die avond ging doen, vroeg Mark zich af of Thea Paul B. kende. En als Thea het wist, wist Saul het dan ook?

'En, valt er iets bij je in de smaak?' vroeg Saul.

'In de smaak?' blafte Mark met een diepe frons.

Vragend keek Saul hem aan. 'Nieuwe ballen?'

'Nieuwe ballen?' Mark snoof minachtend. Hij kneep in zijn neusbrug en wreef langs zijn ooghoeken.

'Gaat het wel, Mark?' vroeg Saul bezorgd.

'Kut, weet ik veel,' zei Mark schor. Zijn antwoord verbijsterde Saul. Hij had Mark nog nooit horen vloeken; hij had hem nooit anders gezien dan beheerst en prima in orde. Hij schrok zich wild.

'Kom op.' Saul legde een hand in Marks nek. 'Laten we iets gaan drinken.'

Saul had niet gedacht dat Mark een drinker was, maar hij zag hem nu twee pure wodka in evenzovele slokken naar binnen werken. 'Ik vermoed dat Alice een verhouding heeft.' Marks stem kraakte door de hitte van de alcohol.

Stomverbaasd vroeg Saul: 'Alice?'

'Jij ziet haar regelmatig. Wat denk jij?' vroeg Mark.

'Ze heeft mij nooit aanleiding gegeven om te denken dat ze een verhouding heeft,' zei Saul. Dat had ze ook niet. Evenmin als Thea.

'Hé, ik wil je niet voor het blok zetten, maar heeft Thea ooit iets tegen je gezegd?' vroeg Mark.

'Nul komma noppes.' Saul probeerde Marks vermoeden de kop in te drukken door er luchtig over te doen. 'En ze vertelt mij altijd alles.'

Echt waar, Saul? Weet je dat zeker?

Mark legde zijn hoofd in zijn handen. 'Ik weet het niet. Ik weet het echt niet.'

'Wat weet je dan eigenlijk wel?' vroeg Saul.

'Ze kan heel humeurig zijn.'

'Ja, maar dat geldt voor alle vrouwen. Alice is van nature vrij druk,' wierp Saul tegen. 'Haar vurigheid maakt haar juist zo aantrekkelijk.'

'Ze kan een flirt zijn,' zei Mark. 'Ik ken haar immers al jaren.'

'Flirten is niet hetzelfde als de daad bij het woord voegen.'

Hoor de expert. Alleen flirt jij niet, hè Saul? Dat is niet echt nodig. Jij krijgt die meiden toch wel. We weten dat jij altijd de daad bij het woord voegt, maar de details hoeven we niet te weten.

'Echt, Mark.' Om zijn woorden kracht bij te zetten legde Saul zijn handen plat op tafel. 'Ik heb nooit iets ongepasts gezien en ik heb haar tijdens haar werk én in haar vrije tijd gezien.'

Mark knikte, maar Saul zag dat hij niet overtuigd leek. 'Ik heb iets gevonden,' zei Mark somber. 'Haar telefoon. Ik zag een bericht van ene Paul B. Wie is dat?'

Saul luisterde verbaasd. Het idee dat Mark op de gsm van zijn vrouw keek, was zo vreemd dat het verontrustend was. 'Paul B.?' Daar dacht Saul diep over na. 'Ik heb echt geen flauw idee. Bij de tijdschriften die ik ken, werkt geen Paul. Ik heb Thea nog nooit iets over zo iemand horen zeggen. Zeg, mag ik vragen wat er in dat bericht stond?'

'O, je weet wel,' zei Mark scherp. 'Gewoon: "ik wil je neuken", "prachtige tieten", "wanneer kan ik je zien?"'

Saul stond paf. Een deel van hem wilde Alice direct bellen om te zeggen dat ze een grote hypocriet was en dat haar misdrijf veel erger was dan het zijne.

'Waarom heb je ze gelezen?' vroeg Saul. 'Gaan de zaken niet zo lekker tussen jullie?'

'Niet echt... ik bedoel, ik ben eraan gewend dat haar stemming voortdurend wisselt; dat is altijd zo geweest en ik hou al jaren van haar. Zoals je al zei, kan ze ineens opvliegen en ze kan ook heel humeurig zijn. Een paar maanden geleden ging het niet zo goed, maar de laatste tijd is het juist heel rustig geweest.'

'Ik weet zeker dat er een onschuldige verklaring voor is,' zei Saul, al was hij daar helemaal niet zeker van en wilde hij er liever ook niet meer over weten.

'We hebben veel moeilijkere periodes gekend toen ik naar het buitenland moest en lange dagen maakte,' ging Mark verder. 'Maar ik reis lang niet meer zo veel, en ik kan nu meer werk delegeren omdat ik een groter team heb.'

'Het is vast niet wat je denkt.' Hoe graag Saul ook aan Alice wilde twijfelen, hij mocht Mark graag en vond niet dat die twijfels verdiende, hoe ongegrond die ook waren.

'Moet ik een oogje toeknijpen?' vroeg Mark, meer aan zichzelf dan aan Saul. 'Zelfs als ik het bewijs dat er wel iets aan de hand is zelf heb gezien?'

'Weet je, het is veel makkelijker om te flirten in e-mails en sms'jes dan in levenden lijve. Misschien is het een of andere kerel bij de drukkerij of de distributieafdeling die Alice wil paaien. Ik weet zeker dat het niks voorstelt.'

'Hoe kan ik daarachter komen?'

Daar had Saul geen antwoord op. 'Ik vind dat je niet op zoek moet gaan naar antwoorden als je de vraag niet rechtstreeks durft te stellen,' zei hij nadat hij diep had nagedacht. 'Durf je het haar op de man af te vragen? Zal haar vertrouwen in jou ondermijnd worden omdat je in haar spullen hebt geneusd?'

'Ik heb geen idee.' Mark schudde zijn hoofd. 'Ik weet echt niet wat ik moet denken of wat ik moet doen.'

'Moet je horen,' zei Saul. 'Er stond niet "heerlijk geneukt" of "fijn dat je me je tieten hebt laten zien" in die berichten. Er is geen hard bewijs, Mark. Jij werkt met getallen, Alice met woorden. Geloof me, in onze branche wemelt het van de zuipende, flirtende onverlaten, en dan heb ik het alleen nog maar over de mannen!'

'En in mijn branche wemelt het van de saaie, stijve harken zoals ik,' zei Mark stuurs.

Als we vrouwen waren, dacht Saul bij zichzelf, zouden we elkaar nu even omhelzen. Als dit Thea en Alice waren, zouden ze elkaars hand vasthouden en met hun hoofden dicht bij elkaar zitten om hun emotionele steun ook fysiek tot uitdrukking te brengen.

Plotseling besefte Saul hoe fijn hij het vond om getuige te zijn van de vriendschap tussen Alice en Thea, de intensiteit van hun relatie, zelfs als ze kibbelden of, zoals kortgeleden, knallende ruzie hadden. Was die Paul B. de reden van hun ruzie? Het was heel goed mogelijk. Saul dacht aan Thea's hoge maatstaven van trouw en loyaliteit en wat liefde inhield en vereiste. Dat gaf hem een hol en somber gevoel. Hij zou haar kwijtraken.

'Ik moet gaan,' zei Mark. 'Bedankt voor de drankjes, en de... je weet wel.'

'Graag gedaan, kerel,' zei Saul ernstig. 'Wil je er nog eentje om het af te leren?' Hij wilde niet dat Mark ging. Marks dilemma leidde zijn aandacht af van zijn eigen lastige parket. Helaas sloeg Mark zijn aanbod af. 'Zeg, ga niet spitten,' raadde Saul hem aan. 'Dat heeft totaal geen nut en levert toch alleen maar de verkeerde dingen op.'

Mark knikte en vertrok.

Als hij thuiskomt, zitten Alice en Thea gezellig samen op de bank, staan er lege wijnglazen en is de extra grote zak chips leeg.

'Hoi,' zegt Alice met een brede glimlach, maar Thea lijkt te uitgeput om zelfs maar op te kijken.

'Hallo,' zegt hij.

'Heb je een leuke avond gehad?' vraagt ze. 'Waren er ook maffe golfbroeken te koop?'

'Meer dan genoeg, maar niet in mijn maat,' zegt Mark. Alice lacht. Mark analyseert de lach en komt tot de conclusie dat die oprecht is. Dat brengt hem in verwarring. 'Ik ga slapen,' zegt hij, want hij wil kijken of Alice' gsm nog onder zijn overhemd ligt.

'Thea blijft vannacht logeren,' roept Alice hem achterna.

Zijn overhemd ligt nog op dezelfde plek en Alice' gsm ligt nog waar hij hem heeft gelegd. Terwijl hij met één oor luistert naar de geluiden die van beneden komen, pakt Mark het mobieltje en scrolt naar het envelopicoontje. Hij selecteert opnieuw haar Postvak In en leest de berichten nog een keer. Misschien heeft Saul gelijk: er staat niets wat onweerlegbaar bewijst dat er echt iets is gebeurd. Hij scrolt naar de verzonden items en zijn hart klopt zo luid dat het bijna het gebabbel van Alice en Thea overstemt. Zijn duim blijft boven de knop zweven. Dit hoort niet. Dit is hetzelfde als stiekem een dagboek lezen. Dit is niet juist. Maar Mark heeft het gevoel dat dit zijn enige mogelijkheid is. Hij moet wel. En hij bepaalt dat hij alles wat hij eventueel vindt onder ogen zal moeten zien. Hij drukt op de JA-knop en de berichten die Alice heeft gestuurd flitsen op. Thea Thea Thea Thea Mark Paul B Paul B Thea. Hij kan ze niet snel genoeg openen, zijn handen trillen hevig.

NEE, BEGRIJP DAT AJB.

Nog een:

KAN NIET. SORRY. EN AJB: GEEN SMS, ETC. MEER. AJB

Hij scrolt terug naar de sms'jes van Paul en aan de hand van de tijden en data van die berichten kan hij de antwoorden van Alice erbij zoeken. Hij heeft gevraagd of hij haar kan zien. Ze zei dat dat niet ging. Ze heeft hem gevraagd geen contact meer met haar te zoeken, zelfs niet per sms. Ze meent het echt, kijk: AJB staat in grote letters. Er zijn vijf berichten van hem en maar twee van haar. Allebei haar antwoorden zijn afwijzingen. Op zijn 'wil je neuken'-bericht is geen antwoord geschreven en ook op zijn compliment over haar borsten is niet gereageerd.

Ze heeft zijn avances geen antwoord waardig gegund!

Mark is zo opgelucht dat hij wel kan huilen. En als hij Pauls berichten en Alice' antwoorden nog een laatste keer heeft gelezen, voelt hij zich vreselijk schuldig.

Wat bezielde me? Hoe kon ik? Ik ben getrouwd met de mooiste vrouw ter wereld – natuurlijk worden andere mannen verliefd op haar, bij bosjes zelfs. Maar ze is mijn vrouw, haar thuis is bij mij en haar hart is van mij. Het is ongelooflijk dat ik haar privacy heb geschonden, dat ik aan haar heb getwijfeld. Wat bezielde me?

Saul heeft Thea een sms'je gestuurd om te zeggen dat hij naar een of ander golfgedoe in Islington is en dat hij net zo goed een kleine omweg kan maken om vijf minuutjes bij haar langs te gaan. Hij wil haar vreselijk graag zien, zelfs als de waarheid dan helemaal aan het licht komt. Hij mist haar ontzettend en hij is zo van streek door het verdriet dat zij moet voelen dat hij haar wil vasthouden, zelfs al is hij ongewild de aanstichter van die pijn. Hij moet toch in staat zijn om het verdriet te verdrijven, om het weer goed te maken? Hij wil haar vasthouden, zelfs al slaat ze hem. Hij is bereid de puurheid van zijn liefde voor haar te verkondigen, zelfs al gooit zij verwensingen naar zijn hoofd en maakt ze ter plekke een eind aan hun relatie.

Maar als hij door haar straat loopt en op zijn mobieltje kijkt, heeft ze nog altijd niet gereageerd. Ze moet nu toch terug zijn van Alice. Ze heeft nog hartstikke veel te doen. Hij wil haar echt dolgraag zien. Hij belt aan, klopt en gebruikt dan zijn sleutels om naar binnen te gaan. Dat heeft hij altijd gedaan en dat vond Thea prima. Ze verwelkomde hem altijd met een zoen, gebabbel en het indrukken van de knop op de elektrische waterkoker. Maar ze is er niet. Hij ziet de waterkoker niet eens. Alleen dozen en kratten en stapels spullen. Het is propvol en rommelig, maar ook kaal en onpersoonlijk. Thea is er echt niet. Ze heeft haar hele hebben en houden in koffers gepakt. Ze gaat verder met haar leven.

Twijfels

WAT WILLEN WE HET LIEFST? WIL ALICE GESTRAFT WORDEN, hoewel ze er al van uitgaat dat haar huwelijk gered kan worden? Zullen we Mark tevreden laten zijn, net veilig buiten het bereik van de kille feiten? Willen we dat Saul zal lijden, boeten, leren, maar toch verdoemd zal zijn? Menen we dat Thea alles min of meer op een rijtje kan zetten, of nog beter: dat ze alles in een doos stopt waar HET VERLEDEN op staat, waar ze vervolgens nooit meer aan denkt? Is het mogelijk dat ze het leert accepteren, begrijpen en vergeven, en dat ze vervolgens aan hun reeds lang geleden geplande toekomst begint, een toekomst die best eens heel gelukkig kan worden? Of hopen we vurig dat Thea hem eens goed de waarheid zegt als ze hem de bons geeft? Vinden we dat Saul dat verdient? Willen we Saul in de goot zien, huilend en gebroken, terwijl Thea weghuppelt, triomfantelijk, maar waardig? Wat is de terechte straf voor Saul, en welke beloning komt Thea toe? Moet Saul worden toegestaan om de confrontatie aan te gaan met Alice om te zeggen dat de pot de ketel verwijt dat hij zwart ziet? Is het juist dat Alice er ongeschonden vanaf komt? Zijn we eraan toe te overwegen dat Saul en Thea in de toekomst beter af zijn zonder elkaar?

Thea heeft The Being Well al gebeld om te vragen of haar niet-bezette tijden van negen uur en tien uur zijn geboekt sinds gisteravond. Souki zegt dat die nog leeg zijn.

'Dan kom ik wat later,' zegt Thea. 'Ik moet hier nog een heleboel afronden.'

Ze heeft Saul al gebeld en de woorden gezegd die hij zowel vreesde als verwachtte.

'Saul? Met mij. Ben je al terug? Uit Glasgow? Mooi. Heb je het druk? O. Maar ik moet je echt zien. We moeten praten.'

Ze belt vanuit de bus, die net bij Tufnell Park is. Saul vermoedt dat ze over twintig minuten bij hem zal zijn. Hij ijsbeert door zijn appartement, zijn keel dik van tranen. Het wachten duurt ondraaglijk lang, hoewel hij haar komst vreest. Wat ga je doen, Saul?

Ze is mijn grote liefde.

Ga je voor haar vechten?

Kon ik dat maar.

Waarom doe je dat niet?

Nee. Dat kan ik niet. Ze weet het. Begrijp je dat niet? Ze weet het, maar ze weet niet dat ik weet dat ze het weet.

Kun je daar geen mouw aan passen?

Als ze er ooit achter komt dat ik weet dat zij het weet, loopt haar zelfrespect gevaar. Dan kunnen we over dat onderwerp praten en het analyseren, maar wat heeft dat voor zin? Hoe lang we er ook over praten, het zal onze relatie niet redden en haar niet troosten. Daarom heb ik besloten dat het het beste is dat ze nooit te weten komt dat ik weet dat zij het weet.

Dus dat is het dan? Je laat de beste tweeënhalf jaar van je leven zo ten einde komen? Die onovertroffen, hemelse relatie? Ben je niet gewoon laf en probeer je niet iets goed te praten wat anders gezien kan worden als het ontwijken van een confrontatie?

Je begrijpt het niet. Ik ken die meid. Ik weet dat haar vertrouwen in mij is verdwenen. Ik wil niet dat er maar half van me wordt gehouden. En ik weet dat zij geen genoegen zal nemen met de helft van haar droom.

Daar is ze, Saul. Hoor je haar de trap op lopen?

Gebruik alsjeblieft je sleutels. Laat dit alsjeblieft nog steeds je thuis zijn.

De deurbel gaat. Met tegenzin, maar gelaten, doet Saul open.

'Hoi,' zegt hij. Zijn hart wordt vrolijk bij haar aanblik, ook al bonst zijn hoofd door de wetenschap dat alles tevergeefs zal zijn.

'Hallo,' zegt Thea. Ze wil hem niet aankijken; dat doet te veel pijn. Hij was haar vleesgeworden droom, maar nu is ze in een nachtmerrie beland en wordt het tijd om zich ervan te overtuigen dat ze klaarwakker is. Ze staat daar ongemakkelijk, alsof haar knieholtes jeuken, ze een stijve nek heeft en haar gezicht licht bevroren is. Dat geeft Saul een onbehaaglijk, maar machteloos gevoel: als hij het haar makkelijk maakt, zal ze weten dat hij weet dat zij het weet, en hij is ervan overtuigd dat dat het uiteindelijk moeilijker voor haar zal maken. Hoewel Saul zich op dat moment met liefde op zijn zwaard zou storten om haar de marteling te besparen van wat ze moet doen, kan hij haar niet helpen. Het evenwicht van haar toekomst, de vlotheid van haar ommekeer, is voor hem het allerbelangrijkst.

'Schat,' zegt hij zacht, in de hoop dat er een bezorgde blik op zijn gezicht is verschenen, in plaats van dc angst dic hij graag wil verdoezelen. 'Wat is er aan de hand?'

Thea schudt haar hoofd en kijkt naar haar tenen. 'Ik kan het niet,' zegt ze hees. 'Ik ben bang.'

Moet ik haar vragen waarom? Tenslotte zou ik dat ook doen als ik niet wist dat zij het weet.

'Waarom?' fluistert Saul, en hij pakt haar hand vast. 'Ik kan je vasthouden en je angst verdrijven.'

Thea blijft naar haar tenen staren – mooie tenen die uit haar sandalen steken. Ze is niet in staat om te bedenken wat ze moet zeggen.

'Alsjeblieft, Thea,' smeekt Saul, 'doe het niet.'

Stik maar. Het kan me niet schelen waar ze achter komt. Ik wil haar alleen bij me houden. Dat moet gewoon. Zij moet mij houden.

'Saul, er is iets mis,' fluistert ze. Ze kijkt naar hem op en wendt haar blik dan weer af. 'Zo is het beter, voor alles nog lastiger wordt door hypotheken en zo. Het is echt helemaal mis.' De daaropvolgende stilte is zo geladen dat hij oorverdovend is en de tijd lijkt stil te staan, verstikt door de mist van twee mensen die allebei niet weten wat ze nu moeten zeggen of doen.

'Thea, je weet toch dat mijn liefde voor jou nooit minder zou worden, wat je ook zou zeggen of doen?' Saul pakt haar armen om haar dichter naar zich toe te trekken. 'Wil je wat ruimte? Een adempauze? Neem wat je wilt, liefje. Ik beloof je dat ik op afstand zal blijven, maar ik zal nooit ophouden van je te houden.' Hij doet een stap naar voren en raakt teder haar kin aan.

Zeg dat het nooit is gebeurd, Saul. Zeg dat ik me heb vergist.

Overtuig me ervan dat je me trouw bent geweest. Verzeker me dat je een gewone, lieve man bent. Zeg het hardop en ik zal je geloven omdat ik geloof dat je nooit tegen me zult liegen, dus dat je me de waarheid vertelt als ik je een vraag stel.

Maar Thea kent de waarheid. Daarom omvat ze zijn polsen om hem op afstand te houden; het zou heel eenvoudig zijn om in zijn armen te smelten, en daarna veel te moeilijk om zich weer van hem los te maken. 'Ik ben niet zo tolerant als jij,' verklaart ze. 'Ik kan niet onvoorwaardelijk van je houden.'

'Heb ik je ooit aanleiding gegeven om aan de zuiverheid en de onvoorwaardelijkheid van mijn liefde voor jou te twijfelen?' vraagt Saul haar schor. 'Heb ik daar ooit dírecte aanleiding toe gegeven?' vraagt hij nadrukkelijk. Hij moet pedant en semantisch correct doen, want hij weet dat ze anders kan zeggen: 'Ja, ja, ja, dat heb je zeker, vieze hoerenloper.'

Laat haar gaan, Saul.

'Alsjeblieft, Saul.' Thea begint te huilen.

Alsjeblieft, laat haar gaan, Saul.

'Ik hou niet genoeg van je,' snikt ze. 'Ik hou niet van jou zoals jij van mij houdt. Ik hou niet genoeg van je om je je hele persoonlijkheid te gunnen.'

Saul, je moet haar laten gaan.

'Denk je dat je ooit van gedachten verandert?' vraagt hij. Hij trekt Thea tegen zich aan en ze geeft zich over aan zijn omhelzing. Hij wil haar niet laten gaan. 'Alsjeblieft, Thea. Neem je tijd, zo veel tijd als je nodig hebt. Ik wacht wel. Je kunt onze relatie niet opgeven.' Ze begraaft haar gezicht tegen zijn borst en hij kust haar kruin. Hij heeft het altijd heerlijk gevonden om haar kruin te kussen. Hij heeft er altijd van genoten dat ze zo goed tegen elkaar passen. Maar net. Precies goed. Ze passen heel goed bij elkaar. Maar het is allemaal vreselijk fout gelopen. 'Ik wacht wel.'

'Niet doen!' huilt Thea.

' "Je leert de liefde niet kennen door een volmaakt iemand te vinden, maar door een onvolmaakt iemand als volmaakt te zien," ' verklaart Saul. Thea heft haar behuilde gezicht naar hem op. 'Het is een citaat,' zegt hij met een bescheiden grijns. 'Dat heb ik op internet gevonden.'

Typisch iets voor Saul, denkt Thea. Vroeger zou ik daardoor nog meer van je zijn gaan houden. 'Ik kan hier niet mee doorgaan,' zegt Thea. 'Echt niet.'

'Doe dit alsjeblieft, alsjeblieft niet,' smeekt Saul. 'Wat er ook is gebeurd, ik kan het oplossen. Wat er ook is gebeurd, we komen er samen wel uit.'

Thea schudt haar hoofd.

'Zeg toch wat,' bedelt Saul. Hij is overal klaar voor. Hij vecht voor zijn leven. 'Thea, denk er toch over na. De verkoop van je appartement, al die spanning. Over drie dagen is de overdracht. Wij staan op het punt het koopcontract te ondertekenen. Zet een streep onder wat er ook aan de hand is. Laten we er gewoon voor gaan. Beginnen met ons leven.'

'Ik wil daar niet wonen.' Op Thea's gezicht verschijnt een geschrokken uitdrukking, alsof ze helemaal is vergeten dat hun droomhuis binnen bereik is.

'Ook goed,' zegt Saul. 'Dat maakt niet uit. Dan laten we het schieten en kopen we een ander huis. Het maakt niet uit waar. We moeten alleen samen blijven. Maak alsjeblieft geen eind aan ons.'

'Laat me gaan,' smeekt Thea treurig, en ze kijkt hem recht in de ogen. Hij ziet eruit als een zesjarige, met zijn bevlekte wangen, trillende lippen en betraande ogen. De laatste keer dat ze Saul heeft zien huilen was tijdens de zegening van de kleine Juliette Stonehill. Destijds zag hij er zo gelukkig uit toen hij huilde. Nu ziet hij er verschrikkelijk uit. Helemaal van de kaart. Thea schudt haar hoofd en Saul schudt het zijne.

Wat kan ik doen?

Je kunt me laten gaan.

SAUL LAAT HAAR UIT ZIJN HANDEN GLIPPEN. HIJ MOET WEL. HIJ heeft geen keus. Op dit besluit kan hij geen enkele invloed uitoefenen.

Morgen gaat Thea een maand bij Alice en Mark logeren, tot het mooie huurappartement in het flatgebouw in Highgate Village vrijkomt dat Peter Glass voor haar heeft gevonden. Gisteren heeft ze Saul verlaten. Vanavond zit ze midden in haar hal, genietend van een laatste Lewis Carroll-moment. Trouwens, in de woonkamer is toch geen ruimte om te zitten, want die staat stampvol met verhuisdozen. Nu ze hier zit, in de hal, terwijl alle deuren rondom haar plagend gesloten zijn, ziet ze een gebogen spijker op de grond liggen. Ze kijkt omhoog naar de muren en concludeert dat haar ingelijste handtekening van David Bowie aan deze spijker hing. Ze pakt hem op en speelt er afwezig mee, haar gedachten schieten als een razende van de ene grootse kwestie naar de andere, zonder dat ze ergens een constructieve oplossing voor kan bedenken. Het is te vreemd om kalm te bedenken dat haar appartement is verkocht, dat het niet langer haar thuis is – tot ziens. Het is te vroeg om eraan te denken dat ze nu het hokje 'alleenstaand' moet aankruisen als ze formulieren invult. Het is te vers om te beseffen dat ze geen boezemvriend heeft die Saul heet, dat ze helemaal geen boezemvriend heeft. Eigenlijk is het volslagen onmogelijk om helder te denken.

Tijd om te gaan slapen. Het is al laat en morgen wordt het een vermoeiende en zware dag. Maar toch wil ze hier nog even blijven zitten. Het is rustig en fijn, en bovendien kost elk besluit, zelfs of ze moet opstaan, veel te veel energie.

De pijn is zwaar. Huilen doet zeer. Die pijn benadrukt alles wat ze doet. Die is het uitroepteken waar al haar gedachten mee eindigen. Hij blijft steken in haar keel en verandert het timbre van haar stem. Hij laat haar struikelen en heeft ervoor gezorgd dat ze in elkaar gedoken loopt. Hij zorgt ervoor dat ze haar eten niet kan verteren. Hij remt haar vermogen alle liefdevolle steun van Alice te horen, van Sally, van Souki, hoewel ze haar best doet om goed te luisteren. Het is het spijkerbed waarop ze tevergeefs probeert te slapen. Het doet pijn, het doet zo'n pijn. Het doet voortdurend pijn.

Thea kijkt naar de gebogen afgedankte spijker. Dan ademt ze kalm en geconcentreerd in en haalt de spijker over haar lange litteken. Niet diep genoeg om het te laten bloeden; alleen een simpele, lange, scherpe kras door het gevoelige, tere littekenweefsel is voldoende kwelling. De directheid en de schok en de halsstarrige realiteit van pure, fysieke pijn zorgen op de een of andere manier voor onmiddellijke verlichting van de hartverscheurende beroering van emotioneel lijden.

Onder moeders paraplu

THEA KEEK NAAR HAAR WEEKENDTASSEN. DE NADEN STONDEN niet eens strak en toch zat alles erin wat ze voorlopig nodig zou hebben. Nu vond ze dat ze wel wat rigoureuzer had mogen zijn met het inpakken van haar spullen. De tweedehandswinkels hadden weinig profijt van haar gehad, maar het bedrijf dat opslagruimte verhuurde zou een kapitaal aan haar verdienen. Elke tas was zwaar, maar als ze er een in elke hand nam, hief dat elkaar op. Dat gaf haar een gevoel van balans, van evenwicht. Hoe dan ook, ze hoefde niet ver te lopen, alleen naar beneden, waar de taxi al wachtte.

De afgelopen weken had Thea zo vaak afscheid genomen van haar appartement dat het haar niet moeilijk viel om het af te sluiten en weg te gaan nu het moment echt daar was. Ze had nog net tijd om er nog een blik op te werpen en steels even te zwaaien toen de taxi wegreed. In haar hand had ze twee sleutelbossen. Een zou ze afgeven bij de plaatselijke makelaar voor de nieuwe eigenaar van het Lewis Carroll-wereldje; de andere was van het huis van de Sinclairs in Hampstead waar ze tijdelijk zou gaan wonen.

'Lieffie, ik moet de meter zo weer aanzetten,' zei de taxichauffeur toen Thea onbeweeglijk naar Alice' huis bleef staren. Opeens kreeg ze een licht gevoel in haar hoofd en had ze het idee van een loden last verlost te zijn. Heel verfrissend. Al haar spullen waren opgeslagen, ze had geen hypotheek meer en ze had buitengewoon verlof gekregen van The Being Well, met hun beste wensen. Eigenlijk had ze bijna niets te doen. Behalve dan naar middagprogramma's kijken op Alice' enorme plasmascherm tot zij uit haar werk kwam. Of, godbetert, de hele dag zitten tobben.

‘Rijdt u eigenlijk maar door.’ Dat idee kwam als vanzelf bij Thea op.

‘Eerst deze rit betalen, jongedame,’ zei de taxichauffeur knorrig. ‘Dan breng ik je overal waar je wilt.’

‘Mij best.’ Thea weigerde om de ritprijs naar boven af te ronden, en ze gaf ook geen fooi.

‘Echt iets voor een vrouw,’ mompelde de chauffeur, met opzet zo hard dat zij het kon verstaan. ‘Jullie kunnen ook nooit een besluit nemen.’

‘Integendeel,’ mompelde Thea terug. Ze wist zeker dat ze geen zin had om naar middagprogramma’s te kijken en ook voor tobben voelde ze niks. ‘Rijd alstublieft door.’ Ze sms’te Alice om te vertellen dat ze van gedachten was veranderd en zette haar mobieltje uit voor Alice haar kon bellen om haar besluit te bespreken.

‘Ga je fijn een weekendje weg, liefje? Ze zeggen dat het prachtig weer wordt. Ik ga een week bij mijn zoon logeren, om mijn kleinkinderen te zien.’

Thea had door het raampje naar buiten gekeken, maar nu draaide ze haar hoofd om en zag ze een keurige oudere dame tegenover haar zitten. Ze moest in Reading zijn ingestapt en zat kennelijk om een praatje verlegen. Thea accepteerde een biscuitje en ging lekker zitten voor een gesprek over koetjes en kalfjes terwijl de trein haar steeds verder wegvoerde.

‘Ik ga naar mijn moeder,’ zei ze tegen de dame. ‘Ik heb haar al sinds kerst niet meer gezien. Het is een verrassingsbezoek.’

Gloria Luckmore had het niet zo op verrassingen. Ze hield van afspraken die ruim van tevoren waren gemaakt. Ze vond het prettig om haar keukenkalender en haar zakagenda op elkaar af te stemmen en ze vond het vervelend om dingen te moeten doorstrepen. Gloria hield niet van wanorde. Ze noteerde dingen altijd eerst in potlood, gumde dat vervolgens zorgvuldig uit en herschreef het in zwarte inkt als de afspraak was bevestigd. Ze beschouwde onverwachte bezoekjes als de vloek van het moderne leven. Het hele idee van bij iemand langsgaan of even aanwippen vond ze beledigend, iets wat iemand op het laatste moment besloot omdat hij of zij niets beters te doen had. Ondanks haar strenge omgangseisen stonden Gloria Luckmores kalender en zakagenda altijd vol met zwarte inkt. Alleen plande ze nooit iets om zes uur 's avonds. Op dat tijdstip had ze een vaste afspraak met zichzelf; dan dronk ze een gin-tonic en luisterde naar het nieuws op Radio 4 terwijl ze door de tuindeuren van de zitkamer naar de tuin keek. Daarom was ze bijzonder verontwaardigd dat haar deurbel ging op het moment dat de piepjes het nieuws aankondigden. Opstandig nam ze een slok en luisterde aandachtig naar de hoofdpunten van het nieuws. Zo negeerde ze de bel, die nogmaals rinkelde. Wat Gloria mooi vond aan Radio 4 was het waardige tempo waarin de aankondigingen werden gedaan, waardoor alle hoofdpunten dezelfde dramatische impact kregen. Niets kon belangrijk genoeg zijn om dat te verstoren. Degene bij de voordeur moest maar wachten. Ze nam een slok en luisterde, en negeerde het geklepper van haar brievenbus.

'Mam?'

De stem zweefde door de gang en vulde plotseling de woonkamer. Hij overstemde de radio en zorgde ervoor dat Gloria's gin-tonic even een vieze smaak kreeg.

'Thea?'

Een beetje geschrokken ging Gloria naar de voordeur. Ze hoefde haar kalender of agenda niet in te zien. Ze kende haar rooster uit haar hoofd en er was zelfs niet gezinspeeld op een bezoek van Thea, laat staan dat er echt een afspraak was gemaakt. Waarom stond haar dochter om zes uur 's avonds zonder waarschuwing, verzoek of uitnodiging op de stoep?

'Hallo, mam.'

Met twee enorme weekendtassen.

'Ik wilde je bellen, maar...'

En behoorlijk wat dunner geworden.

'Ik moet ergens...'

Met een doffe blik in haar ogen en donkere wallen eromheen, wat wees op veel huilen en weinig slaap.

'Ik heb het uitgemaakt met Saul.'

'Kom binnen.'

'Mijn appartement is vandaag verkocht.'

'Kom toch binnen.'
'Ik heb vrij gekregen van mijn werk.'
'Naar binnen, schatje, naar binnen.'

Het was niet zo dat Thea nergens heen kon. Alice en Mark verheugden zich erop haar hun huis en hun vriendschap ter beschikking te stellen tot het huurappartement vrijkwam. Het was niet zo dat Thea was gevlucht naar het huis waar ze haar kinderjaren had doorgebracht om zich op te sluiten in haar oude slaapkamer, omgeven door omkrullende posters van David Bowie die daar al die jaren waren blijven hangen, planken vol vertrouwde, lieve gezichtjes van knuffelbeesten, toilettafelladen met allerlei vergeten schatten, en tienerdagboeken en dozen onder het bed waarin een verzameling brieven zat die ettelijke jaren besloeg.

Thea had nooit echt in dit huis gewoond; haar moeder was hierheen verhuisd vanuit Londen toen Thea naar de universiteit van Manchester ging. Het was dus geen geruststellende nostalgie waar ze naar snakte. Ook nam ze haar moeder lang niet altijd in vertrouwen. Hoezeer moeder en dochter ook op elkaar gesteld waren, ze waren alle twee behoorlijk op zichzelf. Maar toen Thea haar spullen uitpakte in de kleine logeerkamer, was ze blij dat ze hier was. Het was leuk om de ingelijste foto's te bekijken, toen ze nog een paardenstaart had gehad en haar broer die vreselijke baard nog niet had laten staan. Ze was niet weggelopen, ze verstopte zich niet voor het verleden, ze nam alleen wat afstand van Londen en zorgde op die manier voor de benodigde kilometers en tijd tussen wat was geweest en wat spoedig zou komen. Het was heel verstandig geweest om dit te doen. Hoelang ze hier ook zou blijven, Wiltshire zou een verstandige onderbreking zijn. Een adempauze tussen de verschillende hoofdstukken van haar leven.

'Schatje, ik heb het vandaag stikdruk,' zei Gloria de volgende ochtend verontschuldigend. Ze zaten aan een ontbijt van driehoekjes toast die keurig in een rekje stonden en losse thee die netjes had getrokken in een porseleinen theepot. Gloria's mond vertrok een beetje en ze neuriede zacht terwijl ze haar zakagenda bestudeerde, alsof ze wilde bekijken of ze haar dochter misschien kon inpassen tussen de vergadering van het damesgilde om 10.45 uur, de lunch met Sandra Langley om 12.00 uur en haar vrijwilligerswerk in het Leonard Cheshire-verpleeghuis tussen 14.00 en 16.00 uur.

'Ik red me best, mam,' verzekerde Thea haar. 'Ik heb alleen wat rust nodig. Ik ga gewoon wat lanterfanten.'

'Ga lekker wandelen,' stelde Gloria voor. 'Ik ben om kwart over vier terug. Vanavond ga ik kaarten, maar ik hoef pas om kwart voor zeven weg.'

'Een wandeling is een goed idee.' Eigenlijk was Thea blij dat ze de tijd aan zichzelf had, dat ze alleen zichzelf verantwoording schuldig was en dat het niet in haar moeders aard lag om vragen te stellen. Gloria's bezorgdheid kwam tot uiting in een ongeruste blik op haar dochter. Ze glimlachten vluchtig naar elkaar en toen moest Gloria weg.

Het dorp Wootton Bourne op de grens tussen de graafschappen Wiltshire en Avon had de vorm van een ribbenkast; de overgebleven oorspronkelijke gebouwen van het driehonderd jaar oude gehucht vormden de ruggengraat en de nieuwere waaierden daarvan als ribvormige vertakkingen naar beide kanten uit. Het dorpsplein, dat werd doorsneden door de hoofdstraat, vormde de longen; de eendenvijver was het hart, het oorlogsmonument het borstbeen. De Bourne, het beekje, was een ader of slagader (afhankelijk van welke kant je aankwam), die eerst aan één kant langs de weg liep, daar vervolgens onderdoor ging en daarna het dorp uit (of in) ging. Het levensbloed was de liefde van de dorpelingen voor hun woonplaats en hun grote plichtsgevoel. De gemeenschappelijke borders waren nu, in juni, op het hoogtepunt van hun bloemenpracht. Wootton Bourne had geen dorpscafé en geen winkel. Er was een brievenbus die één keer per dag werd geleegd, een felrood vierkant dat tegen de muur van meneer Kingston aan stond. Wootton St. Mark, het zusterdorp, had een schilderachtig kerkje, een café en een kleine winkel. Het lag op loopafstand, maar omdat je er de ringweg voor moest oversteken, liep er haast nooit iemand heen.

Behalve de bewoners hoefde – of wilde – niemand zo nodig door Wootton Bourne te rijden. Er stonden geen bruine borden waar bezienswaardigheden op werden aangegeven en op de kaarten stonden geen café, winkel of pottenbakkerij – helemaal niks. Omdat er zo weinig verkeer was, was er geen behoefte aan een stoep of zelfs maar aan een voetpad. Het asfalt hield gewoon op bij de liefdevol onderhouden borders en de dorpelingen werden over het algemeen met rust gelaten. Het levenstempo dat ze erop na hielden werd bijzonder gewaardeerd en ijverig bewaakt, waardoor Wootton Bourne de sfeer ademde van een particulier landgoed.

Alle huizen, hoe oud ze ook waren en in welke stijl ze ook waren opgetrokken, waren gebouwd van kalksteen: de vrijstaande cottages uit de achttiende en negentiende eeuw, het ene kleine rijtje rijtjeshuizen die als ondeugende Victoriaanse schoolkinderen op een graslandje stonden, de Georgian boerderij, het Edwardiaanse schoolgebouw, de vierkante huizen uit de jaren zestig, de moderne verbouwde schuur. In het begin was Thea teleurgesteld geweest dat Gloria een modern huis had gekocht in een van de onderste ribben van het dorp, in een graafschap vol cottages die zo op een ansichtkaart konden en een dorp vol klassieke en afwisselende landelijke architectuur. Maar nu paste het prima bij haar stemming, en de zachte tinten en subtiele kleuren van de stenen gaven het anders zo saaie ontwerp een aangename zachtheid en warmte. De vierkante tuin werd aan drie kanten omzoomd door makkelijk te onderhouden borders, en aan de vierde kant bevond zich een terras dat bereikbaar was via de openslaande deuren van de zitkamer. Zonder haar rug te veel te belasten kon Gloria zich bezighouden met haar vaste planten, en het kostte niet veel moeite om een mooie tuin te creëren die ervoor geknipt was om elke avond om zes uur onder het genot van een gin-tonic te bekijken.

Iedereen kende iedereen in Wootton Bourne, maar niemand had de neiging zich met elkaar te bemoeien. Er was geen dorpsroddelaar, geen tamtam en geen roddelcircuit, en er waren geen rivaliserende klieken. Als er een plaatselijke schoft was of een dorpsslet, of iemand die bankroet of biseksueel was, dan was het niet interessant. Dit was niet het dorpsleven zoals de meeste bewoners van de grote stad het zich voorstelden, doordat ze op het verkeerde been waren gezet door het radiofeuilleton *The Archers*, of de televisieseries *Heartbeat*, *Balamory*, of *Midsomer Murders*. Dit was het dorpsleven zoals de bewoners van Wootton Bourne het wilden. In wezen was het verfrissend saai. Het was precies de omgeving die Thea nodig had, en toen ze over de paden liep tot ze rond lunchtijd trek kreeg, feliciteerde ze zichzelf dat ze zo verstandig was geweest om hier een poosje naartoe te gaan.

Na Thea's eerste onthullingen op de stoep was het onderwerp niet meer ter sprake gekomen en Gloria wist niet precies hoe ze haar dochter, die alles zo voor zichzelf hield, raad moest geven. Er viel genoeg te bepraten over Gloria's rooster, de wandelingen die Thea elke dag maakte, wat er 's ochtends, 's middags en 's avonds gegeten moest worden, en de periodieke boodschappen die gedaan moesten worden.

'Zeg schatje, ik vroeg me af waar je auto eigenlijk is.'

'Nog in Crouch End.'

'Rijdt ie nog wel goed? Waarom ben je niet met de auto gekomen?'

'Hij rijdt prima. Ik ben niet met de auto gekomen omdat ik niet wist dat ik hierheen zou gaan tot ik in een taxi voor Alice' huis stond. En ik was daar niet met mijn auto heen gegaan omdat alleen bewoners een parkeervergunning krijgen en alle andere auto's er maar maximaal twee uur mogen staan.'

'Stel je voor: moeten betalen om voor je eigen huis te mogen staan!'

'Idioot, hè? Twintig penny voor vijf minuten.'

'Lieve hemel. Nou, als je wilt, mag je in mijn Micra rijden.'

'Dank je, mam. Zal ik naar Chippenham gaan om wat dingen te kopen voor het avondeten?'

'Ja, schatje, dat is een goed idee.'

Pas toen ze na een paar dagen bij haar moeder met Alice praatte, merkte Thea hoe groot de genezende kracht was die van dit dorpje uitging. Alice wilde natuurlijk weten hoe het met haar ging, waar ze aan had gedacht, of ze iets van Saul had gehoord, hoelang ze daar nog zou blijven, of ze zich depri of bang of spijtig voelde.

'We gaan namelijk een artikel in *Lush* plaatsen,' zei Alice. 'VIJF MINUTEN VOOR HET VERBODEN TOEGANG-BORD. Daar zit echt iets in; als je een trauma hebt, zoals jij, moet je jezelf twee keer per dag vijf minuten gunnen om je helemaal te buiten te gaan aan allerlei verwante angsten, maar tussen die momenten in moet je je voorstellen dat er een VERBODEN TOEGANG-bord voor dat onderwerp staat.'

Het rare was dat Thea tijdens haar eerste dagen nauwelijks aan Saul had gedacht. Ze was te veel opgegaan in het wandelen over dit pad en dat veld, het bekijken van deze heg of dat beekje, om te piekeren over haar verleden of zich zorgen te maken over de toekomst. Ze was niet één keer gestruikeld, maar ze had geen zin om dat tegen Alice te zeggen. Die zou ongetwijfeld denken dat ze nog in de ontkenningsfase zat en prompt aan het citeren slaan uit een ander artikel. Dus Thea mompelde iets waarderends, maar geheel vrijblijvends, waarna ze Alice eraan herinnerde dat ze belde vanaf haar moeders telefoon en het kort moest houden.

'Maar gaat het wel met je, Thea?' drong Alice aan. 'Ik kan je altijd in het weekend komen opzoeken.'

'Het gaat prima met me,' zei Thea.

'Nou, bel als je struikelt, of sms als je daar bereik hebt,' smeekte Alice. 'Doe je moeder de groeten van me.'

'Zal ik doen. Jij moet ook de groeten van haar hebben. Zeg Mark gedag van me.'

'Dag, liefje. Ik bel je snel weer.'

'Dank je, Alice. Dank je.'

Niet dat het nieuwtje eraf ging, maar hoe beter ze bekend raakte met Wootton Bourne, hoe minder nieuwe details haar opvielen waar ze in op kon gaan. Daardoor konden haar uitgestelde gedachten eindelijk aan de oppervlakte komen. 'Kijk! Een torenvalk!' hoorde ze Saul zeggen zodra ze de vogel zag. En dan maakte ze ineens een gedachtesprong en vroeg ze zich af of er ook parkieten waren in Wiltshire omdat Saul haar had verteld dat er tienduizend waren in Richmond Park en een flink aantal op Hampstead Heath. En dan betreurde ze het plotseling dat ze ze nooit hadden gezien op Hampstead Heath en dat ze nooit naar

Richmond waren gegaan. En nu zouden ze dat ook nooit meer doen. En als ze haar hand in een bepaalde houding hield als ze wandelde, kon ze het gevoel oproepen dat ze had gehad als Saul en zij hand in hand liepen. En als ze het eenpersoonsdekbed tegen haar rug legde, kon ze zich overtuigen van Sauls aanwezigheid vlak voor ze insliep. Maar die fantasieën hadden een precieze en beperkte tijdsduur. Als je moest toegeven dat je alleen aan het wandelen was, of dat je alleen wakker werd in een eenpersoonsbed, was de eenzaamheid groot. Het frustreerde Thea dat ze soms intens kon verlangen naar de aanwezigheid van degene die ze eigenlijk nooit meer wilde zien. Het was bizar om niet te weten waar hij was of waar hij op dat moment mee bezig was, maar om wel te weten dat ze gescheiden levens leidden. Parallelle levens voor Saul en Thea? Zodat ze niet nog lang en gelukkig leven? Dat kan niet waar zijn. Geen verstrengeling? Niet twee is één? Nee. Twee verschillende lichamen, twee gescheiden zielen, twee afzonderlijke levens om te leven.

'Ik mis je, Saul,' durfde Thea hardop te zeggen in de afzondering van een groepje beuken, waar ze huilend tegen de stammen leunde. Ze wist dat het niet zozeer louterend was als wel gevaarlijk eenzaam om te huilen waar niemand haar kon horen. Ze probeerde aan Alice' VERBODEN TOEGANG-bordjes te denken terwijl ze in een flink tempo in haar eentje over het wandelpad de Ridgeway liep. Ze putte troost uit het feit dat ze langs dit oude pad liep en voorzichtig haar weg zocht over de krijtachtige voren, terwijl ze zichzelf voor de gek hield door net te doen alsof ze vreselijk veel belangstelling had voor de oude geschiedenis van het land. Als ze bleef lopen en kijken en observeren en neuriën, kon ze er niet bij stilstaan dat Saul en zij nooit samen over de Ridgeway hadden gelopen. Toch merkte ze dat ze de vingers van haar rechterhand zo hield dat het makkelijk was om zich voor te stellen dat die van Saul verstrengeld waren met de hare. Zijn stem klonk heel duidelijk in haar hoofd. Zijn aanwezigheid was haast voelbaar. Hij is hier. Naast me. Kijk, Saul, een torenvalk!

Ik ben alleen.

Ik ben in mijn eentje.

Ik ben in een of andere uithoek.

Ik weet niet waar ik heen ga.
O Saul, o Saul. Wat is er met ons gebeurd?

Het baarde Gloria zorgen dat Thea zichtbaar bleker werd, ondanks de lange wandelingen die ze in de omgeving maakte. Ze wist dat het niet door blaren of pijnlijke spieren kwam dat Thea zo langzaam naar huis liep nadat ze vier uur over de Ridgeway had gelopen, maar door de loden last van de zorgen die ze met zich meetorste. Het deed haar pijn om te zien dat Thea haar verdriet probeerde te verbloemen; ze schaamde zich dat ze erin was geslaagd om niet te hoeven zeggen: 'Schatje, vertel me wat er met Saul is gebeurd en waarom je er zo breekbaar uitziet en je een maand geen huis hebt' – en dat was alleen gelukt door hun gesprekken luchtig te houden en vrolijk te doen. Hun relatie bestond uit leuke telefoongesprekjes en drie bezoekjes per jaar, en die wilde Gloria niet in de waagschaal stellen. En al drong ze aan, haar dochter zou haar waarschijnlijk toch niet in vertrouwen nemen.

'Gaat het wel, Thea? Je ziet een beetje pips.'

'Vast een verkoudheidje of zo.'

'Ga maar even zitten. Dan zet ik een lekker kopje thee voor je. We zijn vanavond uitgenodigd bij de Craig-Stewarts. Voor een borrel en hapjes. Ik heb al ja gezegd. Gezellig, hè?'

Thea bleef het als haar plicht beschouwen om haar verdriet en verwarring voor zichzelf te houden tot ze alleen thuis was. In haar moeders logeerkamer liet ze zich op de grond vallen, drukte haar voorhoofd tegen haar knieën en huilde tranen met tuiten.

De borrelavondjes met hapjes van de Craig-Stewarts waren erg populair in hun grote kennissenkring. De term 'hapjes' deed geen recht aan het uitgebreide buffet met allerhande lekkernijen dat klaarstond. Hun prachtige landhuis lag aan de rand van het idyllische, beschermde dorpje Lacock. Het geluidsniveau van het beschaafde gebabbel paste precies bij de deftige, maar toch ook gerieflijke inrichting. De Craig-Stewarts zelf waren geoefend, innemend gastheer en -vrouw, oprecht geïnteresseerd in al hun gasten en altijd opgewekt. Niet dat ze mensen wilden imponeren, maar ze wilden gewoon al hun vrienden thuis ontvangen. Het overvloedige eten en de drank die rijkelijk vloeide, waren meer tekenen van hun dankbaarheid dan van hun rijkdom.

Thea toverde een glimlach op haar gezicht en deed net alsof haar niet-bestaande eetlust werd gestild door een taartje van filodeeg. Elke keer als mevrouw Craig-Stewart langs zweefde, nam Thea hapjes, dronk ze wat en lachte ze veel. Was ze maar niet gekomen. Deze vriendelijke, aardige, gelukkige zielen. Ze was minstens twintig jaar jonger dan de rest van de gasten. Als ik later groot ben, wil ik mevrouw Craig-Stewart worden. Voor iemand als Thea, wier hart zo verscheurd was, was het heel vreemd om omringd te zijn door zulke vrolijkheid, zulke perfecte huiselijkheid en de tekenen van zo'n lang en gelukkig huwelijk. Ze probeerde gesprekken te ontlopen en veinsde in plaats daarvan een grote belangstelling voor de verzameling portretten van minzame voorouders en de ingelijste foto's van kortharige retrievers, springer spaniels en goede paarden op de bijzettafeltjes, schoorsteenmantels en vensterbanken.

'Het was een schatje, onze Maisie, een echte schat,' zei mevrouw Craig-Stewart, die plotseling naast Thea stond en met betraande ogen naar de foto van een hond keek. 'Die daar, Chip, dat was een boef! Een sterke persoonlijkheid, maar wat een ondeugd! Hou je van honden? En van paarden? Kom, dan zal ik je de foto van Max en Poppy laten zien.'

Beleefd liet Thea zich aan haar elleboog meenemen en ze bereidde zich erop voor om iets aardigs te moeten zeggen over een foto van twee labradors of twee volbloeden. In plaats daarvan zag ze de trouwfoto van Poppy Craig-Stewart. Van afgelopen zomer. Drie jaar jonger dan Thea. Vol aanbidding keek ze op naar haar kersverse elegante echtgenoot. Wat een prachtige jurk. Wat een knap stel. Wat een mooie dag. Wat een gelukkig huwelijk. Was zij Poppy Craig-Stewart maar. Hoewel Thea mevrouw Craig-Stewart graag wilde feliciteren en ze haar wilde vertellen hoe mooi haar dochter eruitzag, hoe aantrekkelijk haar schoonzoon was, greep ze haar gastvrouw ineens stevig beet en begon ze hartverscheurend te huilen.

'Wat moet ik doen wat moet ik doen wat moet ik doen?' huilde ze. Ook mevrouw Craig-Stewart wist even niet wat ze moest doen.

'Ik zal je moeder zoeken, dát ga ik doen,' zei ze troostend tegen Thea. Door haar ene wenkbrauw subtiel een stukje op te trekken bracht ze haar echtgenoot op de hoogte van de plannen.

'Thea, schatje.' Gloria was net zo geschrokken van de opschudding als van haar dochters verdriet. 'Jeetje. Thea. O, lieve help.'

'Wat moet ik doen, mam?' Thea begon te hyperventileren.

'Ik neem je mee naar huis,' zei Gloria vastberaden, met een verontschuldigende blik naar haar kennissen, die bezorgd toekeken.

De autorit van een kwartier zorgde ervoor dat Thea's gehuil was verminderd, maar het had haar zo uitgeput dat ze maar net in haar eentje naar boven kon komen. Toen Gloria even later een beker warme chocolademelk kwam brengen, was haar dochter diep in slaap. Ze dronk de chocolademelk zelf op en voelde zich een tikkeltje schuldig vanwege de opluchting dat ze haar dochter op dat moment niet van advies hoefde te dienen.

'Gaat het, schatje?' vroeg Gloria de volgende ochtend tijdens het ontbijt.

'Ja hoor, mam,' antwoordde Thea.

'Vanavond komt de patatkraam naar Wootton St. Michael,' zei Gloria. 'Heb je zin om dan *fish and chips* te eten?'

'Misschien wel.'

'Jeetje, ik moet opschieten. Het wordt weer een drukke dag! Tot straks, liefje. Halverwege de middag kom ik even thuis en dan om zes uur voor een gin-tonic.'

'Dag, mam,' zei Thea. Toen haar moeder was vertrokken, vroeg Thea zich af of ze de puf had om van de keukentafel naar de bank te lopen voor een portie geestdodende ochtendprogramma's. Kennelijk niet. Dan moest ze maar blijven zitten waar ze zat en zich erop concentreren patronen te ontdekken in de rieten placemats.

Gloria toerde langs de plattelandsweggetjes en deed haar best het lekkere weer en de schoonheid van het landschap hardop te prijzen. Daarna ging ze naar de bibliotheek om de al bestelde boeken voor de oude, maar nog altijd geduchte mevrouw Fredericks te halen en die vervolgens bij haar langs te brengen. Daarna reed ze naar haar vriendin Elizabeth om koffie te drinken.

'Is alles goed met je dochter?' vroeg Elizabeth. 'Het arme schaap.'

'O, vanochtend was alles weer prima,' verzekerde Gloria haar. 'Een nacht lekker slapen was precies wat ze nodig had.'

Vervolgens ging Gloria naar Margaret voor een al lang geleden gemaakte afspraak. Ze zouden het ontwerp bespreken voor de hangende potplanten op de zomerbazaar van de school waar ze allebei in het bestuur zaten. Op weg daarheen moest ze Sylvia ophalen en tanken. Meeneuriënd met een klassieke radiozender reed Gloria lekker over de weg, tot ze plotseling op een parkeerplaats stopte. Of eigenlijk was het helemaal geen parkeerplaats; het was een hobbelig stuk terrein voor de doorploegde oprit naar een boerderij. Maar Gloria kon er parkeren en de motor uitzetten. Er schoten allerlei gedachten door haar hoofd terwijl uit de radio Beethovens *Pastorale* klonk. Ze hoefde niet lang na te denken over wat ze moest doen. Ze startte de motor weer en reed de andere kant op zonder zelfs maar een blik in de richting van Sylvia's huis te werpen, zonder ook maar een seconde te denken aan de afspraken die waren bevestigd en in zwarte inkt waren geschreven.

'Thea?' zegt Gloria. Zachtjes trekt ze de deur achter zich dicht. 'Schatje?'

Haar dochter zit nog altijd aan de keukentafel en prikt met een vork in de gaatjes van een rieten placemat.

'Thea?' Gloria gaat zitten en schuift haar stoel dicht naar haar dochter. 'Schatje?'

Ze legt haar hand op die van haar dochter en net als Thea zich verstrooid afvraagt hoeveel seconden het zal duren voor het leeftijdsonthullende stukje huid op de achterkant van haar moeders hand weer plat ligt, merkt ze plotseling dat ze tranen met tuiten huilt.

'O, arme schat,' fluistert Gloria. 'Stakker.'

'Wat moet ik doen?' vraagt Thea hees.

'Ik weet het niet,' bekent Gloria, aangezien ze niet weet wat er is gebeurd.

'Liefde hoort niet mis te gaan,' protesteert Thea. 'Zeker niet als het ware liefde is.'

Gloria slaakt een zucht. 'Dat zou je wel denken,' zegt ze. 'Maar geloof me, hoe goed we ook denken te zijn in verliefd-zijn, wij maken de regels niet, en daardoor hebben we ze ook niet in de hand.'

'Hij is me ontrouw geweest,' fluistert Thea. 'Saul.'

Gloria is onmiddellijk kwaad dat de geschiedenis zich herhaalt. 'O, Thea, heeft hij je verlaten voor een andere vrouw? Net toen jullie wilden gaan samenwonen? Wat walgelijk. Echt walgelijk.'

'Nee! Ik ben bij hem weggegaan. Ik wil hem niet meer.'

Gloria zwijgt even. 'Maar wil hij jou nog wel?'

Die vraag is Thea nog niet eerder gesteld. Ze knikt en haalt haar schouders op.

'Maar hou je nog van hem?'

Weer haalt ze haar schouders op, maar ze ontdekt dat ze haar hoofd niet kan schudden of kan knikken.

'Maar, schatje!' protesteert Gloria, alsof dit niets anders is dan een jammerlijke storm in een glas water. 'Vergeef hem, neem hem terug en vergeet het. Toe, het leven is te kort en de liefde is te waardevol. Jeetje.'

'Nee!'

'Maar hij heeft je niet voor een ander verlaten,' zegt Gloria. 'En hij houdt nog van je en hij wil bij je zijn!'

'Je begrijpt het niet,' werpt Thea tegen.

'O, ik begrijp het heel goed, schat,' zegt Gloria somber. 'Je vader heeft mij verlaten. Hij hield niet langer van me. Het deed er niet toe hoeveel ik nog van hem hield, dat was niets meer waard. Het was niet zo dat hij met een ander had geflirt en daar vervolgens spijt van had, maar hij hield oprecht van een andere vrouw.'

'Wil je soms beweren dat dat erger is dan Saul die achter mijn rug om met andere vrouwen neukte?' Thea weet net te voorkomen dat ze er 'en ervoor betaalde' aan toevoegde. Voor haar is dat veel kwetsender dan hardop 'neukte' te zeggen in haar moeders bijzijn. In werkelijkheid schaamt Thea zich diep voor Sauls overspel, maar dat kan ze alleen ooit tegen Alice zeggen, en zelfs dan zal ze nog bepaalde details verzwijgen. Waarom kon Saul niet gewoon een verhouding hebben gehad? Dat misdrijf was toch veel normaler, veel makkelijker om overheen te komen?

Blijkbaar is haar moeder het daar totaal niet mee eens. 'Dat is precies wat ik bedoel. Je moet niet vergeten dat mannen seks nou eenmaal als iets puur fysieks kunnen zien. Hij houdt nog altijd van je,' verklaart ze onverzettelijk. Op die manier waarschuwt ze Thea dat ze het geluk en de voorspoed die haar zijn onthouden niet moet ontkennen. 'Nog niet zo lang geleden stonden de vrouwen hun echtgenoten toe om naar prostituees te gaan!' Met een ruk kijkt Thea op en ze ziet Gloria laatdunkend met haar hand zwaaien. 'Neem Frankrijk – die Franse mannen hebben allemaal een maîtresse. En ik zal maar zwijgen over onze koninklijke familie. Denk eens aan die kleurrijke stammen in Afrika, of aan de mormoons in Amerika – die hebben allemaal talloze vrouwen. Onder één dak!'

Opeens houdt Thea van haar moeder en van haar logische meervoud van mormoon. Ze heeft geen zin om haar het hele verhaal te vertellen. Niet alleen omdat ze zich schaamt voor de naakte waarheid, maar ook omdat ze haar moeder niet al te veel van streek wil maken. Als Gloria het niet hoeft te weten, hoeft Thea het niet opnieuw hardop te zeggen.

'Schatje,' onderbreekt Gloria haar gedachten, 'als Saul een domme man is geweest, maar je om vergeving smeekt, je zijn hart schenkt, zijn verontschuldigingen aanbiedt en zegt dat hij met jou verder wil, smoor dat dan alsjeblieft niet in de kiem en wijs hem zeker niet af. Als wat hij heeft gedaan niets te maken heeft met zijn gevoelens voor jou, trek je er dan alsjeblieft niks van aan. Anders is het allemaal een enorme verspilling.'

'Maar ik kan het niet vergeten,' zegt Thea.

'Natuurlijk wel – mettertijd. Het is het waard,' beweert Gloria. 'Je weet toch dat je er niet voor kunt zorgen dat iemand van je gaat houden? Daarom moet je accepteren dat jij een geluksvogel bent. Ik hield van je vader, maar hij hield niet van mij. Het is veel moeilijker voor mij om te accepteren dat zijn hart, zijn ziel en zijn diepste emotionele wezen toebehoorden aan een andere vrouw in plaats van aan mij. Had hij maar alleen seks gehad met andere vrouwen en was hij maar thuisgekomen bij mij zonder dat zijn emotionele trouw was geschonden. In plaats daarvan werd ik verlaten door de man met wie ik oud had willen worden, de vader van mijn kinderen, omdat hij niet langer verliefd was op mij, maar op iemand anders.'

'Maar mijn vertrouwen is weg,' zegt Thea. 'En mijn droom.'

'Nou, als er iemand is die je kan helpen dat weer te vinden, is het wel de man die van je houdt,' zegt Gloria nadrukkelijk. 'Je moet je toekomstige geluk niet in de waagschaal stellen vanwege een schijnheilig vasthouden aan onrealistische verwachtingen van een grote, romantische liefde,' zegt haar moeder bijna verwijtend. 'Tjonge, je bent zo'n moraalridder dat je bijna preuts bent, schatje.'

'Je begrijpt het niet,' zegt Thea smekend.

'O, ik begrijp het prima,' beweert haar moeder ongeduldig. Ze pakt een pen en streept korzelig de niet-nagekomen afspraken door die duidelijk op haar kalender stonden geschreven. 'Jíj begrijpt het niet. Had je vader maar gedaan wat Saul heeft gedaan. Dan zou ik nu niet al bijna twintig jaar alleen zijn, verdomme nog aan toe.'

Gloria wist niet zeker of het wel slim was om dat weekend weg te gaan, maar het reisje naar Bournemouth was maanden geleden al gepland. Het was maar voor twee nachten en Thea had gezegd dat Alice misschien zou komen. Daarom vertrouwde Gloria haar dochter de Micra en de hangplanten toe en ging ze op pad met Lorna en Marion.

Hoewel Alice wel min of meer had verwacht dat Thea zou bellen om hun afspraak af te zeggen, was ze toen ze in een taxi stapte om naar Paddington Station te gaan aangenaam verrast dat ze nog niks van haar had gehoord. Helaas ging haar telefoon toen de taxi al hobbelend over de verkeersdrempels in Maida Vale reed. Het was Thea. Shit. Gun haar het voordeel van de twijfel.

'Alice?'

'Ga je me afwimpelen, juffrouw Luckmore?'

'Ja.'

'Thea, ik zit verdomme al in de taxi! Ik heb eersteklas kaartjes gekocht.'

'Ik betaal je wel terug.'

'Daar gaat het niet om, gekkie. Waarom zeg je het af? Het is niet goed als je te veel in je eentje zit te treuren. Je hebt het je moeder beloofd, je hebt het mij beloofd.'

'Ik... nou, kijk... Als je het echt wilt weten: ik heb Saul gebeld. Alice? Hallo? Waarom? Omdat ik hem moet zien. Dus hij komt.'

'Thea, wacht even... Sorry, kunt u de taxi even stilzetten... Thea? Hé, zeg eens iets. Wat ga je doen? Wanneer heb je dit geregeld? Weet je het wel zeker?'

'Nee, ik weet het niet zeker. Maar ik moet hem zien.'

'Goed, maar bel me, oké? Als het misgaat. Eersteklas treinkaartjes blijven geldig.'

'Goed. Het spijt me dat ik zo grillig doe. Het spijt me van de taxi. Maar het kwam ineens in me op.'

'Maak je niet druk,' zei Alice. Ondertussen vroeg ze zich af of ze toch op de trein moest stappen en zich in de buurt moest verstoppen, voor het geval ze nodig was.

Saul kon zich nergens op concentreren: niet op zijn krant, het uitzicht uit zijn raampje, zijn medepassagiers, zijn smerige koffie of de vele gedachten die door zijn hoofd spookten. Het leek erop dat het bloed in zijn aderen was vervangen door adrenaline en dat golfde door zijn lichaam, waardoor hij zich licht in het hoofd en hol voelde. Hij zweette al zijn vocht uit, waardoor hij uitgedroogd en misselijk werd, maar hij was veel te opgewonden om iets te drinken. De afgelopen weken had hij niet geweten waar ze was. Hij had haar niet meer gesms't. Hij had alle hoop opgegeven en zijn appartement uit de verkoop gehaald. Toen er die ochtend werd gebeld en er een nummer uit de provincie verscheen, had hij aangenomen dat het een freelancer was.

'Met Saul Mundy.'

'Met Thea.'

'Thea? Jezus.'

'Saul, kunnen we praten? Wil jij naar Avon komen?'

'Avon?'

'Ik ben al een poosje bij mijn moeder.'

'Bij je moeder?'

'Ze is een weekendje weg.'

Een weekend met Thea?

Saul wist niet of hij zich optimistisch en opgewonden voelde, of bezorgd en pessimistisch. Hij had al de bons gekregen, dus ze kon hem moeilijk ontbieden om hem opnieuw te dumpen. Daarom leek het hem positief dat ze had gevraagd of hij naar haar toe wilde komen, maar hij durfde nog niet al te veel hoop te hebben. Hij pakte langzaam in, met de bedoeling aan het begin van de avond een trein te nemen, om te voorkomen dat hij zich moest haasten, tijdens het spitsuur moest reizen of het volle pond moest betalen voor een kaartje. Misschien had ze genoeg tijd en ruimte gehad om na te denken en het te accepteren. Misschien was het nog niet te laat om de koop van het appartement nieuw leven in te blazen. Uit praktische overwegingen, zo hield Saul zichzelf voor, had hij ook de gegevens van de makelaar meegenomen vlak voor hij de deur uit ging. Hij verheugde zich erop om naar Thea te gaan, naar haar te kunnen kijken, bij haar te zijn, wat er ook mocht gebeuren.

Toen hij bij Paddington kwam en een plaatsje in de trein van zeven uur had gevonden, begon zijn hart onwillekeurig sneller te kloppen, hoewel zijn verstand zei dat hij niet te hard van stapel moest lopen. Maar hoe verder de trein hem van Londen vandaan bracht, hoe ongeruster hij werd; hij kreeg een onheilspellend gevoel en golven van pessimisme vermengden zich bijtend met de adrenaline. Laat haar maar praten. Laat haar gewoon geen tweede keer gaan. Vertel haar niet dat jij weet dat zij het weet. Richt je op de toekomst en omzeil het verleden. Overredingskracht, de kracht van de liefde. Wat zou hij in godsnaam voelen als hij haar weer zag? Wat zou ze zeggen? Wat kon hij zeggen? Wat verwachtte ze dat hij zou zeggen?

Toen het moment daar was en ze elkaar voor het station van Chippenham ontmoetten, kon Saul zijn ogen niet van Thea afhouden, en kon Thea hem niet aankijken. Het leek alsof hij alle details die hem in de afgelopen weken waren onthouden wilde opzuigen, maar zij kon alleen achteruitdeinzen voor de verpersoonlijking van al haar hartzeer die nu voor haar neus stond. Tijdens de rit naar haar moeders huis wist Saul niet of hij Thea's voorbeeld moest volgen en alleen iets moest zeggen als hem iets werd gevraagd, de stiltes moest vullen met luchtig gebabbel, of dat hij moest proberen om het ijs te breken door haar ronduit zijn liefde te verklaren. Maar het bleek in deze geladen sfeer onmogelijk zichzelf te zijn.

Hij hoorde zichzelf tot in de kleinste details vertellen over artikelen die hij had geschreven en artikelen die hij had gelezen. Hij klonk als een saaie pief, en ondanks zijn vrolijke gezicht voelde hij zich gedeprimeerd. Hij kende Avon niet. Hij was maar een paar keer op bezoek geweest bij Thea's moeder. Hij voelde dat het noodlot om de hoek op de loer lag. Op Thea's gezicht stond niets te lezen, dus Saul had geen flauw idee of zijn toekomst goed of slecht zou uitpakken. Wat hij wel wist, was dat hij die niet in eigen hand had. Hij voelde zich nerveus, een emotie die hem verder onbekend was.

'Jij slaapt hier,' zei Thea beleefd. Ze liet hem de logeerkamer zien, waar keurig opgevouwen handdoeken op de rand van het bed lagen.

'Dank je,' zei hij. 'Ik zal mijn spullen even opbergen.'

'Wil je nog wat eten?'

'Het is een beetje laat,' zei Saul. 'En ik heb niet zo veel honger.'

'Een kop thee?'

'Goed hoor.' Wat was dit? Een bed and breakfast?

Ze dronken hun thee en vermeden oogcontact. Ze keken naar het nieuws van tien uur zonder commentaar te leveren. Ze deden net alsof het weerbericht ontzettend interessant was.

'Thea...'

'Saul, ik ben moe. Laten we maar gaan slapen.'

'Goed. Ik begrijp het.'

'Heb je alles wat je nodig hebt?'

Wat een ongelooflijk beladen vraag, maar Saul wist dat Thea te moe en te gespannen was om een snedige opmerking te kunnen waarderen. 'Ik heb alles,' zei hij. 'Tot morgenochtend. Slaap lekker.'

Ze gingen elk naar hun eigen bed en sliepen slecht. De tastbaarheid van hun fysieke nabijheid was ergerlijk. Hoe eenvoudig zou het zijn om van de ene kamer naar de andere te sluipen, om van eenzaamheid naar saamhorigheid te gaan? Wat tragisch dat die tocht op dit moment onmogelijk was door de kloof die tussen hen gaapte.

'Heb je goed geslapen?' vroeg Thea de volgende ochtend een beetje verlegen aan Saul.

'Niet zo,' gaf Saul vermoeid toe. Hij was half in de verleiding om direct ter zake te komen, zodat er een eind kwam aan deze onzekerheid. Wachten was niks voor hem, evenmin als zenuwachtig zijn of de touwtjes niet in handen hebben.

'Zullen we dan gaan wandelen?' vroeg Thea. 'We kunnen langs de Ridgeway lopen.'

'Mij best,' zei Saul.

Thea wilde dat Saul het initiatief nam en haar hand vastpakte. Maar vandaag leek hij afstandelijk en een beetje voorzichtig, dus zorgde ze ervoor dat ze een of twee keer tegen hem op botste en dat haar hand dicht bij de zijne belandde. Hoewel Saul Thea's hand natuurlijk heel graag wilde vasthouden, wilde hij niet dat ze hem zou losrukken, dus leek het beter om hem maar niet te pakken. Daardoor was het aan Thea, maar ook zij kon zich er niet toe zetten.

'Hoor je dat?' vroeg Saul plotseling opgewekt.

'Wat?'

'Luister. Daar. Dat miew-mieuw! Klaaglijk geroep. Waar is het? Daar. Kijk, Thea! Buizerd!' Met Sauls arm die uitgestrekt over haar schouder wees, langs haar wang, zag Thea de buizerd rondjes vliegen, zo dichtbij dat ze het patroon van de donkere vlekken en de lichtbruine spikkels op de onderkant van zijn vleugels duidelijk kon zien. Zijn er ook buizerds op Hampstead Heath of in Richmond Park, Saul? Is dit onze enige kans er een te zien? Niet in staat zich te beheersen, boog Thea haar hoofd een stukje, zodat ze met haar wang tegen Sauls arm leunde terwijl ze naar de vogel keek. Ze voelde dat hij naar haar keek. Als ze niet wist wat ze wist, als ze niet had gezien wat ze had gezien, zou dit allemaal perfect zijn. Op dat moment kon ze even doen of het perfect was, kon ze vergeten wat er was gebeurd. Heel teder zoende Saul haar slaap; ze draaide zich naar hem toe en nestelde zich in zijn omhelzing. Ze klampte zich aan hem vast, haar ogen gesloten, haar gezicht tegen zijn borst gedrukt. Als ze zich nu niet losmaakte, zou ze daar nooit meer toe in staat zijn, wist ze. Ze moest zich van hem losmaken zonder hem van zich af te duwen. Toen ze dat deed, zag ze dat de buizerd vlakbij op een paal zat. Kijk, Saul, kijk.

'*My heart in hiding stirred for a bird*,' zei hij tegen haar, '*the achieve of, the mastery of the thing*.'

'Laat me raden, dat heb je van internet gehaald.' Thea merkte dat ze hem kon plagen.

'Het is van Gerald Manley Hopkins,' protesteerde Saul. 'Grappig, hoeveel je je nog kunt herinneren van je eindexamen Engels.'

In een ongemakkelijke stilte liepen ze weer verder. Thea probeerde zich ook citaten van haar eindexamen Engels te herinneren en Saul vroeg zich af of hij de tekens juist interpreteerde en hij haar hand kon vasthouden. Hij probeerde het. Eerst verzette ze zich niet.

'Laten we naar de Polly Tearooms in Marlborough gaan,' zei Thea. Ineens merkte ze dat haar schouder jeukte, waar ze allebei haar handen voor nodig had. 'Al kan het er wel vol toeristen zitten.'

'Dan moeten we ons beste Amerikaanse accent maar van stal halen.' Saul pakte haar hand weer toen ze terugliepen naar de auto.

Eenmaal in Marlborough was dat precies wat ze deden. Tijdens de lange wachttijd tot er een tafeltje vrijkwam zeiden ze dingen als: 'Goh moppie, ik lust wel wat', en: 'Wat een enig stadje is dit.' Thea slaagde er maar ternauwernood in niet te giechelen. Saul voelde zich gesterkt. Het vrolijkte Thea op, en het beangstigde haar hoe makkelijk ze verviel in haar oude, moeiteloze manier van omgaan met deze man.

Het liefst zou Saul zich terughaasten naar het huis om met Thea naar bed te gaan. Niet dat hij nou zo geil was – want de supergrote scones met enorme toefen dikke room werkten dat niet in de hand – maar hij verlangde ernaar de kracht van zijn liefde met een kalme intimiteit te bewijzen. Hij wilde alleen naast haar liggen, en haar met zijn aanraking en blik alles duidelijk te maken. Helaas waren Thea's handen buiten zijn bereik, aangezien die keurig op tien voor twee op haar moeders stuur lagen. Thea die het tempo bepaalde. Thea die tijd rekte. Thea die op de rem trapte. Pas toen ze terug waren in Wootton Bourne besefte Saul dat hij degene was die de sleutel bezat.

'Ik moet maar even opruimen en wat zuigen.'

'Het huis is brandschoon, Thea.'

'Ik moet mams hangplanten water geven.'
'Niet als de zon erop staat. Dan verbranden ze.'
'Nou, in dat geval ga ik een uurtje de kranten lezen tot de zon weg is.'
'Nee. We moeten echt praten, Thea. Praat.'

Met een frons schudde Thea haar hoofd. Ze voelde zich in de val zitten. Opruimen. Zuigen. De tuin sproeien. De krant lezen. Een rustig uurtje. Wees stil. Ze keek naar Saul, die zijn hand naar haar had uitgestoken. Met een ruk wendde ze zich van hem af.
'Thea, we kunnen er niet zomaar mee ophouden. Het is veel te fijn, we moeten toch een oplossing kunnen vinden?' Saul stond vlak achter haar. 'Ons leven stond helemaal op de rails, onze toekomst stond vast. Het was geweldig.'
'Het was het mooiste wat me ooit is overkomen,' zei Thea schor.
'Laat het je dan niet ontglippen,' zei Saul heel rustig, alsof hij het tegen een dwaas had.
'Dat kun jij makkelijk zeggen!' blafte Thea, en ze haastte zich door de openslaande deuren haar moeders tuin in. Saul volgde haar. 'Donder op en laat me met rust,' beet ze hem toe.
'Ja, sorry hoor, maar jij hebt me uitgenodigd,' zei Saul. 'Waarom heb je dat gedaan, Thea? Waarom heb je me ontboden?'
Daar wist ze geen antwoord op en ze had geen zin om te zeggen: 'Ik weet het niet.'
'We kunnen dit oplossen,' zei Saul. 'Dat moet gewoon. We waren het sterkste paar dat ik kende. Anderen waren jaloers op ons. We hadden alles.'
'Ik hield genoeg van je om de rest van mijn leven met je te willen delen,' zei Thea treurig, 'en nu zie ik een onzekere tijd in mijn eentje tegemoet. En ik ben verdomme al bijna vierendertig. Eigenlijk hoor ik gesetteld te zijn.' Boos schopte ze naar haar moeders balsemienen.
'Godsamme, Thea. Je beantwoordt al je eigen vragen en twijfels. Dat is precies wat we zijn en waarom we moeten proberen eruit te komen. We zijn te oud voor al dit melodramatische gedoe en voor alle genotzucht van toen we twintigers waren. Misschien is het te laat om uit elkaar te gaan. Langdurige conflicten zijn tijdverspil-

ling. Laten we doorgaan met ons leven. Laten we dit afsluiten. Eruit komen. Laten we verdergaan met volwassen worden en oud worden.'

'Ik wil niet met jou oud worden.' Thea stampvoette.

'Waarom niet?' vroeg Saul. 'Waarom niet, Thea? Wat heb ik gedaan?'

Zijn woorden hingen in de lucht als wasgoed aan een lijn. Hij had het haar ronduit gevraagd, hij had zichzelf op het spel gezet. Hij hing zijn vuile was buiten, zodat zij die eventueel kon afhalen en kwaad naar hem teruggooien. Hij gaf zijn ziel bloot. Dit is je kans, Thea. Beledig hem, beschuldig hem, zorg ervoor dat hij zich schaamt, scheld hem uit, luister naar hem, vergeef hem.

'Ik heb er nooit aan getwijfeld. Ik heb nooit aan jou getwijfeld,' zei ze bot. 'Maar nu doe ik dat wel en is het voorbij. Dat is het einde van ons sprookje. We leefden níét nog lang en gelukkig. Einde. Leer ermee leven.'

'Wat zeg je een vreselijke dingen.' Saul fronste.

'Jij bent vreselijk!' schreeuwde Thea, en ze rende door het huis heen de voordeur uit.

Thea beende door de ribben van Wootton Bourne. In het begin liep ze heel snel en mompelde ze binnensmonds verwensingen, maar algauw zakte haar tempo en dacht ze na over wat er was gezegd. Saul had volkomen gelijk. Ze waren een geweldig stel, ze hadden de leeftijd bereikt waarop zo'n sterke band gewaardeerd hoorde te worden, voor altijd gekoesterd. Maar ze wist ook dat ze die niet zomaar weggooide, zoals ze net zomaar die woedeaanval had gehad. In de voorbije weken had Thea, dankzij Kiki, Richard Stonehill, Alice, dankzij haar eigen ellende, dankzij een grote behoefte om de waarheid onder ogen te zien, geleidelijk geaccepteerd dat Sauls mening over wat moreel aanvaardbaar was volledig in strijd was met haar eigen diep aanbeden normen en waarden. Ze was tevreden dat ze haar eigen beperkingen had aanvaard, evenals de beperkingen die ze aan Saul toeschreef. Uiteindelijk ging het niet zozeer om het feit dat ze wist waar Saul toe in staat was als wel om het feit dat ze wist waar zij niet toe in staat was: onvoorwaardelijke liefde. Ik kan het niet. Zo grootmoedig, ruimdenkend of makkelijk ben ik niet. Vroeger dacht ik dat verliefd zijn genoeg was, maar nu weet ik dat dat niet zo is. Er moet meer zijn dan de liefde alleen.

Ze wist heel goed waar zij in geloofde en wat ze nodig had en ze wist zeker dat morele verenigbaarheid voor haar een keiharde eis was.

Ze keek achterom. Daar was niemand. Eigenlijk had ze verwacht dat hij haar achterna zou komen. Had hij zijn spullen gepakt en was hij vertrokken? Zonder dat ze het over de kern van het probleem hadden gehad? Energiek liep ze terug.

'Alles veranderde,' legt Thea uit. Bij haar terugkomst treft ze Saul uitgeput op de trap aan. 'Het klopte gewoon niet. Ik kon het niet.'

'Waarom heb je me dan helemaal uit Londen laten komen?' verzucht Saul. 'Toch niet om naar vogels te gaan kijken op de Ridgeway?'

Thea wringt haar handen en haalt haar schouders op. Ze probeert hem aan te kijken, maar ze kan het niet.

'Weet je wel dat dit de eerste keer is dat jij en ik ruzie hebben? Daarom is dit allemaal zo dom.'

'Het spijt me, Saul,' fluistert Thea. 'Het ligt niet aan jou, maar aan mij.'

'Ik weet het, Thea,' zegt Saul verslagen. Daar zou hij het bij kunnen laten. Met die woorden zou hij kunnen erkennen dat hij weet dat het aan haar ligt en niet aan hem. Maar dan verandert hij de woorden in een strop waar hij zichzelf net zo goed mee kan ophangen. 'Ik bedoel dat ik het wéét, Thea. Ik weet dat jij het weet.' Hij knikt een keer. Thea kijkt hem schuw aan en haar blik wordt gevangen door de zijne, als een geschrokken hert in de koplampen van een auto. 'Ik weet dat jij het weet,' zegt Saul zacht. Hij vindt het vreselijk dat Thea zo geschrokken, zo bang kijkt. 'Ik weet dat je me hebt gezien. Oké?'

Het is Sauls laatste poging. Hij staat fier rechtop, zijn eerlijkheid een zwaard, en afhankelijk van Thea's reactie zal hij zich erop storten of ermee zwaaien als ware het Excalibur. Saul kijkt toe als ze langzaam ophoudt met vaag in de verte staren, wat ze een aantal gespannen minuten heeft gedaan voor ze weer naar hem kijkt. Hij moet haar blik ontmoeten, zegt hij tegen zichzelf; hij moet er niet door ineenkrimpen.

Als Thea hem eindelijk aankijkt, schrikt hij van de pijn en het verdriet die op haar gezicht te lezen zijn.

Als Thea hem aankijkt, ziet ze alleen Saul. Die goede, oude Saul. Dezelfde Saul. Haar oude Saul. En dan valt haar de grootste, meest tragische ironie op: dat de aanblik van de kern van de onmiskenbare waarheid echt betekent dat alle hoop verloren is.

Het is gewoon Saul die voor haar staat. De waarheid is aan het licht gekomen. Ze moet van hem houden om wat hij is. Maar in werkelijkheid weet ze dat ze dat niet kan. Het is te veel gevraagd. Het compromis dat ze daarvoor moet sluiten is gewoon te groot.

'Het spijt me, schat, het spijt me. Ik weet dat het je pijn heeft gedaan.' Saul is zichtbaar aangedaan door haar lijden. 'Het had niks te betekenen, geloof me alsjeblieft. Alsjeblieft. Het was gewoon de domme jongen in me.'

'Ik wil geen domme jongen,' zegt Thea zacht. 'Ik wil een aardige man.'

'Ik bén een aardige man,' zegt Saul vol overtuiging.

'Aardige mannen doen zoiets niet.'

Saul slaakt een zucht. 'Luister, we kunnen het over de achterliggende psychologie hebben, en over de feiten en statistieken die heel duidelijk aangeven wat aardige mannen wel en niet doen,' zegt hij effen, 'maar daar gaat het nu niet om. Het enige wat ertoe doet, is of jij ook maar een sprankje hoop hebt dat we onze relatie kunnen redden, ondanks dit. Als ik zweer dat het niet meer zal gebeuren – en ik betwijfel of het ooit nog zal gebeuren – met of zonder jou, geloof je me dan? Kun je me vertrouwen? Kun je weer van me houden zoals vroeger? Moeten we naar Relate gaan, of naar een andere relatietherapie?'

'Ik wil niet dat je in het openbaar praat over het feit dat je voor seks betaalt,' protesteert Thea fluisterend. 'Ik ben niet bereid de smerige details aan te horen zodat jij van je schuldgevoel af kunt komen!'

'Thea, ik weet dat je pijn hebt. Ik weet dat ik daar de oorzaak van ben, maar ik weet ook dat ik het tegengif kan zijn,' zegt Saul.

'Nee, dat kun je niet.' Thea's stem slaat over. 'Hoe graag je dat ook wilt – en ik geloof heus wel in je eerlijke en oprechte bedoelingen – je kunt mij geen beter gevoel geven, omdat ik me door jou zo beroerd voel.'

'Dat was niet mijn bedoeling,' zegt Saul ferm.

'Nou, direct of indirect heb je er toch voor gezorgd.'

'Maar ik hou van je, Thea. En dat soort wortels vormen toch de basis voor overleving, voor groei?'

'Zo zou jij het graag zien, Saul,' zegt Thea. 'Jij houdt van me. Jij wilt dat we hieruit komen. Jij wilt me weer een gelukkiger gevoel geven. Jij wilt dat we nog lang en gelukkig leven. Maar ik ben niet sterk genoeg om te vergeven en vergeten. En ik ben niet zoals jij; mijn normen en waarden zijn anders.'

'Daarom is therapie misschien handig,' stelt Saul voor.

'O, flikker op met je therapie,' zegt Thea. 'Je leest te veel tijdschriften. Mijn hart is gebroken, mijn dromen liggen aan duigen, mijn vertrouwen is om zeep geholpen en mijn hoop ligt aan scherven. Er is meer nodig dan een Lieve Lita of wat psychologisch geleuter om het te herstellen.'

'Ik zal mijn hele leven eraan wijden jou weer heel te maken,' verkondigt Saul.

'Maar Saul,' zegt Thea, hoewel ze weet dat dit het laatste kan zijn wat hierover wordt gezegd, 'ik hou niet genoeg van je om je dat te laten doen.' Vol afgrijzen staren ze elkaar aan. 'Het spijt me, maar de zwakte ligt bij mij,' bekent Thea. 'Mijn liefde is niet onvoorwaardelijk. Ik hou niet zo veel van jou als jij van mij. We passen niet bij elkaar. Ik ben een meisje dat altijd heeft geloofd in de prins op het witte paard, in sprookjes, in ouderwetse trouw, in zwanen die levenslang bij elkaar blijven, in suikerzoete monogamie. *Amor vincit omnia*.' Ze zweeg even. 'Maar nu begrijp ik dat liefde niet alles overwint,' zegt ze. 'Niet voor mij. Niet nu.'

Ze vallen tegen elkaar aan in de gang van Gloria Luckmores brandschone huis. Als twee boksers in de vijftiende ronde, onder de blauwe plekken en het bloed. Hun hersens zijn uitgeput door de klappen van hun eerste en laatste ruzie. Niemand heeft gewonnen, ze hebben allebei verloren. Ze zijn allebei niet om aan te zien. Echt, als je ze zag, zou je ontzet terugdeinzen. Maar mettertijd zullen de littekens genezen en langzaam verdwijnen. Vraag Thea daar maar naar.

Vrienden

'HET IS GEK,' ZEI ALICE. ZE GAF THEA HAAR OLIJFPIT OMDAT ZE niet wist waar ze die anders moest laten. 'Ik weet dat dit appartement niet echt van jou is, maar eigenlijk past dit veel beter bij je dan je vorige flat.'

'Dat ben ik met je eens. Grappig, hè?' Voorzichtig spuugde Thea een olijfpit in haar hand, naast die van Alice. 'Ik was bang dat ik de gotische rariteiten zou missen, dat ik mijn Lewis Carroll-momenten nodig had, dat ik de strakke indeling hier saai zou vinden, maar de afgelopen zes weken ben ik er dol op geworden. Het is licht, maar rustig. Het is fijn om een lange gang te hebben, en het gevoel van ruimte. Misschien komt er een appartement twee verdiepingen hoger te koop, even groot als dit, maar aan de andere kant van het gebouw, met een nog mooier uitzicht.'

'Ga je het dan kopen?' Alice stak nog een olijf in haar mond en bedacht razendsnel dat Mark en zij wel financieel konden bijspringen.

'Misschien, als ik het me kan veroorloven.' Thea wist dat de kosten waarschijnlijk geen probleem zouden zijn omdat Alice en Mark haar maar wat graag zouden helpen.

'Dan koop ik een olijfschaal voor je als inwijdingscadeau!' Alice liet nog twee pitten in Thea's hand verdwijnen.

'Wacht even, dan haal ik een schoteltje uit de keuken,' zei Thea.

Alice liep haar achterna. 'Kom je zaterdag bij ons eten?'

Thea veegde haar kruidige, met olie besmeurde handen af aan haar spijkerbroek en keek haar met opgetrokken wenkbrauwen aan. 'O, help. Je wilt me toch niet weer aan iemand koppelen?'

'Ik denk erover mijn haar af te knippen,' zei Alice in een door-

zichtige poging van onderwerp te veranderen.
'Het is nog te vroeg, Alice,' zei Thea eenvoudigweg.
'Ik laat het al vier jaar groeien!' wierp Alice tegen.
'Ik heb het niet over je haar.'
'Dat weet ik,' reageerde Alice met kalme volharding. 'Maar laat mij dit beoordelen. Thea, het was tijden geleden, in de lente, en nu is het zowat herfst.'
'Het wordt over twee dagen pas september! Zo meteen zeg je nog dat je al vijf jaar getrouwd bent.'
'Nou, op een bepaalde manier is dat ook zo.' Alice moest om zichzelf lachen. 'Dit jaar is het drie jaar, dus kan ik inderdaad zeggen dat ik het jaar na volgend jaar vijf jaar getrouwd ben.'
'Toe.' Thea pakte soepstengels en een bakje hummus. 'Ik ben er gewoon nog niet klaar voor. En ik wil het niet meer analyseren. Ik heb geen zin om te bepalen of ik iemand wel leuk vind of nog niet. Ik ben niet in de stemming.'
'Het is Marks neef maar. Onschadelijk. Haast familie.'
'Die Amerikaan?'
'Ja, een van de.'
'Toch niet degene die bij jullie bruiloft was en die me een e-mail heeft gestuurd toen ik net wat met Saul had?'
'Nee,' zei Alice kalm. 'Een andere. Mark heeft er een stuk of zesenzeventig.' Alice zweeg even. 'Heb je nog iets van Saul gehoord?' Eerst had Thea tijden alleen maar over Saul kunnen praten, maar in de afgelopen weken had ze zijn naam niet meer genoemd.
'Nee,' zei Thea effen.
'Wanneer heb je je ring afgedaan?'
'Na het laatste telefoongesprek. Vier of vijf weken geleden.'
'Wat heb je ermee gedaan?'
'Ik heb hem in mijn rommellaatje gelegd.'
'Het is inderdaad een rommeltje.'

Peinzend kauwden ze op dolma's. 'Je kunt trots op me zijn,' zei Thea. 'Ik heb vandaag voor het eerst in tijden de *Observer* weer eens gekocht en ik kon zelfs de column van de Brutale Kerel bekijken zonder tussen de regels door te willen lezen.'
'Hij werkt nog steeds als freelancer voor *Adam*,' bekende Alice.

'Maar ik heb geen direct contact meer met hem en ik heb hem niet meer gezien. Hij stuurt me zijn werk gewoon per mail.'

'Het enige waar ik van droomde, was zijn trouw.' In Thea's ogen verscheen een trieste blik. 'Het is nog steeds doodeng, Alice.'

'Ik weet het.' Alice kneep geruststellend in Thea's been. 'Maar iemand heeft ooit gezegd dat we geen dromen hebben, als we niet de kracht hebben om ze te laten uitkomen.'

'Iemand anders heeft eens gezegd dat liefde een ernstige geestesziekte is,' kaatste Thea terug. 'Ik geloof dat het Plato was.'

'Ja, maar terwijl je wacht op de ware, kun je wel heel veel lol maken met de verkeerden, althans, volgens Cher.'

'Ik denk niet dat Cher en Plato op filosofisch gebied evenveel gewicht in de schaal leggen,' merkte Thea op. 'En bovendien wacht ik op niemand.'

'Nou, Woody Allen is min of meer de Plato van onze tijd en hij beweert dat liefde misschien het antwoord is, maar dat seks interessante vragen oproept terwijl je op het antwoord wacht.'

'Alice, hou eens op met die Amerikaanse citaten voor elke gelegenheid,' zei Thea vermanend. 'Ik ben niet op zoek naar liefde, ik heb geen behoefte aan seks en ik heb nergens vragen over gesteld. Ik ga gewoon door met mijn leven.'

'Nou, kom zaterdag dan bij ons eten,' zei Alice. 'Een vrouw moet immers eten.'

'Waarom praat je ineens met een Amerikaans accent?'

'Ik weet het niet.'

'Je moet beloven dat je me niet gaat koppelen,' zei Thea waarschuwend.

'Op mijn erewoord – bla bla bla.' Alice bedacht dat een leugentje om bestwil nog nooit iemand kwaad had gedaan. 'Kom, dan help ik even de lunchspullen opruimen. En dan moet ik naar huis om Mark te helpen pakken. Die arme jongen moet op een vrije maandag in augustus naar Hongkong vliegen. Ach, in elk geval is hij dit keer maar drie nachten weg.'

In de kleine uurtjes werd Thea met een schok wakker. Ze ging rechtop zitten en haar hart klopte wild bij de logica van het onverwachte idee dat ze net had gehad. Ze keek op de klok. Het was net vier uur geworden. Ze kleedde zich aan en graaide in haar rommellaatje. Daarna verliet ze haar appartement en reed naar Hampstead. Ze bleef een poosje voor Alice' huis zitten en vroeg zich af hoe ze haar het best kon wakker maken. Ze wilde haar medeplichtige, maar die moest wel een goed humeur hebben en niet chagrijnig of geschrokken zijn. Als Thea aanbelde of haar opbelde, zou Alice misschien in paniek raken dat er iets met Mark was gebeurd, die op dit moment onderweg was naar Hongkong. Een uur lang zat ze in de auto en wreef ze over de strik van wit satijn om het Tiffany-doosje. Ze stuurde Alice een sms'je:

AL WAKKR? TXXXXXX

Geen reactie. Ze stuurde er nog een:

WAKKR VOOR EEN BABBELTJE? TXXXXXXXX

Geen antwoord. Ze stuurde er nog een:

AL WAKKR? ZIT IN AUTO VOOR JOUW HUIS... TXXXXX

Thea zag de gordijnen voor Alice' slaapkamer bewegen. Toen werd er een aan de kant getrokken en keek Alice met verwarde haren naar buiten. Thea sprong uit haar auto en zwaaide. De gordijnen gingen weer dicht. Thea liep naar de voordeur.

'Thea, het is godverdomme pas zes uur!' riep Alice. 'Wat is er aan de hand?'

'Het is mijn ring,' zei Thea. 'Ik weet wat ik ermee wil doen, en dat wil ik nu doen. Met jou. Kleed je aan.'

'Doe niet zo stom. Ik ga weer naar bed. Ga jij je idee maar vormgeven in de woonkamer; dan zie ik je over een paar uur wel. Ik heb een vrije dag, ik hoef helemaal niet op te staan.'

'Nee, Alice... nee!' zei Thea. 'Nu! Kleed je aan. Het duurt niet lang. Daarna kun je weer naar bed.'

'O, verdomme.' Sikkeneurig liep Alice weg om te doen wat haar gezegd was.

Thea en Alice rijden naar Primrose Hill. Op een paar slapeloze hondenbezitters na is de heuvel verlaten, of misschien laten de honden elkaar uit.

'Ik kan niet geloven dat je me dit laat doen,' zegt Alice, al voelt ze zich fris en best vrolijk nu ze aangekleed in de koele buitenlucht loopt.

Boven op Primrose Hill, in het ochtendgloren van de nationale feestdag in augustus, gaan Thea en Alice op een van de bankjes met het mooie uitzicht zitten. Alice kijkt naar het spookachtige panorama van Londen. De vuilnisbakken op Primrose Hill hebben dezelfde vorm als Canary Wharf. Alles lijkt een beetje onwezenlijk, vervormd.

Thea doet een fluwelen doosje open. Ze haalt de ring eruit, en legt hem op haar handpalm en geeft hem aan Alice om te inspecteren. Alice pakt hem en bestudeert hem grondig. In stilte leest ze de inscriptie van Yeats en daarna legt ze hem weer in Thea's uitgestoken hand.

'Ik wilde hem niet weggooien,' zegt Thea zacht, en ze lijkt het tegen de ring zelf te hebben. 'Want ik wilde niet doen alsof mijn relatie met Saul niets heeft betekend. Ik wilde hem niet begraven, want dat lijkt zo negatief... haast wraakzuchtig. Maar ik wil de ring ook niet houden. Ik moet er het juiste mee doen. Ik wil hem gewoon laten gaan... Ik wil alles gewoon laten gaan.'

Thea gaat staan en werpt de ring met een keurige zwaai weg, zo hoog als ze kan. Ze draait zich om want ze hoeft niet te zien waar hij neerkomt; ze is er tevreden mee dat ze hem heeft vrijgelaten op een plek en een tijd die heilig waren toen Saul en zij heel, heel erg gelukkig waren. Nu heeft ze hun dromen onder de voeten van anderen gespreid. Ze hoopt dat die er voorzichtig over zullen lopen. Ze draait zich om naar Alice, die tranen in haar ogen heeft.

'Klaar?' vraagt Alice, en ze steekt haar arm door die van Thea.

'Reken maar.' Thea gaat voorop.

'Weet je, ik wil heel graag weer van iemand houden,' zei Thea wat later. Ze dronk een latte bij Starbucks en at een gigantische muffin waarvan beweerd werd dat hij tóch gezond was. 'Daar ben ik heel goed in. Maar ik wil het nú nog niet, begrijp je? Het moet in mijn eigen tempo gaan. Ik heb gerouwd en getreurd, ik ben boos geweest en ik heb me wanhopig gevoeld. Gelukkig maar heel kort heb ik de angstaanjagende ervaring gehad dat ik alle mannen klootzakken vond en liefde als iets belachelijks beschouwde. Nu voel ik me weer evenwichtig, maar dat wil ik niet in gevaar brengen door te snel actie te ondernemen.'

'Ik begrijp het,' verzekerde Alice haar. 'Echt waar. Ik weet dat ik je vaak plaag omdat je zo sentimenteel bent, maar eigenlijk heb ik je niet-aflatende zoektocht naar romantiek altijd bewonderd.' Ze doopte haar croissant in haar cappuccino. 'Hoewel ik je altijd heb gewaarschuwd dat je geen sprookjeseisen moet stellen aan zaken als liefde en voor altijd.'

'Het is gek, omdat ik jouw voorbeeld heb gevolgd,' bekende Thea. 'Vroeger dacht ik dat halsoverkop verliefd worden een mijlpaal was. Maar het was niet halsoverkop, het was hart-over-verstand, en ergens ben ik het wel met je eens dat je je verstand moet gebruiken om je hart niet te verliezen.'

'Liefde en huwelijk, of een lange levensduur, of hoe je het ook maar wilt noemen, horen bij elkaar,' verzekerde Alice haar. 'Maar misschien heb je een bepaald soort liefde nodig om het te laten slagen.'

'Ik wil geen vaste eisen hanteren om te beoordelen of mannen eventueel geschikte huwelijkskandidaten zijn,' protesteerde Thea.

'Dat zeg ik ook niet,' benadrukte Alice. 'Maar je moet het niet tegen een aardige kerel gebruiken als je die ongrijpbare rilling van jou niet meteen de eerste dag voelt.'

'Dat weet ik. En ik ben het met je eens. Maar ik geloof nog altijd dat een gedeeld geloof in trouw, elkaars gezelschap en het idee van een levenslange verbintenis prima uitgangspunten zijn.'

'Ja, maar dat geldt ook voor de meer praktische zaken,' zei Alice. 'Carrière, geld, maar ook voor doelstellingen op de korte en de lange termijn. Respect voor elkaars leven, buiten de relatie.'

'Ik hou nog steeds van het idee van verliefd-zijn,' zei Thea.

'Je zou jezelf niet zijn als dat niet zo was,' verzekerde Alice haar warm. 'Maar hou er rekening mee dat prinsen op het witte paard in vele gedaanten kunnen verschijnen,' voegde ze er alwetend aan toe. 'Sommigen zijn niet zwierig op de gebruikelijke manier; die overdonderen je niet en nemen je niet mee op een fier ros. Geloof me, ik kan het weten.'

'Bedoel je dat hij een driedelig kostuum kan dragen en in een Lexus rijdt?' vroeg Thea. 'Zoals Mark?'

'Inderdaad,' beaamde Alice.

'Ach, jij hebt altijd gedacht dat er regels zijn voor liefde,' zei Thea peinzend. 'Terwijl ik altijd heb geloofd dat liefde zijn eigen regels stelt.'

Het werd drukker in de Starbucks in Belsize Park, maar de kwaliteit van de geschuimde melk van het concern was zo goed dat Alice en Thea nog altijd bezig waren met hun eerste kop koffie en niet van plan waren hun stoelen op te geven.

'Jezus, Alice, is dit niet het gekste jaar geweest dat we ooit hebben meegemaakt?' vroeg Thea weemoedig.

Alice keek uit het raam en knikte. 'Gek' was maar één manier om het afgelopen jaar te beschrijven. Ze wist nog altijd niet of het volslagen krankzinnigheid was geweest die haar in de armen van Paul had gedreven. Achteraf gezien gaf ze toe dat de affaire zelf krankzinnig was, maar dat de achterliggende oorzaak ervan misschien onzekerheid was geweest. Of haar libido. Of haar eigen onrealistische verwachtingen van liefde en het huwelijk vanwege de onpraktische nadruk die op seks en lust werd gelegd.

'Hoe gaat het eigenlijk met jóú?' vroeg Thea haar zachtjes. Blijkbaar had ze haar gedachten gelezen. 'Heb je nog iets van die Paul gehoord?'

'Nee,' antwoordde Alice naar waarheid. 'Het is heel gek: op het ene moment aanbad ik hem alsof hij de grootste liefdesgod aller tijden was en even later ergerde ik me aan hem. Ik was onder de indruk van zijn zichtbare mannelijkheid en zo overrompeld door de intense fysieke opwinding dat het bizar was om ineens te merken dat ik hem eigenlijk helemaal niet zo graag mocht. Sterker nog: hij werkte op mijn zenuwen.' Net toen ze zijn smaak qua gympen belachelijk wilde maken, en zijn onvermogen om het Londense metrostelsel te begrijpen, hield ze haar mond. Geschokt bedacht ze dat ze Thea nooit had verteld over Pauls laatste onverwachte bezoekje, en dat terwijl ze Thea haar leven lang alles had verteld, van het meest alledaagse tot het meest bizarre en dat alles in geuren en kleuren.

Goed, Thea ging toen gebukt onder een groot verdriet, maar Alice had ook al die tijd geweten dat ze iets verkeerds deed en ze had zich geschaamd. Ze had er niet over willen praten. Het was gedoemd haar diepste, gênantste geheim te blijven.

'Je kijkt een beetje treurig,' zei Thea. 'En nogal afwezig.'

'Als ik na tweeënhalf jaar huwelijk al de kriebels kreeg, wat staat me dan na zeven jaar te wachten?' vroeg Alice schaapachtig. 'Stel dat ik op een gegeven moment nog een type als Paul ontmoet en me nogmaals laat verleiden tot een waanzinnig neukfestijn?'

'Maar jíj was toch de verleidster, Alice? Als je eerlijk bent.'

'Dat is waar,' bekende Alice. 'Maar vreemd genoeg gaat het daar nou net om, en dat beangstigt me. Ik geef toe dat het gevaarlijk en stom was, maar het was toch ook wel weer leuk. In het begin. Toen ik bezig was met het huis inrichten en een getrouwde vrouw zijn, heb ik dat deel van mezelf onderdrukt: de flirt en de sexy meid. Het lijkt alsof die twee kanten niet kunnen samengaan. Maar het is wel een deel van me dat me laat stralen, en dat maakt me bang. Omwille van mijn huwelijk moet ik het onderdrukken, maar wil dat niet zeggen dat ik daarmee ook een deel van mezelf opoffer? En ik weet niet of dat wel zo goed is.'

'Ik denk dat het moeilijk is, maar niet per se slecht. Zie het gewoon als onthouding, als iets wat goed is voor de ziel,' zei Thea. 'Mark en jij zijn zo'n goed team, tegenwoordig meer dan ooit. Als je er toen geen eind aan had gemaakt, en godzijdank zonder ernstige gevolgen, zou je nu misschien niet zo tevreden zijn als je bent. Ik hoop dat je Brad Pitt, als hij je in eigen persoon zou aanklampen, zonder enige aarzeling zou afwijzen. Waarschijnlijk moet je jezelf erin oefenen om die gedachten tegen te houden, om het vooruitzicht al niet aantrekkelijk te vinden.'

'Het is best beledigend voor Mark om dit te zeggen,' bekende Alice. 'Maar tegen jou kan ik wel opbiechten dat ik het jammer vind dat ik nooit meer wilde, ongeremde, dierlijke seks zal hebben. Is het niet verkeerd om iemands hartstocht te remmen? Ik vind het heerlijk om verslonden te worden, om iemands vleesgeworden fantasie te zijn, om suf te worden geneukt.' Alice haalde haar schouders op. 'Pure seks die niet wordt geremd door liefde is het opwindendste wat er is.'

Abrupt deed ze er het zwijgen toe. Tegelijkertijd dachten Thea en zij aan het verband met Saul. Was dat iets wat hardop gezegd moest worden? Was het iets waar ze een opbouwend gesprek over konden voeren? Nee. Het was niet hetzelfde. Alice gaf toe dat Mark niets wist over haar ontrouwe uitspatting, terwijl Thea veel te veel over Saul wist. Bovendien leidden Mark en zij een bijzonder gelukkig leven, en was Thea door een hel gegaan. En dan was er de verschrikkelijke wetenschap dat, als ze zou zijn betrapt, Mark even radeloos van verdriet zou zijn geweest als Thea. Ze vroeg zich af of Thea ooit wenste dat ze Saul op die vreselijke dag niet had gezien.

Vermoedelijk wil ik dat ze zegt: 'Ja, ik zou willen dat ik hem nooit had gezien.' Wat niet weet, wat niet deert – en zo. Maar ondanks alle pijn – het verlies, het trauma, het ongeloof en de schok – weet ik dat Thea opgelucht is dat het wel zo is gelopen. Ze had alle recht om evenveel toewijding en trouw terug te verwachten als zij hem te bieden had. Ik wilde zeggen: 'Alle waar naar zijn geld', maar dat lijkt me in dit geval niet erg kies, al is dat ongetwijfeld precies wat er is gebeurd met Saul. 'Alle waar naar genoegen' is toepasselijker. En Thea had er zeker geen genoegen mee moeten nemen. En dat hoeft Mark ook niet te doen.

'Ik denk dat ik eindelijk besef dat het er niet om gaat dat ik ermee ben weggekomen,' verkondigde Alice. 'Het gaat erom dat je niet zover gaat dat je het verknalt.'

Saul verheugde zich erop Ian te zien. Het was verdomd lang geleden sinds ze voor het laatst een avondje naar de Swallow waren gegaan voor bier en worstjes. Tijdens de afgelopen maanden had Saul de eenzaamheid gezocht en uitnodigingen om uit te gaan afgeslagen. Dan voerde hij aan dat hij deadlines had, wat geen leugen was, maar ook niet de echte reden. Hij wilde alleen aan artikelen en columns denken. Het leven zonder Thea was zo kleurloos dat hij het met creativiteit moest vullen. Sinds Thea bij hem weg was, had Saul zich op zijn werk gestort en had hij er meer verscheidenheid in aangebracht. Naast zijn vaste columns en freelance artikelen nam hij ook opdrachten aan voor andere tijdschriften en had hij een vaste plek gekregen in het radioprogramma van Robert Elm waarin hij met een zo plat mogelijk accent vertelde over Londense legendes en allerhande anekdotes aanhaalde. Het meest bevredigende was de deal die hij met een uitgever had gesloten om een bloemlezing samen te stellen met stukken van columnisten van mannenbladen.

Niet dat het werk zo stimulerend was, maar Saul had er gewoon zo veel mogelijk van nodig om zijn tijd te vullen. Hoe blij hij ook was met zijn radiocolumn, hoe trots hij ook was op het boekcontract, de vreugde werd getemperd doordat Thea er niet was om hem mee te delen. Geen opgewonden vriendin die sprongetjes maakte van vreugde en hem vol opwinding omhelsde. Ians belangstelling, Richards complimentjes en de trots van zijn ouders stelden in vergelijking daarmee niet veel voor. Daarom nam Saul nog meer opdrachten aan en ging hij op zoek naar nóg meer werk in een poging de leegte te vullen. Als hij geen tijd had om te merken dat hij alleen was, had hij ook geen tijd om zich eenzaam te voelen. Dus toen Ian belde om te vragen of hij die avond misschien vrij was, stelde Saul direct voor om naar de Swallow te gaan.

'Wat dacht je van *Niet de bovenste plank*?' stelde Saul voor als eventuele titel voor het boek.

'Dat stoot de helft van je doelgroep af,' zei Ian.

'Dat is waar,' zei Saul. 'Misschien een schreeuwende kop zoals we die in de bladen gebruiken. Iets als: *Wat een kerel zoekt*.'

'Dat klinkt meer als een artikel in de *Cosmo*,' zei Ian. 'Wil je nog een biertje?'

'Graag.'

'Ik heb eten besteld,' zei Ian toen hij terugkwam met twee glazen bier. Met een trieste blik bekeek hij zijn uitdijende taille. 'Niet dat ik dat nodig heb. Je mag best zeggen dat ik dik ben.'

'Wat dacht je van Spekkie Ashforth?' plaagde Saul.

'Ik ben getrouwd, man.' Ian slaakte een niet ontevreden zucht. 'En mijn vrouw kan zo goed koken dat het onbeleefd is om te weigeren, en ze vat het persoonlijk op als ik een kruimel laat liggen.'

Saul moest lachen. 'Hoe gaat het met Karen? Wanneer komt de baby? En is Karen niet degene die voor twee hoort te eten?'

'Ik eet voor drie,' klaagde Ian. 'Of ze is misselijk, of ze heeft indigestie, en ze zegt tegen iedereen: "Ian eet zijn steentje meer dan bij in deze zwangerschap." Ja, mijn vrouw is heel grappig. Maar jezus, zwangerschap is geweldig voor haar. Haar hormonen zijn helemaal van slag – in mijn voordeel, als je begrijpt wat ik bedoel.'

'Wanneer komt de baby?' herhaalde Saul. Het was raar, maar sinds zijn breuk met Thea had hij een ongehoorde belangstelling gekregen voor alles wat met het gezin of het huwelijk te maken had. Na een squashpartij met Richard wilde hij alles weten over Sally, over Juliette, over de problemen van slapeloze nachten, de stress van tandjes krijgen, de nachtmerrie van vliegen met een baby, de enorme uitputting die met de zorg voor een kindje gepaard ging. Het was opwekkend in plaats van deprimerend om zulke dingen te horen. Voor Saul was het veel positiever dan zich onmiddellijk in een nieuwe relatie te storten. De voorbeelden van zijn vrienden zorgden ervoor dat hij zijn geloof niet verloor en erop bleef vertrouwen dat liefde wel degelijk kans van slagen had.

'Op Valentijnsdag, geloof het of niet. Goh, dat is vandaag precies over vier maanden,' zei Ian. 'En hoe gaat het met jou?'

'Ik heb het druk,' zei Saul.

'Waarmee – heel veel losse seks?'

'Niet echt. Ik heb het te druk met mijn werk.'

'Heb je... Mag ik naar Thea vragen?' informeerde Ian. Hij had tegen Karen gezegd dat Saul bleker en magerder was, maar hij was niet van plan om dat tegen Saul zelf te zeggen.

'We praten niet meer met elkaar,' zei Saul. 'Op haar verzoek.'

Bedachtzaam keek Ian naar zijn glas. 'Jammer,' zei hij. 'Ik mocht haar graag. Wij allemaal.'

'Je bent niet de enige,' zei Saul somber. Hij keek naar zijn biertje en had er ineens geen trek meer in. Toch volgde hij Ians voorbeeld en bracht het glas uit gewoonte naar zijn lippen.

'Misschien moet je haar wat ruimte geven,' stelde Ian voor. Hij wist niet goed wat hij anders moest zeggen, maar hij wist ook dat Karen dit soort advies zou geven.

'Zo eenvoudig ligt het helaas niet. Zelfs nu, vier maanden later, zegt mijn verstand dat ik haar moet laten gaan, maar mijn hart zegt dat ik voor haar moet vechten,' zei Saul. 'Hoe gaat het op je werk?'

'Hartstikke druk.' Ian besefte nauwelijks dat er een ander onderwerp werd aangesneden, laat staan dat er op het vorige niet echt was ingegaan. 'Ik ben vennoot geworden.'

'Gefeliciteerd.' Saul tikte met zijn glas tegen dat van Ian en ze proostten. Nu smaakte het bier prima en de worstjes zagen er overheerlijk uit.

'Als je er niet over wilt praten, moet je het maar zeggen,' zei Ian nadat hij zijn portie had verslonden. 'Maar herinner je je Karens vriendin Jo nog?'

'Jo?' Saul kon zich niemand voor de geest halen.

'We probeerden jullie aan elkaar te koppelen, ongeveer op hetzelfde moment dat Thea en jij iets kregen. Brunette. Vrij grote borsten. Aantrekkelijk. Vrolijk.'

'Heel vaag,' zei Saul. 'Moet je van Karen voor koppelaar spelen?'

'Niet alleen van Karen,' zei Ian voorzichtig. 'We denken allebei dat jullie het goed met elkaar zullen kunnen vinden. Niks heftigs, gewoon wat gezelschap. En seks, als je mazzel hebt.'

Saul dronk zijn glas leeg. 'Misschien,' zei hij. 'Maar om je de waarheid te zeggen, ben ik er niet echt voor in de stemming. Misschien over een tijdje. Ik weet het nog niet. Maar voorlopig niet.'

'Ik geef nog een rondje.' Ian stond op om naar de bar te gaan. 'Hetzelfde?'

Het was de eerste keer in een aantal maanden dat Saul met squashen met gemak won van Richard. Richard vond het best om zo dik te verliezen, want dat moest wel betekenen dat het beter ging met zijn vriend.

'Heb je even tijd voor een drankje?' vroeg Saul.

'Ik zal Sal even bellen,' zei Richard.

'Hoe gaat het met je gezinnetje?' vroeg Saul. Hij bedacht dat er maar weinig dingen zo fijn waren als een groot, dorstlessend glas bier dat zo welverdiend was. In een vriendschappelijke stilte dronken Richard en hij hun halve glas leeg.

'Heel goed.' Richard boerde zacht. 'Juliette is een schatje. Volgens mij kan ze al lopen als ze één wordt.'

'En hoe gaat het met Sally?' vroeg Saul.

'Ze wil weer parttime gaan werken. Ze is dol op lesgeven en ik vind het heerlijk als ze dat doet, want dan reageert ze haar bazigheid tenminste niet op mij af.'

'Ik vind haar niet zo bazig,' zei Saul peinzend. 'Niet in vergelijking met de echt bazige Alice Sinclair.'

'Geloof me, Sal doet niet veel voor haar onder.' Richard dronk zijn glas leeg en liep naar de bar om het volgende rondje te halen. 'En hoe gaat het met jou?' vroeg hij aan Saul toen hij weer terug was. 'Vlot het boek al?'

'Ja zeker. Alleen weet ik nog geen goede titel,' zei Saul.

'Wat dacht je van *Tussen de lakens*?' stelde Richard voor.

'Verdomd,' zei Saul. 'Dat is helemaal niet slecht. Shit! Dank je! Ik kwam niet verder dan *Wat vind je van mijn column*?'

'Dat klinkt nogal nichterig,' zei Richard.

'Inderdaad,' stemde Saul in.

'Doe je nog wel eens iets anders dan werken?' vroeg Richard en Saul haalde zijn schouders op. 'Dan word je een heel saaie jongen,' zei Richard waarschuwend.

'Mijn leven is ook saai,' gaf Saul toe. 'Tenzij ik heel hard werk. Daarom schrijf ik dit weekend, wanneer we eigenlijk ons driejarig samen zijn hadden moeten vieren, een artikel over het HOE EN WAAROM VAN WI-FI. Dat doe ik liever dan kniezen of me een stuk in mijn kraag drinken.'

'Hoor je wel eens wat van Thea?'

'Nee.'

'Mis je haar?'

'Wat denk je?'

'Sorry. Het spijt me. Maar wat is er in godsnaam gebeurd, man?'

'Wil je dat echt weten?' Kalm keek Saul Richard aan. 'Ik werd betrapt. Met mijn broek op mijn enkels. Letterlijk.'

Stomverbaasd vroeg Richard: 'Ging je vreemd?' Dat leek onmogelijk. 'Bedroog je Thea?'

'Nee,' verklaarde Saul. 'Niet echt. Maar ik betaalde er wel voor.'

Richard gaapte hem aan en herinnerde zich ineens de vreemde rit terug naar Thea's appartement toen ze hem had uitgehoord over de theorieën van de moderne man en het oudste beroep ter wereld.

'Je kijkt nogal verbaasd,' merkte Saul op.

'Dat ben ik ook,' gaf Richard toe. Het leek verkeerd. Het leek verkeerd om Saul over zijn gesprek met Thea te vertellen. Alles leek verkeerd.

'Doe jij dat niet?' vroeg Saul. 'Is het niks voor jou?'

'Nee,' bevestigde Richard. 'Waarom zou ik betalen voor junkfood als ik thuis biefstuk heb?'

'Omdat je soms hunkert naar het plastic gemak van een hamburger. Zelfs als je je na afloop afvraagt of het wel zo verstandig was als die voor vervelende oprispingen zorgt.'

'Ik begrijp het.' Richard haalde zijn schouders op. 'Het heeft mij gewoon nooit aangetrokken.'

'Thea zou het nooit hebben begrepen,' schokschouderde Saul. 'Dat kan ik haar niet kwalijk nemen; ze is een vrouw. Ze zou het nooit hebben gevat. Daar bestond geen enkele kans op. Ze voelde zich volkomen verraden. Ze zou me nooit meer kunnen vertrouwen en ik zou de pijn en het afgrijzen dat ze voelt nooit kunnen wegnemen.'

'En sinds die tijd?' wilde Richard weten. 'Ben je je daarna nog te buiten gegaan aan junkfood?'

Met een bitter lachje zei Saul: 'Niet echt. Je zou kunnen zeggen dat ik alleen nog maar gezond eet. Sinds die tijd ben ik niet meer bij een vrouw in de buurt geweest.'

'Ben je er alweer klaar voor?'

'Ik weet het niet... Waarschijnlijk wel, maar ik kan er niet zo veel enthousiasme voor opbrengen,' zei Saul bedachtzaam.

'Dat moet je wel doen,' moedigde Richard hem aan. 'Ik bedoel, tussen junkfood en zelf koken zou een gezonde snack je best eens goed kunnen doen.'

Toen Richard thuiskwam, was Sally al naar bed gegaan. Ze zat rechtop tegen de kussens en was helemaal verdiept in een boek over het africhten van peuters.

'Hallo!' zei ze, alsof het een aangename verrassing was hem te zien.

'Alles rustig?' vroeg hij.

Ze knikte, legde haar boek neer en spreidde haar armen. Richard liep naar haar toe. 'Op een dag,' zei ze ondeugend, 'moet je je een keer niet douchen nadat je hebt gesquasht, maar moet je thuiskomen met je zweterige feromonen en me hartstochtelijk nemen.'

'Wat een vreemd verzoek,' zei Richard peinzend. 'Maar ik wil er graag aan voldoen.'

'Hoe ging het met Saul? Heeft hij nog iets gezegd?'

'Het gaat prima met hem, al werkt hij nog als een bezetene.' Richard zweeg even. 'Eigenlijk had hij niets nieuws te melden.'

'Heeft hij níks gezegd?' drong Sally aan. 'Over Thea of zo?'

Richard dacht even na en deed zijn best eruit te zien alsof hij zijn hersens pijnigde. 'Nee,' zei hij. 'Echt niet. Je weet hoe wij mannen zijn, Sal. We praten niet over onze hartsgeheimen zoals jullie vrouwen.'

'Maar het gaat dus goed met hem? Heeft hij al een nieuwe vriendin?'

'Nee,' zei Richard. 'Maar ik heb het wel gevraagd.' Hij zoende haar schouder. Het zat hem dwars dat hij niet de hele waarheid kon vertellen. Het was vreemd om niet volkomen eerlijk tegen zijn vrouw te kunnen zijn. Maar het hielp om in gedachten van onderwerp te veranderen en de aanblik van haar zijdezachte huid en de glimp van haar tepel die half werd bedekt door het beddengoed waren onweerstaanbaar.

'Ik zou dolgraag met je willen vrijen,' zei Sally verontschuldigend. 'Maar ik ben doodmoe.' Ze kroop dicht tegen hem aan. 'Wij mammies lijken meer energie te verdoen op de speelplaats dan de peuters.'

Richard vond het fijn als Sally zichzelf omschreef als mammie. Met het verstrijken van de tijd was hun huwelijk alleen maar sterker geworden. Tegenwoordig had hij zo veel meer dan waar hij mee was begonnen. Hij had nog altijd de knappe vriendin, maar ook een prachtige vrouw, iemand die goed was in bed, een beste vriendin en de moeder van zijn kind. Vreemd genoeg was dat allemaal verenigd in een en dezelfde vrouw.

'Trusten,' zei Sally, al half in slaap.

'Welterusten, schat.' Richard zat nog rechtop in bed, maar hij was niet in staat om het laatste nummer van *Adam* of het laatste hoofdstuk van John Irving te lezen, die allebei open op zijn schoot lagen. Hij had gelogen tegen Sally en dat kon hij niet goedpraten door zichzelf voor te houden dat hij niet echt had gelogen, maar alleen belangrijke delen van de waarheid had verzwegen. Waarom had hij niet verteld wat de echte reden was voor de breuk tussen Saul en Thea? Om Sally te beschermen? Ja, gedeeltelijk. Ze zou diep geschokt zijn als ze erachter kwam dat Saul dát deed. Namens Thea zou ze zich gekwetst voelen en een hekel aan Saul krijgen. Richard was ook dol op Thea, en als hij terugdacht aan het gesprek in de auto, huiverde hij vanwege alle kwellingen die die arme meid moest hebben doorstaan. Waarschijnlijk had Thea met opzet niet onthuld wat haar geheim precies was, had ze het juist geheimgehouden zodat ze er niet over hoefde te praten. Dat moest hij respecteren. Bovendien dacht hij aan zijn vriend Saul. Die arme kerel. Jezus, wat leefde Richard met hem mee. Het mocht dan niets zijn voor hem, maar hij was ervan overtuigd dat betaalde seks voor Saul – net als voor andere mannen die hij kende – niets anders was dan wat luchtige verstrooiing. Maar dat had nu wel Sauls hartenwensen vernietigd, en Richard had medelijden met hem. Misschien had hij met name niets tegen Sally gezegd uit respect voor Saul. Tenslotte had Saul hem in vertrouwen genomen. En voor Richard was trouw aan een vriend even belangrijk, van dezelfde onschendbaarheid, als de trouw die hij zijn vrouw bewees. Die trouw was toch wel iets grappigs.

'Mag ik iets stiekems doen?' vroeg Alice heel liefjes aan Mark. Ze belde hem vanuit haar kantoor op een late novembermiddag.

'Jezus, wat heb je gedaan?' Mark hoopte maar dat het niet zo stiekem was dat het tijden zou duren voor Alice het had uitgelegd. Over vijf minuten had hij een vergadering en door het doorzichtige logo op de melkglazen deur van zijn kantoor zag hij zijn secretaresse bladen met koekjes en thermoskannen koffie en thee klaarzetten.

'Nog niks,' zei Alice verwijtend. 'Maar het leek me leuk om een tafeltje voor zes te bespreken voor zaterdagavond.'

'Voor zaterdagavond?' vroeg Mark verbaasd.

'Ja. Ik wilde Janine en Laurence vragen.'

'Wat? Maar die vond je toch saai?' protesteerde Mark. 'Nadat ze dat etentje hadden georganiseerd waarbij we een moord moesten oplossen, wat een beetje verkeerd ging?'

'Daarom juist!' zei Alice opgewonden. 'Ik wilde hen en Thea vragen. Maar ik heb tegen Thea gezegd dat jij het hebt geregeld en dat zij mee moet om mij te steunen.'

'Schatje, niet alleen lijk ik door jou ineens de slechterik, maar waarom wil je je beste vriendin dwingen met een stel om te gaan dat je niet erg aardig vindt, en dat uitgerekend op onze derde trouwdag?' vroeg Mark wanhopig. 'Trouwens, ik heb al een reservering bij Claridges, gekke meid. Die hoef ik toch niet af te zeggen?'

'Ja, zeg Claridges maar af. Daar kunnen we volgend jaar wel heen. Want ik dacht zo dat jij Joel ook wel kon vragen. Gemeen van me, hè?'

'Alice Sinclair!' riep Mark uit. 'Joel is hier maar een paar dagen. Volgens mij vliegt hij zondagmorgen al weer heel vroeg terug.'

'Ach, hij vliegt eersteklas.' Dat schoof Alice terzijde. 'Dus hij kan zijn vlucht altijd veranderen. Wil je hem alsjeblieft bellen? Ah, toe nou?'

'Maar, schatje,' zei Mark. 'Je had Thea toch al gevraagd om Joel te ontmoeten toen hij hier de laatste keer was? En daar had ze toen geen zin in.'

'Dat was tijden geleden. Ze is mijn beste vriendin. Ik ken haar. En ik weet zeker dat dit het goede moment is.'

Mark slaakte een zucht vol blije ergernis om zijn vrouw. 'Ik moet gaan, Alice. Ik heb een vergadering.'

'Goed!' zei Alice opgewekt. 'Tot straks. Ben ik niet het geniepigste nest ter wereld?'

'Reken maar. Je bent net zo'n gekke bemoeial uit een Jane Austen-boek.'

'Maar desondanks hou je van me! Tot straks, lieverd.'

Vriendschap was iets geks, dacht Mark op weg naar de vergaderzaal. In het verleden had hij zich buitengesloten gevoeld door de hechte band tussen Alice en Thea. Ook was hij er stiekem jaloers op geweest. Zelf had hij heel veel vrienden, maar niemand met wie hij zo'n innig contact had. Maar in de afgelopen maanden had de onvoorwaardelijke steun die Alice Thea gaf hem ontroerd en Alice' eigen verdriet om haar vriendin had hem diep geraakt. Hij zag het als een teken van een goed karakter dat de toewijding aan een vriendschap zo belangrijk was. Hij wist dat Alice hem ook als haar beste vriend beschouwde. Dat had ze hem op een zondagochtend tijdens het lezen van de ochtendbladen verteld. Hij voelde zich diep vereerd door die rol.

Toch bleek al snel dat Thea had afgesproken een weekendje op bezoek te gaan bij haar moeder in Wootton Bourne. En Janine en Laurence konden niet. En Mark had zijn neef Joel nooit gebeld. Dus vierden meneer en mevrouw Sinclair hun derde trouwdag groots bij Claridges. Met z'n tweetjes.

Haar afwezigheid betekent meer voor me dan de aanwezigheid van anderen.

Edward Thomas

IK HEB NAGEDACHT OVER TROUW. IK HEB NAGEDACHT OVER LIEFDE. Ik ben een paar keer uit geweest met Jo, de vriendin van Ian en Karen. We hebben lol, de seks is goed, ze is interessant en aantrekkelijk. Ik moet toegeven dat het een opluchting is, zelfs verfrissend, dat ze zo anders is dan Thea. Maar soms heb ik het gevoel dat ik Jo bedrieg door Thea nog altijd te missen. En aan de andere kant heb ik af en toe het gevoel dat ik Thea bedrieg door het leuk te hebben met Jo.

Ik mis haar echt, mijn Thea, mijn ex. Ik vind het heerlijk om haar naam te zeggen. Ik vind het vreselijk om 'mijn ex' te zeggen. Telkens als ik het het minst verwacht, voel ik een steek van pijn. Ik was verdrietig toen ik hoorde dat Lynnes terriër, Molly, dood was, want dat deed me denken aan dat rampzalige tweede afspraakje met Thea. En vervolgens moest ik aan haar litteken denken. Ik voelde me diep getroffen. Ik dacht: heb ik dat litteken wel vaak genoeg gezoend? Uiteindelijk moest Lynne mij troosten, terwijl haar hond net was overleden. Als mijn schouderspieren gespannen zijn, moet ik tegen Jo zeggen: 'Nee, een beetje naar links, wat omhoog, een stukje daarheen, wat dieper', en dan herinner ik me dat Thea altijd instinctief wist wat ze moest doen. Ik heb mijn Armani-jack weggegeven. Elke week koop ik het blad *Heat*.

Maar denk niet dat ik stiekem nog hoop dat Thea en ik weer bij elkaar zullen komen. Dat doe ik niet, want dat zal niet gebeuren. En dat geeft niet. Ik begrijp het. Ik heb het geaccepteerd. Tegenwoordig geloof ik dat je grote liefde niet per se degene is met wie je oud wordt. En we moeten hard ons best doen om van dat feit geen tragedie te maken. Dat is geen reden om somber of immoreel te worden, het is geen excuus om mogelijke toekomstige relaties te bagatelliseren of af te wijzen. Ik weet nu dat de intensiteit van de liefde die ik deelde met Thea – die perfecte mengeling van kameraadschap, hartstocht, affectie – een criterium is geworden. Het is iets om naar te streven omdat ik weet dat het bestaat. Tenslotte heb ik tweeënhalf jaar lang het geluk gehad om het te bezitten.

Ik weet dat ik voor Jo nooit dezelfde gevoelens zal hebben als ik voor Thea had, maar dat betekent vast niet dat we geen aangename relatie kunnen hebben. Diep in mijn hart weet ik dat de liefde die ik voelde voor Thea nooit kan worden geëvenaard, maar daar treur ik niet langer om. Het is niet iets om te weg te duwen, maar iets om te respecteren. Het is een erfenis. Verliefd zijn op Thea Luckmore heeft me een beter, completer mens gemaakt. De ervaring heeft mijn leven verrijkt.

En betaal ik nog steeds voor seks? Niet sinds mijn breuk met Thea. Maar, als ik eerlijk ben, is dat niet omdat ik een ander mens ben geworden die zijn lesje heeft geleerd. Dat zou opzettelijk wangedrag impliceren. Voor mij waren zulke aankopen een eenvoudige en onbeduidende manier om een specifieke, maar doodnormale honger te stillen. Sla mijn column in de *Esquire* van vorige maand er maar op na: LIEFDE EN SEKS, WIL IEDEREEN DIE HET EEN VAN HET ANDER KAN SCHEIDEN ZIJN HAND OPSTEKEN? Het is een van de grootste tegenstrijdigheden van mijn leven: ik ben een hardwerkende man, maar een luie rukker. Letterlijk. Ik zie het nog altijd niet als een misdrijf, een zonde of echt overspel. Voor mij is emotionele ontrouw iets walgelijks, en daar kan ik nooit van beschuldigd worden. Verdomme, de enige keer dat ik dat jaren geleden dreigde te gaan voelen, vond ik het mijn morele plicht om het direct uit te maken met Emma. Daarom kan het me ook niet schelen dat ik Jo leuk vind, maar Thea nog altijd mis. Als ik met Jo naar bed ga, stel ik me niet voor dat ik de liefde bedrijf met Thea. Ik vergelijk haar niet met Thea, waarbij zij dan tekortschiet. Ik ga niet om met Jo om niet aan Thea te hoeven denken. Alleen mis ik Thea nog altijd. Heel erg. We waren verliefd, heel erg verliefd. Het was prachtig. Misschien moet ik geduld hebben. Misschien denk ik volgende maand minder aan Thea dan nu.

Heeft Thea iemand ontmoet? Ik weet het niet. Ik weet niet hoe ik me daarbij zou voelen, of ik die klootzak een dreun wil geven of zijn hand wil schudden en zeggen dat hij goed voor haar moet zijn. Eigenlijk kan ik het idee van haar met een andere man niet verdragen. Daarom denk ik daar niet aan. Ik heb besloten er niet aan te denken, en omdat ik een man ben, kan ik dat. Lees mijn column in de *Observer* van aanstaande zondag maar: DE BRUTALE KEREL VRAAGT ZICH AF OF ZIJN VERMOGEN OM ALLES IN HOKJES TE VERDELEN EEN PLUS- OF EEN MINPUNT IS.

Liefde is de overwinning van verbeeldingskracht over vernuft.

J.L. Mencken

IK HEB KIKI VANDAAG GEZIEN. ALS KLANT, BEDOEL IK, ALS MIJN klant. Die arme meid is gestruikeld op de stoep en heeft haar enkel verzwikt. Die stomme gemeenteraad van Westminster ook. Ik heb gezegd dat ze hun een brief moet sturen en dat ik die wel voor haar zal nakijken. Hoe dan ook, ik heb haar niks gerekend voor de behandeling, want ik had het gevoel dat ik bij haar in het krijt stond voor de tijd die ze aan mij heeft besteed. Ze is een lieve vrouw. Ik heb geen medelijden met haar; ik voel me niet verdrietig, bedreigd of vol walging. Het is haar werk en ze ziet zichzelf niet als slachtoffer. Nu begrijp ik dat mijn boosheid op haar – en de troost die ik daarna bij haar heb gezocht – me in staat heeft gesteld Saul te laten gaan. Die dag leek ze elke prostituee ter wereld te vertegenwoordigen en ik werd verteerd door woede, haat en angst. Ik had echt het gevoel dat ze ons als vrouw allemaal verraadde. Tot ik wat kalmeerde, op haar bed ging zitten en ze mijn hand vasthield. Want zoals in alle beroepen heeft de koper het voor het zeggen en niet de aanbieder. Het instinct zit in de klant; dat wordt niet afgedwongen door de prostituee. Vraag. Aanbod. Het is zeker geen zaak van de kip en het ei. De man kwam als eerste en de vrouw zag – in dit geval letterlijk – een gat in de markt en, om het grof te zeggen: een markt voor dat gat.

Saul Mundy was mijn grote liefde. Ik was waanzinnig verliefd op hem, en dat was heerlijk. Ik verheugde me er enorm op om halsoverkop, hand in hand, onze toekomst in te rennen. En toen ontdekte ik het. De schok die ik toen kreeg, valt met geen pen te beschrijven. Hij was niet degene die ik dacht dat hij was. Nog erger was dat hij de liefde heel anders zag dan ik. Hoe kun je vooruitkijken naar een gezamenlijke toekomst als je daar niet hetzelfde over denkt? Ik ken alle theorieën dat mannen seks en liefde kunnen scheiden. Ik ken de feiten, ik weet hoeveel mannen naar prostituees gaan. Ik weet dat dat niet betekent dat hun vrouwen hen niet bevredigen, dat ze geheime, perverse wensen hebben of dat ze eenzaam zijn. Ze doen het alleen omdat ze het kunnen. Omdat ze het kunnen doen zonder dat het echte gevolgen voor hun gezinsleven heeft.

Maar weet je, er zijn ook mannen die niet voor seks betalen, en zo'n exemplaar wil ik graag. De klant is koning, weet je nog wel? Niet de aanbieder. Ik weet dat Saul me alle liefde wilde aanbieden die ik me ooit kon wensen, maar om eerlijk te zijn investeer ik liever in iemand anders. Saul was mijn langgekoesterde droom, mijn tot leven gekomen fantasie, die me heeft meegevoerd in een maalstroom van passie. Hij gaf me een enorme levenslust en liet mijn hart naar de vrijheid vliegen. Uiteindelijk kwam het er, denk ik, op neer dat ik niet genoeg van hem hield. Ik kon het niet opbrengen om hem zijn hele persoonlijkheid te gunnen. Ik was niet in staat om onvoorwaardelijk van hem houden. Hij was gewoon zichzelf, maar ik hield niet genoeg van hem om hem dat toe te staan.

Ik ben dolblij dat ik zo'n intense liefde voor Saul heb gevoeld. Daardoor weet ik nu dat die bestaat. Ook ben ik blij dat ik zo diep om Saul heb gerouwd, diep genoeg om een bordeel te bezoeken in mijn poging mijn angst het hoofd te bieden en hem beter te leren begrijpen. Ik ben ontzettend opgelucht dat mijn geloof in de liefde nog ongeschonden is. Sterker nog: mijn geloof in de liefde is sterker geworden, omdat het zich heeft verdiept. Het moest wel. Echte liefde moet meer zijn dan alleen maar een gevoel, meer dan een golf van fenyl-en-nog-wat. Ik moet Alice nu toch eens vragen hoe je dat goed uitspreekt. Nu begrijp ik dat het succes van de liefde afhankelijk is van de som van zijn delen: de aanwezigheid van vriendschap en genegenheid, begrip en tolerantie, morele verenigbaarheid en praktische steun. De essentiële elementen moeten in balans zijn.

Zou meneer Mencken het spottend hebben bedoeld dat liefde de overwinning van verbeeldingskracht over vernuft is? Was hij niet de man die beweerde dat het huwelijk een geweldig instituut was, 'maar wie wil er nu in een instituut wonen?' Wat vreselijk om zo cynisch te zijn en niets van liefde te willen weten. Heeft hij *Verstand en gevoel* nooit gelezen? Heeft hij nooit zulke innige gevoelens voor een ander gehad? Wat is het leven waard als je niet in een gelukkig einde gelooft? Misleid ik mezelf, of is die hoop juist positief en bevestigend? Ik begrijp nu dat de loop der liefde een moeilijke beklimming kan zijn en dat we moeten accepteren dat die ons naar onbekende weiden kan leiden, in plaats van naar de velden die onze voorgaande dromen bekleedden. Het leven zou misschien makkelijker zijn als we onze behoefte om liefde te zoeken zouden verliezen, maar ik heb medelijden met iedereen die de fantasie uit de weg gaat. Degenen die niet geloven dat de hele wereld om liefde draait, zullen er ook nooit duizelig van worden.

Liefde is die toestand waarin het geluk van de ander essentieel is voor dat van jou.

Robert Heinlein

IK MAG GRAAG GELOVEN DAT WE BELOOND WORDEN MET 'EN ZE leefden nog lang en gelukkig' als we het goede doen in het leven, als onze gedachten eerbaar zijn, onze doelen nobel en onze daden en acties principieel.

Kijk maar naar mij en naar alles wat ik heb: een beeldschone vrouw, een goedbetaalde baan die stimulerend is, veel goede vrienden en een prachtig huis. Ik lijk onkwetsbaar. Veel mensen zijn jaloers op me. Ik heb het gevoel dat ik een echte bofkont ben.

Twintig jaar geleden hebben we met onze eindexamenklas op school *The Miller's Tale* van Chaucer behandeld bij Engels. Ik weet nog heel goed dat ik dacht: domme timmerman, laat die mooie, levenslustige Alyson toch vrij. Begrijp je dan niet dat ze je inderdaad zal bedriegen als je haar geest smoort en haar op die manier probeert te kooien? Als je dat meisje gevangenzet, breek je haar en dan zal ze daar gewoon staan: mooi, maar gebroken. Een lege schil. Daar zal ze je niet erg dankbaar voor zijn.

Heeft mijn vrouw een verhouding gehad? Misschien wel. Als ik eerlijk ben, moet ik toegeven dat ik reden genoeg had om dat te vermoeden. Maar waar het om gaat is dat ik het niet zeker weet. Wat ik wel weet, is dat we nu heel gelukkig zijn. Toen zaten we in een moeilijke periode, zoals alle huwelijken volgens mij wel eens kennen. We waren heel afstandelijk – letterlijk in mijn geval, door alle reizen die ik voor mijn werk moest maken. Zij was chagrijnig en veeleisend. Ik had het te druk en was te moe en te gespannen om er aandacht aan te besteden.

Kneep ik een oogje toe of was het verstandig dat ik het niet al te goed wilde bekijken? Ik moet toegeven dat ik niet bijster hard heb geprobeerd om erachter te komen. Ik vond het eenvoudiger om bewijs te zoeken dat op het tegendeel wees. Omdat ik een optimist ben. En wat niet weet, dat niet deert. Waarom zou ik me zorgen maken als er geen echt bewijs is voor een misstap? Ik vind niet dat het dom is om een zekere naïviteit te bewaren; volgens mij is dat af en toe heel verstandig.

Ik hou van mijn vrouw, ik bewonder haar, en wat ze ook heeft gedaan, of juist niet, ze heeft mij nooit voor gek gezet. Ze is erdoorheen gekomen, even levenslustig als vroeger, en mijn liefde voor haar is er niet door beschadigd, maar eerder verjongd. En ze houdt van me. Dat weet ik zeker. Ze zegt het vaak genoeg tegen me.

Liefde is vaak een vrucht van het huwelijk.

J.B. Molière

IK MOEST EROM LACHEN. IK VOND HET NOGAL AANMATIGEND, maar ook nogal belachelijk dat mijn groenteman een citaat van Molière gebruikte om exotische fruitmanden aan te prijzen. Maar, toen ik naar huis liep met mijn stikdure Charantais-meloen en de kersen waarvoor het niet het seizoen was, prentte ik het citaat van Molière in mijn geheugen en ik denk er vaak aan. Het is de blauwdruk voor mijn huwelijk geworden.

Toen ik Mark een aanzoek deed, was ik eigenlijk doelbewust niet op zoek naar een relatie. Jezus, dat klinkt als een kreet voor een artikel uit *Lush*. Misschien stel ik het zelfs wel voor op de vergadering van aanstaande dinsdag. Wat ik bedoel is dat ik niet over mijn toenmalige ex, Bill, heen probeerde te komen door met Jan en alleman naar bed te gaan of me in het uitgaansleven te storten, maar door het tegenovergestelde te zoeken van alle mannen die ik ooit had gehad. Ik besefte namelijk dat geen van die kerels me ooit gelukkig had gemaakt. Je kunt het egoïstisch en manipulerend noemen, maar ik ging ervan uit dat Mark me nooit zou verlaten en zich nooit zou misdragen. Ik zou nooit meer die misselijkmakende onzekerheid voelen, en daarom besloot ik toen dat het een prima idee was met hem te trouwen. Ik wist dat hij altijd verliefd op me was geweest. En daar ging het om: Mark was mijn licht in het duister toen ik me op een heel donkere plek bevond en toch wist ik diep in mijn hart dat ik niet echt verliefd op hem was. Daar heb ik me stiekem een hele poos voor geschaamd, tot ik een paar weken geleden bij de groenteman het citaat van Molière zag. Nu weet ik dat ik Mark een aanzoek heb gedaan omdat ik aanvoelde dat hij de enige man was van wie ik innig zou kunnen houden.

Het was misschien naïef te denken dat de liefde me zou overspoelen op onze huwelijksnacht, of tijdens de huwelijksreis of op onze eerste trouwdag. Voor iets kan groeien heeft het wortels nodig en wortels hebben tijd, moeite en zorg nodig om zich te ontwikkelen. Heel lang heb ik niet de moeite genomen om ze voeding of water te geven, of ze te beschermen tegen stormen en vorst. Zoals Marks moeder, Gail, kan beamen, ben ik een luie tuinier. Nu prijs ik mezelf gelukkig dat ik zo'n goede man als echtgenoot heb. Mark Sinclair is aardig, verstandig, welgemanierd, liefdevol, principieel, loyaal en standvastig. Bovendien is hij mijn echtgenoot en mijn beste vriend. Ik ben een gelukkige vrouw. Zijn liefde voor mij wankelt nooit. Hij staat me toe energiek te zijn; hij tolereert al mijn onberekenbare, om aandacht vragende onzin en als ik 'sorry' zeg, aanvaardt hij dat zonder dat zijn zelfrespect eronder lijdt.

Maar ik vind hem niet echt sexy. In het begin van ons huwelijk is er een vreselijke, gevaarlijke periode geweest waarin ik het Mark verweet dat ik niet naar hem verlangde. Ik vroeg me af hoe ik echt van Mark kon houden als ik niet op hem viel. En ik viel niet op hem; ik nam het hem kwalijk dat hij een belangrijk deel van mijn persoonlijkheid niet kon bevredigen. Dus daar kwam Paul met al zijn gespierde luister en ik zag het als mijn recht om toe te geven aan pure fysieke aantrekkingskracht. Dat was het niet. Ik had het nog nooit zo bij het verkeerde eind gehad.

Godzijdank is Mark er nooit achter gekomen, want ik balanceerde aan de rand van de afgrond en ik had makkelijk kunnen vallen en – nog erger – ik had Mark in mijn val kunnen meesleuren. Godzijdank is hij er nooit achter gekomen, want zijn verdriet zou onvoorstelbaar zijn. Godzijdank besefte ik dat seks om de seks alleen niet het antwoord was.

Soms mis ik het stimulerende gevoel van dierlijke aantrekkingskracht. Soms vraag ik me af of ik er wel mee kan leven dat Mark geen wilde passie voor me voelt. Soms vraag ik me af of ik in staat ben de verleiding te weerstaan als iemand anders die wel voor me voelt. Want ik vind het heerlijk om in het middelpunt van de belangstelling te staan en ik ben gek op de fysieke kick van seksuele elektriciteit. Zal ik daar ooit opnieuw naar snakken? Ik weet het niet. Het enige waar ik op dit moment naar snak zijn chocoladekaakjes met Marmite, en dat komt doordat ik zwanger ben. Nu weet ik waar seks echt om draait: om baby's te maken.

Maar stel dat er een donkere, groot geschapen krijger langskomt die zwaait met zijn lans en stoot met zijn dolk? Wil ik me dan door hem laten meeslepen? Eigenlijk ben ik ervan overtuigd dat ik nu sterker ben en de wapens heb om me ertegen te verzetten. Mijn huwelijk is mijn fort. Mijn huis is mijn kasteel. Mijn ongeboren kind is mijn toekomst. Mijn edele, tedere ridder is mijn echtgenoot. Blijf binnen, Mark, dan haal ik de ophaalbrug omhoog tegen indringers.

Verdomme, ik lijk Thea wel.

Meneer Alexanders afspraak van drie uur

SOUKI MAAKTE EEN AFSPRAAK VOOR MENEER ALEXANDER OM DRIE uur bij Thea. 'Hij is hier voor zaken,' zei ze tegen haar. 'En hij heeft in het vliegtuig in een rare houding geslapen. Blijkbaar heeft een kennis ons aanbevolen.'

'Waarschijnlijk Gabriel Sewell,' zei Thea. 'Het lijkt wel of we een niet-aflatende stroom klanten hebben die hem kennen.'

'Weet je, ik ben altijd jaloers op je geweest vanwege meneer Sewell,' zei Souki lachend. 'Ik vond hem een stuk.'

'Nou, als hij ooit weer last krijgt van zijn rug, zal ik hem naar jou toe sturen voor acupunctuur,' zei Thea. 'Nee, maar! Peter Glass, je bent te vroeg!'

'Hoi, moppie,' zei Peter. 'Mijn nek doet vreselijk pijn. Maar ik moet om halfdrie weg. Ik sta op het punt een grote, grote slag te slaan met het allermooiste appartement dat ik ooit heb gedaan.'

'Peter,' zei Thea klagend toen ze de trap op liep, 'je weet dat ik je het liefst een heel uur wil hebben, je weet dat je dat nodig hebt.'

'Wat ik nodig heb, is de commissie van deze verkoop, schatje,' zei Peter enthousiast. 'Dan komt de Maserati binnen handbereik.'

'Aha,' zei Thea onschuldig. 'Is het eten daar lekker?'

'Het is een auto, dom wicht,' zei Peter liefkozend. Toen hij zich uitkleedde, kromp hij ineen van pijn.

'Het spijt me dat ik te laat ben,' zei meneer Alexander met zijn zachte Amerikaanse accent dat Thea vaag deed denken aan een acteur. Hij was knap genoeg voor Hollywood, al bleek hij een universitair docent te zijn die in New York woonde.

'Zo slecht heb ik nog nooit geslapen,' legde hij uit.

Thea legde haar notitieblok op haar knie en schreef: MENEER JOEL ALEXANDER, 37.

'Dat is het probleem van de toeristenklasse,' zei ze. 'Niet dat ik ooit de luxe van de eersteklas heb gesmaakt.'

'Dit wás de eersteklas.' Meneer Alexander haalde zijn schouders op. 'Ik denk dat ik al lezend in slaap ben gevallen en de hele reis onderuitgezakt heb gezeten. Welke sukkel maakt er nou geen gebruik van stoelen waarvan je de rugleuning helemaal plat kunt doen?'

Thea begon te lachen. 'Hoelang blijft u hier?'

'Een week. Ik kom af en toe op bezoek. Om college te geven.'

'Waarin?' vroeg Thea.

'In een vliegtuig,' zei meneer Alexander droog. Thea keek op van haar aantekeningen en zag zijn wrange grijns. 'Klassieke talen,' zei hij.

'Hoort u dan niet grijs, krom en gerimpeld te zijn?' vroeg Thea. Als er bij haar op de universiteit een docent klassieke talen was geweest die op meneer Alexander leek, zou ze dat zelf wel zijn gaan studeren.

'Botox, kleurspoeling en marathonlopen.' Meneer Alexander haalde zijn schouders op.

Opnieuw was Thea even verbaasd en ze keek achterdochtig naar zijn voorhoofd en haarlijn.

In een gebaar van zogenaamde overgave stak meneer Alexander zijn handen op. 'Het haar is natuurlijk,' verzekerde hij haar. 'Net als de rimpels, of het gebrek daaraan, die je ziet of niet ziet.'

'En het marathonlopen?'

'Dat is waar. Ik loop er drie per jaar. De volgende wordt de marathon van Londen, in het voorjaar.'

'Tjonge,' zei Thea, een beetje verbaasd over haar woordkeuze en haar geaffecteerde toontje. Waarom klonk ze ineens zo Engels? Om tegenwicht te bieden tegen dit Amerikaanse stuk? 'Dat is een heel eind vliegen voor een stukje hardlopen.'

'Een stukje hardlopen?' vroeg meneer Alexander lachend. 'Maar dan woon ik hier. Ik heb een tijdelijke aanstelling in Oxford gekregen.'

'Goed, zeg.' Ze hoopte dat ze meer als Jane Austen klonk dan als een verwaand kostschoolmeisje. 'Kom, laten we eens even naar u kijken. Met uw gezicht naar de muur, alstublieft.'

Lang, breedgeschouderd, atletisch gebouwd. Een mooi spierstelsel.

'En draai u naar het raam.'

Goede houding, van top tot teen. Mooi profiel.

'En draai u nu naar mij toe.'

Hij is echt knap.

Terwijl Thea Joel Alexander masseerde, probeerde ze niet al te stralend te glimlachen. Dat vond ze nogal onprofessioneel, al kon hij haar natuurlijk niet zien omdat hij op zijn buik lag. Ze glimlachte omdat de masseuse in haar zijn lichaam lang en grondig had bekeken toen hij met zijn gezicht naar haar toe was gaan staan, maar de vrouw in haar had een sluimerende steek van opwinding gevoeld. En toen ze tegen hem had gezegd dat ze zijn pijn kon verminderen omdat die alleen door een verkrampte borstspier werd veroorzaakt, had zij geglimlacht van triomf en hij van opluchting. Vervolgens hadden ze een paar tellen langer dan noodzakelijk was naar elkaar geglimlacht. In het verleden had Alice haar gevraagd of ze wel eens op een klant viel en Thea had die onethische suggestie altijd verworpen. Maar nu kreeg ze het gevoel dat het drie weken te vroeg al kerst was. De kerstman had haar een prachtige verrassing bezorgd. En die had niet eens op haar verlanglijst gestaan.

'Zo,' zei Thea rustig, en ze liet haar handen even op zijn rug liggen, waarna ze ze wegtrok en een handdoek over hem heen legde. 'Kleedt u maar aan wanneer u dat wilt. Neem de tijd.'

'Hartelijk bedankt,' zei meneer Alexander, die ontspannen in een van haar plastic stoelen zat toen Thea terugkwam. 'Dank je.'

'Heet en koud, als het kan,' raadde Thea hem aan. 'Al is het vast lastig om college te geven met een zak diepvrieserwten tegen je schouder gedrukt.'

Daar moest meneer Alexander om lachen. 'Ik hoef morgen pas in Oxford te zijn, dus ik zal roomservice bevroren erwten en een kruik laten bezorgen. Ze hebben vast wel vreemdere combinaties meegemaakt.'

'Nou, dan wens ik u een goede reis,' zei Thea. Ze stonden op en gaven elkaar een hand, maar daarna bleef hij dralen. 'En alvast een prettige kerst,' voegde ze eraan toe.

'Ja, jij ook,' zei hij.

'O, en veel succes in de marathon.'

'Je kunt me altijd opwachten bij de finish en me een massage geven,' zei meneer Alexander. 'Als je aanstaand voorjaar vrij bent.'

Thea bloosde. Was dit niet flirten? Zat er een verborgen betekenis in 'als je het aanstaand voorjaar vrij bent'? Hoe waren de regels ook alweer? Het leek wel of ze alleen kon blozen als een tiener, wat ongetwijfeld door fenylethylamine kwam.

'Of heb je later deze week misschien tijd om iets met me te gaan drinken?' vroeg hij.

O, bloos toch niet zo, domme meid! Het is maar een man. Het is maar een drankje. Zeg toch: 'Ja, graag, dat lijkt me leuk.'

'Ja, graag, dat lijkt me leuk.'

'Mooi,' zei Joel. 'Gaaf.'

'O, voor ik het vergeet,' zei Thea toen ze de trap af gingen naar de receptie. 'Wie van mijn klanten ken je?'

'Sorry?' zei Joel.

'Ik begreep dat een van mijn andere klanten je had aangeraden hierheen te gaan.'

Joel keek haar aan. 'Nee, dat was geen klant van je, maar een vriend. Mark Sinclair. Hij is mijn neef. Of eigenlijk is hij meer dan dat: hij is ook een goede vriend van me.'

Dankbetuiging

MIJN DANK GAAT IN HET BIJZONDER UIT NAAR BETHIA HOPE-ROLlins, Laura Curry en alle anderen van de Pilates-school in Crouch End. En ook naar Dan Rollins – begaafd masseur – en Brent Osborne-Smith – getalenteerd orthopeed. Fijn dat jullie me geholpen hebben (en mijn borstspier...). Ook wil ik Dawn Gobourne van de Haringey Library Services hartelijk bedanken omdat ze me tot officieuze Huisschrijfster heeft benoemd – en tevens voor alle kopjes koffie. Ook ben ik alle mensen die mijn vangnet vormen veel dank verschuldigd: het team van HarperCollins, en vooral mijn geweldige redactrice Lynne Drew; mijn fantastische agent Jonathan Lloyd, en mijn team bij Curtis Brown Ltd.; mijn bureauredactrice, de uiterst precieze Mary Chamberlain, en de onvermoeibare en opgewekte Sophie Ransom van Midas PR. Verder gaat mijn discrete, maar oprechte dank uit naar de prostituees, hun assistentes en hun klanten in Swindon, Peterborough en Londen die bereid zijn geweest om eerlijk, opgewekt en vriendelijk met me te praten.